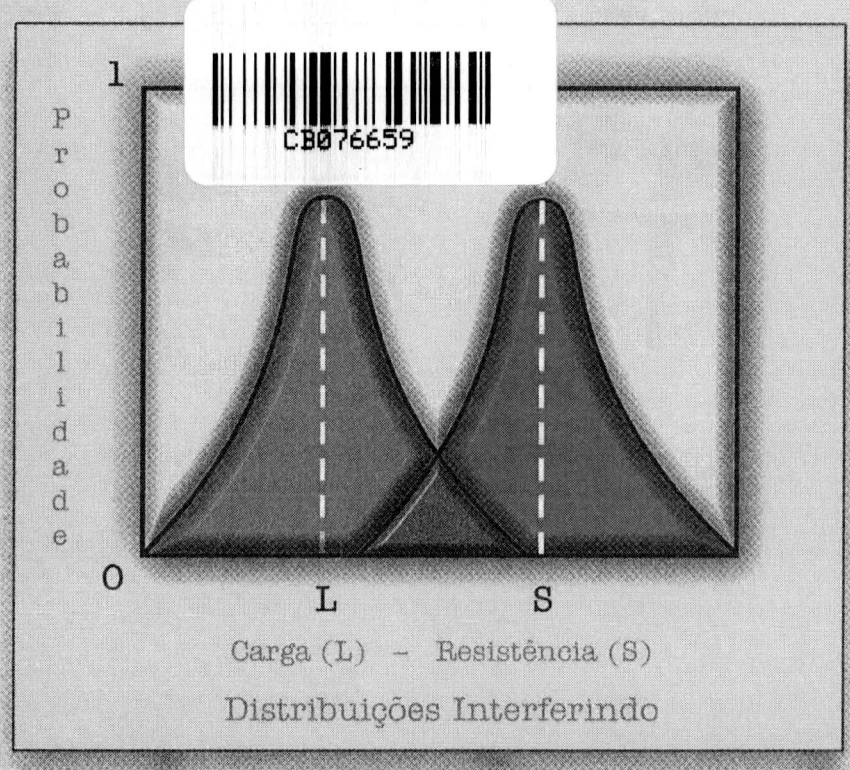

Manual de Confiabilidade, Mantenabilidade e Disponibilidade

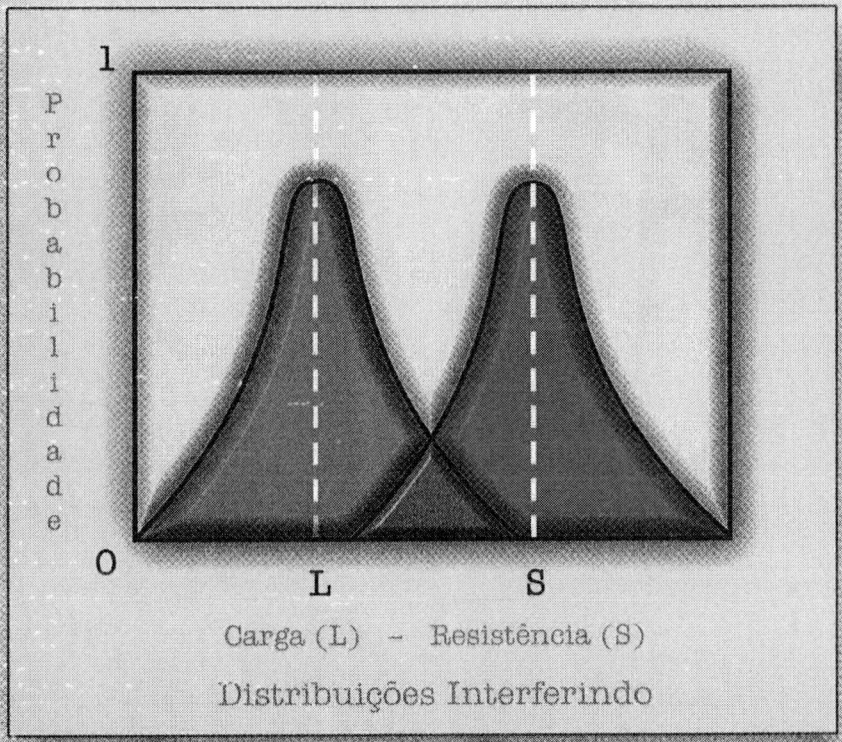

Carga (L) – Resistência (S)
Distribuições Interferindo

Manual de Confiabilidade, Mantenabilidade e Disponibilidade

JOÃO RICARDO BARUSSO LAFRAIA

Copyright© 2014 by João Ricardo Barusso Lafraia

Todos os direitos desta edição reservados à Qualitymark Editora Ltda.
É proibida a duplicação ou reprodução deste volume, ou parte do
mesmo, sob qualquer meio, sem autorização expressa da Editora.

Direção Editorial	Produção Editorial
SAIDUL RAHMAN MAHOMED editor@qualitymark.com.br	EQUIPE QUALITYMARK

Capa	Editoração Eletrônica
WILSON COTRIM	ABREU'S SYSTEM

1ª Edição: 2001

1ª Reimpressão: 2005
2ª Reimpressão: 2006
3ª Reimpressão: 2008
4ª Reimpressão: 2011
5ª Reimpressão: 2014

CIP-BRASIL. CATALOGAÇÃO NA PUBLICAÇÃO
SINDICATO NACIONAL DOS EDITORES DE LIVROS, RJ

L167m

Lafraia, João Ricardo Barusso
Manual de confiabilidade, mantenabilidade e disponibilidade / João Ricardo Barusso Lafraia. – Rio de Janeiro : Qualitymark Editora: Petrobras, 2014.
388 p. : il. ; 23 cm.

Inclui bibliografia
ISBN 978-85-7303-792-0

1. Confiabilidade (engenharia). I. Petrobras. II. Título.

01-0753
CDD: 620.00452
CDU: 62.931

2014
IMPRESSO NO BRASIL

Qualitymark Editora Ltda.
Rua Teixeira Júnior, 441 – São Cristovão
20921-405 – Rio de Janeiro – RJ
Tel.: (21) 3295-9800

QualityPhone: 0800-0263311
www.qualitymark.com.br
E-mail: quality@qualitymark.com.br
Fax: (21) 3295-9824

Agradecimentos

Gostaria de agradecer a Petrobras pelo apoio e incentivo para escrever este livro e pelo auxílio na sua publicação. Agradeço também ao amigo Eng. Guilherme de Carvalho Klingelfus com quem aprendi muito sobre o assunto e com quem venho discutindo os conceitos apresentados. Agradeço a minha esposa Cláudia e as minhas filhas Caroline, Gabriele e Maria Cláudia por apoiarem e suportarem a minha ausência durante o tempo dedicado ao estudo que resultou neste livro.

Apresentação

A operação das Instalações Industriais, de forma que se possa garantir padrões mínimos de segurança, maior eficiência de equipamentos, máxima disponibilidade para a operação e custos de manutenção adequados, requer a utilização de técnicas estruturadas e objetivas que possam atender a todas essas questões.

Dessa forma, os conceitos de Confiabilidade, que passam pela questão evolutiva da manutenção, a própria Manutenção Centrada em Confiabilidade, Inspeção baseada em risco, erro humano e Gerência de risco, constituem uma ferramenta importante da qual não se pode abrir mão.

Numa época em que as questões voltadas à segurança e à proteção ambiental afligem toda a sociedade, e aliadas à necessidade da lucratividade e produtividade, torna-se necessária a utilização de todos os meios técnicos disponíveis para a sobrevivência das empresas, com maior eficiência nas operações, sem aumentar o risco em geral envolvido.

É portanto, com grande orgulho que a Universidade Petrobras, da área de Recursos Humanos, através do Programa de Editoração de Livros Didáticos, patrocina o livro "Manual de Confiabilidade, Mantenabilidade e Disponibilidade, de autoria de João Ricardo Barusso Lafraia, esperando estar contribuindo para a melhoria de suas atividades, permitindo que os profissionais que atuam, principalmente nas áreas de Manutenção, Projeto, Segurança, entre outras, disponham de uma obra que os auxilie na busca de soluções eficientes para o trabalho que desenvolvem.

Prefácio

As disciplinas de Confiabilidade, Mantenabilidade e Disponibilidade tornaram-se estratégias competitivas para as indústrias de capital intensivo neste mundo globalizado. A busca de máximo retorno sobre os ativos exige instalações industriais com máxima disponibilidade para a produção e com adequados custos de manutenção. Estes fatores podem ser otimizados através da aplicação das técnicas e conceitos mostrados neste livro.

Muitas empresas também já perceberam que a manutenção voltada para o reparo precisa evoluir para a manutenção voltada para a confiabilidade. Para tanto é necessário mudar o paradigma de que o pessoal de manutenção precisa antes de mais nada de experiência prática. Para efetuar esta mudança, o pessoal de manutenção precisa dos conceitos teóricos das disciplinas de Confiabilidade, Mantenabilidade[*] e Disponibilidade como base para melhor aplicar sua experiência prática. Para a aplicação da Manutenção Centrada na Confiabilidade (MCC) é preciso um conhecimento sólido nas técnicas da confiabilidade, que no passado eram aplicadas essencialmente pelo pessoal de projeto.

Este livro procura mostrar os conceitos básicos das disciplinas da confiabilidade, em português, pois a predominância dos textos sobre este assunto são em inglês. Pode ser adotado por professores e alunos dos cursos de graduação e pós-graduação de engenharia voltados para a confiabilidade, como também por profissionais de empresas interessados em aplicar diretamente a confiabilidade.

O Autor

---

[*] A palavra Mantenabilidade também é conhecida e usada como Manutenibilidade.

Sumário

Capítulo 1
Conceituação de Confiabilidade 1
Capítulo 2
Parâmetros da Confiabilidade 15
Capítulo 3
Distribuições Aplicadas à Confiabilidade 25
Capítulo 4
Introdução à Análise Estatística de Falhas 45
Capítulo 5
Método da Interferência para Determinação da Confiabilidade 59
Capítulo 6
A Natureza das Falhas 73
Capítulo 7
Confiabilidade de Sistemas 85
Capítulo 8
Análise de Modos de Falhas e Efeitos – FMEA 101
Capítulo 9
Análise de Árvore de Falhas – FTA 123
Capítulo 10
O Erro Humano 133
Capítulo 11
Conceituação de Mantenabilidade 161
Capítulo 12
Os Tipos de Manutenção 173
Capítulo 13
Influência da Manutenção Sobre a Confiabilidade 187
Capítulo 14
Conceituação de Disponibilidade 197
Capítulo 15
Disponibilidade de Sistemas 209
Capítulo 16
Otimização da Freqüência de Manutenção Preventiva 223
Capítulo 17
Manutenção Centrada na Confiabilidade 235

Capítulo 18
    Análise Funcional 245
Capítulo 19
    A MCC e a FMEA 257
Capítulo 20
    Estabelecimento de um Plano de Manutenção 265
Capítulo 21
    A Inspeção Baseada em Risco 275
Capítulo 22
    Avaliação de Vida Residual 287
Capítulo 23
    Mecânica da Fratura Probabilística 299
Capítulo 24
    Exemplo de Cálculo de Vida Residual de um Vaso de Pressão Esférico.. 311
Capítulo 25
    Exemplo de Cálculo de Vida Residual de Tubulações 321
Capítulo 26
    Aspectos Gerenciais da Confiabilidade 329
Capítulo 27
    Exercícios 345
Capítulo 28
    Referências 373

CAPÍTULO 1

Conceituação de Confiabilidade

1.1 Introdução

Se alguém lhe perguntasse quais são as características desejáveis em um produto, certamente você responderia que ele deveria ter uma vida ilimitada e que durante esta vida ele deveria funcionar isento de falhas, porém, isto dificilmente será algum dia alcançado.

O principal objetivo da engenharia é, em princípio, proporcionar meios materiais que maximizem o bem-estar humano. Porém, isto enfoca uma série de restrições, tais como limitações de ordem física, econômica, social, ... que normalmente se impõem. Estas restrições tornam impraticáveis o planejamento e a operação em condições ideais da grande maioria (ou totalidade) dos sistemas ou processos físicos. Conseqüências naturais destes fatores refletem-se de uma forma implícita da noção de risco.

Em termos gerais, o conceito de risco está intimamente relacionado à presença de situações indesejáveis, sob o ponto de vista do usuário do sistema, produto ou equipamento. Se estas situações indesejáveis implicarem em risco de vidas humanas e/ou prejuízos econômicos-financeiros de elevado valor, devem ser adotados esforços adicionais no sentido de minimizar ou mesmo evitar estas situações quando possível.

Por exemplo, uma quebra que constitua a interrupção do fornecimento de energia elétrica a um grande centro consumidor. Esta situação é altamente indesejável, pois não envolve apenas prejuízos econômicos e sociais (paralisação de indústrias, depredações, sistemas elétricos, ...) como também prejuízos físicos em maior ou menor grau (aeroportos, hospitais, ...).

Freqüentemente, as precauções adequadas contra essas situações indesejáveis só podem ser implantadas se o nível de risco envolvido puder ser muito bem avaliado tanto quantitativa quanto qualitativamente, indicando desta forma os pontos "falhos" de um produto, sistema ou equipamento, de forma a conferir/sugerir ações preventivas ou corretivas mais eficientes.

É a avaliação probabilística do risco/falha de um sistema ou produto que caracteriza o aspecto fundamental da chamada ANÁLISE DE CONFIABILIDADE.

Este instrumento visa a proporcionar um bom desempenho funcional com baixo índice de falhas de um produto, pois esforços tradicionais de projeto não estavam sendo suficientes para conferir estas características a equipamentos cada vez mais complexos.

Pode-se ver que se não forem todas, a maior parte das variáveis que envolvem um projeto são valores que não podem ser perfeitamente definidos (tolerâncias, material, solicitações), ou seja, são variáveis aleatórias que, em maior ou menor grau, requerem um tratamento probabilístico para o problema. O objetivo é fornecer parâmetros para tratar estes aspectos no projeto, uma vez que a confiabilidade de um produto é algo que vem de estágio de projeto, pois, para um produto já em produção ou distribuição, praticamente nada pode ser feito para melhoria da confiabilidade. Assim, se um produto se mostrar confiável, apenas um extensivo trabalho de alterações no projeto pode ajudar, com grandes perdas de tempo, dinheiro e, porque não, prestígio. O projetista deve, portanto, ter conhecimento preciso e adequado da confiabilidade.

1.2 Fundamentos

Um produto ou o projeto de um produto muitas vezes não considera as diversas variáveis existentes. Elas não são valores bem definidos, podendo variar entre determinados limites que podem ser, dependendo do caso, pequenos ou grandes.

Logo, o processo mais aceitável nestes tipos de aplicações seria um procedimento estatístico.

A primordial diferença entre o projeto de um produto e um enfoque probabilístico seria que neste último é considerado uma possibilidade de falha. O projeto de um produto aparentemente ignora as falhas com a utilização do coeficiente de segurança. Já a maneira estatística, como admite a possibilidade de ocorrer uma falha, deve ser considerada mais próxima à realidade.

A confiabilidade está diretamente relacionada com a confiança que temos em um produto, equipamento ou sistema, ou seja, que estes não apresentem falhas (ver definição de confiabilidade). Desta forma, uma das finalidades da confiabilidade seria a de definir a margem de segurança a ser utilizada, uma vez que no projeto tradicional o coeficiente de segurança é de uma escolha um tanto arbitrária por não conhecermos todas as variáveis do projeto (salvo algumas exceções, em produtos simples). Ver Figura 1.1.

Até aqui foi falado em confiança, confiabilidade, falhas. É conveniente então, definir com precisão, o que vem a ser o conceito estatístico de confiabilidade: confiabilidade é a probabilidade de que um componente ou sistema funcionando dentro dos limites especificados de projeto, não falhe durante o período de tempo previsto para a sua vida, dentro das condições de agressividade ao meio.

Essa definição possui quatro fatores básicos, a saber:
1. A quantificação de confiabilidade em termos de uma probabilidade.
2. Uma definição do desempenho requisitado ao produto: as especificações do produto são definidas em detalhes, ou seja, se as condições de operação não forem as especificadas, a própria confiabilidade fica alterada. Por exemplo, um aparelho projetado para funcionar com corrente de 110 V, porém, a volta-

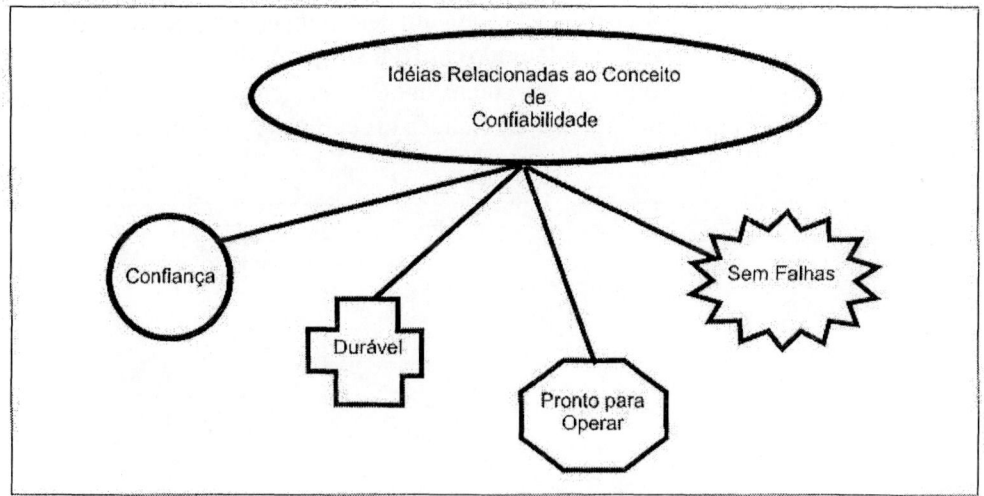

Figura 1.1 – Os diversos aspectos da confiabilidade

gem fornecida é 127 V, ou então um carro projetado para andar em terreno plano, liso e asfaltado, terá um medíocre, senão nulo, desempenho em terrenos lamacentos, arenosos. A precisão exigida do sistema também poderá alterar a confiabilidade, pois quanto mais restrita esta for, mais facilmente pode-se retirar o sistema da faixa.

3. Uma definição do tempo de operação exigido entre falhas: obviamente o tempo de uso de um produto reduz a sua confiabilidade, pois se ele fica um tempo maior em funcionamento, maiores chances de falhas terá.

4. Uma definição das condições ambientais em que o equipamento deve funcionar: devem ser definidos, ou pelo menos ficar dentro de uma faixa razoável, solicitações agressivas do meio ambiente, tais como umidade, vibrações, temperatura, impurezas, incidências de luz, choques... Se isto não for observado, a confiabilidade pode ficar completamente comprometida.

1.3 Organização e Objetivos

O estudo ou análise de um produto, sistema ou equipamento pode geralmente ser efetuado observando as partes ou componentes desse sistema ou ainda analisar este sistema como um todo. Neste caso, faz-se necessária uma interação entre as diversas partes que o compõem, afim de demonstrar o seu funcionamento de modo geral.

Pode-se dizer, de um modo geral, que problema é uma situação difícil ou duvidosa, e decisão é o processo de resolver tal situação. Partindo-se desta análise, pode-se concluir que a própria confiabilidade em si é uma ferramenta útil para a solução de determinados problemas, uma vez que nos fornece parâmetros com os quais possamos tomar decisões mais coerentes.

Existem determinadas tarefas para se chegar a um determinado grau de confiabilidade, o conjunto destas tarefas pode ser definido com um programa de confiabilidade.

A seguir seguem alguns exemplos das etapas onde as técnicas da confiabilidade podem ser aplicadas, bem como algumas atividades específicas (ver Figura 1.2).

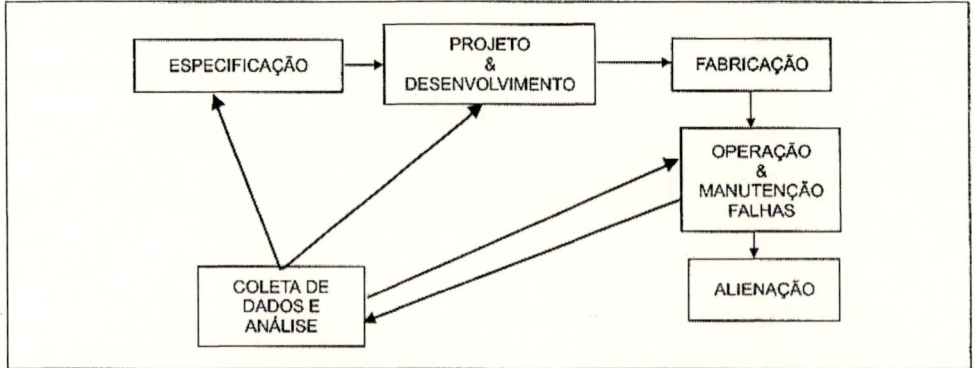

Figura 1.2 – As etapas de aplicação da confiabilidade

Projetos

- Redução da complexidade.
- Redundância para assegurar tolerância à falha.
- Eliminação dos fatores de tensão.
- Teste de qualificação e revisão de projeto.
- Análise de falhas.

Produção

- Controle de materiais, métodos e alterações.
- Controle de métodos de trabalho e especificações.

Uso

- Instruções adequadas de uso e manutenção.
- Análise de falhas em serviço.
- Estratégias de reposição e de apoio logístico.

1.4 A Confiabilidade e a Qualidade

O consumidor médio está ciente do problema da não perfeição quanto à confiabilidade de produtos domésticos tais como automóveis, aparelhos de televisão, etc.

Organizações tais como as companhias aéreas, os setores militares, instituições voltadas para a saúde pública, etc., estão cientes dos custos da não-confiabilidade.

A dificuldade surge quando se tenta quantificar valores confiáveis ou colocar valores financeiros ou outros benefícios para os vários níveis de confiabilidade.

O ponto de vista mais simples na confiabilidade é aquele do "inspetor" no qual o produto é avaliado contra uma especificação ou um conjunto de atributos e, se passar, é enviado ao consumidor.

O consumidor, tendo aceito o produto, aceita o fato de que ele pode falhar em algum instante no futuro...

É para satisfazer este temor do cliente que o fabricante oferece um período de garantia ou então existe alguma forma de proteção legal que permita ao usuário ter algum ressarcimento para falhas que ocorram dentro de um tempo estabelecido.

Contudo, este enfoque não fornece nenhuma medida da qualidade para um intervalo de tempo, particularmente fora do período de garantia.

Mesmo quando "as coisas" ocorrem dentro do período de garantia, o cliente comumente não tem condições para fundamentar uma ação posterior se o produto falha uma, duas ou diversas vezes, dado que o fabricante repara o artigo como prometido em cada ocasião.

Caso o seu produto falhe diversas vezes, o fabricante incorrerá em altos custos de garantia e os clientes se chatearão com a inconveniência. É óbvio que, fora do período de garantia, o aborrecimento é principalmente dos usuários.

Porém, sem dúvida, em qualquer uma das situações, o fabricante terá provavelmente uma perda de reputação que de alguma forma se refletirá e influenciará os seus negócios no futuro.

Chega-se, portanto, à necessidade de se ter um conceito da qualidade baseada no tempo. Confiabilidade, é, ainda hoje, encarada por muitos como um tópico separado da qualidade.

Porém, o que se quer deixar aqui é que o termo "qualidade do produto" engloba todos os desempenhos e características do meio incluindo, sem dúvida nenhuma, aquelas de confiabilidade.

É natural que a qualidade de uma entrega e a qualidade do serviço após a venda, porém não a confiabilidade, possam até ser diferenciadas da qualidade do produto, apesar de que, quem conseguir implantar o TQC (*Total Quality Control*) não se preocupará com esta distinção.

Dessa forma, ao falarmos de qualidade, implicitamente estaremos incluindo a confiabilidade e não devemos falar de qualidade e confiabilidade como entes separados.

Confiabilidade diz respeito a todas as características de um produto que podem mudar com o tempo ou, ainda, com a possibilidade de deixar de ser conforme após um certo período de tempo. Ver Figura 1.3.

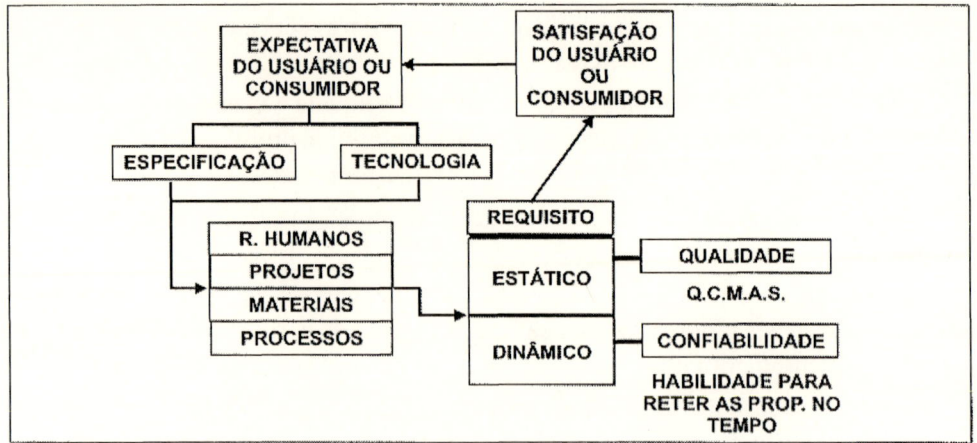

Figura 1.3 – A relação entre a qualidade e a confiabilidade

O conceito dos "inspetores" não é baseado no tempo. Para eles ou um produto passa por um dado teste ou falha. A confiabilidade por seu turno lida usualmente com falhas no domínio do tempo.

Esta distinção marca a diferença entre o Controle da Qualidade (CQ) tradicional e o enfoque moderno para a confiabilidade.

O CQ dos processos de manufatura obviamente traz uma contribuição essencial, para a confiabilidade de um produto, visto que dessa forma são retirados ao menos aqueles que podem ter falhas prematuras...

A confiabilidade está geralmente ligada com as falhas durante a vida do produto.

Confiabilidade é, portanto, um aspecto da incerteza da engenharia. Se um item vai trabalhar durante um certo período de tempo, é uma questão que pode ser respondida com uma Probabilidade.

1.5 Histórico

De um ponto de vista histórico, com o surgimento da indústria aeronáutica após a Primeira Guerra Mundial, HENLEY e KUMAMOTO desenvolveram análises do tempo quando criariam uma análise de confiabilidade.

Na década dos anos 40, ocorreu o desenvolvimento de teorias matemáticas relacionadas aos problemas. É deste a época que Robert Lusser (matemático) desenvolveu uma equação associada à confiabilidade de um sistema em série. Surgiram as primeiras tentativas de buscar uma melhoria de qualidade aliada a uma manutenção preventiva, através de um aprimoramento dos projetos, melhores equipamentos/instrumentos de medição e utilização de materiais mais resistentes.

Na década de 50, com o surgimento da indústria aeroespacial e eletrônica em conjunto com a implantação da indústria nuclear, ocorreu um grande salto no desenvolvimento de metodologias de cálculo e aplicações da confiabilidade. Nesta época, os analistas reconheceram que a confiabilidade deve ser aplicada, principalmente, na etapa de projeto, em contraposição ao que era até então aplicado, ou seja, concentração de recursos para a execução da manutenção após a ocorrência de falhas. Desta época ainda datam-se as primeiras investigações de confiabilidade relacionadas ao comportamento humano e são publicados os primeiros artigos relacionados à análise de sistemas a "três estados" (modo de operação normal, modo de falha aberto e modo de falha fechado), de DHILLON e SINGH.

Na década de 60, tanto os desenvolvimentos de natureza prática como teórica continuaram a avançar, destacando-se a proposição de H. A. Watson, da teoria de "Análise de Árvore de Falhas", em 1961. COX e LEWIS divulgam importantes trabalhos com ênfase em conceitos como renovação, estacionariedade, tendência, etc. Nesta época surgem diversas publicações relacionadas ao assunto, demonstrando um certo grau de maturidade. Sob o ponto de vista de aplicação prática, são estabelecidos os fundamentos da análise de confiabilidade em sistemas mecânicos (estruturas), baseados em modelos denominados esforços e resistência, bem como preliminares estudos da confiabilidade em sistemas computacionais ("hardware").

Na década de 70, ocorreu a consolidação desta análise em diversas áreas, destacando-se entre todas a área nuclear. R. Billinton publica um texto voltado a aplicações específicas em sistemas eletroenergéticos. Surgem, ainda nesta década, os primeiros modelos de análise de confiabilidade em programas computacionais ("software").

Finalmente, a partir do início da década de 80, verifica-se que os países detentores de tecnologia de ponta implantaram definitivamente as técnicas de análise da confiabilidade em diversos setores de engenharia, incluindo-se também o setor eletroenergético.

No que concerne ao Brasil, verificou-se uma aplicação prática da confiabilidade nos setores de telecomunicações, elétrico, de armamento e nuclear.

Em linhas gerais, a análise de confiabilidade encontra fértil campo de aplicação e pesquisa nas seguintes áreas, entre outras:

1. Controle de qualidade (equipamentos em geral, indústria mecânica, química, eletrônica...).
2. Sistema eletroenergéticos.
3. Sistema de telecomunicações.
4. Centrais nucleares.
5. Sistemas aeroviários (aeroportos, ferrovias...).
6. Sistemas mecânicos (estruturas...).
7. Sistemas industriais (refinarias).
8. Sistemas computacionais (redes de processamento, "software", "hardware").
9. Sistema de defesa (aplicações militares).
10. Comportamento humano.

1.7 A Confiabilidade como um Parâmetro de Eficiência

Com o custo e a complexidade cada vez maiores dos muitos sistemas industriais e de defesa, a importância da confiabilidade como um parâmetro de eficiência, o qual deve ser especificado e pelo qual se paga, tornou-se evidente.

Assim por exemplo, o fornecimento de energia elétrica aos hospitais, as indústrias e aos domicílios precisa estar disponível quando requerido, pois o custo da não-disponibilidade particularmente se não for programada, pode ser muito alto.

No segundo estágio do foguete elaborado no projeto Apollo, tinha-se 6 motores foguete, porém com o impulso de quaisquer 5 deles o mesmo se deslocava "adequadamente".

Dessa forma, para alguns pode parecer que em cada lançamento utilizava-se um motor não necessário...

É natural que essa observação está errada pois apesar do custo adicional a meta aqui é atingir uma confiabilidade de praticamente 100% usando redundância.

1.8 Custos *Versus* Confiabilidade

Para qualquer produto existe um gasto teórico ótimo na confiabilidade em relação ao benefício subseqüente.

Na Figura 1.4 mostra-se claramente que existe um ponto ótimo, porém na prática é bem difícil determinar este gasto mínimo.

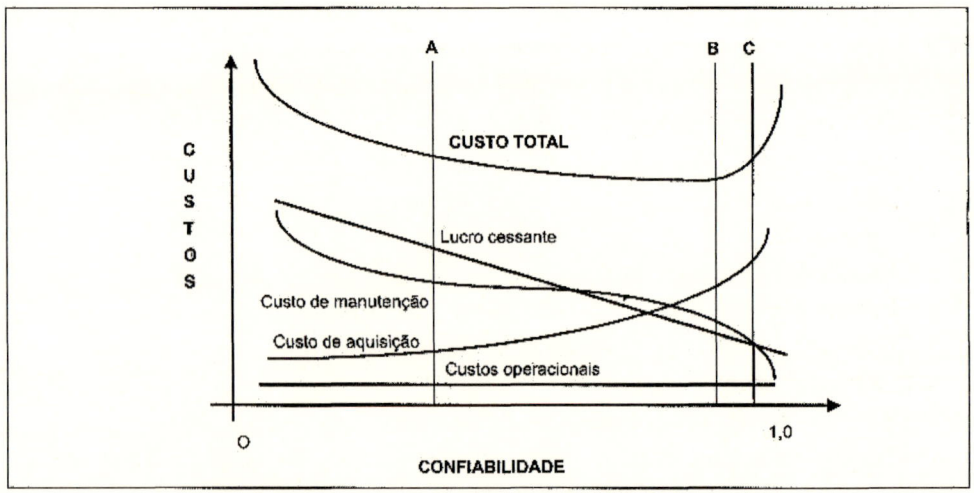

Figura 1.4 – A relação entre confiabilidade e custo

Assim por exemplo, dois produtos similares desenvolvidos com orçamentos similares podem ter confiabilidades notadamente diferentes devido a diferenças no CO na produção, diferenças na qualidade do projeto inicial ou diferenças na forma que os aspectos da confiabilidade foram administrados.

1.9 Benefícios com a Aplicação da Confiabilidade

Aumentar os lucros através de:
- Menos paradas não programadas.
- Menores custos de manutenção/operação/apoio.
- Menores perdas por lucro cessante.
- Menores possibilidades de acidentes.

Fornecer soluções às necessidades atuais das indústrias como:
- Aumentar a produção de produtos/unidades mais lucrativas.
- Flexibilidade para utilização de diversos tipos de cargas.
- Responder rapidamente às mudanças nas especificações dos produtos.
- Cumprir com a legislação ambiental, de segurança e higiene.

Permitir a aplicação de investimento com base em informações quantitativas:
- Segurança.
- Continuidade operacional.
- Meio ambiente.

Eliminação de causas básicas de paradas não programadas de indústrias ou instalações:
- Diminuir os prazos de paradas programadas.
- Através do aumento na manutenabilidade das instalações.

Atuação nas causas básicas dos problemas e não nos sintomas através de:
- Histórico de falhas dos equipamentos.
- Determinação das causas básicas das falhas.
- Prevenção de falhas em equipamentos similares.
- Determinação de fatores críticos para a manutenabilidades de equipamentos.

1.10 A Origem das Falhas

Os equipamentos falham numa visão ampla devido a três fatores básicos:
- Falha de projeto.
- Falha na fabricação.
- Falha na utilização.

As falhas de projeto ocorrem quando o projetista não consegue identificar claramente as necessidades do cliente ou quando estas não estão adequadamente identificadas e não se consegue aplicar os requisitos de engenharia corretos para a aplicação. Exemplos destas falhas: seleção de materiais inadequados ao uso, dimensionamento inadequado de peças, etc.

Uma vez que o projeto tenha sido adequadamente abordado, a fase de fabricação pode provocar falhas quando os processos de fabricação/montagem são inadequados para o produto sendo processado. O processo inclui pessoal capacitado e equipamentos adequados.

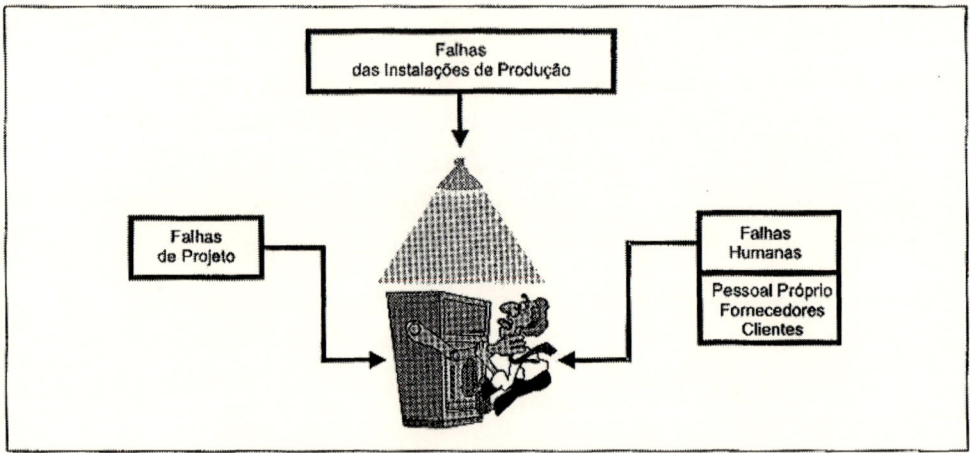

Figura 1.5 – Etapas onde é possível ocorrer a falha

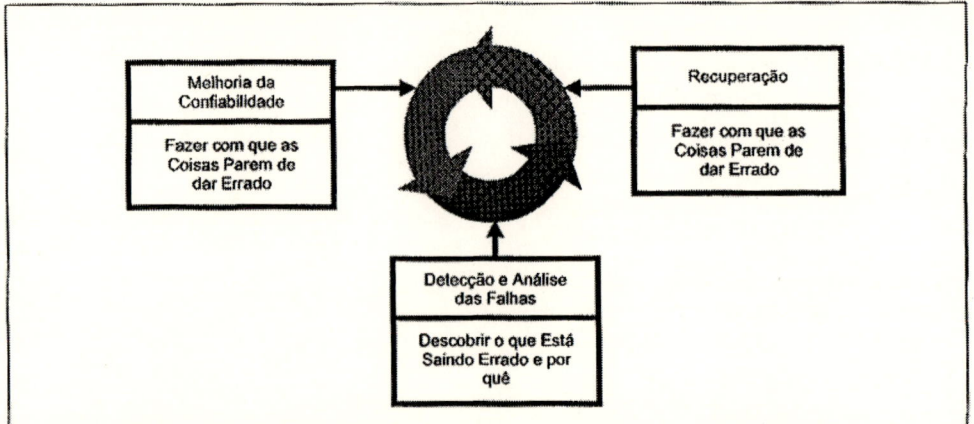

Figura 1.6 – Atividades da confiabilidade para reduzir as falhas

Por último, o uso incorreto do produto, que inclui manutenção inadequada, por falta de instrução do fabricante ou de treinamento do cliente. A Figura 1.5 resume estas opções.

As técnicas de confiabilidade abordam estas falhas através de um dos métodos que constam da Figura 1.6.

Técnicas de atividades para análise de falhas:
- Investigação de acidentes, queixas e incidentes.
- Confiabilidade do produto.
- FMEA (Análise de Modo de Falha e Efeito).
- Análise de árvore de falhas.

Técnicas para eliminar no projeto os pontos de falha potenciais na operação:
- Construindo operações com recursos críticos redundantes.
- Tornar as atividades da operação à prova de falhas.
- Manter as instalações físicas da operação.

Técnicas para melhorar a confiabilidade das operações
- Eliminar no projeto os pontos de falha potenciais na operação.
- Construindo operações com recursos críticos redundantes.
- Tornar as atividades da operação à prova de falhas.
- Manter as instalações físicas da operação.

1.10 Definições

1.10.1 Confiabilidade

Probabilidade de que um componente, equipamento ou sistema exercerá sua função sem falhas, por um período de tempo previsto, sob condições de operação especificadas

1.10.2 Item

Termo geral que designa qualquer parte, subsistema, sistema ou equipamento que possa ser considerado individualmente e ensaiado separadamente.

1.10.3 Item Não Reparável

Item que não é recuperado nem reposto após ocorrência de uma falha, durante o processo de avaliação de confiabilidade.

1.10.4 Componente

É um item que pode falhar somente uma vez. Um sistema reparável pode ser reparado pela substituição dos componentes falhos.

1.10.5 Função

Toda e qualquer atividade que o item desempenha, sob o ponto de vista operacional.

1.10.6 Falha

Perda de uma função.

1.10.7 Falha Funcional

Incapacidade de qualquer item em atingir o padrão de desempenho esperado.

1.10.8 Causa de Falha

Circunstância que induz ou ativa um mecanismo de falha.

1.10.9 Modo de Falha

Conjunto de efeitos pelos quais uma falha é observada.

1.10.10 Vida Útil

Intervalo de tempo durante o qual um item desempenha sua função com a taxa de falha especificada, ou até a ocorrência de uma falha não reparável.

1.10.11 Redundância

Dois ou mais órgãos realizando funções semelhantes, tais que a falha de um só deles, não provoca um certo conjunto de falhas de desempenho, e a falha de todos provoca, chamam-se redundantes.

Independência

Diz-se que existe a independência absoluta, quando a falha de um desses órgãos ou itens não tem qualquer elemento de ligação com a falha do outro.

Já em caso contrário, pode surgir uma dependência relativa, à medida que esta ligação aumenta.

É comum entre sistemas industriais o emprego de redundâncias e técnicas de votação sobre a escolha da saída (*output*) final mais adequada, como elementos para se atingir elevadas confiabilidades.

Estas técnicas são comumente empregadas a nível de subsistema ou de componentes principais, em vez de nível de componentes básicos.

O critério importante para a tomada de decisão em relação à forma de se usarem redundâncias é a relação entre a confiabilidade dos subsistemas para a do sistema como um todo.

Existem várias formas de redundâncias: ativas ou em *stand-by* (de reserva); uniformes ou diversificadas.

Os sistemas vão desde combinações as mais variadas de séries e de paralelos, até condições bem complexas das formas mais simples.

1.10.12 Falha de Modo Comum

Os sistemas que utilizam redundâncias, podem tolerar um certo número e/ou tipos de falhas internas independentes enquanto continuam a manter um *output* adequado.

Eles são, entretanto, muito vulneráveis ao que comumente se chama de falhas de modo comum.

Elas são provocadas por influências no sistema vindas de alguma origem comum a todos os canais redundantes.

Como resultado desta falha, o sistema apresenta um estado anormal de saída.

Alguns exemplos ajudam a explicar o que seja uma falha de modo comum.

Considere-se um sistema de bombeamento dos mais comuns, composto de dois sistemas em paralelo, cada um com válvulas de bloqueio e de retenção, bomba, motor, chave de partida, etc.

Um modo comum de falha, poderia ser a falta de eletricidade se ambos forem supridos por uma só fonte.

Um outro modo comum de falha, poderia ser que ambas as bobinas das chaves falhassem por um surto de tensão.

Poder-se-ia ainda ter um outro modo comum de falha, ou seja, a destruição de ambas as bombas por corrosão.

Diz-se, pois, que essas são falhas de modo comum porque são falhas de mesmas características e que, ocorrendo em mais de um canal redundante, levam o sistema global a falhar.

CAPÍTULO 2

Parâmetros da Confiabilidade

2.1 Introdução

"A Confiabilidade é uma característica historicamente buscada por projetistas e construtores de todos os tipos de sistemas. O que há de novo na segunda metade do século XX é o movimento para quantificar a Confiabilidade. É um movimento similar, e provavelmente tão importante quanto o movimento de séculos atrás para quantificar as propriedades dos materiais", por J. M. Juran.

Popularmente, conceitos como confiança no equipamento, durabilidade, presteza em operar sem falhas são relacionados à idéia de confiabilidade. Matematicamente, porém, confiabilidade é definida como:

"PROBABILIDADE de que um componente ou sistema cumpra sua função com SUCESSO, por um período de TEMPO previsto, sob condições de OPERAÇÃO especificadas."

O inverso da confiabilidade seria a probabilidade do componente ou sistema falhar. A definição de falha, no contexto da confiabilidade, é:

"Impossibilidade de um sistema ou componente cumprir com sua função no nível especificado ou requerido."

Tradicionalmente, as fases da vida de um componente ou sistema são descritos pela *curva da banheira*. Porém, antes de discuti-la é necessário definir o que vem a ser *taxa de falhas*:

"Freqüência com que as falhas ocorrem, num certo intervalo de tempo, medida pelo número de falhas para cada hora de operação ou número de operações do sistema ou componente."

A taxa de falhas é normalmente representada por λ.

O inverso da taxa de falhas é conhecido o *Tempo Médio Entre Falhas* (TMEF), tradução de *Mean Time Between Failures* – MTBF. A expressão matemática do TMEF é:

$$TMEF = \frac{1}{\lambda}$$

2.2 A Curva da Banheira

A curva da banheira apresenta, de maneira geral, as fases da vida de um componente. Embora ela seja apresentada como genérica, a curva da banheira só é válida para componentes individuais.

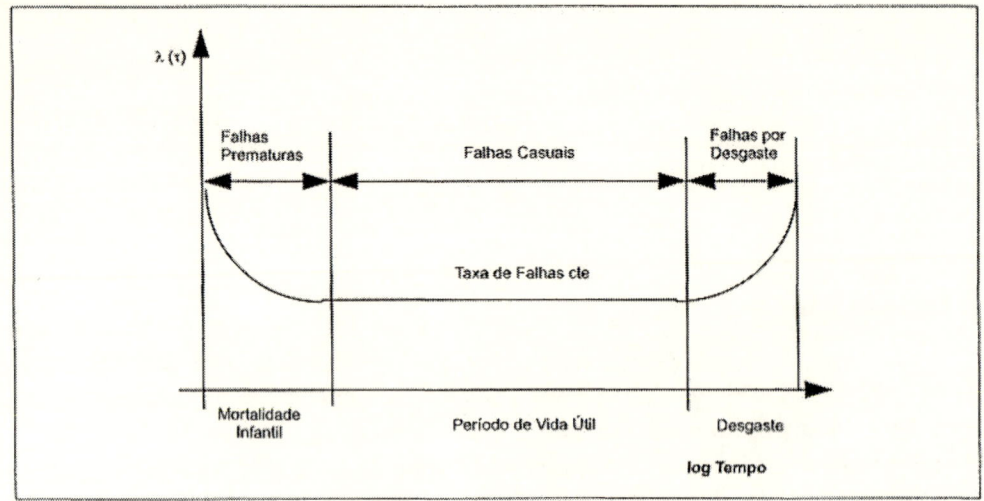

Figura 2.1 – A curva da banheira

Nesta curva, apresentada na Figura 2.1, podemos ver que um componente apresenta três períodos da vida característicos, a saber: mortalidade infantil, período de vida útil e período de desgaste.

No período de mortalidade infantil, ocorrem as falhas prematuras. A taxa de falhas é decrescente. Estas falhas podem ter as seguintes origens: processos de fabricação deficientes, controle de qualidade deficiente, mão-de-obra desqualificada, amaciamento insuficiente, pré-teste insuficiente, *debugging* insuficiente, materiais fora de especificação, componentes não especificados, componentes não testados, componentes que falharam devido estocagem/transporte indevidos, sobrecarga no primeiro teste, contaminação, erro humano, instalação imprópria, partida deficiente, entre outras.

O período de vida útil é caracterizado por taxa de falhas constante. Normalmente, as falhas são de natureza aleatória, pouco podendo ser feito para evitá-las. Alguns exemplos de causas de falhas neste período são: interferência indevida tensão/resistência, fator de segurança insuficiente, cargas aleatórias maiores que as esperadas, resistência menor que a esperada, defeitos abaixo do limite de sensibilidade dos ensaios, erros humanos durante uso, aplicação indevida, abusos, falhas não detectáveis pelo melhor programa de manutenção preventiva, falhas não detectáveis durante o melhor *debugging*, causas inexplicáveis e fenômenos naturais imprevisíveis.

No período de desgaste, inicia-se o término da vida útil do equipamento; a taxa de falhas cresce continuamente. São causas do período de desgaste: envelhecimento, desgaste/abrasão, degradação de resistência, fadiga, fluência, corrosão, deterioração mecânica, elétrica, química ou hidráulica, manutenção insuficiente ou deficiente, vida de projeto muito curta. Um resumo destas características pode ser visto na Figura 2.2.

Falhas Prematuras	Falhas Casuais	Falhas por Desgaste
Processos de fabricação deficientes	Interferência indevida tensão/resistência	Envelhecimento
Controle de qualidade deficiente	Fator de segurança insuficiente	Desgaste/abrasão
Mão-de-obra desqualificada	Cargas aleatórias maiores que as esperadas	Degradação de resistência
Amaciamento insuficiente	Resistência menor que a esperada	Fadiga
Pré-teste insuficiente	Defeitos abaixo do limite de sensibilidade dos ensaios	Fluência
Debugging insuficiente	Erros humanos durante uso	Corrosão
Materiais fora de especificação	Aplicação indevida	Deterioração mecânica, elétrica, química ou hidráulica
Componentes não especificados	Abusos	Manutenção insuficiente ou deficiente
Componentes não testados	Falhas não detectáveis pelo melhor programa de manutenção preventiva	Vida de projeto muito curta
Componentes que falharam devido estocagem/transporte indevido	Falhas não detectáveis durante o melhor *debugging*	
Sobrecarga no primeiro teste	Causas inexplicáveis	
Contaminação	Fenômenos naturais imprevisíveis	
Erro humano		
Instalação imprópria		

Figura 2.2 – Descrição das etapas da curva da banheira

Deve-se alertar que nem todos os tipos de componentes/sistemas apresentam sempre todas as fases. Programa de computador, por exemplo, é um exemplo típico de sistema com período de mortalidade infantil apenas; na medida em que os erros de programação são corrigidos, as falhas vão praticamente desaparecendo (ver Figura 2.3).

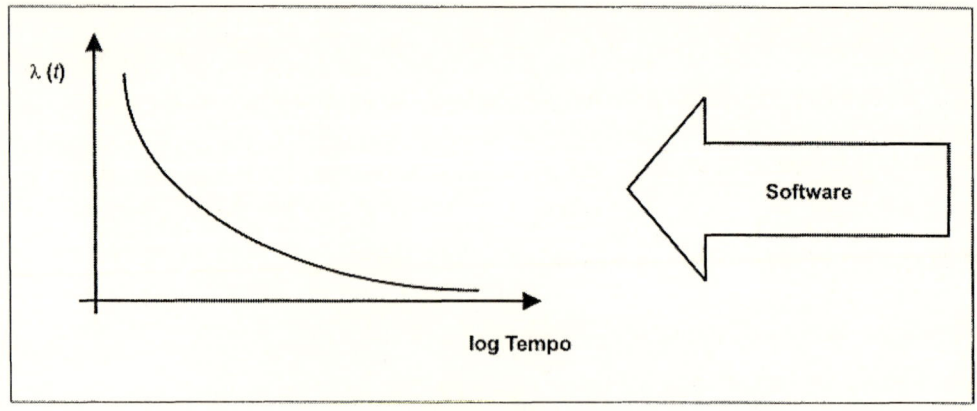

Figura 2.3

Lembramos que não se deve confundir o término da vida útil, sob o ponto de vista de confiabilidade, com a obsolescência do componente/sistema sob o ponto de vista mercadológico.

Componentes eletrônicos, por outro lado, apresentam normalmente falhas aleatórias; para estes tipos de falhas é comum lançar-se mão do conceito de substituição quando há quebra, já que a manutenção preventiva nesta fase é normalmente de pouca efetividade (ver Figura 2.4).

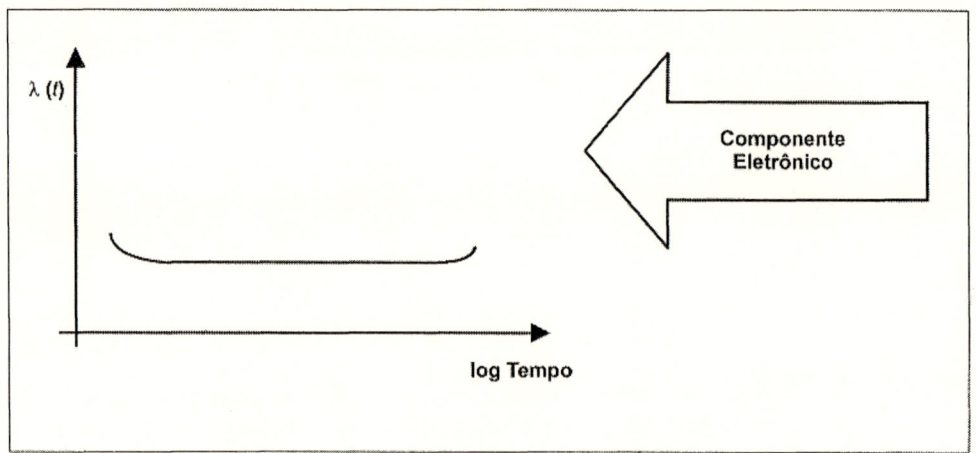

Figura 2.4

Componentes mecânicos, entretanto, apresentam normalmente as três fases e é comum se medir a taxa de falhas para se tentar evitar o período de falhas por desgaste (ver Figura 2.5).

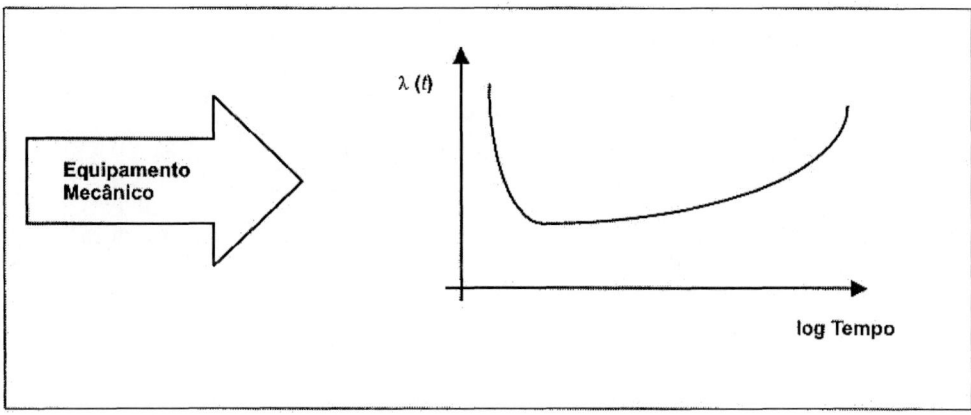

Figura 2.5

2.3 Funções de Confiabilidade e Risco

A *função densidade de falhas* representa a variação da probabilidade de falhas por unidade de tempo. É representada graficamente por uma função, distribuição de probabilidade. Matematicamente é expressa pela fórmula:

$$f(t) = \frac{dF(t)}{dt}$$

Nesta fórmula, *F(t)* é a *função acumulada de falhas*. Mostra a probabilidade de falha entre um período de tempo t_1 e t_2. É representada graficamente por uma função de distribuição de densidade acumulada. Matematicamente é expressa pela fórmula:

$$F(t_2) - F(t_1) = \int_{t_1}^{t_2} f(t).dt$$

Em confiabilidade, estamos preocupados com a probabilidade de que um item sobreviva a um dado intervalo estabelecido (de tempo, ciclos, distância). Isto é, não haverá falhas no intervalo de 0 a *x*. A confiabilidade é dada pela função confiabilidade *C(x)*. Por essa definição vem que:

$$C(t) = \int_{t}^{\infty} f(t)dt = 1 - \int_{-\infty}^{t} f(t)dt = 1 - F(t)$$

Logo *F(t)* é a probabilidade de falha do sistema, ou seja:

$$F(t) = 1 - C(t)$$

A *taxa condicional de falha* é a probabilidade condicional de falha no intervalo de *t* a *t + dt*, dado que não houve falha em *t*. Esta função também é conhecida como *função de risco* (*hazard function* ou *hazard rate*). Matematicamente é representada pela equação:

$$\lambda(t) = \frac{f(t)}{C(t)} = \frac{f(t)}{1 - F(t)}$$

A relação gráfica entre os diversos parâmetros pode ser observada na Figura 2.6.

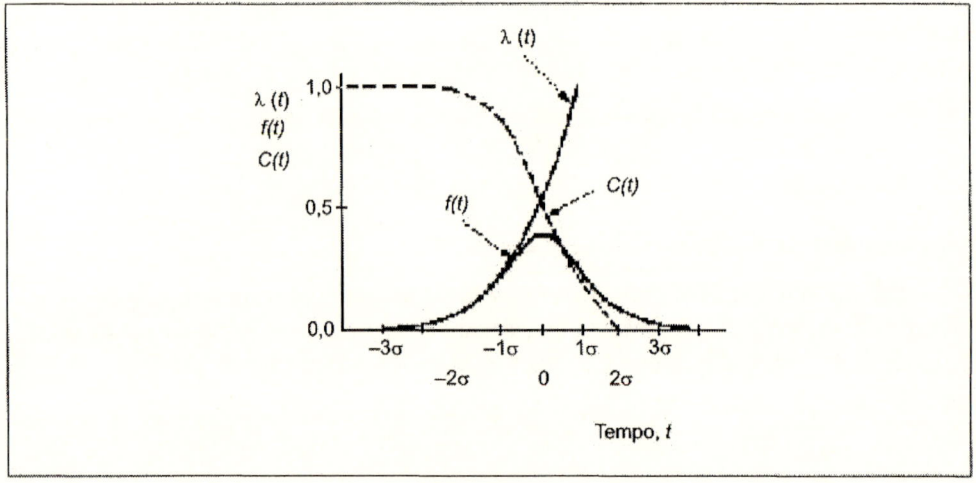

Figura 2.6

2.4 Outras Definições Ligadas à Confiabilidade

Tempo médio para falha (TMPF) – é o tempo médio para falha de componentes que não podem ser reparados. É aplicável a componentes cuja vida termina na primeira falha. É similar ao Tempo Média Entre Falhas (TMEF), que é aplicável a componentes reparáveis. É representado matematicamente pela expressão:

$$TMPF = \frac{\sum_{i=1}^{N} TPF_i}{N}$$

Tempo médio para reparo (TMPR) – é o tempo para o reparo de componentes; obtido de uma amostra nas mesmas condições de uso do componente desejado. É representado matematicamente pela expressão:

$$TMPR = \frac{\sum_{i=1}^{N} TPR_i}{N}$$

Disponibilidade (D) – é a probabilidade de que um componente que sofreu manutenção exerça sua função satisfatoriamente para um dado tempo *t*. Na prática, é expresso pelo percentual de tempo em que o sistema encontra-se operante, para componentes que operam continuamente. Já para componentes reserva, é a probabilidade de sucesso na operação do sistema quando demandado. Freqüentemente usado quando altos custos estão envolvidos com a perda da função. Ideal para descrever equipamentos em plantas de processo. É representado matematicamente pela expressão:

$$D = \frac{TMEF}{TMEF + TMPR}$$

A Figura 2.7 representa graficamente a relação entre disponibilidade e a situação do componente.

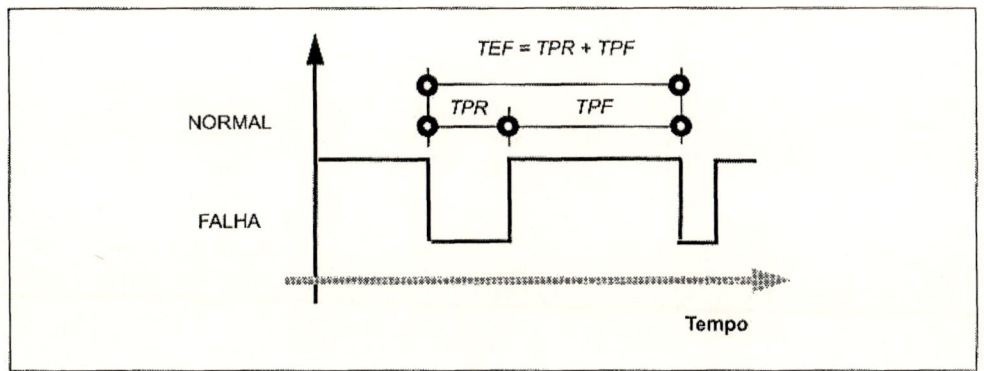

Figura 2.7

Disponível – estado de um componente tal que o mesmo possa executar suas funções sob condições especificadas de uso e de manutenção.

2.5 Exemplo da Aplicação

Na Tabela 2.1 apresentamos o resultado de um ensaio de confiabilidade, no qual 1.000 componentes foram ensaiados em 100 meses. A coluna 2 da tabela nos dá o número de sobreviventes correspondentes aos meses da coluna 1. As demais colunas foram calculadas usando-se as expressões apresentadas no Item 2.3. Na seqüência, apresentamos os gráficos de freqüência de distribuição de falhas (Figura 2.8), freqüência acumulada de distribuição de falhas (Figura 2.9), função confiabilidade (Figura 2.10) e função taxa condicional de falhas (Figura 2.11).

Tabela 2.1

Tempo Mês t	Número de Sobreviventes	Número de Falhas	Distribuição de Falhas $F(t)$	Número Acumulado de Falhas	Distribuição Ac. Falhas $F(t)$	Confiabilidade $C(t)$	Taxa de Falhas (t)
0	1.000	0	0	0	0	100	0
2	994	6	1	6	1	99	0
4	986	8	1	14	1	99	0
10	971	15	2	29	3	97	0
20	951	20	2	49	5	95	0
30	924	27	3	76	8	92	0
40	883	41	4	117	12	88	0
50	810	73	7	190	19	81	0
60	677	133	13	323	32	68	0
70	454	223	22	546	55	45	0
80	181	273	27	819	82	18	2
90	21	160	16	979	98	2	8
100	0	21	2	1.000	100	0	

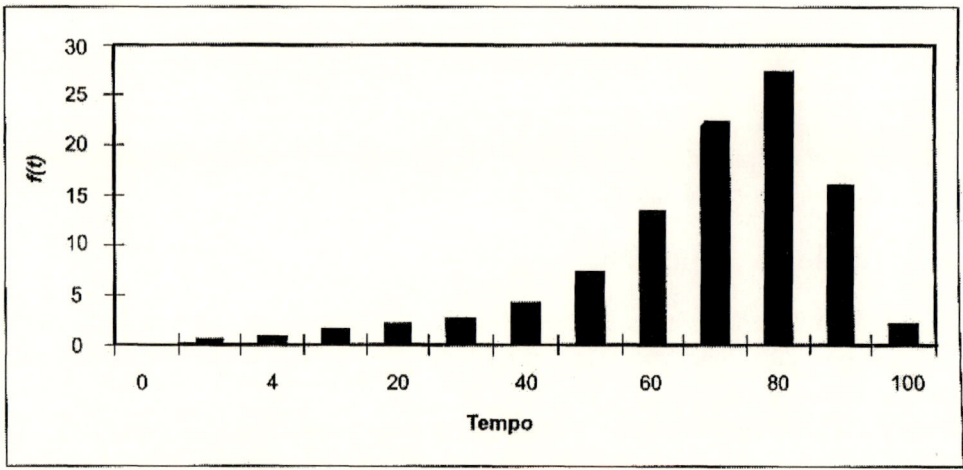

Figura 2.8 – Freqüência de distribuição de falhas

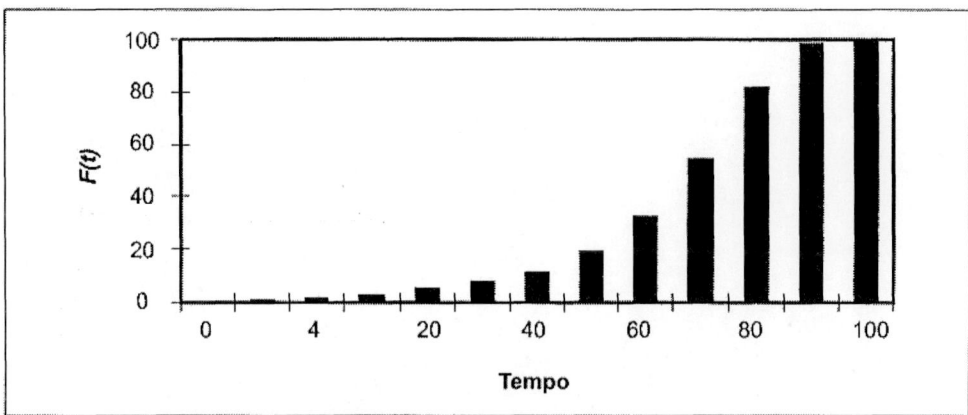

Figura 2.9 – Freqüência acumulada de distribuição de falhas

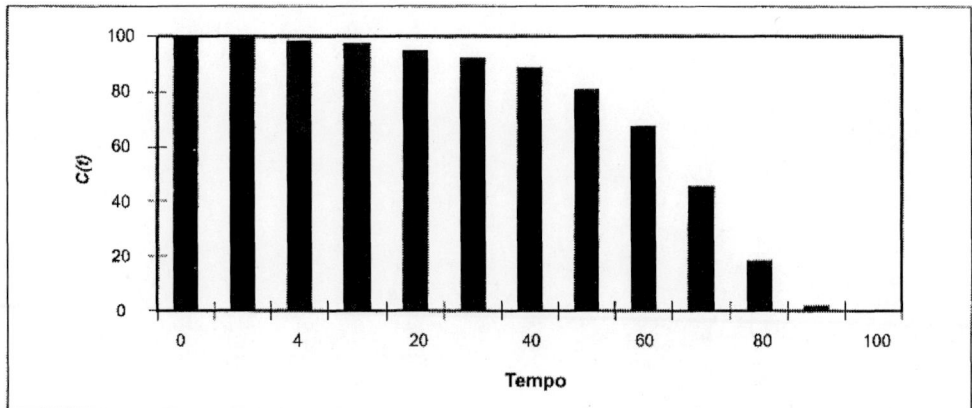

Figura 2.10 – Função confiabilidade

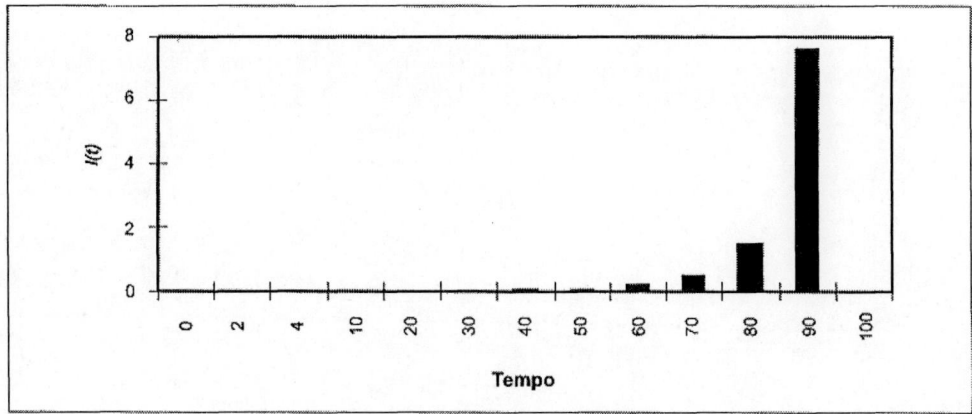

Figura 2.11 – Função taxa condicional de falhas

CAPÍTULO 3

Distribuições Aplicadas à Confiabilidade

3.1 Distribuições Discretas

Se uma variável x pode assumir um conjunto de valores $x_1, x_2, ... x_k$, com as probabilidades $p_1, p_2, p_3 + ... p_k$, respectivamente, sendo $p_1 + p_2 + p_3 + ... + p_k = 1$, diz-se que está definida uma *distribuição de probabilidade discreta* de x. A função $p(x)$ que assume os valores $p_1, p_2, p_3, ... p_k$, respectivamente, para $x = x_1, x_2... x_k$, é denominada *função de probabilidade ou de freqüência de x*. Como x pode assumir certos valores com dadas probabilidades, ele é freqüentemente denominado *variável aleatória discreta*. A variável aleatória é também conhecida como *variável casual* ou estocástica.

Exemplo

Suponha-se o lançamento de um par de dados honestos e que x indique a soma dos pontos obtidos. Então, a distribuição de probabilidades é dada pela Tabela 3.1.

Tabela 3.1

x	2	3	4	5	6	7	8	9	10	11	12
$p(x)$	1/36	2/36	3/36	4/36	5/36	6/36	5/36	4/36	3/36	2/36	1/36

Por exemplo, a probabilidade de obter-se a soma 5 é de 4/36 = 1/9. Então, pode-se esperar que em 900 lances dos dados, 100 lances dêem a soma 5.

Note-se que isso é análogo a uma distribuição de freqüências relativas, com estas substituídas pelas probabilidades. Por essa razão, pode-se imaginar as distribuições de probabilidades como uma forma teórica ou de limite ideal das distribuições de freqüências relativas, quando o número de observações feitas torna-se muito grande. Por esta razão, pode-se imaginar que as distribuições de probabilidade referem-se a populações, ao passo que as distribuições de freqüências relativas referem-se a *amostras* delas extraídas.

A distribuição de probabilidade pode ser representada graficamente, mediante a locação de $p(x)$ em relação a x, da mesma forma que a distribuição de freqüência relativa.

3.1.1 Distribuição Binomial

A distribuição binomial descreve a situação em que só há dois resultados possíveis, como falha ou não falha, e a probabilidade se mantém a mesma para todas as tentativas. Portanto, esta função é muito utilizada em confiabilidade e controle de qualidade. A f.d.p. é dada por:

$$f(x) = \frac{n!}{x!(n-x)!} p^x q^{(n-x)}$$

Esta é a probabilidade de se obter x itens bons e $(n-x)$ itens defeituosos, numa amostra de n itens, onde a probabilidade de obter-se um item bom é p e um item defeituoso q. A média é dada por:

$$\mu = n \cdot p$$

e o desvio padrão,

$$\sigma = (n \cdot p \cdot q)^{1/2}$$

3.1.2 Distribuição de Poisson

Se os eventos são distribuídos de acordo com Poisson, eles ocorrem a taxas médias constantes, com somente um de dois resultados possíveis, ou seja, o número de falhas no tempo ou defeitos por comprimento é:

$$f(x) = \frac{\mu^x}{x!} \exp(-\mu) \qquad x = 0, 1, 2, 3, ...$$

onde μ é a taxa de ocorrência. A distribuição de Poisson pode ser considerada como uma variação da distribuição binomial na qual n tende ao infinito.

Uma aproximação da distribuição de Poisson é dada por:

$$f(x) = \frac{(np)^x}{x!} \exp(-np)$$

$$\mu = n \cdot p \quad \text{e} \quad \sigma = (n \cdot p)^{1/2} = \mu^{1/2}$$

3.2 Distribuições Contínuas

Se traçarmos os valores obtidos numa medição qualquer num histograma, de uma determinada amostra, obteremos as Figuras 3.1(a/c).

Neste caso, 30 itens foram medidos e a freqüência de ocorrência de cada valor medido é como mostrado. Os valores variam de 2 a 9, com a maioria dos itens possuindo valor entre 5 e 7. Outra amostra aleatória de 30 medidas da mesma população irá usualmente gerar um histograma diferente, mas a forma geral é provavelmente muito similar, exemplo 3.1(b). Se nós traçarmos um único diagrama mostrando a combinação de várias amostras, mas agora com intervalos de medição de 0,5, obteremos a Figura 3.1(c). Temos agora uma idéia melhor dos valores da distribuição, pois obtive-

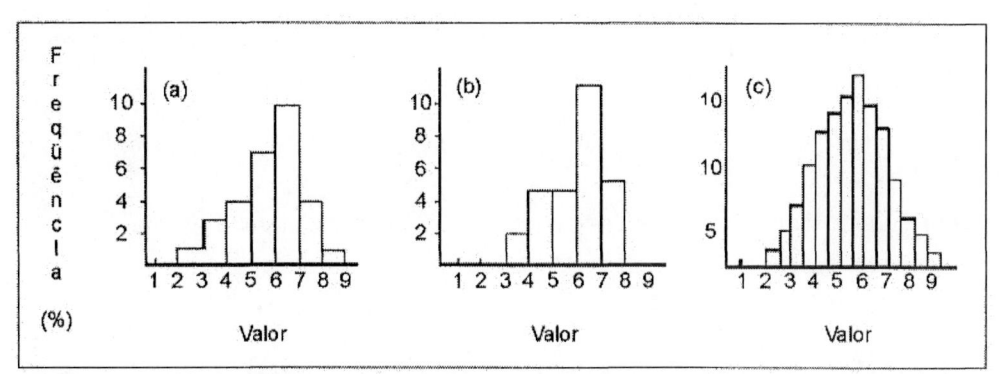

Figura 3.1 – a) Histograma de freqüência de uma amostra aleatória. b) Histograma de freqüência de outra amostra da mesma população. c) Dados de muitas amostras, mostrando valores em intervalos de 0,5

mos a informação de uma amostra bem maior. Se prosseguirmos medindo mais pontos e diminuirmos ainda mais o intervalo de medição, o histograma tende a uma curva que descreverá a função de densidade de probabilidades (f.d.p.) ou, simplesmente, a distribuição dos valores. A Figura 3.2 mostra uma distribuição de probabilidades unimodal, onde $f(x)$ é a densidade de probabilidade de ocorrência e x a variável relacionada. O valor de x que dá $f(x)$ máximo é denominado moda da distribuição.

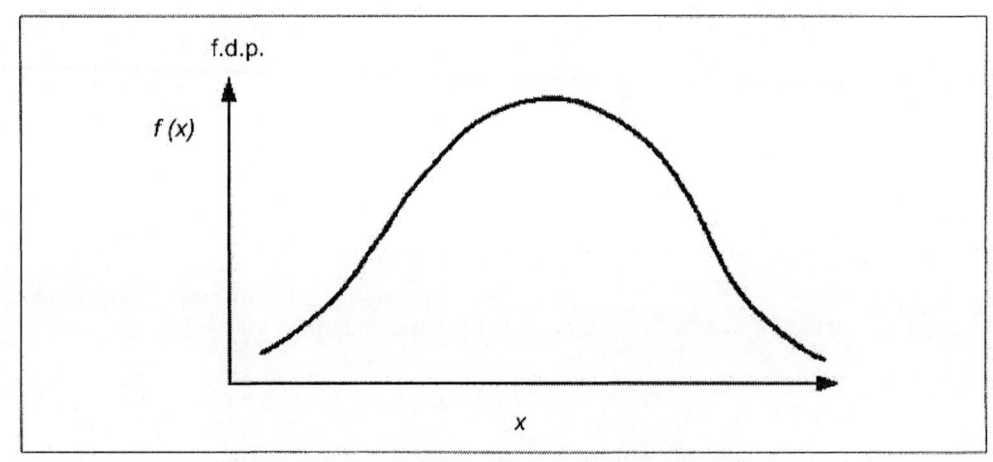

Figura 3.2 – Distribuição de probabilidades contínua

A área sobre a curva é igual a um, pois descreve a probabilidade de todos os valores possíveis de x, portanto:

$$\int_{-\infty}^{+\infty} f(x)dx = 1$$

A probabilidade de um valor ocorrer entre x_1 e x_2 é a área compreendida neste intervalo (ver Figura 3.3), isto é:

$$P(x_1 < x < x_2) = \int_{x_1}^{x_2} f(x)dx$$

O resultado da expressão anterior corresponde à área escura da Figura 3.3.

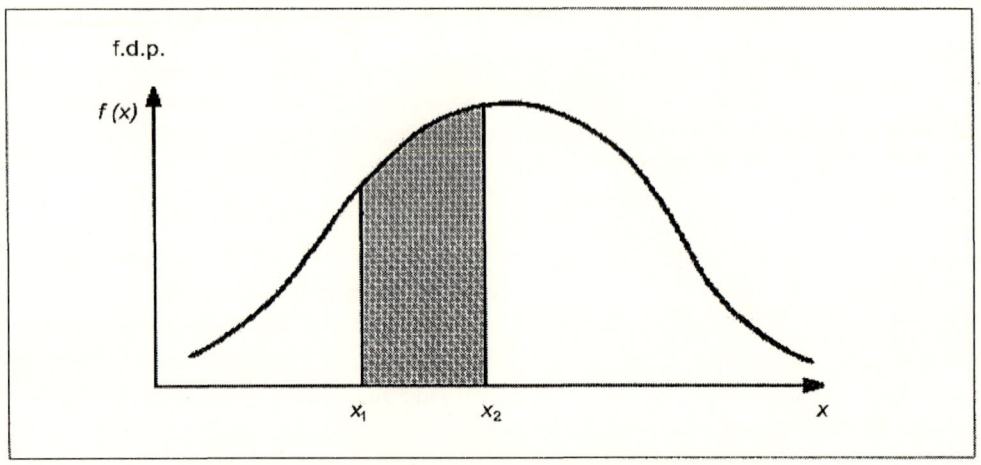

Figura 3.3 – Distribuição da probabilidade contínua

A média da distribuição, μ, é dada por:

$$\mu = \int_{-\infty}^{+\infty} xf(x)dx$$

que é análogo a achar o centro de gravidade (c.g.) da f.d.p.

A dispersão ou espalhamento da função é medida pela sua variância. Para uma amostra n a variância de uma distribuição contínua é dada por

$$\sigma^2 = \int_{-\infty}^{\infty} (x-\mu)^2 f(x)dx$$

onde σ é chamado de desvio padrão.

A função de distribuição acumulada (f.d.a.), $F(x)$, fornece a probabilidade de que o valor medido fique entre $-\infty$ e x:

$$F(x) = \int_{-\infty}^{x} f(x)dx$$

A Figura 3.4 mostra a forma típica de uma f.d.a., com $F(x)_1$ com x_∞.

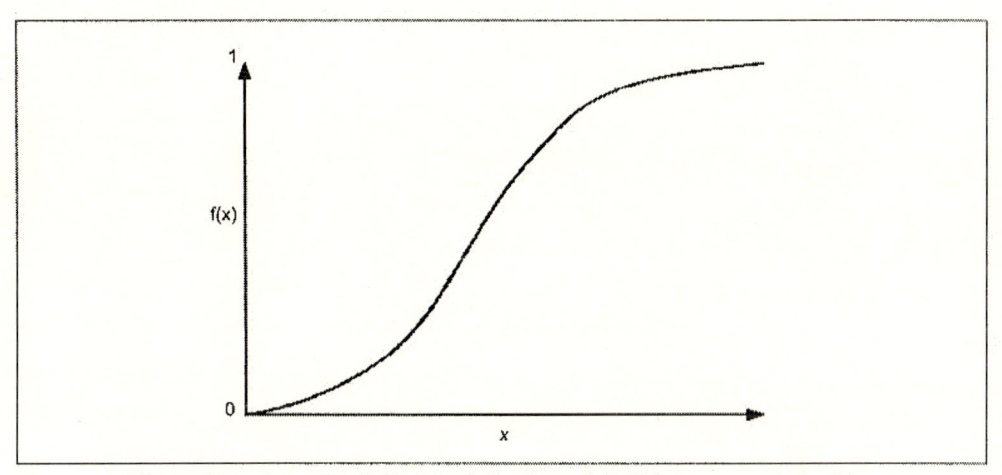

Figura 3.4 – Função de distribuição de probabilidade acumulada f.d.a.

3.3 Distribuição Normal ou de Gauss

A função distribuição de probabilidade (f.d.p.) é dada por:

$$f(x) = \frac{1}{\sigma (2\pi)^{1/2}} \exp\left[-\frac{1}{2}\left(\frac{x-\mu}{\sigma}\right)^2\right]$$

onde µ é o parâmetro de localização, igual à média. O parâmetro de forma é igual a σ.

Fazendo uma mudança de variável, a expressão anterior passa a ser:

$$f(x) = \frac{1}{\sigma} \varphi\left(\frac{x-\mu}{\sigma}\right)$$

onde,

$$\varphi(z) = \frac{1}{(2\pi)^{1/2}} \exp\left[\frac{-z^2}{2}\right] \quad e \quad z = \frac{x-\mu}{\sigma}$$

A variável z mede o desvio em relação à média, em unidades de desvio padrão, e é denominada *variável reduzida* e é uma quantidade abstrata (i.e., independe das unidades usadas).

Se os desvios em relação à média forem dados em unidades de desvio padrão, diz-se que estão expressos em *unidades* ou *escores reduzidos*.

Um gráfico desta curva normal reduzida está indicado na Figura 3.5. Neste gráfico, as áreas incluídas entre $z = -1$ e $+1$, $z = -2$ e $+2$, $z = -3$ e $+3$ são iguais, respectivamente, a 68,27%, 95,45% e 99,73% da área total que é unitária.

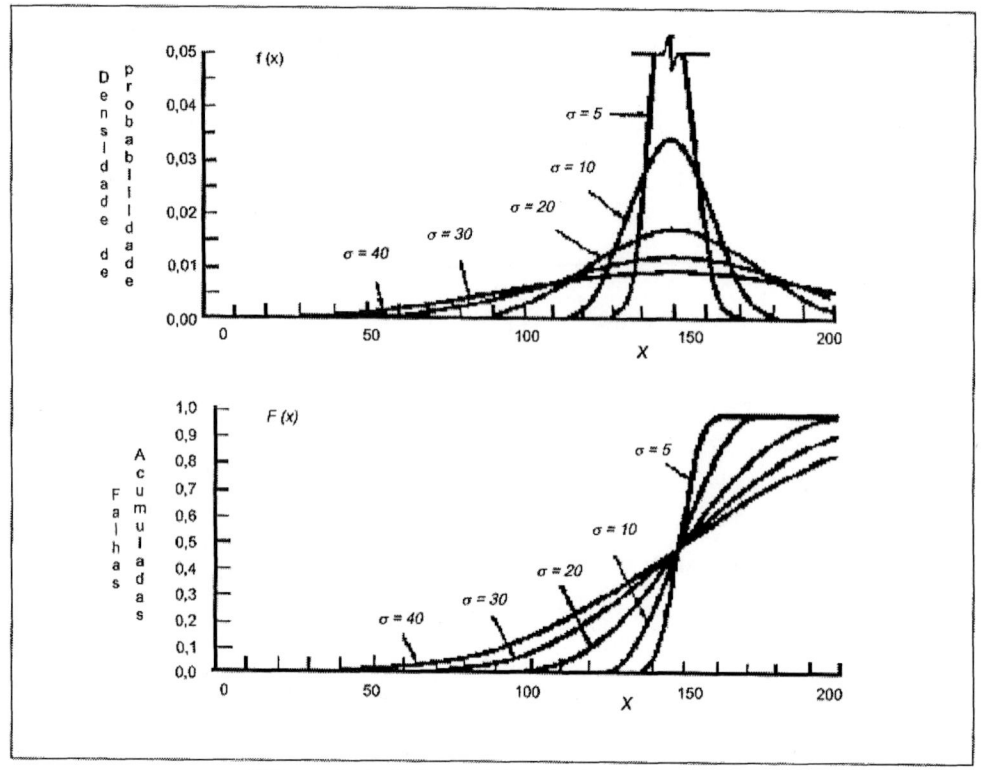

Figura 3.5 – F.d.p. e F.d.a. da função normal

Uma população que se ajuste à distribuição normal tem variações simetricamente dispostas ao redor da média. Uma razão importante para a aplicação da distribuição normal advém do fato de que quando um valor está sujeito a muitas variações que se somam, independentemente de como estas variações são distribuídas, o resultado da distribuição composta é normalmente distribuído. Isto é o que demonstra o teorema do valor central.

A Figura 3.6 mostra a função de densidade de probabilidade e a função de densidade acumulada da função normal.

A função densidade acumulada é dada pela expressão:

$$F(x) = \Phi\left(\frac{x - \mu}{\sigma}\right)$$

3.4 Distribuição Log-Normal

Esta é uma distribuição mais versátil que a distribuição normal, pois tem uma forma mais variada, o que possibilita melhor ajuste da população. Um exemplo típico

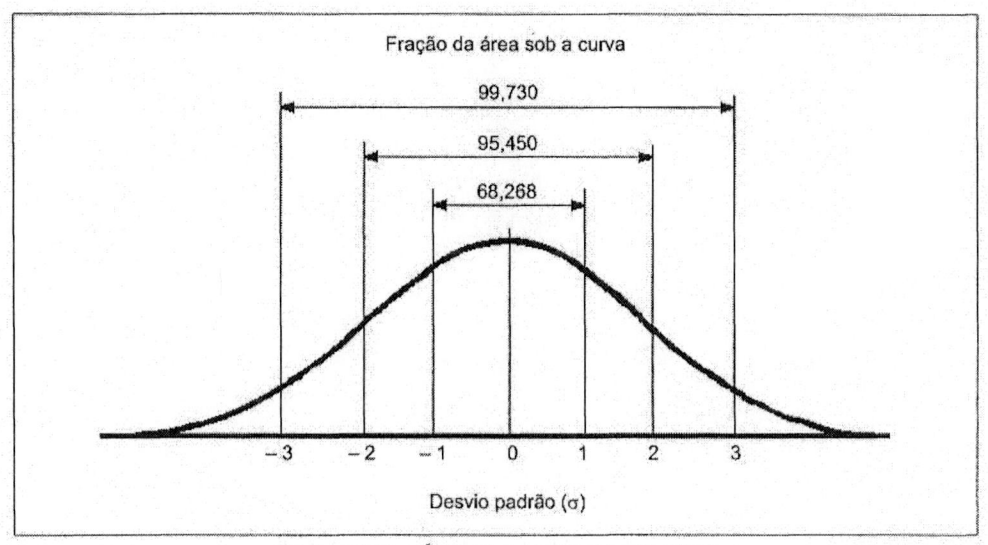

Figura 3.6 – Áreas notáveis sob a normal

de aplicação é em peças sujeitas a desgaste. Também não tem a desvantagem de trabalhar com valores de $x < 0$.

É representada pela função:

$$f(x) = \frac{1}{\sigma(2\pi)^{1/2}} \exp\left[-\frac{1}{2}\left(\frac{\ln x - \mu}{\sigma}\right)^2\right] \; p/x \geq 0$$

$$f(x) = 0 \qquad p/x < 0$$

onde,

$$\varphi(z) = \frac{1}{(2\pi)^{1/2}} \exp\left[-\frac{z^2}{2}\right] \quad e \quad z = \frac{\log x - \mu}{\sigma}$$

Em outras palavras, é a distribuição normal com $\ln x$ como variável independente. A média e o desvio padrão são dados respectivamente por:

$$\mu = \exp\left(\mu + \frac{\sigma^2}{2}\right)$$

$$\sigma = [\exp(2\mu + 2\sigma^2) - \exp(2\mu + \sigma^2)]^{1/2}$$

Para valores de µ > σ a função log-normal é aproximadamente igual à distribuição normal.

As equações da probabilidade acumulada de falhas, confiabilidade e taxa de falhas são, respectivamente:

$$F(x) = \Phi\left[\frac{\log x - \mu}{\sigma}\right]$$

$$C(x) = 1 - \Phi\left[\frac{\log x - \mu}{\sigma}\right]$$

$$\lambda(x) = \frac{0{,}4343}{x\sigma} \frac{\varphi(z)}{1 - \Phi(z)}$$

Os gráficos a seguir representam as equações acima.

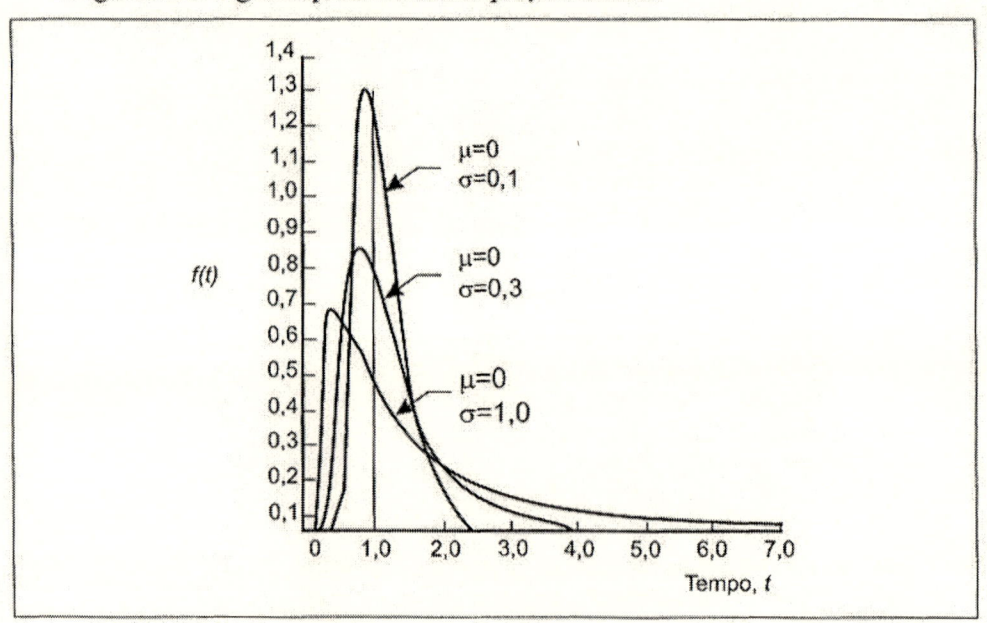

Figura 3.7 – F.d.p. da função log-normal

3.4.1 Aplicações da Distribuição Log-Normal

- Determinação dos ciclos para a falha à fadiga de metais e componentes metálicos, quando submetidos a tensões alternadas em nível significativamente menores que o limite de resistência do metal.

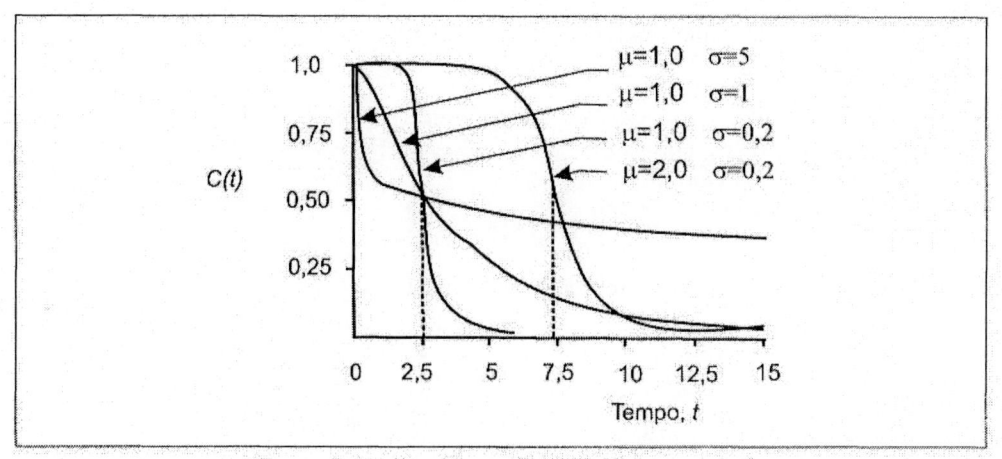

Figura 3.8 – Função confiabilidade log-normal

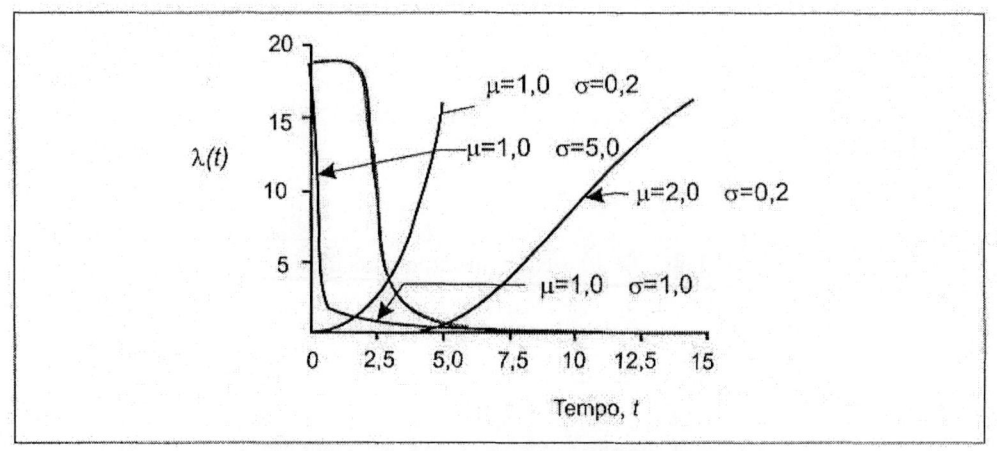

Figura 3.9 – Taxa de falha da função log-normal

- Determinação da distribuição de tempos para a falha de componentes mecânicos sujeitos a desgaste (*wear*).
- Determinação de vida de rolamentos.
- Determinação do tempo médio para manutenção de componentes mecânicos.

3.5 Distribuição Exponencial

A distribuição exponencial descreve sistemas com taxa de falhas constante. A f.d.p. é dada por:

$$f(x) = \begin{cases} a \exp(-ax) & p/x \geq 0 \\ 0 & p/x < 0 \end{cases}$$

Para sistemas onde a variável independente é t, λ é denominado de taxa de falhas, o que fornece:

$$f(t) = \lambda \exp(-\lambda t)$$

A confiabilidade é dada por:

$$C(t) = \exp(-\lambda t)$$

As Figuras 3.10, 3.11 e 3.12 representam as equações acima

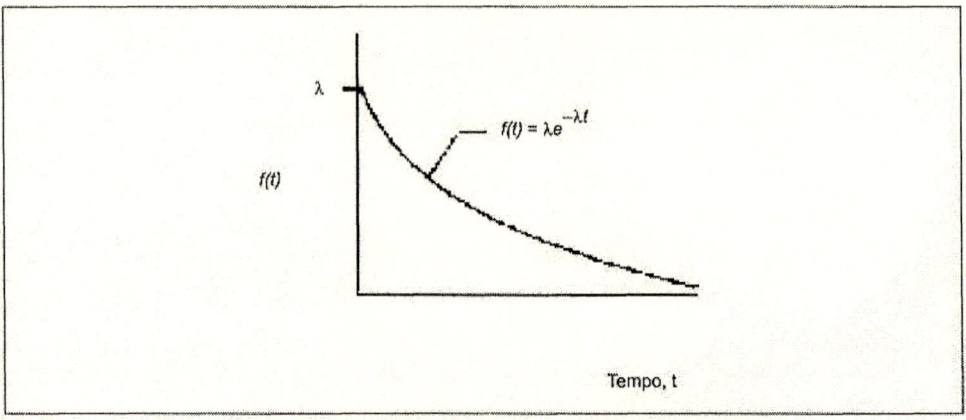

Figura 3.10 – F.d.p. da exponencial

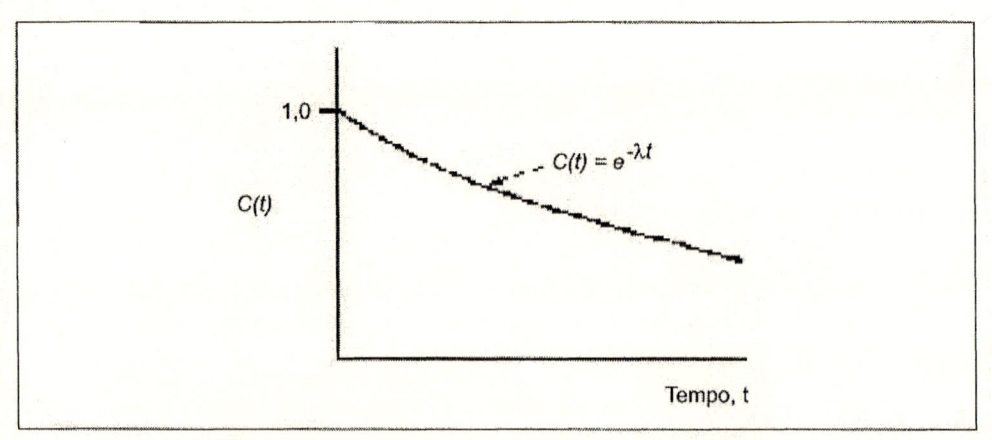

Figura 3.11 – Função confiabilidade da exponencial

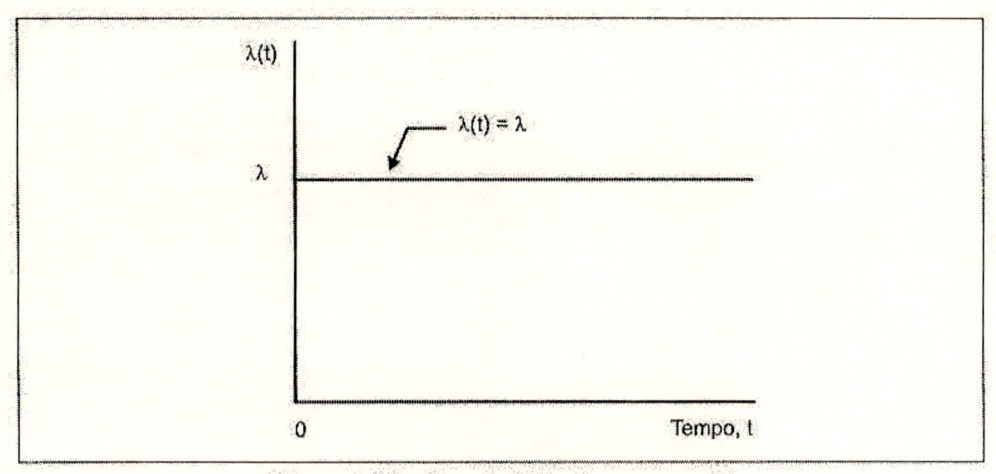

Figura 3.12 – Taxa de falha da exponencial

3.5.1 Aplicações da Distribuição Exponencial

- Falhas de equipamentos com mais de 200 componentes sujeitos a mais de três manutenções corretivas/preventivas.
- Sistemas complexos não redundantes.
- Sistemas complexos com componentes com taxas de falhas independentes.
- Sistemas com dados de falhas mostrando causas muito heterogêneas.
- Sistemas de vários componentes, com substituições antes de falhas devido à manutenção preventiva.

3.6 A Distribuição de Weibull

A função distribuição de Weibull possui três parâmetros para determinar a probabilidade de falha, confiabilidade e taxa instantânea (função de risco). A Tabela 3.1 mostra as diversas expressões e o significado dos seus parâmetros.

Tabela 3.1

Significado	Parâmetro	Expressão
Distribuição de falhas	$f(t)$	$\dfrac{\beta}{\eta^\beta}(t-t_0)^{\beta-1}\exp\left[-\left(\dfrac{t-t_0}{\eta}\right)^\beta\right] \ p/t \geq 0$ $0 \quad p/t < 0$
Probabilidade acumulada de falhas	$F(t)$	$1-\exp\left[-\left(\dfrac{t-t_0}{\eta}\right)^\beta\right]$

continua

Confiabilidade	$C(t)$	$\exp\left[-\left(\dfrac{t-t_0}{\eta}\right)^\beta\right]$
Taxa de falhas instantânea	$\lambda(t)$	$\dfrac{\beta}{\eta}\left(\dfrac{t-t_0}{\eta}\right)^{\beta-1}$
Parâmetro de escala		
Parâmetro de forma	η	
Vida inicial	t_o ou γ	
Tempo para a falha	t	

3.6.1 Casos Especiais da Função de Weibull

Valores particulares dos parâmetros da função de Weibull transformam as expressões originais em expressões de outras distribuições usualmente utilizadas para descrever os modos de falhas, conforme pode-se observar na Tabela 3.2.

Tabela 3.2

Significado	$t_0 = 0$	$t_0 = 0$ e $\beta = 0$
Distribuição de falhas	$f(t) = \dfrac{\beta}{\eta^\beta}(t)^{\beta-1}\exp\left[-\left(\dfrac{t}{\eta}\right)^\beta\right]$	$f(t) = \dfrac{1}{\eta}\exp\left[-\dfrac{t}{\eta}\right]$
Probabilidade acumulada de falhas	$F(t) = 1 - \exp\left[-\left(\dfrac{t}{\eta}\right)^\beta\right]$	$F(t) = 1 - \exp\left[-\dfrac{t}{\eta}\right]$
Confiabilidade	$C(t) = \exp\left[-\left(\dfrac{t}{\eta}\right)^\beta\right]$	$C(t) = \exp\left[-\dfrac{t}{\eta}\right]$
Taxa de falhas	$\lambda(t) = \dfrac{\beta}{\eta}\left(\dfrac{t}{\eta}\right)^{\beta-1}$	$\lambda = \dfrac{1}{\eta}$
Tempo médio entre falhas		$TMEF = \dfrac{1}{\lambda}$
Observação		Conhecida como distribuição exponencial; λ = cte

3.6.2 Representações Gráficas da Função de Weibull

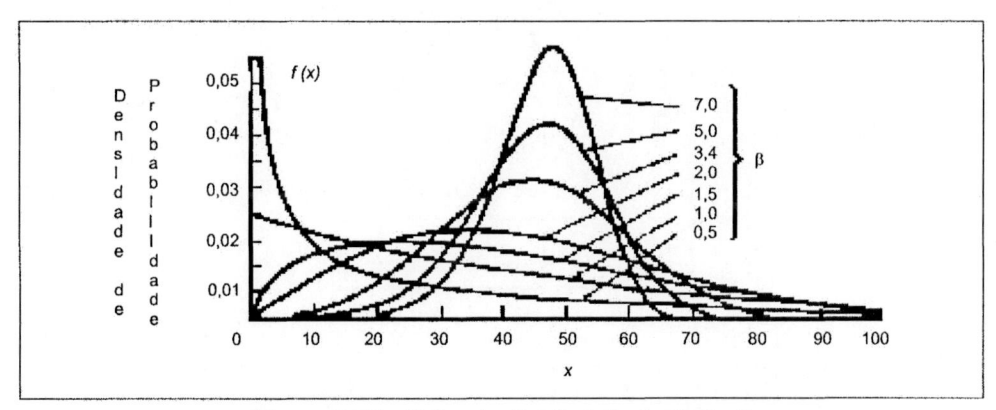

Figura 3.13 – F.d.p. da distribuição de Weibull

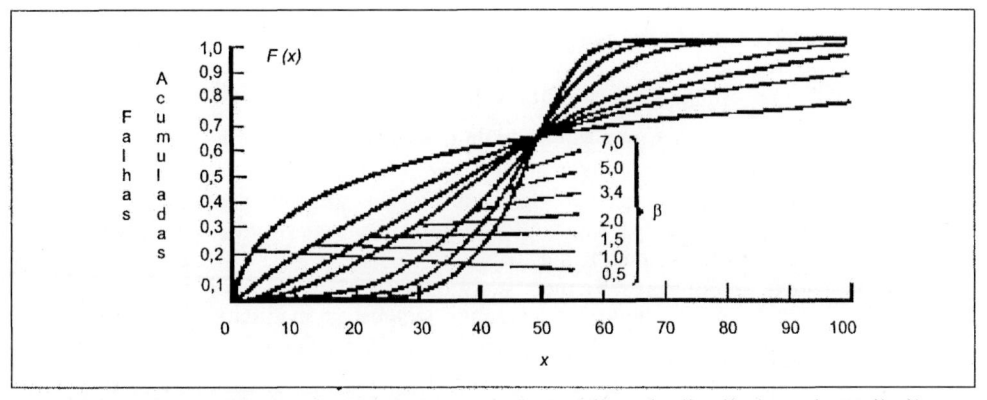

Figura 3.14 – Função densidade acumulada de falhas da distribuição de Weibull

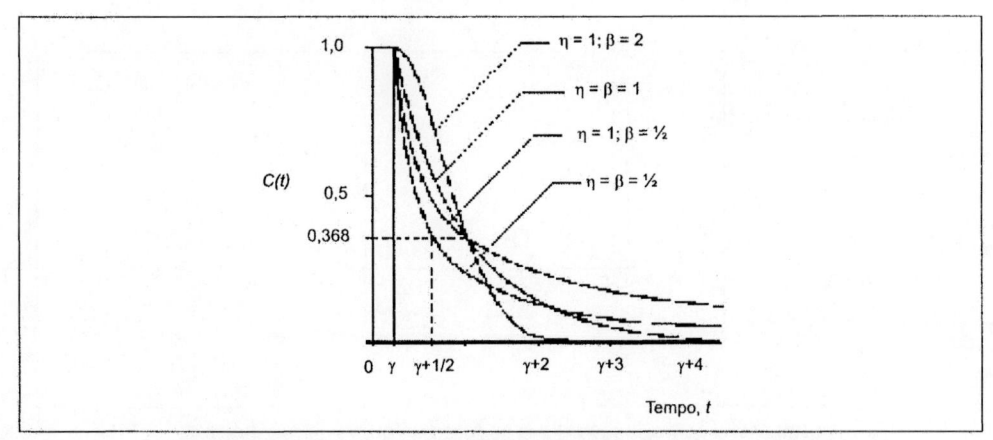

Figura 3.15 – Função confiabilidade da distribuição de Weibull

[Figura 3.16 – gráfico]

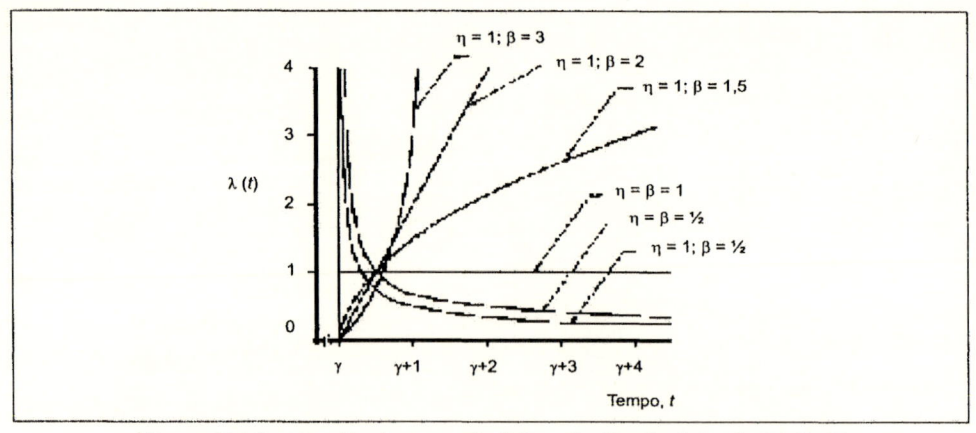

Figura 3.16 – Função de taxas de falhas da distribuição de Weibull

3.6.3 Casos Especiais de β

A Tabela 3.3 descreve o comportamento da função de taxa de falhas com o valor de β.

Tabela 3.3

β	Comportamento da Função de Taxa de Falhas
< 1	Taxa de falha crescente com o tempo – fase de mortalidade infantil
=1	Taxa de falha constante – falhas aleatórias – função exponencial
> 1	Taxa de falha crescente com o tempo
=2	Taxa de falha linearmente crescente
> 2	Taxa de falha cresce a uma taxa proporcional à potência (–1); distribuição de freqüência tornando-se mais simétrica à medida que β cresce
=3,2	Distribuição de freqüência aproxima-se da distribuição normal, tornando-se menos dispersa à medida que β cresce

A Figura 3.17 mostra a relação entre o valor de β e as fases da curva da banheira.

[Figura 3.17 – curva da banheira]

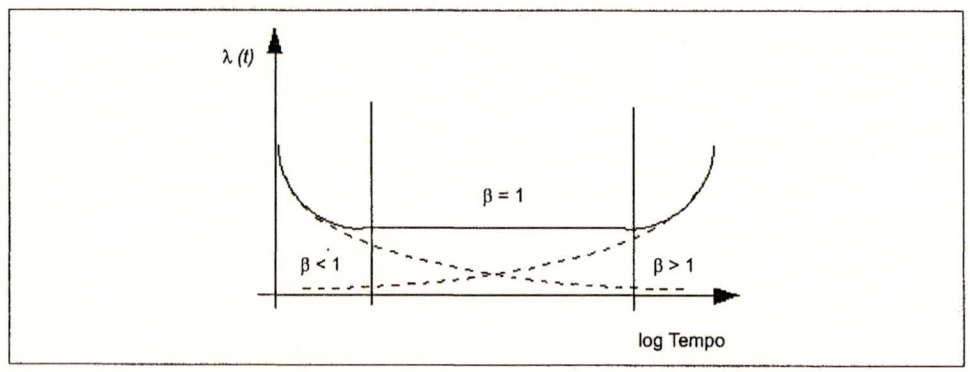

Figura 3.17 A relação de β e as fases da curva da banheira

A Tabela 3.4 fornece maiores interpretações físicas sobre os parâmetros da função de Weibull.

Tabela 3.4

T_0	β	Significado
= 0		Não há confiabilidade intrínseca. Significa que em $t = 0$ a probabilidade de falha é 0
	< 1	Taxa de falhas decrescente, possivelmente devida à baixos coeficientes de segurança na carga
	=1	Taxa de falhas constante, falhas de origem aleatórias
	> 1	Taxa de falhas crescente, desgaste iniciando logo que o componente entra em serviço
> 0		Há período de garantia, durante o qual não ocorre falha. O componente possui confiabilidade intrínseca
	< 1	Desgaste do tipo fadiga ou similar
	≅0,5	Fadiga de baixo ciclo
	≅0,8	Fadiga de alto ciclo
	> 1	Desgaste do tipo erosão
< 0		Há vida de prateleira, o componente pode falhar antes de ser usado
	< 1	Desgaste do tipo fadiga, iniciado antes do componente entrar em serviço
	> 1	Desgaste devido à contínua redução da resistência

3.7 As Funções de "Valores Extremos"

Em confiabilidade, muitas vezes, estamos preocupados com os valores extremos que podem levar à falha do equipamento e não com os valores médios. Muitas vezes se faz uma aproximação assumindo-se que os valores extremos de uma população são bem representados pelos valores da função que representa bem a maioria dos valores da população. Entretanto, este nem sempre é um bom modelo para os valores extremos. Além disso, muitas vezes as medições executadas só levam em conta os valores extremos. Funções de valores extremos são obtidas através do tratamento dos maiores ou menores valores encontrados numa série de amostras. Por exemplo, considerando-se a amostra na Tabela 3.5, obtidas aleatoriamente de uma população. A somatória de todos os dados estão traçados na Figura 3.18 como função de x. Entretanto, se traçarmos separadamente os maiores e menores valores obtidos em cada amostra, os mesmos aparecerão com $g_L(x)$ e $g_H(x)$. $g_L(x)$ é a distribuição de valores extremos dos menores extremos e $g_H(x)$ é a distribuição de valores extremos dos maiores extremos de cada amostra. Para muitas distribuições, a distribuição dos valores extremos será uma dos três tipos:

Tipo I – conhecida como extremo valor ou distribuição de Gumbel.
Tipo II – também conhecida como distribuição de extremo valor logarítmica.
Tipo III – para extremos valores mínimos. Esta é a distribuição de Weibull.

Extremo Valor Tipo 1

A distribuição de extremo valor tipo 1 para valores máximos e mínimos é o modelo para as caudas esquerda e direita de distribuições do tipo exponencial, onde este tipo de distribuição é definida como qualquer distribuição cuja probabilidade acumulada se aproxime de 1 numa taxa igual ou maior do que a taxa da distribuição exponencial. Esta definição inclui as distribuições normais, log-normais e exponenciais.

Tabela 3.5
Amostra Aleatória Obtida de uma População Comum

Amostra	Dados							
1	30	31	*41*	29	39	36	38	30
2	31	34	23	27	29	32	*35*	35
3	26	33	*35*	32	34	29	30	34
4	27	33	30	31	31	36	28	*40*
5	18	*39*	25	32	31	34	27	37
6	22	36	*42*	27	33	27	31	31
7	*39*	35	32	39	32	27	28	32
8	33	34	32	30	34	*35*	35	28
9	32	32	*37*	25	33	35	33	19
10	28	33	36	37	17	31	*42*	32
11	26	22	32	23	33	*36*	36	31
12	36	31	*45*	24	30	27	24	27

As f.d.p.'s para valores máximos e mínimos são, respectivamente:

$$f(x) = \frac{1}{\sigma}\exp\left\{-\frac{1}{\sigma}(x-\mu) - \exp\left[-\frac{1}{\sigma}(x-\mu)\right]\right\}$$

$$f(x) = \frac{1}{\sigma}\exp\left\{\frac{1}{\sigma}(x-\mu) - \exp\left[\frac{1}{\sigma}(x-\mu)\right]\right\}$$

onde podemos introduzir *y*, como uma variável reduzida, valendo

$$y = \frac{x-\mu}{\sigma}$$

Substituindo a variável reduzida nas respectivas f.d.p.'s, obteremos as f.d.a.'s para máximos e mínimos valores como, respectivamente:

$$F(y) = \exp[-exp(-y)]$$
$$F(y) = 1 - \exp[-exp(-y)]$$

A distribuição de valor máximo é desviada para a direita e a distribuição de mínimo valor é desviada para a esquerda. A função de risco de máximo valor tende para a unidade com o aumento de x, enquanto a distribuição de mínimo valor cresce exponencialmente.

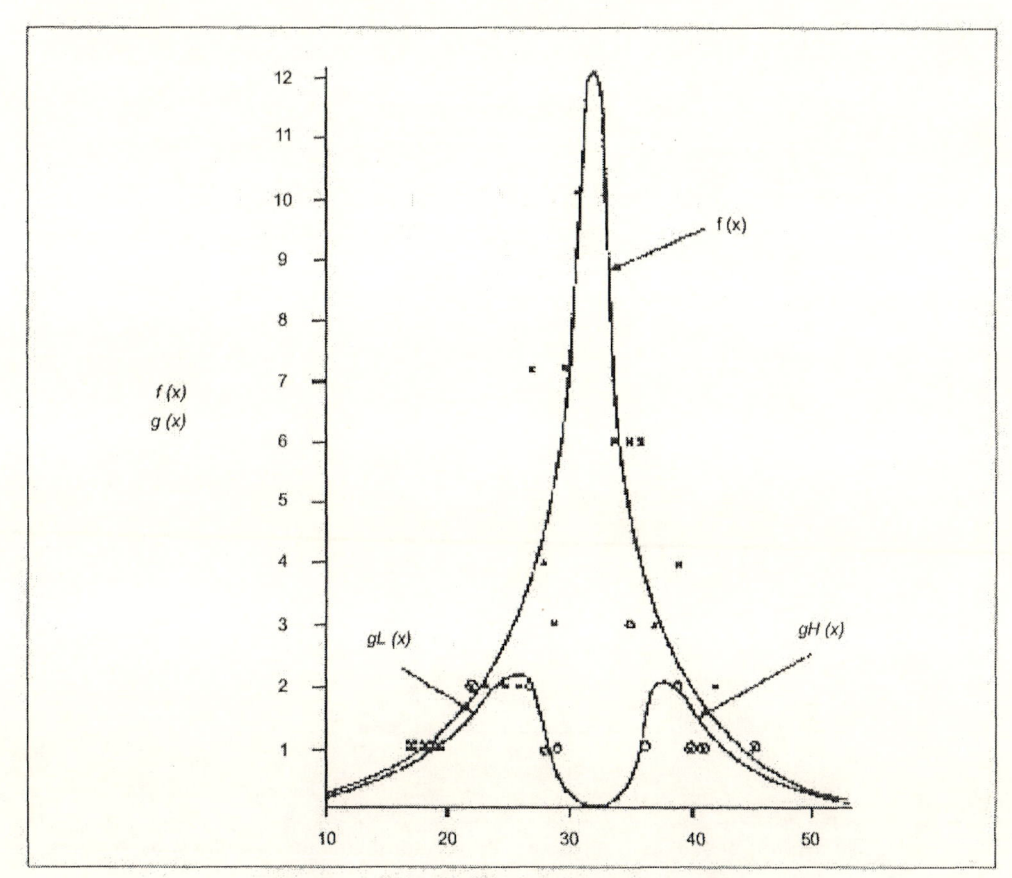

Figura 3.18 – Distribuição de valor extremo

μ e σ são os parâmetros de escala e posição, respectivamente, mas não representam a média e o desvio padrão. Na realidade, μ é a moda da distribuição, e pode ser mostrado que a média para máximos e mínimos valores serão, respectivamente:

$$\begin{cases} \mu + 0{,}577\sigma \\ \mu - 0{,}577\sigma \end{cases}$$

O desvio padrão é 1,283σ para ambos os casos.
As equações para a confiabilidade e taxa de falhas são dadas por:

$$C(y) = \exp[-\exp(-y)]$$

$$\lambda(y) = \frac{\exp y}{\sigma}$$

Estas equações são representadas graficamente nas Figuras 3.19, 3.20 e 3.21.

Extremo Valor Tipo II

A distribuição de valor extremo tipo II não é muito importante. Se o logaritmo dos valores são distribuídos na forma de extremos, então a variável é descrita pela distribuição de valor extremo do tipo II. Portanto, sua relação com a distribuição do tipo I é análoga àquela das distribuições log-normal e normal.

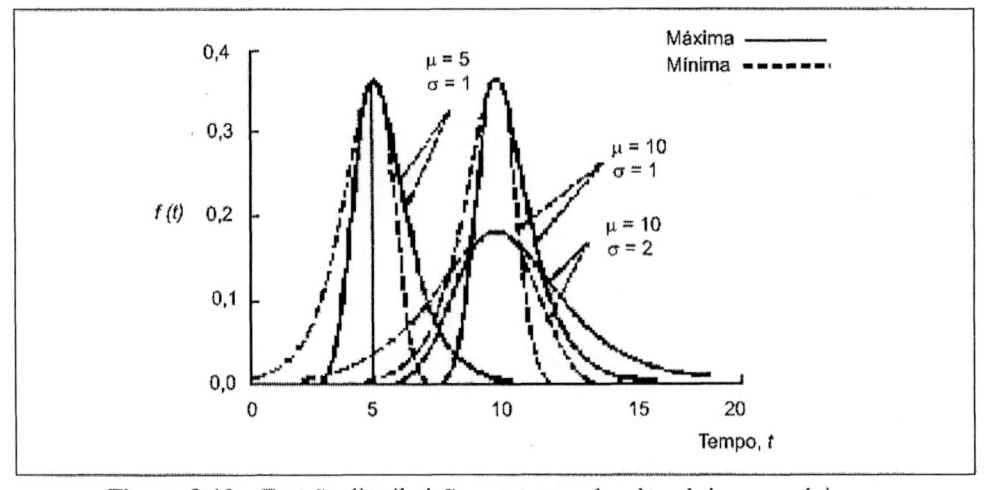

Figura 3.19 – Função distribuição extremo valor de máximos e mínimos, com respectivos parâmetros

Extremo Valor Tipo III

Esta distribuição é na realidade a distribuição de Weibull e foi desenvolvida empiricamente para descrever a distribuição da resistência de materiais. O seu emprego como função de valor extremo tem sido justificado pelos bons resultados obtidos com esta distribuição na prática.

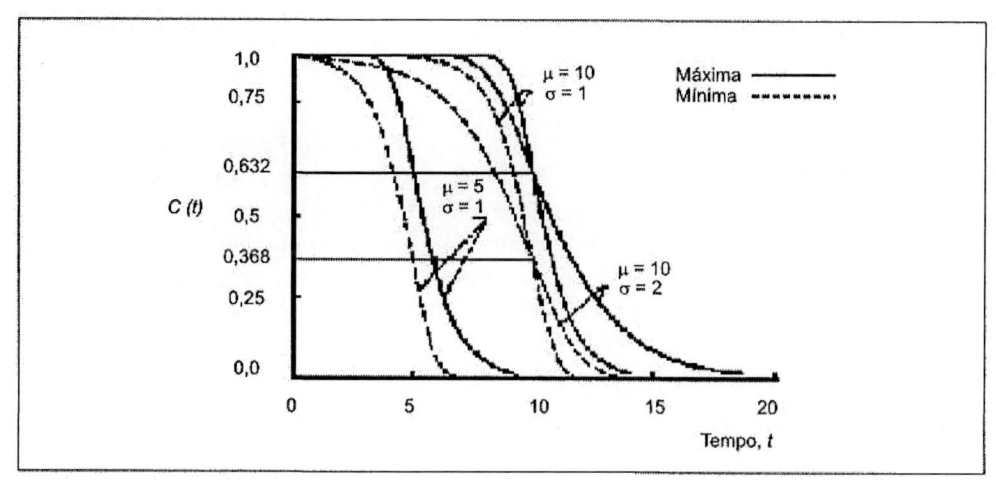

Figura 3.20 – Função confiabilidade de uma DEV de máximos e mínimos

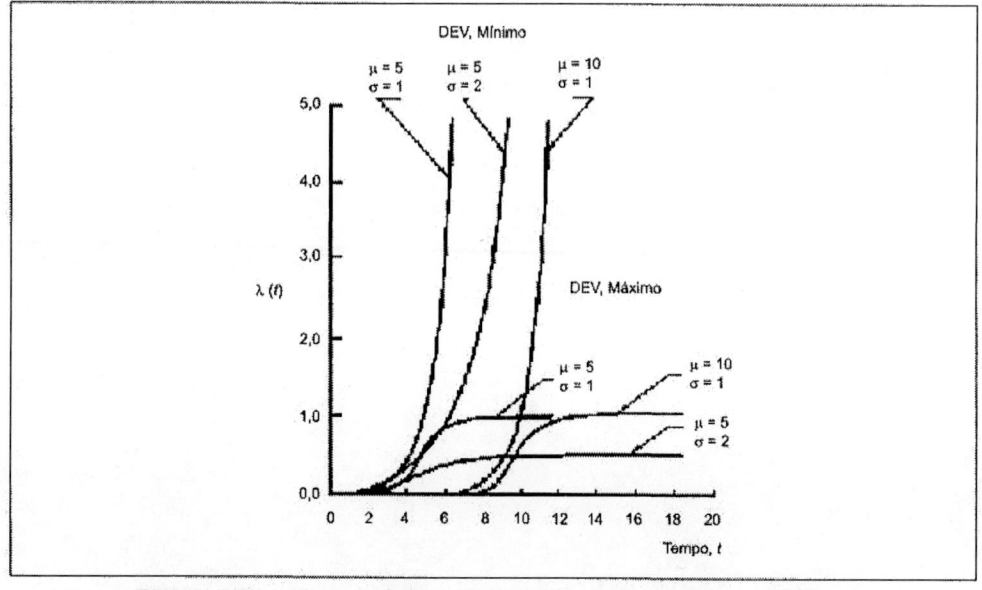

Figura 3.21 – Taxa de falhas de um DEV, para máximos e mínimos

As Distribuições de Extremo Valor e sua Relação com a Resistência e a Carga

A distribuição de EV tipo I para máximos é freqüentemente apropriada para modelar a ocorrência de cargas que não são limitadas pela direita, isto é, quando não exista uma carga limite.

É sabido que os materiais têm uma resistência finita, devido principalmente à existência de imperfeições internas. Estas imperfeições provocam uma acentuada redução na resistência dos materiais quando a carga se aproxima do limite. Esta redução acentuada é apropriadamente modelada por distribuições de valores extremos de mínimo.

A resistência, e portanto o tempo para a falha, de muitos produtos pode ser considerada como função das imperfeições existentes. Como pequenas imperfeições não são detectadas nas inspeções e controles de processo, isto justifica a utilização da distribuição de Weibull para resistência. Por outro lado, a utilização da distribuição tipo III poderia ocorrer nos casos de produção contínua onde não existiriam 100% de inspeção e onde os defeitos fossem não limitados.

CAPÍTULO 4

Introdução à Análise Estatística de Falhas

4.1 Introdução

O objetivo da análise estatística de falhas é determinar a taxa de falhas e o tempo médio entre falhas de equipamentos e produtos. Normalmente, este procedimento depende muito da fonte dos dados, que podem ser coletados do campo ou através de ensaios.

No caso de dados oriundos de ensaios, para uma caracterização inequívoca necessita-se das seguintes informações:

- Número de itens (ou de locais) colocados (usados) no (de) ensaio → n.
- Tipo de ensaio: sem reposição (SR) das unidades que falham ou com reposição (CR).
- Se o ensaio é concluído na r-ésima falha ou após um tempo previamente estabelecido (t_A, t_0, t_{final} ou t^*).

No caso de se ter n observações, uma para cada unidade, diz-se que se obteve uma *amostra completa*. Ensaios *com amostras completas* são conduzidos até que todos os componentes ou peças testadas falhem.

Ensaios *com amostras censuradas* são interrompidos (*censurados*) após um determinado tempo ou quando um certo número de falhas for atingido. Existem situações nas quais as interrupções ou censuras podem ser conduzidas progressivamente com a retirada ou suspensão de itens no decorrer do teste.

Se o teste de vida terminar num instante específico t_A (ou t_0), quando podem ter ocorrido menos falhas do que n, tem-se um teste de vida *com censura* ou *interrupção do tipo I*. Na censura do tipo I, o número de falhas e seus respectivos tempos são variáveis aleatórias.

Diz-se que foi realizado um teste de vida *com censura* ou *interrupção do **tipo II***, quando o ensaio terminar no instante em que ocorrer um particular número de falhas r. É natural que se tivermos um ensaio SR, então $r \leqslant n$. Portanto, na censura do tipo II o número de falhas é considerado fixo e as variáveis aleatórias são os instantes em que ocorrem as falhas.

4.2 A Análise Exponencial

4.3.1 Plano de Ensaio para a Distribuição Exponencial

Os tipos de censura mais usados são:

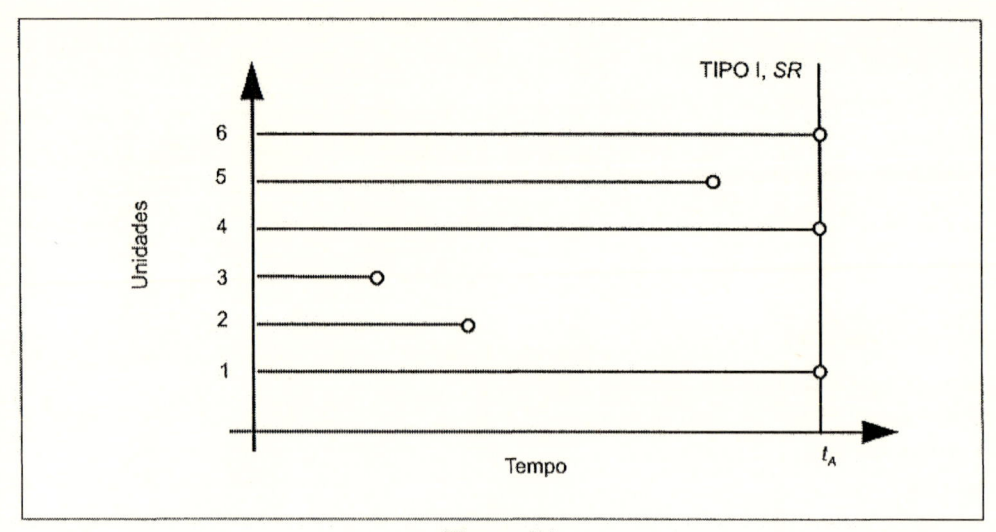

Figura 4.1

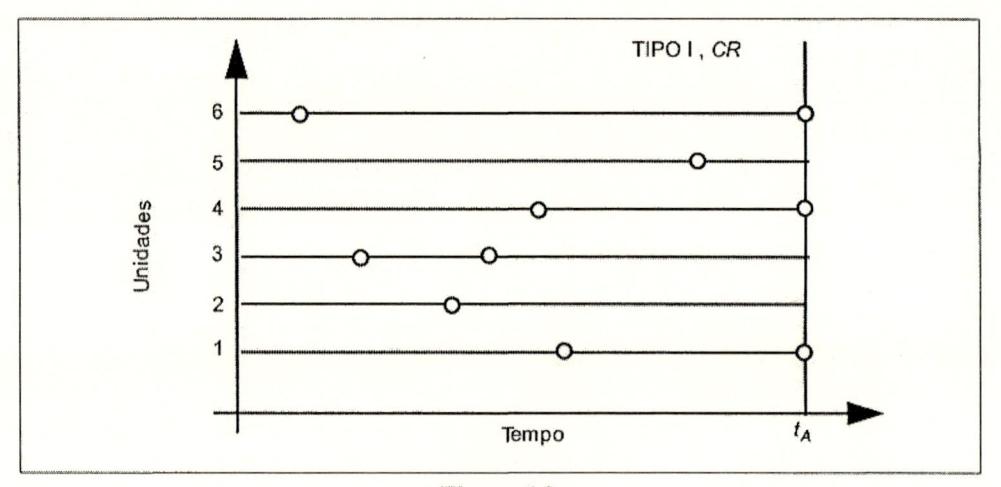

Figura 4.2

- **Censura do tipo I** – O ensaio é censurado (interrompido) após um determinado tempo. O número de falhas é aleatório. O ensaio pode ser com reposição (*CR*) dos componentes que falham ou sem reposição (*SR*).
- **Censura do tipo II** – O ensaio é censurado após um determinado número de falhas. O tempo é aleatório. O ensaio pode ser com ou sem reposição.

As Figuras 4.1 a 4.4 ilustram graficamente estes tipos de ensaios.

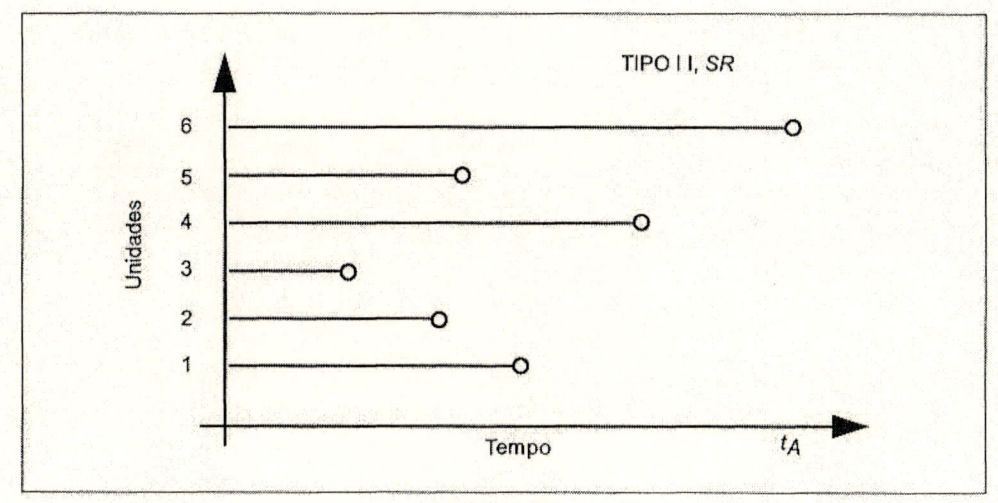

Figura 4.3

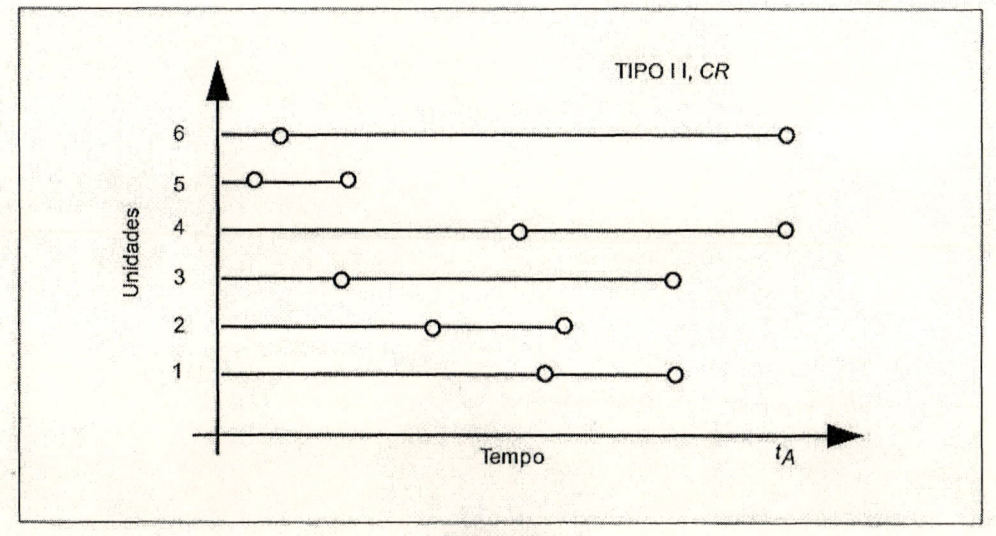

Figura 4.4

O valor estimado da taxa de falhas (λ) é calculado a partir das fórmulas da Tabela 4.1.

A taxa de falhas pode ser calculada a partir de uma pequena amostra. Entretanto, surge a questão: qual a confiança de que a conclusão obtida seja realmente válida para toda a população? Pode-se afirmar que o valor da confiança aumenta na medida que aumenta o número de itens amostrados. Além disso, a confiança em qualquer assertiva baseada em estimativas estatísticas é maior, se a assertiva refere-se a um intervalo de valores ao invés de especificamente a um valor.

A obtenção do intervalo de confiança para λ da distribuição exponencial é dada pela expressões das Tabelas 4.2 e 4.3.

Tabela 4.1

Plano de Ensaio	Valor Estimado de λ	Tipo de Censura
n, CR, t_A	$\dfrac{n_f}{n \cdot t_A}$	Tipo I
n, CR, r	$\dfrac{r}{n \cdot t_r}$	Tipo II
n, SR, t_A	$\dfrac{n_f}{\sum_{i=1}^{nf} t_i + (n - n_f) \cdot t_A}$	Tipo I
n, SR, r	$\dfrac{r}{\sum_{i=1}^{nf} t_i + (n - r) \cdot t_r}$	Tipo II

Onde:
- n – número de unidades de ensaio;
- n_f – número de falhas;
- r – número de falhas estabelecidas (tipo II);
- t_i – tempo da i-ésima falha;
- t_A – tempo de ensaio estabelecido (tipo I);
- t_r – tempo da r-ésima falha.

Tabela 4.2

Bilateral	Unilateral
$\hat{\lambda} \ldots k_1 \leq \lambda \leq \hat{\lambda} \ldots k_2$	$\lambda \leq \hat{\lambda} \ldots k_3$
$\dfrac{T\hat{M}EF}{k_2} \leq T\hat{M}EF \leq \dfrac{T\hat{M}EF}{k_1}$	$T\hat{M}EF \geq \dfrac{T\hat{M}EF}{k_3}$

Tabela 4.3

Plano de Ensaio	k_1	k_2	k_3
Tipo I	$\dfrac{1}{2n}X^2_{2n;\frac{1-Pa}{2}}$	$\dfrac{1}{2n}X^2_{2(n+1);\frac{1+Pa}{2}}$	$\dfrac{1}{2n}X^2_{2(n+1);Pa}$
Tipo II	$\dfrac{1}{2r}X^2_{2r;\frac{1-Pa}{2}}$	$\dfrac{1}{2r}X^2_{2r;\frac{1+Pa}{2}}$	$\dfrac{1}{2r}X^2_{2r;Pa}$

Onde:

Pa – nível de confiança desejado;
X^2 – função qui-quadrado;
$TMEF$ – tempo médio entre falhas = $1/\lambda$.

4.3 A Análise de Weibull

A análise de Weibull é uma técnica simples usada para analisar dados de campo ou de ensaios, com o objetivo de avaliar o modo de falha exibido por um componente ou equipamento.

Em particular, a análise de Weibull permite determinar a fase de falhas prematuras (mortalidade infantil), a fase de falhas casuais ou aleatórias (taxa de falhas constante) e a fase de falhas por desgaste. Estas informações podem ser utilizadas para determinar a melhor política de manutenção e para análise de confiabilidade e vida. Entretanto, deve-se salientar que nos casos de taxas de falhas não constantes, métodos especiais devem ser utilizados para análises de confiabilidade.

4.3.1 Uso do Papel de Weibull

Se $F(t)$ é a probabilidade de falha do componente, então

$$1 - F(t) = \exp\left[-\left(\frac{t-t_0}{\eta}\right)^\beta\right]$$

Se aplicarmos ln aos dois lados da equação

$$\ln[1 - F(t)] = -\left(\frac{t-t_0}{\eta}\right)^\beta$$

Passando o sinal negativo para dentro do ln

$$\ln\left[\frac{1}{1-F(t)}\right] = -\left(\frac{t-t_0}{\eta}\right)^\beta$$

Aplicando *ln* novamente aos dois lados da equação,

$$\ln\ln\left[\frac{1}{1-F(t)}\right] = \beta\ln(t-t_0) - \beta\ln\eta$$

Para o caso particular onde alfa e beta são constantes, colocando-se, num sistema de coordenadas cartesianas, o lado esquerdo da equação acima no eixo *y* e o tempo *t*, no eixo *x*, obtém-se:
a) uma linha reta, caso em que $t_0 = 0$;
b) uma curva, caso em que $t_0 \neq 0$.

O papel de Weibull (ver Figura 4.5) usa uma escala log-log nas ordenadas conjuntamente com uma transformação para $1/[1-F(t)]$, de forma que se coloca diretamente $F(t)$, a probabilidade de falha (ou percentualmente a probabilidade acumulada de falha), contra $(t - t_0)$, no tempo da falha.

O método gráfico é, então, utilizado para estimar beta, a inclinação da curva; alfa, a vida característica; e t_0, o período de garantia.

Outro método para se obter os parâmetros anteriores é através da análise de regressão, fazendo-se a transformação de variáveis descrita a seguir:

$$Y = \ln\ln\left[\frac{1}{1-F(t)}\right]$$
$$X = \ln(t-t_0)$$
$$A = \beta$$
$$B = -\beta\ln\eta$$

Agora se pode escrever

$$Y = AX + B$$

Determinando-se os coeficientes *A* e *B* através da análise de regressão, determinamos alfa e beta, através de:

$$\beta = A$$
$$\eta = \exp\left(-\frac{B}{A}\right)$$

4.3.2 Método Geral

Considerando-se que *n* itens são testados e que o tempo para a falha de cada item é anotado:
a) Ordene os tempos para a falha em ordem crescente da falha 1, 2,...,i,...,n.
b) Estime *F(t)*, o percentual acumulado de falhas, através da expressão

$$F(t) = \frac{100 \cdot (i - 0{,}3)}{n + 0{,}4}$$

Onde:
i = *i* – ésima ordem, ou o número de ordem;
n = número de itens submetido à falha durante o teste.

Obs.: A expressão acima para *F(t)* é conhecida como número de ordem médio. Esta é uma expressão, entre muitas, que pode ser usada para dar melhor aproximação, quando se usa número limitado de dados. Neste caso, a apresentação da probabilidade de falha proporcional é insatisfatória.

Exemplo
- Tempos para a falha 440, 270, 49, 700, 160 dias.
- Pondo em ordem crescente e calculando $F(t)$, vem:

Tabela 4.4

Tempo para a falha	49	160	270	440	700
$F(t)$ = % acumulada de falhas	12,9	31,3	50,0	68,6	87,0

Estes pontos estão colocados na Figura 4.5.

Todos os pontos estão razoavelmente alinhados numa reta, portanto:
- $t_0 = 0$, i.e., as falhas iniciam após $t = 0$.

Traçando-se uma perpendicular à reta ajustada através do ponto de estimação *(Estimation point)*, pode-se ler o valor de β, onde esta perpendicular corta a escala de β.

O estimador de η é obtido lendo-se o valor da abscissa no qual a reta ajustada encontra o valor de 63,3 (linha tracejada do gráfico) na ordenada.

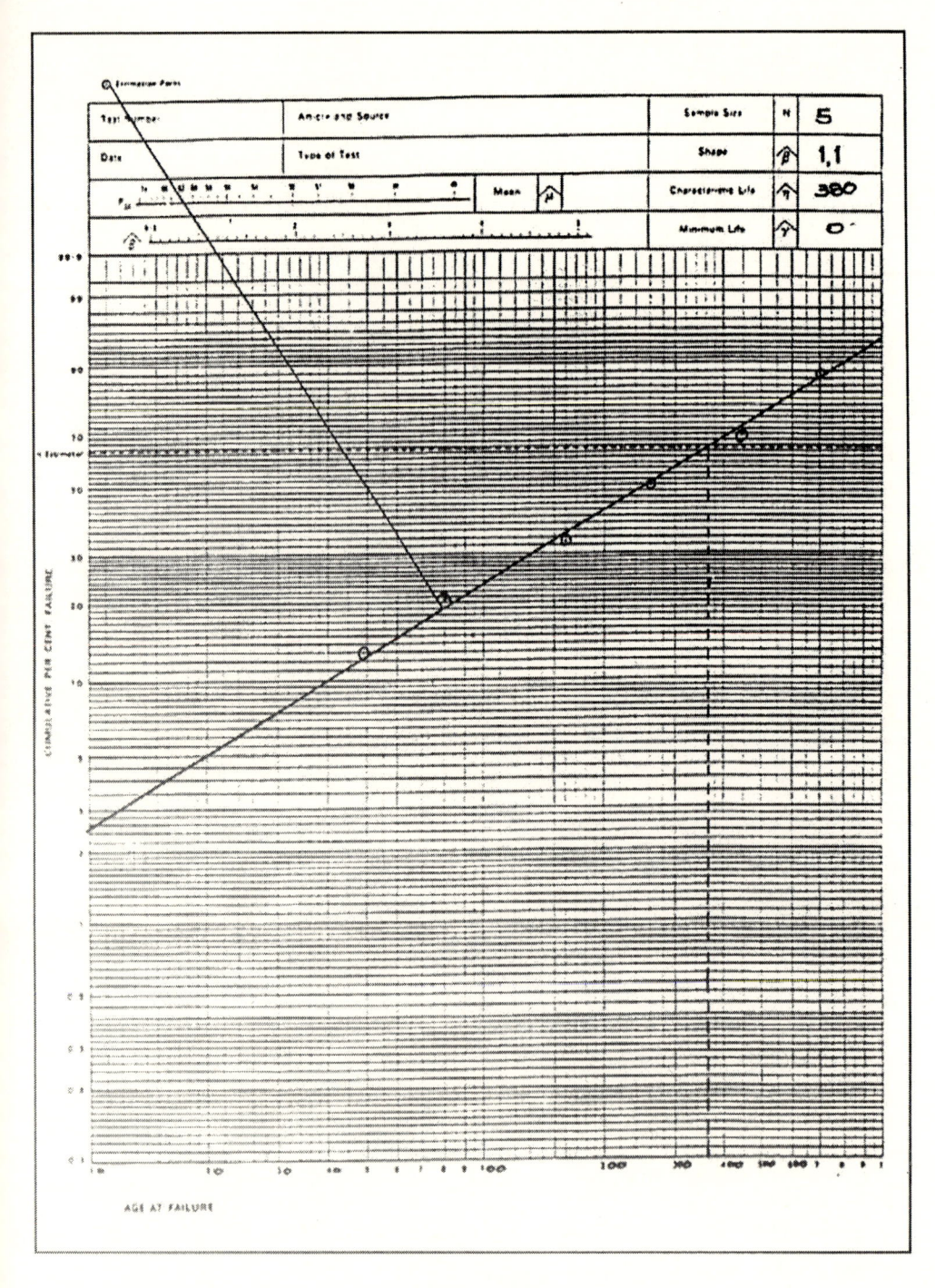

Figura 4.5

Neste caso:
- β = 1,1
- η = 380 dias.

Portanto, a vida característica é de 380 dias, isto é, até este tempo, 63,3% dos componentes terão falhado.

A função da confiabilidade pode ser escrita como:

$$C(t) = \exp\left[-\left(\frac{t}{380}\right)^{1,1}\right]$$

Na prática, a determinação de β é de primordial importância para se determinar o tipo de manutenção mais adequado. A Tabela 4.5 fornece um indicativo geral da aplicabilidade de cada tipo.

4.3.3 Tratamento para Sobreviventes

Sobreviventes, por definição, são itens que não falharam antes do término do teste. Obviamente o número de itens testados *n* deve incluir os sobreviventes (dados censurados). Entretanto, os sobreviventes não serão considerados no cálculo de *F(t)*.

Tabela 4.5

Valor de β	Tendência da Taxa de Falhas	Tipo de Manutenção
β < 1	Taxa de falhas decrescente	Manutenção corretiva
β = 1	Taxa de falhas constante	Manutenção preditiva/corretiva/por oportunidade*
β > 1	Taxa de falhas crescente	Manutenção preventiva

* No caso de equipamentos críticos se justifica manutenção preventiva.

Exemplo

Dez itens foram testados simultaneamente, mas o teste terminou antes de 10 dias. Até esta data, os tempos para falha foram 56, 7, 98, 40, 18, 29, 78 e três sobreviventes.

Ordenando em ordem crescente e avaliando *F(t)* pela expressão da ordem mediana, anteriormente discutida, com *n* = 10, montamos a Tabela 4.6:

Tabela 4.6

t	7	18	29	40	56	78	98
F(t)	6,6	16,2	25,8	35,5	45,1	54,8	64,4

Os pontos estimados estão locados na Figura 4.6.

β é estimado conforme procedimento anterior e tem o valor de aproximadamente 1. Portanto, a distribuição é exponencial, isto é, com taxa de falha constante. Finalmente, uma política de manutenção preventiva não seria justificável (ver Tabela 4.5).

4.3.4 Tratamento para Dados Censurados

Seis itens são submetidos a um teste, simultaneamente. Três itens falharam; outros três, por um motivo qualquer, foram retirados do teste antes de falharem. Estes itens foram censurados, isto é, retirados do teste antes da falha.

a) Ordene os n tempos até a falha ou censura em ordem ascendente de vida, de forma que possamos calcular o incremento da ordem, através da expressão:

$$Inc = \frac{(n+1) - Inc\_anterior}{(n+1) - (n^{\underline{o}}\_itens\_precedentes)}$$

b) Calcule a ordem revista somando-se o incremento de ordem a cada falha (ver Tabela 4.7):

Tabela 4.7

Nº do Item	Resultado	Vida (dias)	Incremento	Ordem Revista
1	F	72	1	1
2	C	95	–	1
3	F	140	$Inc = \frac{(3+1) - 1}{(3+1) - 2} = 1,5$	2,5
4	C	160	–	–
5	C	180	–	–
6	F	210	$Inc = \frac{(6+1) - 2,2}{(6+1) - 5} = 2,4$	4,6

c) Calcule o número de ordem para $n = 6$ (ver Tabela 4.8):

Tabela 4.8

Ordem	1	2	3	4	5	6
F(t)	10,9	26,4	42,1	57,8	73,5	89,0

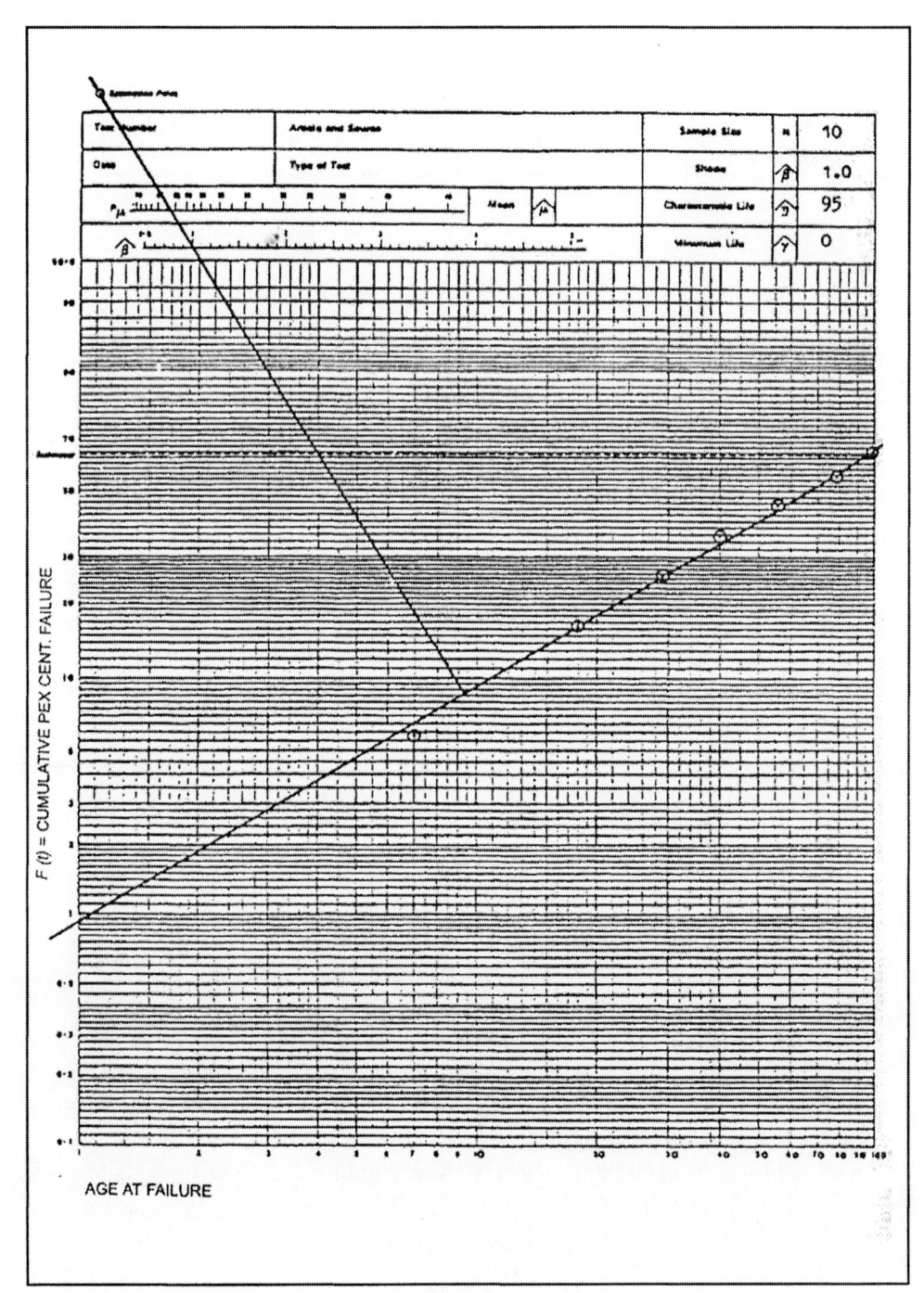

Figura 4.6

d) Calcule *F(t)* revisto através de interpolação linear dos valores da Tabela 4.9, que dá:

Tabela 4.9

Ordem Revisada	F(t) Revisado	Vida
1	10,9	72
2,2	29,5	140
4,6	67,2	210

Traçando-se estes valores no papel de Weibull (ver Figura 4.7) encontramos um valor de β = 2,0. Portanto, a taxa de falha cresce linearmente. Uma política de manutenção preventiva seria justificável (ver Tabela 4.5).

4.3.5 Tratamento para t_0 não 0

t_0 é o parâmetro de vida inicial da distribuição de Weibull e representa a distância da origem até o início da primeira falha. Na maioria dos casos é igual a zero, significando que no tempo 0 a probabilidade de ter-se falha é zero. Por outro lado:

- t_0 + *ve*, significa que existe um período de garantia, durante o qual não há falhas;
- t_0 − *ve*, significa que o item tem "vida de prateleira", portanto, podem falhar antes de entrar em uso.

Geralmente t_0 é o tempo no qual a probabilidade de ter falhado é zero.

t_0 determina se a distribuição de Weibull, no papel de Weibull, é uma curva ou uma reta, de forma que:

- t_0 = 0; tem-se uma reta;
- t_0 + *ve;* curva com concavidade voltada para baixo;
- t_0 − *ve;* curva com concavidade voltada para cima.

Se ao locar os pontos verificamos que não é possível o ajuste através de uma reta, significa que estamos num caso com período de garantia ou vida de prateleira. A determinação de t_0 é feita iterativamente, isto é, um valor arbitrário é somado ou subtraído de t_0 alterando a origem das abscissas, até que os pontos se alinhem numa reta.

Por exemplo, verificar a Figura 4.8 na página seguinte. Os dados de falha formam uma curva. Subtraindo valores de $t_0 - 1$, $t_0 - 2$, verifica-se que os pontos tendem a se alinhar. Portanto, o item tem um período de garantia de 2 dias.

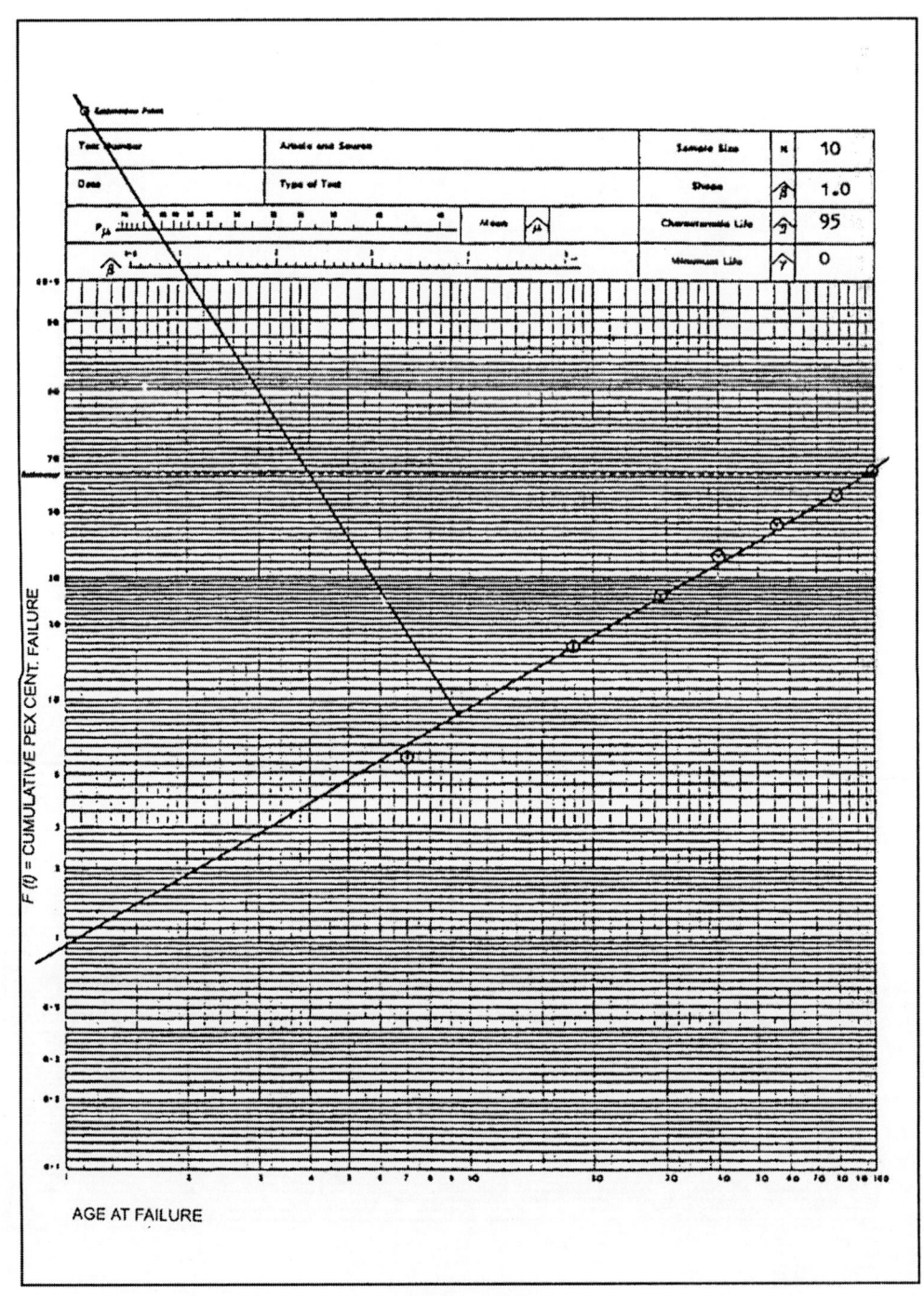

Figura 4.7

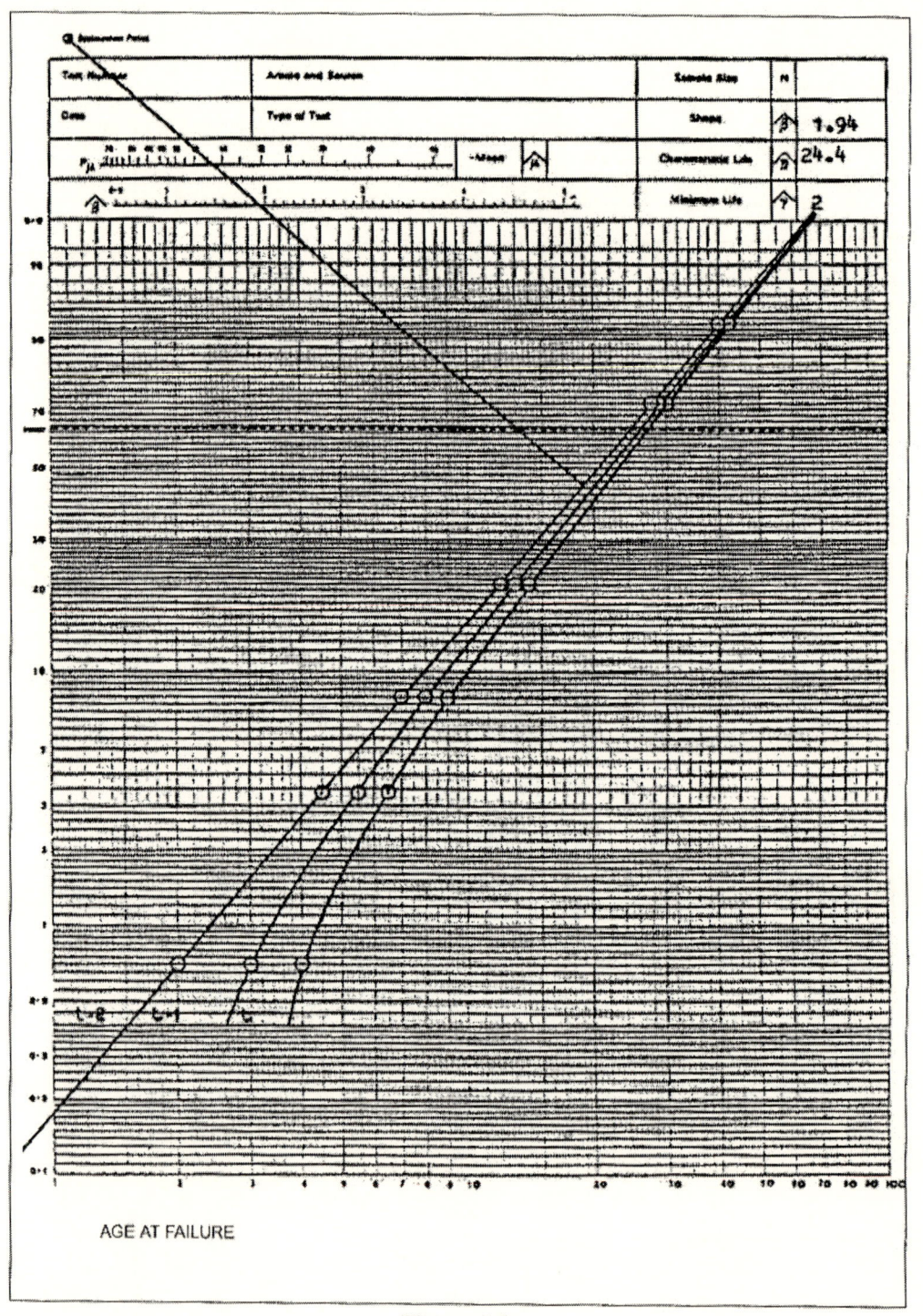

Figura 4.8

CAPÍTULO 5

Método da Interferência para Determinação da Confiabilidade

5.1 Introdução

Geralmente, as falhas ocorrem quando as cargas atuantes num equipamento ou estrutura excedem a resistência dos materiais da qual a mesma é construída. Portanto, as relações entre as cargas e as resistências são muito importantes. A probabilidade de falha como conseqüência das cargas excederem as resistências pode ser modelada através da estatística, pois as cargas e as resistências são freqüentemente variáveis e podem ser modeladas pelas funções de distribuições do capítulo anterior.

A Figura 5.1 mostra uma situação muito simples, na qual um item tem uma resistência constante e está submetido a uma tensão menor que a sua resistência. Nesta situação o item nunca falhará. A Figura 5.2 ilustra uma situação mais próxima da realidade, onde as resistências e as cargas atuantes são ambas variáveis e distribuídas em torno de um valor médio. Posto de outra forma, existe uma probabilidade finita de que ambos os valores excedam ou sejam menores que as respectivas médias. Se não houver sobreposição entre os valores distribuídos, novamente a falha não ocorrerá. A

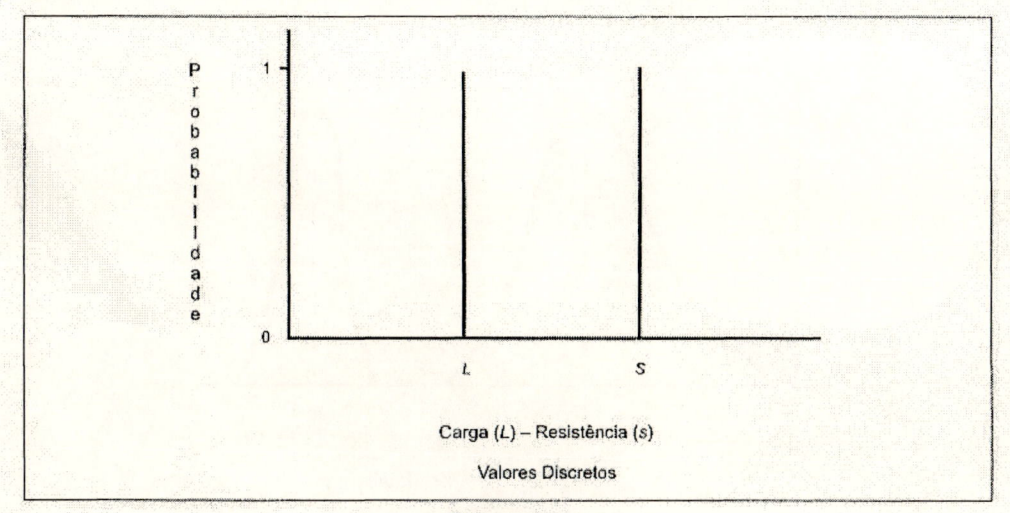

Figura 5.1

Figura 5.3, entretanto, mostra uma sobreposição entre as distribuições de cargas e resistências. Neste caso, qualquer item da extremidade esquerda da distribuição de resistência submetida a uma carga na região de sobreposição com a distribuição de cargas falhará. Esta é uma situação onde existe interferência entre as distribuições de resistências e cargas. A resistência nem sempre tem um valor médio constante; por exemplo, um item sujeito à fadiga apresentará mudanças na resistência com o transcorrer do tempo. O mesmo pode ocorrer com as cargas, que podem ser variáveis no tempo.

Convém esclarecer, que os termos carga e resistência se referem ao sentido mais amplo de seus significados. "Carga" pode se referir à uma tensão mecânica, a uma tensão elétrica ou a uma tensão interna devido a gradientes térmicos. "Resistência" pode se referir a qualquer propriedade física, como dureza, resistência mecânica, ponto de fusão, etc. Alguns exemplos aplicáveis à Avaliação de Vida Residual são:

1. Trincas de fadiga que cresçam além da seção resistente mínima de um eixo.
2. Trincas de corrosão sob tensão que excedam o fator de concentrações de tensões críticas do material.
3. Vazios de fluência que atinjam uma quantidade considerada crítica.
4. Profundidade de pites de corrosão que provoquem vazamentos em uma linha.
5 Parâmetros de fluência que causem uma vida esperada menor que a próxima campanha do equipamento.

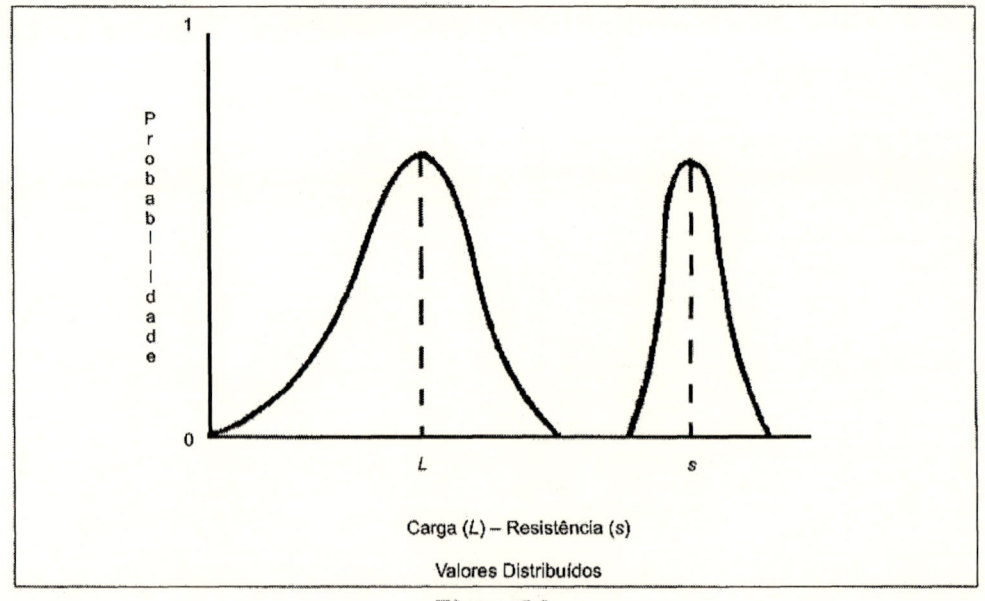

Figura 5.2

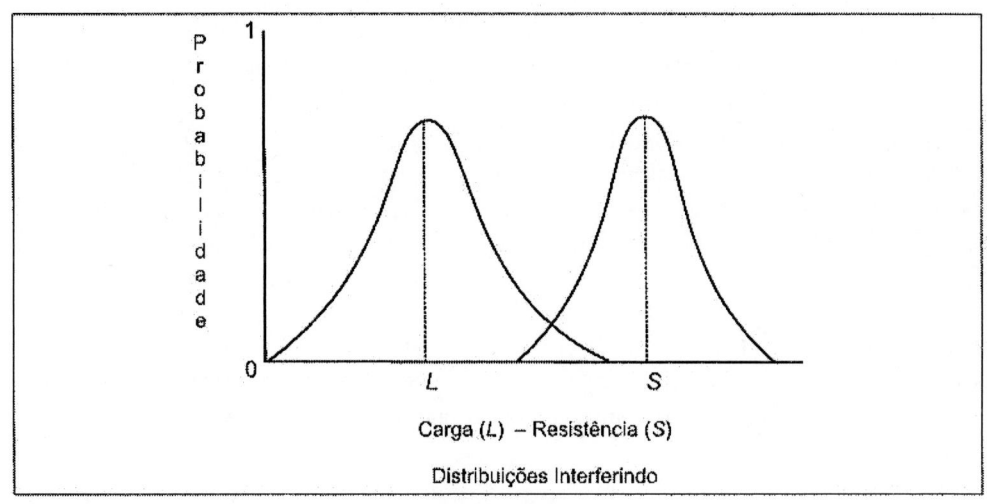

Figura 5.3

Carga (L) – Resistência (S)
Distribuições Interferindo

Portanto, se projetarmos um item de forma que as resistências excedam as cargas, não haverá falhas. Esta é a abordagem usualmente seguida em projetos, quando os projetistas levam em consideração os valores máximos e mínimos de carga e resistência e ainda um fator de segurança variável caso a caso. Esta abordagem é normalmente muito eficiente. Entretanto, algumas falhas ocorrem na prática que podem ser descritas pelo modelo de interferência. No caso de falha, ou as cargas foram muito altas, ou as resistências muito baixas, e cumpre-nos descobrir o que saiu errado.

5.2 Cargas e Resistências Distribuídas

Para a maioria dos equipamentos nem as cargas nem as resistências são fixas, mas sim estatisticamente distribuídas. Cada distribuição tem um valor médio, representado por (cargas) ou (resistências), e desvio padrão σ_L e σ_S. No item anterior, já se descreveu as situações onde ocorrem falhas.

Para cargas normalmente distribuídas pode-se definir coeficiente de segurança como:

$$SM = \frac{\overline{S} - \overline{L}}{\left(\sigma_S^2 + \sigma_L^2\right)^{1/2}}$$

e severidade de carga como:

$$LR = \frac{\sigma_L}{\left(\sigma_S^2 + \sigma_L^2\right)^{1/2}}$$

O coeficiente de segurança é a distância relativa entre as resistências e as cargas e a severidade da carga é o desvio padrão da distribuição de cargas. Ambos os valores são relativos ao desvio padrão combinado das distribuições de cargas e resistências.

O coeficiente de segurança e a severidade de carga permitem, teoricamente, analisar o modo de como as distribuições de cargas e resistências se interferem, e assim determinar a probabilidade de falha (ou confiabilidade). Por outro lado, o coeficiente de segurança determinístico tradicional, baseado somente nos valores médios ou máximos/mínimos, não permite a determinação da confiabilidade. Entretanto, dados precisos de cargas e resistências não são normalmente disponíveis. Outra dificuldade em aplicar a teoria da interferência é entender que os materiais e os ambientes não necessariamente seguirão os modelos estatísticos sendo utilizados. Portanto, deve-se estar ciente de tais limitações quando da aplicação prática da teoria a ser vista na seqüência.

Alguns exemplos de diferentes situações de coeficiente de segurança/severidade de carga estão presentes na Figura 5.4. A Figura 5.4(a) mostra uma situação muito confiável: distribuições estreitas de cargas e resistências, baixo valor de severidade

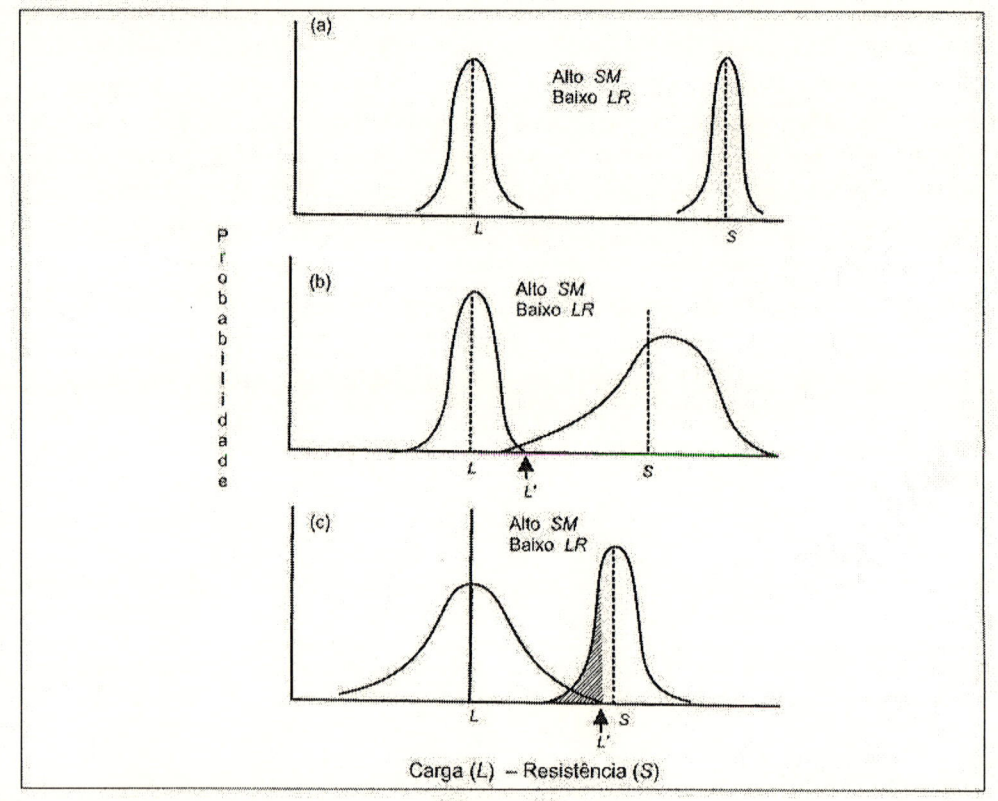

Figura 5.4

de carga e grande coeficiente de segurança. Se fosse possível controlar o espalhamento das cargas e das resistências, e conseguir um grande coeficiente de segurança, ter-se-ia uma situação intrinsecamente isenta de falhas. É importante ressaltar que está se admitindo que a resistência não varia com o tempo, isto é, não existe dano do material no tempo. A situação com presença de dano será abordada a seguir. Esta primeira situação é aplicável a um grande número de casos, particularmente componentes críticos como é o caso de vasos de pressão. O coeficiente de segurança é obtido da experiência que se tem no projeto do componente, no controle de qualidade de fabricação e montagem, nos limites de variações de cargas e resistências.

A Figura 5.4(b) mostra uma situação onde a severidade da carga é pequena. Entretanto, o coeficiente de segurança é pequeno devido ao grande desvio padrão da distribuição de resistências. Valores de cargas extremas causarão falhas dos componentes menos resistentes. Entretanto, somente um pequeno número de itens falhará quando sujeito a cargas elevadas. Este é um caso típico onde os métodos de controle de qualidade não conseguem reduzir a um nível conveniente o desvio padrão da distribuição das resistências. Neste caso, a aplicação deliberada de uma sobrecarga causará a falha dos componentes de menor resistência, deixando, portanto, a população com a distribuição de resistência truncada à esquerda, conforme Figura 5.5. A sobreposição é eliminada e a confiabilidade dos sobreviventes será aumentada. Esta é a justificativa para o uso do teste hidrostático em vasos de pressão. É de interesse ressaltar que a sobrecarga deve ser tal que não danifique os itens bons, ou seja, a sobrecarga não deve degradar a resistência. A diminuição da taxa de falhas é uma característica de tal procedimento, pois os itens fracos são eliminados ("mortalidade infantil") e a resistência da população aumentada.

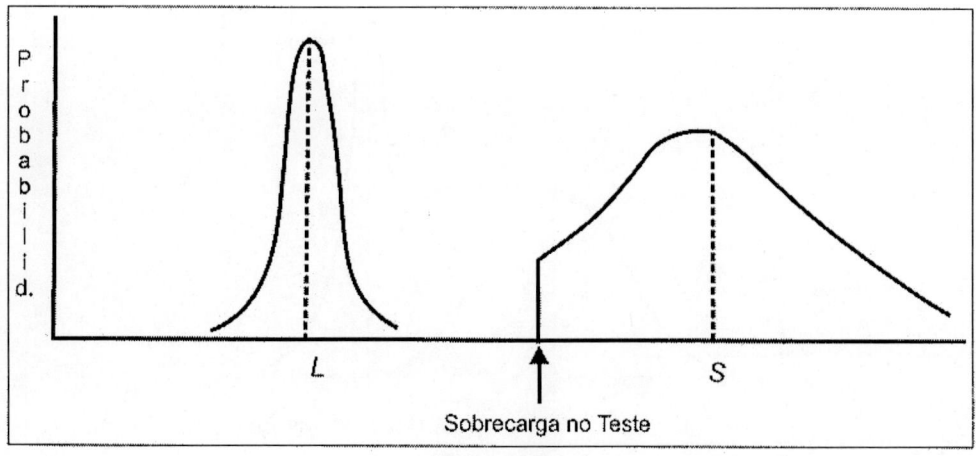

Figura 5.5

Na Figura 5.4(c) tem-se uma situação com pequenos coeficientes de segurança e severidade de carga como conseqüência do grande espalhamento da distribuição de cargas e resistências. Esta é uma situação muito crítica sob o ponto de vista de confiabilidade, pois o uso de uma sobrepressão causaria um grande número de falhas na população. Também, a determinação dos itens fracos por meio de inspeção seria antieconômico. A maneira de se aumentar a confiabilidade nesta situação seria diminuir a possibilidade de cargas elevadas (é o que se procura fazer quando se instala válvulas de segurança num vaso de pressão, por exemplo) ou se aumentando a resistência dos materiais (o que nem sempre é economicamente viável).

5.3 Análise da Interferência Carga-Resistência

O modelo matemático para o cálculo da confiabilidade (e conseqüentemente a probabilidade de falha) é baseado na notação da Figura 5.6 e pode ser utilizado para quaisquer distribuições contínuas de cargas e de resistências. Considerando-se, inicialmente, um componente de resistência s_o, como ilustrado na Figura. A probabilidade de que este componente possua uma resistência entre s_o e $(s_o + ds)$ é $S(s_o)ds$. Adicionalmente, a probabilidade de que a tensão devido à carga aplicada seja menor que a tensão s_0 é dado por:

$$\int_0^{s_0} L(s)ds$$

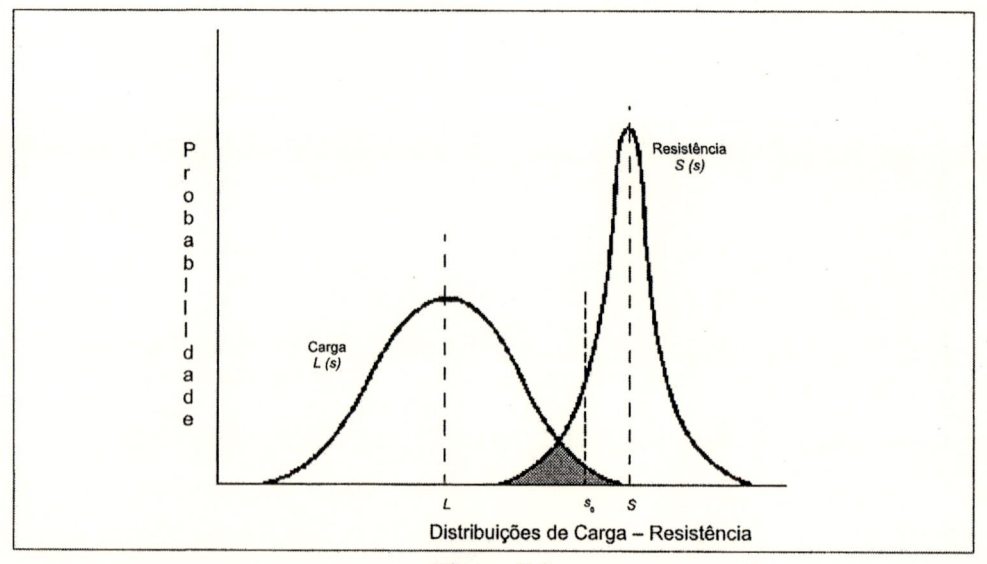

Figura 5.6

Desde que estes eventos sejam mutuamente independentes pode-se usar a regra do produto para se avaliar a probabilidade de se obter um componente de resistência s_0 e a carga que não causará a sua falha, o que dá:

$$S(s_0)ds \int_0^{s_0} L(s)ds$$

Retirando-se a restrição de que a resistência do componente é s_0 e permitindo que o mesmo tenha qualquer valor conforme a distribuição $S(s)$, obtém-se a fórmula da confiabilidade total:

$$C = \int_0^\infty \left[S(s) \int_0^s L(s)ds \right] ds$$

Esta é a expressão geral que fornece a confiabilidade de um conjunto de produtos de resistências distribuídas e sujeitos a cargas também distribuídas. É fácil se ver que este valor de confiabilidade não é simplesmente uma probabilidade, mas envolve também as distribuições de L e de S.

Resistência e Cargas Normalmente Distribuídas

Considerando-se distribuições de cargas (L) e resistências (S) normalmente distribuídas com f.d.p.'s dadas por:

$$L(s) = \Phi\left(\frac{L - \bar{L}}{\sigma_L} \right)$$

$$S(s) = \Phi\left(\frac{S - \bar{S}}{\sigma_S} \right)$$

e se $y = SL$, então, $\bar{y} = \bar{S} - \bar{L}$ e $\sigma_y = (\sigma^2_S + \sigma^2_L)^{1/2}$ de forma que

$$C = P(Y > 0) = \Phi\left(\frac{\bar{S} - \bar{L}}{\sigma_Y} \right)$$

Portanto, a confiabilidade pode ser determinada achando-se os valores das variáveis reduzidas de uma tabela de distribuição normal comum. A confiabilidade pode ainda ser expressa como:

$$C = \Phi\left[\frac{\bar{S}-\bar{L}}{(\sigma_S^2 - \sigma_L^2)^{1/2}}\right] = \Phi(SM)$$

Outras Distribuições de Carga e Resistência

A confiabilidade para outras distribuições de cargas e resistências pode ser determinada de maneira similar. Por exemplo, pode-se necessitar avaliar a confiabilidade de um item onde as resistências são modeladas por Weibull e as cargas por Gumbel. As integrais para este exemplo são mais complicadas e muitas vezes se recorre a métodos aproximados para resolvê-las.

5.4 Interferência Carga-Resistência Dependente do Tempo

Um item pode ser projetado levando-se em consideração uma redução de resistência devido a fatores como danos por fadiga, fluência ou corrosão. Fatores de segurança adicionais são então aplicados para assegurar que os ciclos de carga não causem danos acumulativos e para garantir um ciclo de vida seguro. Como a fadiga é um dos mecanismos de dano que mais freqüentemente causa a redução da vida de itens ciclicamente carregados, ela será utilizada como base para o restante desta seção.

A Figura 5.7 ilustra uma curva *SN* (tensão-número de ciclos) típica, mostrando os ciclos para a falha de diferentes níveis de carregamento. As distribuições na Figura 5.7 indicam variações de amostra para amostra, enquanto a curva mostra os valores médios. Para cargas abaixo do valor L' a vida à fadiga é indefinida, porém, cargas superiores provocam danos acumulados que culminam com a falha do item. O valor de L é o nível de carga que provocará falha instantânea do componente. Cargas baixas provocam danos de fadiga que vão se acumulando, de forma que a resistência do item vai diminuindo progressivamente, e a curva indica o valor de ciclos correspondentes a qualquer nível de carga entre L e L'. A curva fornece o valor médio da vida à fadiga para um dado valor de carga ou vice-versa. A população, na realidade, é distribuída, conforme ilustrado. A curva *SN* básica é aplicável à situação mais simples, onde somente um ciclo de carga é aplicado. Na prática, geralmente, as cargas são aleatoriamente aplicadas, conforme a Figura 5.8. A distribuição de ciclos para a falha terá um desvio padrão adicional, e não será possível a determinação da quantidade de dano já acumulada.

A vida à fadiga e a confiabilidade podem ser difíceis de serem calculadas nestas circunstâncias. Ao invés de analisar-se a situação na qual as distribuições de resistências a cargas ficam fixas, defronta-se agora com um problema no qual as resistências variam com o tempo e pela forma de como o carregamento anterior foi aplicado. Num caso mais genérico, o valor médio de carga também poderia variar com o tem-

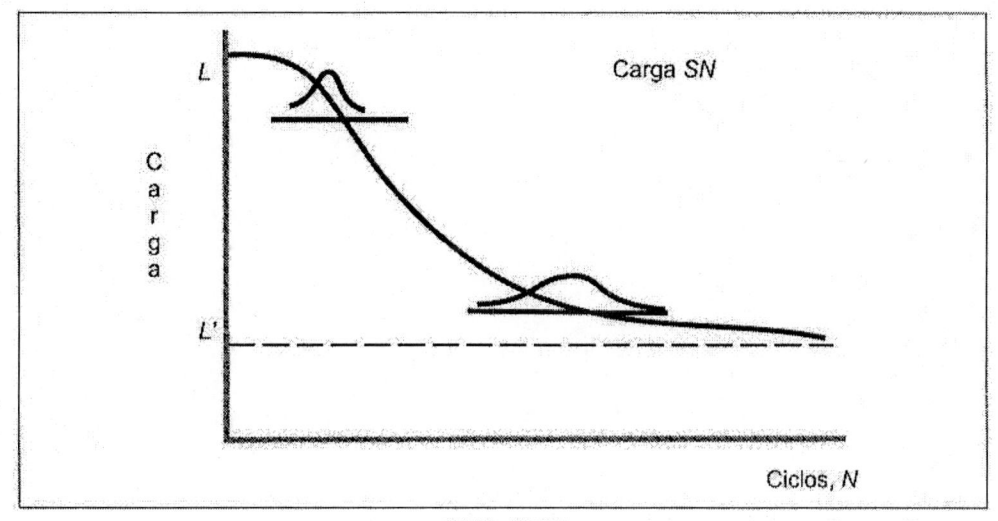

Figura 5.7

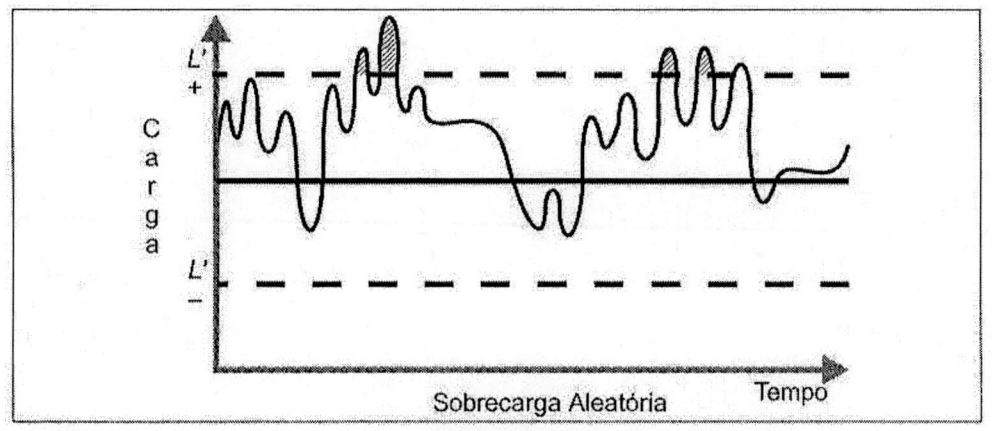

Figura 5.8

po, como no caso de um equipamento sujeito à corrosão e fluência. A corrosão provoca diminuição da seção transversal do item, que por sua vez altera a resistência à fluência.

A Figura 5.9 mostra uma curva *SN*, traçada num papel log-log, com a distribuição das cargas aplicadas. A extremidade da distribuição de cargas sobrepõe o valor de L'. Portanto, danos por fadiga são possíveis e o valor médio da resistência é reduzido com o tempo. Como o item está sujeito a diferentes níveis de dano por fadiga, a variação da distribuição de resistência aumenta. No valor de N', as extremidades das distribuições de carga e resistência passam a interferir e o item passa a ser sujeito a um número mais freqüente de falhas.

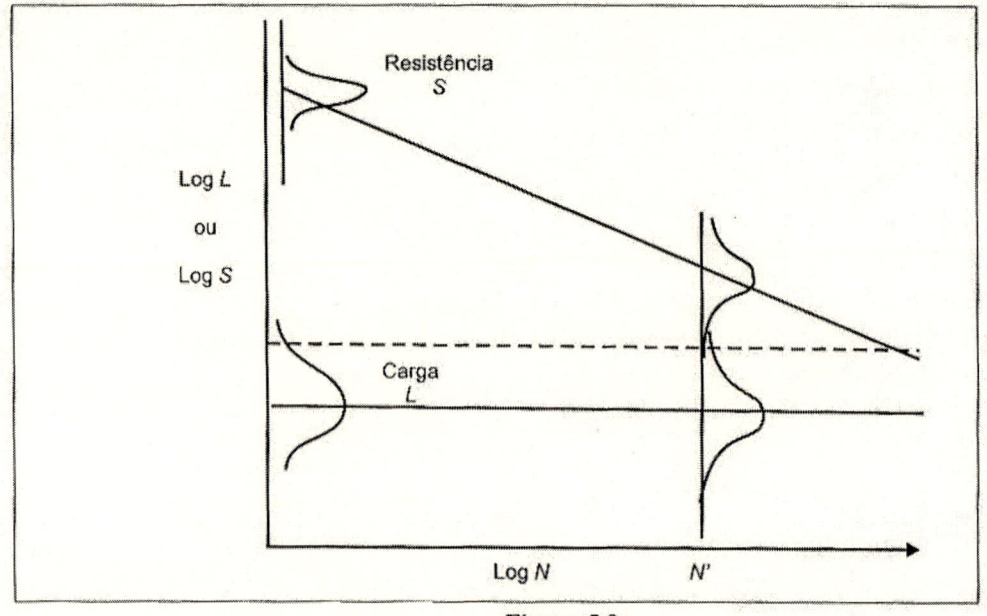

Figura 5.9

Em equipamentos projetados para se obter uma determinada confiabilidade quando sujeitos a regime de fadiga, deve-se assegurar que a distribuição de cargas nunca exceda o valor de carga crítica L' ou, se assegurar que o equipamento não opere por um período de tempo superior a um limite seguro, no qual deve-se obrigatoriamente substituí-lo. Entretanto, pode ser necessário a determinação da confiabilidade do equipamento num dado instante após o início de operação, para se especificar qual o tempo de operação seguro.

A vida à fadiga pode ser estimada através da regra de Miner, que é matematicamente expressa pela equação:

$$\frac{n_1}{N_1} + \frac{n_2}{N_2} + \frac{n_3}{N_3} + ... + \frac{n_k}{N_k} = 1$$

ou seja:

$$\sum_{i=1}^{k} \frac{n_i}{N_i} = 1$$

onde n_i é o número de ciclos num nível de carga específico, acima do limite à fadiga, e N_i é o número de ciclos para a falha no nível de carga específico, como mostrado na curva *SN*.

A vida à fadiga de um item sujeito a cargas alternadas com valor médio igual a zero é:

$$N_e = \sum_{i=1}^{k} n_i$$

N_e é chamado de *vida equivalente*, e quando usado com a curva *SN* fornece uma carga cíclica equivalente.

Exemplo

Os dados de carregamento num componente indicam que três valores excederam o limite de resistência à fadiga, que é de $4{,}5 \; 10^8 \; N.m^{-2}$. Estes valores ocorrem durante a operação nas seguintes proporções:

$5{,}5 \times 10^8 \; N.m^{-2}$:3

$6{,}5 \times 10^8 \; N.m^{-2}$:2

$7{,}0 \times 10^8 \; N.m^{-2}$:1

Estimar a carga cíclica equivalente.

Solução: O diagrama *SN* para o material é mostrado na Figura 5.9. O número de ciclos para a falha em cada valor de tensão acima é:

$5{,}5 \times 10^8 \; N.m^{-2}$: $9{,}5 \times 10^4$ ciclos

$6{,}5 \times 10^8 \; N.m^{-2}$: $1{,}5 \times 10^4$ ciclos

$7{,}0 \times 10^8 \; N.m^{-2}$: $0{,}98 \times 10^4$ ciclos

Portanto, da última equação acima, onde *C* é uma constante arbitrária:

$$\frac{3C}{9{,}5 \times 10^4} + \frac{2C}{1{,}5 \times 10^4} + \frac{1C}{0{,}98 \times 10^4} = 1$$

Portanto, $C = 3{,}746$.

Da equação da vida equivalente,

$Ne = 3C + 2C + C = 2{,}25 \times 10^4 N$

Do diagrama *SN*, a tensão equivalente é $6{,}1 \times 10^8 N.m^{-2}$.

O valor instantâneo da interferência carga-resistência, e portanto a confiabilidade, pode ser avaliado para um valor de vida particular, se as distribuições de cargas e resistências são conhecidas. O valor da tensão equivalente avaliado segundo a lei de Miner representa a tensão média da distribuição. O valor do desvio padrão da

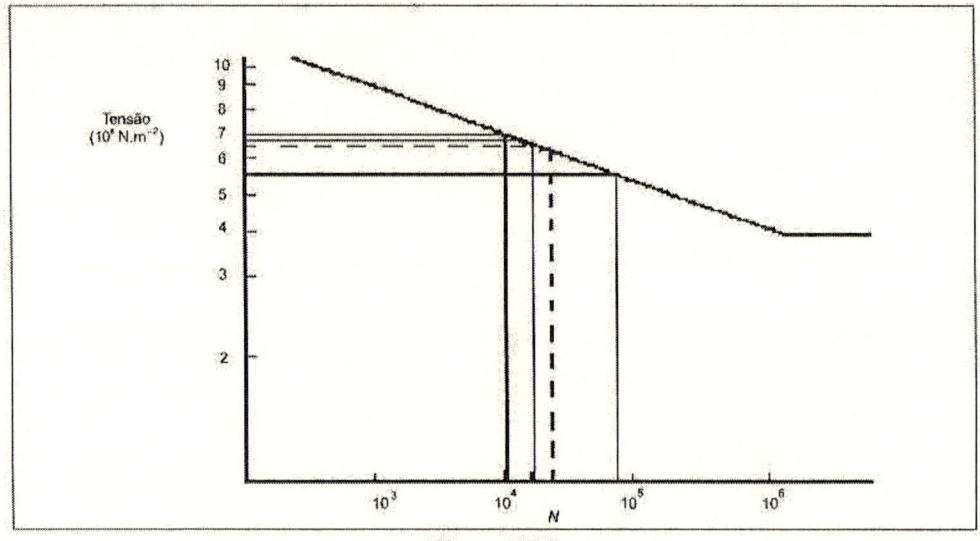

Figura 5.10

carga pode ser avaliado em função do espectro de cargas. Os valores de resistências à fadiga podem ser obtidos de tabelas de dados de fadiga, para diferentes números de ciclos para um dado nível de tensão. Entretanto, o valor da confiabilidade calculado dessa maneira, possue um elevado grau de incerteza. É prática mais usual a determinação da vida à fadiga associada a um determinado limite de tolerância.

O exemplo acima é para ilustrar como a teoria de fadiga está relacionada com a confiabilidade de um componente. Valores mais precisos de vida à fadiga devem ser considerados em problemas mais complexos. Este exemplo poderia ser prontamente estendido para o cálculo da vida de componentes sujeitos à fluência, utilizando-se o conhecido parâmetro de Larson-Muller e a regra da fração de vida consumida adequada.

5.4 A Utilização de Simulações

Cargas e resistências distribuidas podem ser analisadas utilizando-se a técnica de simulação de Monte Carlo. Na simulação de Monte Carlo, o valor de um parâmetro da distribuição é selecionado através da geração de números aleatórios, com a probabilidade de um dado valor sendo determinado pela escolha da função correta de geração de números aleatórios. Por exemplo, se as distribuições de cargas e resistências são como na Figura 5.11, com sobreposição entre as distribuições conforme a figura, o sistema pode ser modelado alocando-se números aleatórios de 0-99 a cada distribuição. A ocorrência de um valor de carga entre 4 e 5 unidades seria sinalizada pela geração de 40 números aleatórios, digamos de 36 a 75. O segundo número aleatório escolhido estaria relacionado com a resistência, de forma que os números de 3 a 10 corresponderiam às resistências entre 6 e 7 unidades. A geração de um grande número de pares de números aleatórios simularia a interferência entre as distribuições e a proporção de casos com interferência seria o valor da confiabilidade. A Figura 5.12 mostra um diagrama da explicação acima.

Como já mencionado, o Método de Monte Carlo é facilmente adaptável sob a forma de rotina computacional, pois um grande número de contas deve ser feito em um curto intervalo, o que é impraticável manualmente. É muito útil, também, quando os valores da interferência entre distribuições são obtidos através de complexas integrais. Os problemas de cargas aleatórias de fadiga (curva *SN*) e fluência (Larson-Muller) também podem ser resolvidos por Monte Carlo.

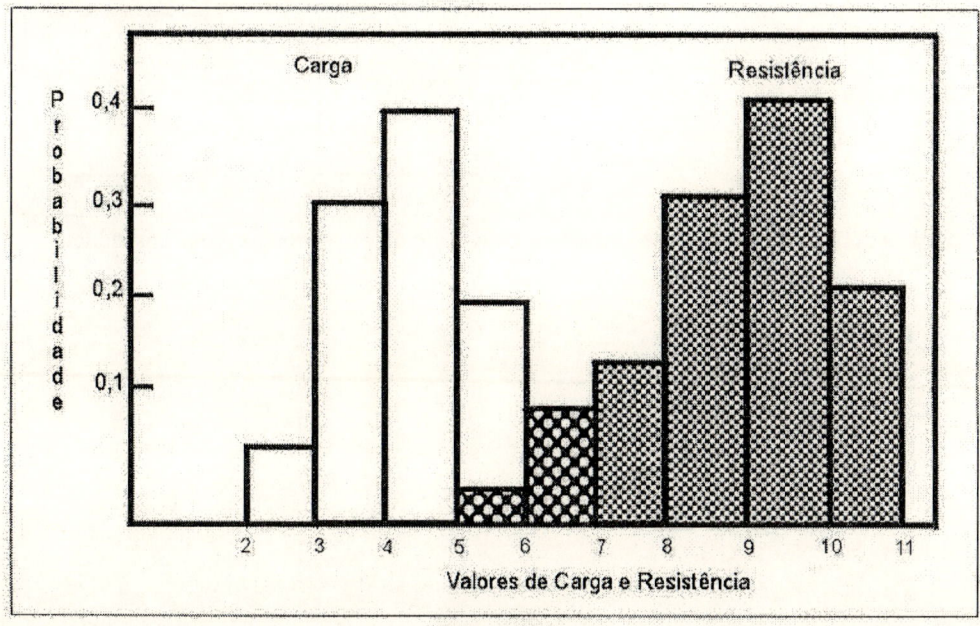

Figura 5.11

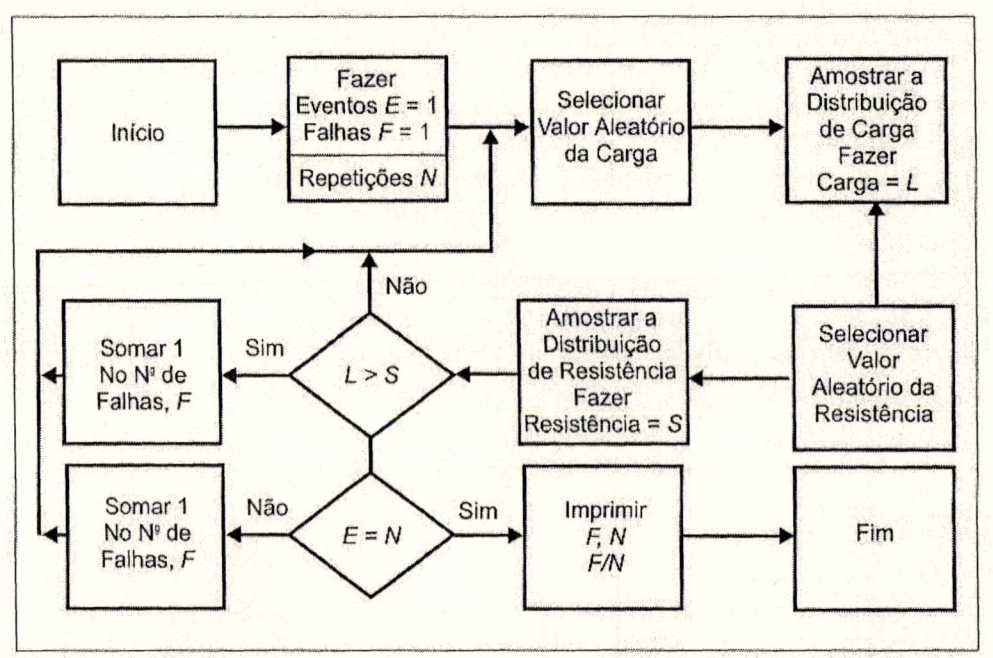

Figura 5.12 – Fluxograma da simulação do cálculo da interferência carga-resistência

CAPÍTULO 6

A Natureza das Falhas

6.1 Introdução

A idéia usual é de que a melhor maneira de se otimizar a disponibilidade de plantas de processo é através da execução de algum tipo de manutenção preventiva periódica. Estes planos de manutenção têm consistido de substituição ou recondicionamento de equipamentos e/ou componentes em intervalos fixos.

A Figura 6.1 ilustra a teoria por trás de planos de substituição periódicos. Assume-se que a maioria dos componentes opera confiavelmente durante um determinado período e, na seqüência, inicia-se um período de desgaste acelerado. A análise estatística de falhas apresentada em capítulo anterior sugere que, com um número adequado de dados de falha, é possível determinar-se a vida dos componentes, de forma que as plantas possam adotar medidas preventivas de manutenção para evitar falhas. Isto é correto para certos componentes simples e para alguns componentes comple-

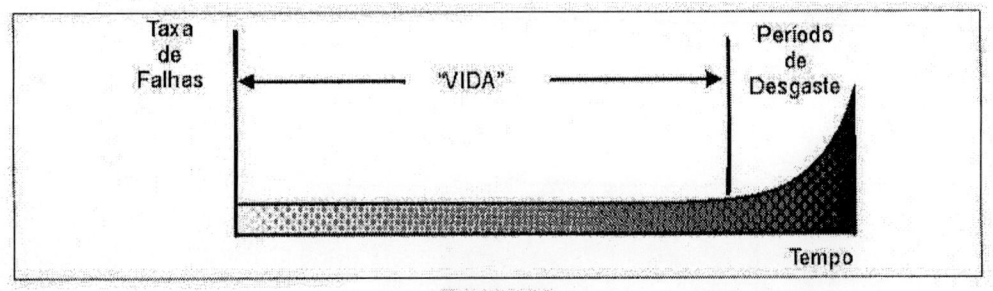

Figura 6.1

xos que apresentam modos de falha dominantes. Em particular, componentes em contato com fluidos de processo apresentam períodos de desgaste característicos. Igualmente, falhas relacionadas com o tempo ou número de ciclos, como fadiga e corrosão, são propensos a estes tipos de falha.

Entretanto, a complexidade crescente dos equipamentos tem levado à considerável mudança na natureza das falhas. Alguns tipos de falhas podem ser observados na Figura 6.2. Nesta figura, a probabilidade condicional de falhas é traçada contra o tempo de operação, para uma grande variedade de componentes mecânicos e elétricos.

O modo de falha A é a tradicional curva da banheira, já descrita em outro capítulo. O modo B mostra uma taxa de falhas gradualmente crescente e uma zona de desgaste acentuado.

O modo C mostra uma taxa de falhas levemente crescente, porém sem uma zona definida de desgaste. O modo D mostra uma taxa de falhas baixa quando o componente é novo ou recém-saído da fábrica, seguido de um patamar de taxa de falhas constante. O modo D mostra uma taxa de falhas constante durante toda a vida do componente. O modo de falha F inicia com uma redução rápida da taxa de falhas, seguido por um período de taxas constantes.

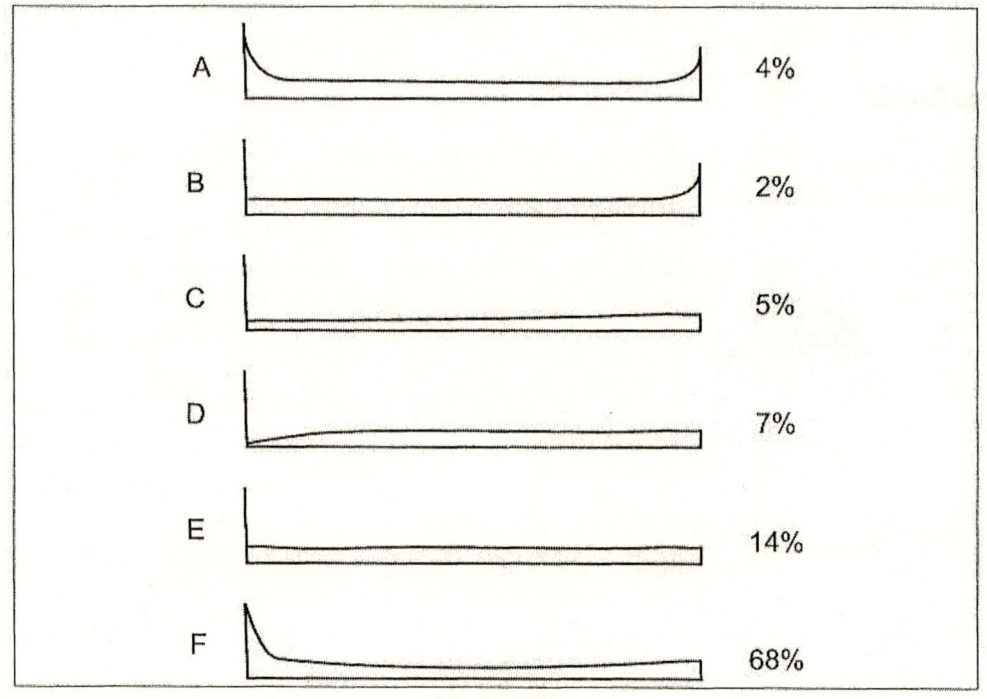

Figura 6.2

Estudos feitos em aviões civis mostram que 4% dos itens comportam-se de acordo com o modo A, 2% com B, 5% com C, 7% com D, 14% com E e 68% com F. É oportuno observar que equipamentos de outros ramos industriais não se comportam necessariamente como os da aviação civil. Porém, à medida que a complexidade dos equipamentos cresce, os modos E e F tornam-se mais predominantes.

O resultado deste estudo contradiz a suposição de que sempre há uma conexão entre a confiabilidade e o tempo de operação. Esta suposição conduz à premissa de que quanto mais cedo for a intervenção de manutenção, menor será a probabilidade de falha. Hoje, entretanto, isto parece ser raramente o caso. A menos que algum modo de falha predominante dependente do tempo esteja presente, não há relação alguma entre a idade do equipamento e sua confiabilidade. Portanto, manutenções programadas podem, na realidade, aumentar a taxa de falhas, através da introdução de falhas prematuras que não existiriam no sistema.

Não se quer dizer, no entanto, que a manutenção preventiva deva ser abandonada por completo. O fato é que para falhas sem maiores conseqüências, políticas de manutenção corretiva podem ser as mais efetivas. Porém, quando as conseqüências são graves, algo deve ser feito para prevenir a falha ou, ao menos, reduzir suas conseqüências.

6.2 Tipos de Falhas

6.2.1 Falhas Relacionadas à Idade

Componentes aparentemente idênticos podem ter resistência variável a cargas. Como visto no Capítulo 5, a resistência à carga diminui com tempo, de maneira diferente mesmo que para componentes idênticos. Pequenas diferenças podem levar a enormes diferenças na vida, fazendo com que a sua previsão seja extremamente difícil. As técnicas de vida residual, entretanto, podem dar uma idéia da vida média e da variabilidade da vida esperada. Os gráficos A e B da Figura 6.2 ilustram o comportamento da taxa de falhas de componentes que apresentam falhas relacionadas à idade.

6.2.2 Falhas Aleatórias

Componentes Simples

Ao contrário das falhas relacionadas à idade, nas falhas aleatórias:
- A deterioração nem sempre é proporcional à tensão aplicada.
- A tensão nem sempre é aplicada consistentemente.

Por exemplo, a Figura 6.3(A) mostra uma situação em que a resistência é constante e a falha ocorre devido a um súbito aumento na tensão aplicada (por exemplo, uma pedra quebrando o vidro de um carro). Na prática, a "prevenção" deste tipo de falha é feita tentando-se limitar o aumento anormal das tensões. A instalação de válvulas de segurança é uma tentativa de prevenção dessa natureza. Muitas elevações de tensão são causadas por erros humanos de operadores de equipamentos (por exemplo, partindo uma máquina muito rapidamente, acidentalmente revertendo a direção de um mecanismo em movimento, colocando carga muito rapidamente em um equipamento de processo, etc.). Nestes casos de erro humano, para evitar a elevação da carga o melhor método de prevenção é o treinamento.

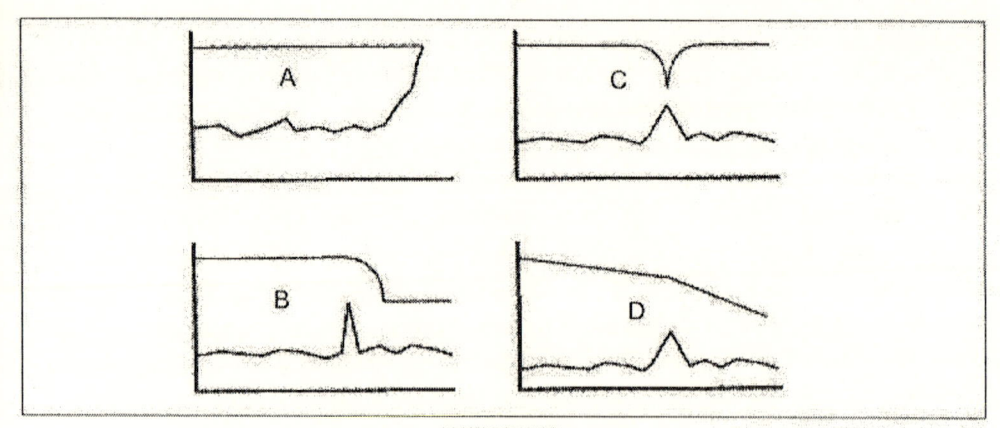

Figura 6.3

Outras cargas podem ser causadas por fatores externos, como relâmpagos, terremotos, inundações, etc. Para estas situações, é prática usual de projetar os componentes para suportar estas condições extremas. Se isso inviabilizar o projeto, medidas para a redução dos riscos podem ser as indicadas.

Na Figura 6.2(B), o pico de carga reduz permanentemente a resistência, sem, entretanto, causar a falha do componente (por exemplo, um terremoto causa uma fissura numa estrutura, sem causar o colapso). A reduzida resistência torna o componente vulnerável a um outro pico de carga, por qualquer razão. Na Figura 6.2(C), o pico de carga reduz temporariamente a resistência do componente (como no caso de materiais termoplásticos que amolecem com a temperatura e readquirem a resistência quando a temperatura sobe).

Finalmente, a Figura 6.2(D) mostra o caso em que picos de cargas aceleram o processo de deterioração, reduzindo a vida do componente. Quando isso ocorre, a relação causa-efeito pode dificilmente ser determinada, porque a falha pode ocorrer meses, ou mesmo anos, após o pico ter ocorrido. Este caso, geralmente, ocorre quando partes de equipamentos são danificados na montagem (por exemplo, a montagem de um rolamento com desalinhamento). Para garantir a confiabilidade, nesses casos, é preciso assegurar que a manutenção ou a instalação sejam executadas de maneira correta, por pessoas treinadas e capacitadas.

Nos quatro exemplos acima, não é possível prever-se quando as falhas ocorrerão. Por este motivo, estas falhas são denominadas de falhas aleatórias. Os gráficos C, D, E e F da Figura 6.2 ilustram o comportamento da taxa de falhas de componentes que apresentam falhas aleatórias.

Componentes Complexos

O processo de falha descrito na Figura 6.3 aplica-se a componentes razoavelmente simples. Para componentes complexos, a situação torna-se ainda menos previsível. O aumento da complexidade é feito com o intuito de melhorar o desempenho (pela incorporação de novas tecnologias ou automação) ou para melhorar a segurança (pela incorporação de redundâncias e equipamentos de proteção). Em outras palavras, melhores desempenhos e segurança são obtidos através de maiores custos e maior complexidade. Isto é verdadeiro para equipamentos da maioria das atividades industriais.

Maior complexidade significa estabelecer compromissos entre baixo peso e dimensões compactas para atingir altos desempenhos com massa e tamanho necessários para durabilidade, o que implica em:

- Aumento do número de componentes que podem falhar e, também, o número de interfaces e conexões entre componentes. Isso, por sua vez, aumenta o número e a variedade das possíveis falhas. Por exemplo, muitas falhas mecânicas estão relacionadas com soldas e parafusos, enquanto falhas elétricas envolvem conexões entre componentes. Quanto maior o número de conexões, maior a probabilidade de falha.
- Redução da margem de segurança, o que significa diminuir, também, a margem de deterioração possível antes da falha.

Isso mostra que componentes complexos estão muitos mais sujeitos a falhas aleatórias do que componentes simples. Portanto, o período de desgaste geralmente não se aplica a esses casos. Dessa forma substituições/recondicionamentos programados para evitar falhas podem não ter nenhuma efetividade.

6.3 A Natureza dos Seis Tipos de Falhas

No item 6.1 fizemos uma introdução sobre a natureza dos seis modos de falhas mais comumente encontrados. Nesse item discutiremos com maiores detalhes a natureza desses tipos de falha. Começaremos com os tipos B e E por serem os mais abrangentes sob o ponto de vista de complexidade. Depois seguiremos a uma revisão dos itens C e F e, finalmente, D e A.

6.3.1 Modo de Falha B

Esse modo descreve falhas relacionadas com a idade do componente. A Figura 6.4 mostra o comportamento dessas falhas. Na parte 1, mostra-se a distribuição de freqüência de falhas e o tempo de operação, para uma grande amostragem de componentes. Esse gráfico mostra que, com exceção de poucas falhas prematuras, a maioria dos componentes falham seguindo uma distribuição normal, centralizada em torno de um ponto médio.

Por exemplo, assumindo-se que se tenha dados de falhas de 110 impelidores de bombas, com todas as falhas sendo atribuídas a desgaste. Dez impelidores falharam prematuramente, um por cada período durante os 10 períodos iniciais. Outros 100, falharam entre os períodos 11 e 16 e a distribuição dessas falhas seguem a distribui-

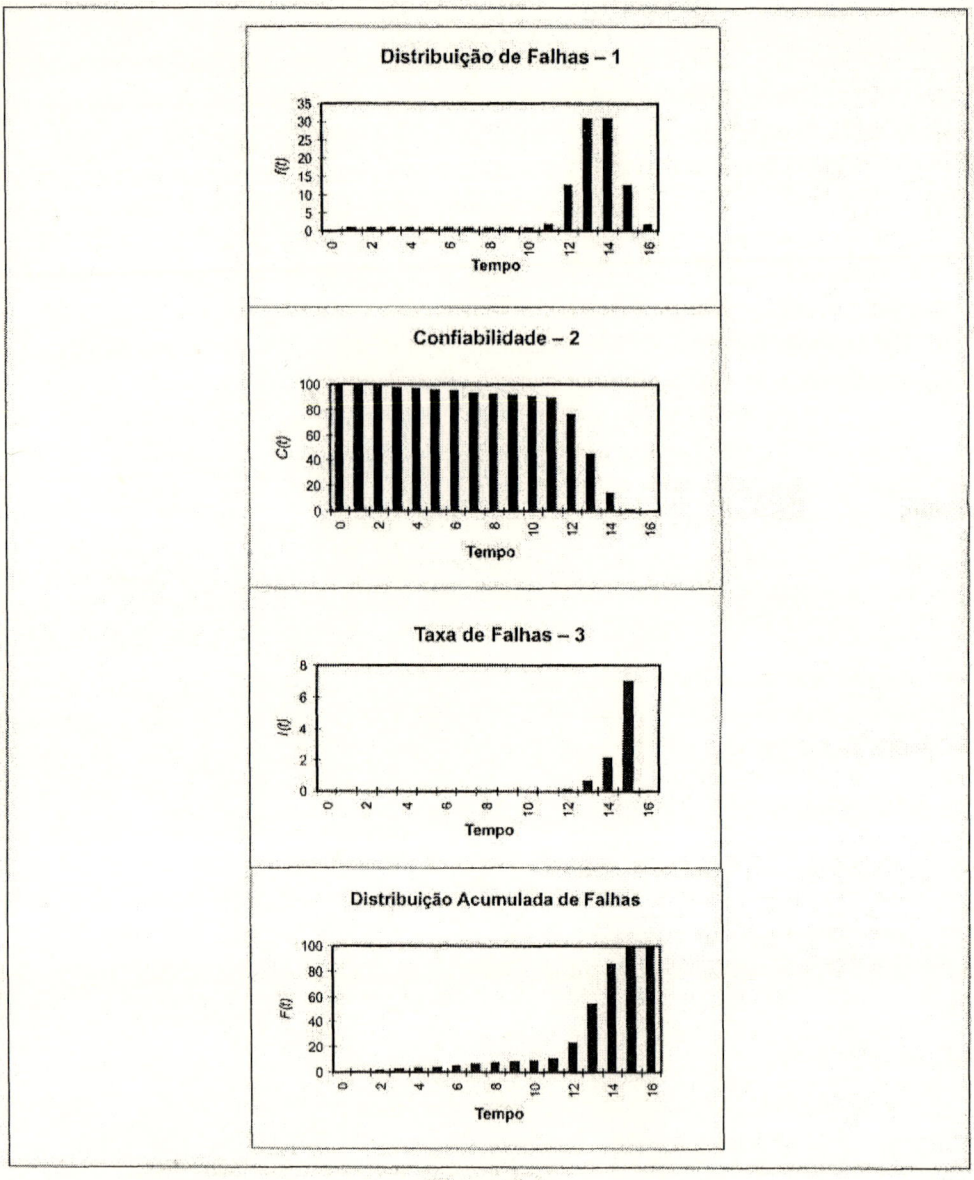

Figura 6.4

ção normal. Baseado nesse fato, o tempo médio entre falhas dos impelidores devido a desgaste é de 12,3 períodos.

A parte 2 da figura mostra a distribuição dos impelidores sobreviventes ou a distribuição de confiabilidade. Por exemplo, 98 impelidores levaram mais de 11 períodos para falhar e 16 duraram mais de 14 períodos.

A curva de distribuição de freqüência na parte 1 e da probabilidade de falhas na parte 3 descrevem o mesmo fenômeno, porém, diferem na maneira de fazê-lo. A probabilidade de falha fornece melhor descrição do que realmente está ocorrendo, porque a distribuição de freqüência pode dar a impressão de que as falhas estariam diminuindo após o pico da curva.

Estas curvas ilustram alguns pontos adicionais, descritos a seguir:

- As curvas de distribuição de freqüência de falhas e probabilidade de falhas mostram que o conceito de vida pode ter, pelo menos, duas interpretações. A primeira é o tempo médio entre falhas (TMEF – que é o mesmo que vida média para uma amostragem total). A segunda é vida útil, determinada pelo ponto em que se inicia um rápido aumento na probabilidade condicional de falha. A Figura 6.5 ilustra graficamente estes dois tipos de vida.

Figura 6.5

- Suponha que se pretenda fazer um programa de restauração ou substituição programada com intervalo igual ao TMEF. Metade dos componentes falhariam antes de chegar ao término do intervalo. Em outras palavras, somente metade das falhas seriam evitadas, o que poderia ser inaceitável sob o ponto de vista operacional. Claramente, se se desejasse evitar a maioria das falhas, as intervenções deveriam ocorrer antes do final da vida útil. Comparando-se a parte 1 e 3 da Figura 6.4, conclui-se que o período de vida útil é menor do que o tempo médio entre falhas – e se o espalhamento da curva normal for grande, a vida útil pode ser muito menor que o TMEF. Portanto, o TMEF tem pouca ou nenhuma utilidade no estabelecimento do prazo para restaurações ou substituições programadas para componentes com modo de falha do tipo B. O período ideal é o da vida útil, ou seja no ponto em que a taxa de falhas começa a aumentar rapidamente.

- Se o componente for substituído no final da vida útil, isso poderá ocorrer antes que um número razoável tenha falhado. Por exemplo, se tivéssemos que substituir os impelidores sobreviventes ao final do período 10, a vida média dos impelidores em serviço seria de 9,5 períodos, ao invés de 12,3 períodos do tempo médio entre falhas.

6.3.2 Modo de Falha E

Já discutimos a natureza das falhas aleatórias neste capítulo. Agora exploraremos alguns aspectos quantitativos desse tipo de falha com mais detalhes. A Figura 6.6 mostra as curvas de distribuição de freqüência de falhas, confiabilidade e probabilidade de falha.

Falhas aleatórias implicam em que a probabilidade de falha do componente, em qualquer período, é o mesmo. Ou seja, a taxa de falha é constante para todos os períodos. Matematicamente, pode-se mostrar que falhas aleatórias seguem a distribuição exponencial. Para essa distribuição, a curva de freqüência de falhas e da confiabilidade decrescem indefinidamente, enquanto a taxa de falhas permanece constante, conforme pode ser constatado na Figura 6.6.

Em outras palavras, não é possível, em nenhum período, se determinar aumento na taxa de falhas. Portanto, não é possível se deteminar nenhum tipo de vida que vise à programação de restaurações ou substituições. Além disso:

- TMEF e falhas aleatórias: embora não se possa determinar quanto tempo um componente irá durar, é possível se computar o TMEF, que é o tempo para que 63% dos componentes falhem.
- Portanto, o TMEF não deve ser usado para determinação de vida útil. Esse parâmetro é usado para fazer comparação da confiabilidade entre componentes, na fase de projeto. Maior TMEF significa que a probabilidade de falha do componente, para um dado período, é menor.

No caso de falhas do modo B, um componente confiável é aquele que tem maior vida útil. Para o modo E, um componente confiável é aquele que falha mais freqüentemente.

6.3.3 Modo de Falha C

Componentes que falham de acordo com o modo C apresentam probabilidade de falha crescente, mas em período algum se pode detectar falhas por desgaste.

Uma possível causa para falhas do tipo C é fadiga. Conhecendo-se a curva S-N do material do componente (ver Figura 5.10) é possível prever-se a vida à fadiga para um dado nível de tensão. Entretanto, isso na prática pode ser difícil, no caso em que os ciclos de tensão não são constantes. Esse fato, gera curvas de distribuição de falhas inclinadas para a esquerda. A inclinação é função da forma da curva S-N. A parte 2 da Figura 6.8 sugere que uma distribuição de Weibull se ajustaria bem à distribuição de falhas. Neste caso, seria uma Weibull com $\beta = 2$ e com $t_o > 0$.

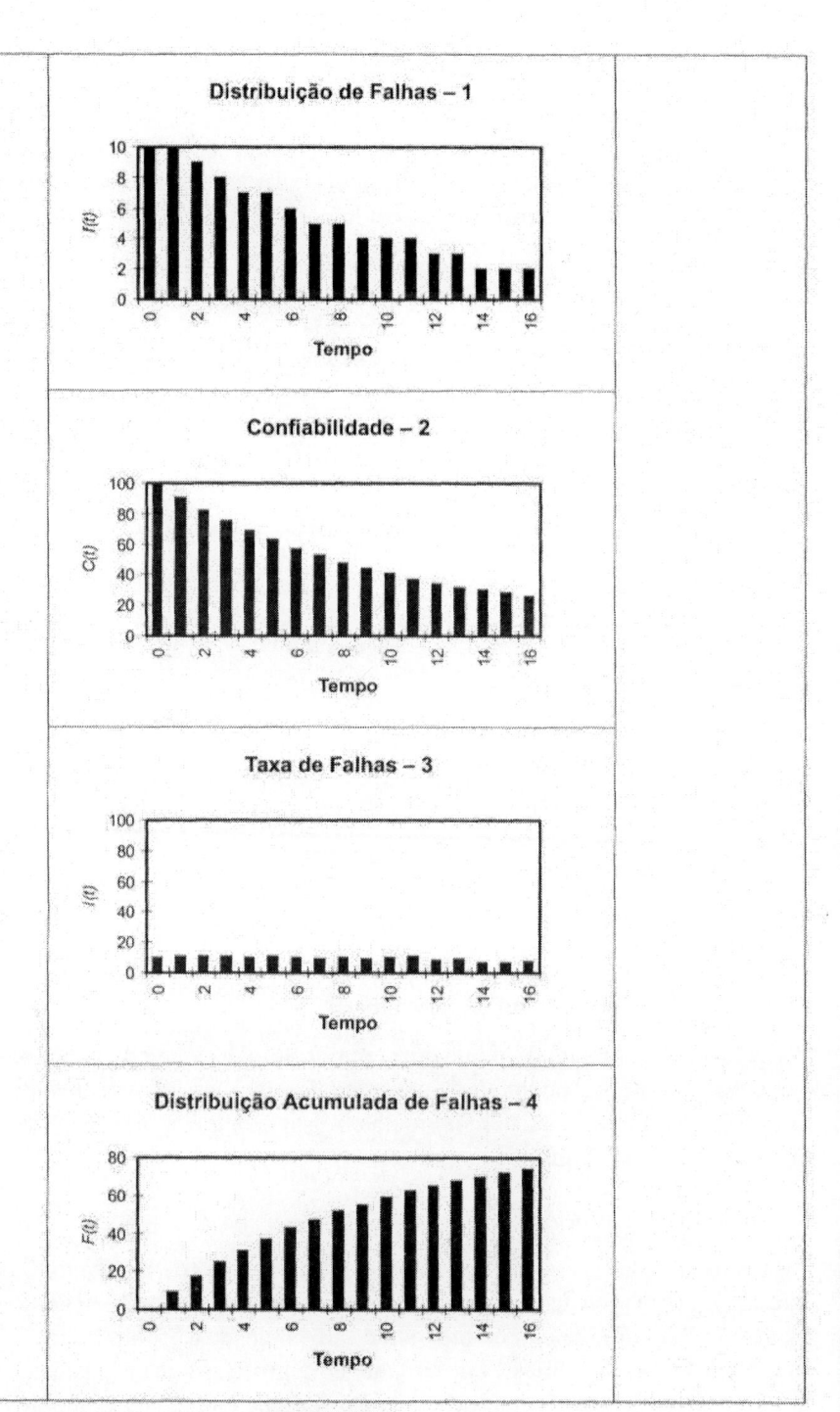

Figura 6.6

Com base na observação das figuras:
- Uma distribuição de Weibull truncada ($t_o \neq 0$), significa que para tempos menores que t_o, não há falhas. A partir de t_o, há um rápido acréscimo da taxa de falhas. A vida útil do componente poderia ser considerada como o período de ausência de falhas, também conhecido como *safe-life* (ver Figura 6.7).

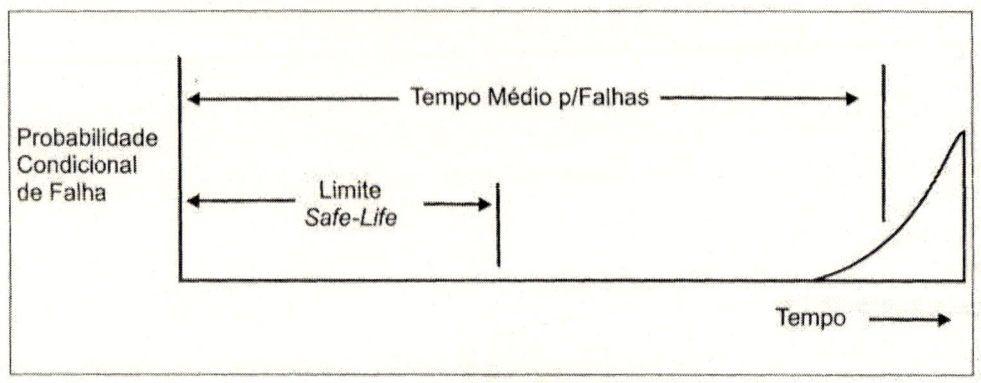

Figura 6.7

6.3.4 Modo de Falha D

Como no modo de falha C, o modo de falha D pode ser associado a uma distribuição de Weibull, com $1 < \beta < 2$.

6.3.5 Modo de Falha F

O modo de falha F é, tavez, o mais interessante, por duas razões:
- É o único em que a taxa de falha decresce com o tempo.
- É o mais usual dos modos de falha.

A forma da curva de F indica que a maior probabilidade de falhas ocorre quando o componente é novo ou imediatamente após restauração. É o conhecido "período de mortalidade infantil" e existem inúmeras causas associadas a esse fenômeno, conforme já descrito no Capítulo 2.

6.3.6 Modo de Falha A

O modo de falha A descreve a curva da banheira, já detalhada no Capítulo 2. Porém alguns comentários adicionais são necessários. Esse modo está associado, geralmente, a uma combinação de modos de falhas, desde a "mortalidade infantil", passando por falhas aleatórias e culminando com uma fase de desgaste acentuado. Portanto, componentes com mais de um modo de falha, podem ter falhas de B a F, dando, no conjunto, a curva da banheira.

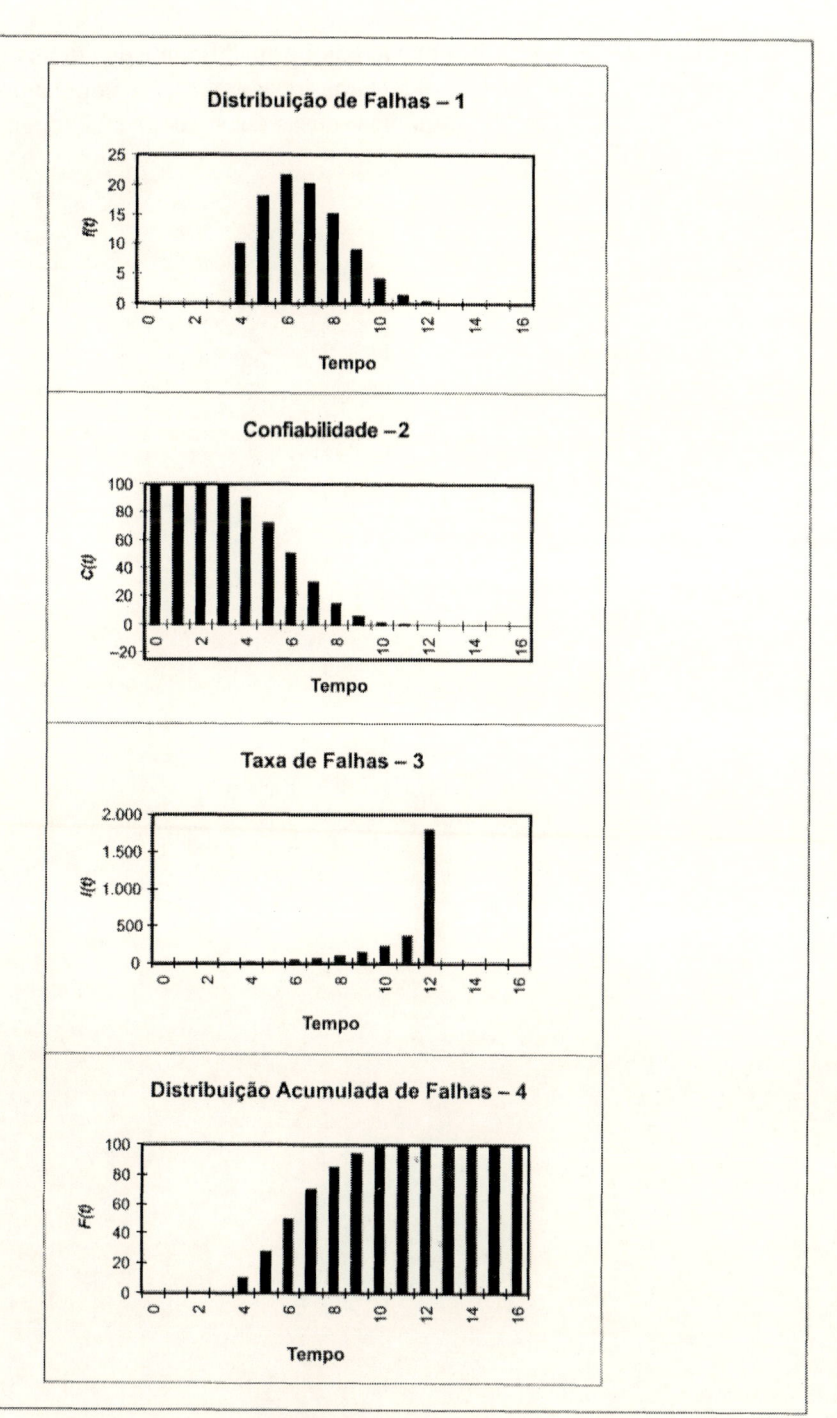

Figura 6.8

A forma da curva de F indica que a maior probabilidade de falhas ocorre quando o componente é novo ou imediatamente após restauração. É o conhecido "período de mortalidade infantil" e existem inúmeras causas associadas a esse fenômeno, conforme descrito no Capítulo 2.

CAPÍTULO 7

Confiabilidade de Sistemas

7.1 Introdução

Nos Capítulos 3 e 4 apresentamos alguns métodos para se determinar a confiabilidade de componentes isolados. Agora apresentaremos os principais métodos para a determinação/análise da confiabilidade de sistemas compostos a partir de vários componentes isolados.

Neste capítulo apresentaremos como se determinar a confiabilidade utilizando-se o método dos diagramas de blocos. No Capítulo 8 apresentamos a Análise de Modo de Falhas e Efeitos (AMFE) ou Failure Mode and Effect Analysis (FMEA) e no Capítulo 9 o método da Árvore de Falhas.

7.2 Análise de Sistemas Simples, com Componentes em Série e em Paralelo

Até aqui, nos preocupamos com taxa de falhas de apenas um componente. Iremos abordar neste tópico, não mais a confiabilidade de um único elemento, mas a de um grupo formando um conjunto funcional. Este conjunto será formado pela interdependência de vários elementos.

Para tal análise, algumas considerações estatísticas deverão ser utilizadas e serão aqui mostradas.

Aqui, algumas considerações básicas sobre probabilidade:

- Sendo E_1 e E_2 dois eventos independentes, com probabilidade de ocorrência $P(E_1)$ e $P(E_2)$, então, para que ambos os eventos ocorram, será necessário:

$$P(E_1 E_2) = P(E_1) \times P(E_2)$$

- Se ambos os eventos ocorrerem simultaneamente, a probabilidade de que tanto E_1 com E_2, ou ambos venham a ocorrer será:

$$P(E_1 \cup E_2) = P(E_1) + P(E_2) - P(E_1) \times P(E_2)$$

- No caso dos eventos serem mutuamente exclusivos, ou seja, a ocorrência de um implica necessariamente na não ocorrência do outro, então:

$$P(E_1 \cup E_2) = P(E_1) + P(E_2)$$

- Se temos apenas as alternativas dadas por E_1 e E_2:

$$P(E_1 \cup E_2) = P(E_1) + P(E_2) = 1$$

7.2.1 Sistema em Série

Os componentes são considerados em série quando a falha de qualquer um deles provocar a falha de todo o sistema, ficando completamente inoperante. Logo, o funcionamento do sistema dependerá da plena capacidade de cada componente. Sua representação é dada a seguir, em analogia com os circuitos elétricos.

```
──┤ 1 ├────┤ 2 ├── ··· ──┤ N ├──
```

Figura 7.1

Os componentes 1, 2, 3, 4,......., N tem confiabilidade $C_1(t)$, $C_2(t)$,..., $C_N(t)$ respectivamente.

Considerando dois componentes em série, com respectivas confiabilidades $C_1(t)$ e $C_2(t)$, a probabilidade de que ambos os componentes sobrevivam ao tempo t, será:

$$C_0(t) = C_1(t) \times C_2(t)$$

onde $C_0(t)$ é a confiabilidade de sistema.

Chamando $P_1(t)$, $P_2(t)$ a probabilidade de falha dos componentes 1 e 2, a confiabilidade do sistema poderá ser reescrita como:

$$C_0(t) = (1 - P_1(t))(1 - P_2(t))$$

Usando a expressão anteriormente deduzida:

$$C_0(t) = \exp\left[-\int f_1(t)dt\right] \times \exp\left[-\int f_2(t)dt\right]$$

Se $f(t) = Cte$, temos a distribuição exponencial e vêm:

$$C_0(t) = e^{-\lambda 1 \times t} \times e^{-\lambda 2 \times t}$$

$$C_0(t) = e^{-(\lambda 1 + \lambda 2) \times t}$$

Assim, a taxa média de falhas será dada pela soma das taxas médias de falhas de cada componente que compõe o sistema. Generalizando obtemos:

$$C_0(t) = e^{-(\Sigma \lambda i \times t)}$$

Como temos $C_1(t)$, $C_2(t)$, $C_3(t)$,.... $C_0(t)$ são menores do que 1, a confiabilidade do sistema será menor que a confiabilidade do seu componente mais fraco. Por exemplo:

$$C_1(t) = 0{,}9; \quad C_2(t) = 0{,}8; \quad C_3(t) = 0{,}85$$

$$C_0(t) = 0{,}8 \times 0{,}9 \times 0{,}85$$

$$C_0(t) = 0{,}612$$

Normalmente, o valor esperado do tempo médio entre falhas é igual ao inverso da taxa média de falhas, ou seja, TMEF = $1/\lambda$. Assim, para $\lambda = 0,0001$, tem-se TMEF = 10 horas.

Deve-se procurar, não sobrecarregar em demasia inicialmente o sistema, para que a taxa média de falhas não assuma valores altos, procurando reduzir o nível de choques e vibrações. Quanto menor o número de componentes, aumenta-se a confiabilidade, e a manutenção torna-se mais simples.

De maneira mais geral:

$$C_0(t) = C_1(t) \times C_2(t) \times ... C_n(t)$$

Se todos os componentes têm a mesma confiabilidade:

$$C_m(t) = C_1(t) = C_2(t) = ... = C_n(t)$$

Portanto,

$$C_0(t) = C_m(t)^n$$

onde n é o número total de componentes e $C_m(t)$ a confiabilidade de cada um dos componentes.

Na Figura 7.2, observa-se como varia a confiabilidade do sistema em função da confiabilidade e número de componentes.

7.2.2 Sistema em Paralelo

Os componentes serão considerados em paralelo quando a falha do sistema só ocorrer quando todos os componentes falharem ou o sistema continuar operando. Neste sistema, a confiabilidade atingirá altos valores.

O sistema poderá ser representado pela Figura 7.3.

Logo, é fácil constatar mediante a figura que a falha do sistema ocorrerá apenas quando todos os componentes falharem.

A probabilidade de falha, considerando 2 componentes com falhas independentes, será:

$$P_0(t) = P_1(t) \times P_2(t)$$

Onde:

$$P_1(t) = 1 - C_1(t)$$
$$P_2(t) = 1 - C_2(t)$$

Generalizando, obteremos:

$$C_0 = 1 - \{[1 - C_1(t)] \times [1 - C_2(t)] \times [1 - C_3(t)] \times ... \times [1 - C_n(t)]\}$$

Se todos os componentes têm a mesma confiabilidade:

$$C_m(t) = C_1(t) = C_2(t) = ... = C_n(t)$$

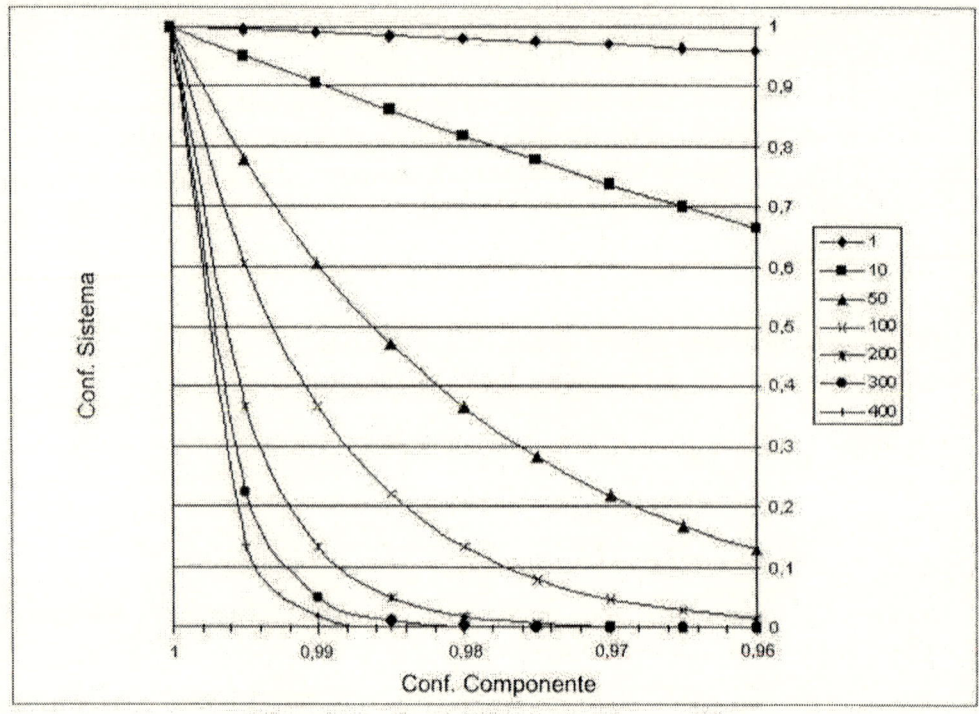

Figura 7.2 – Confiabilidade de sistemas série

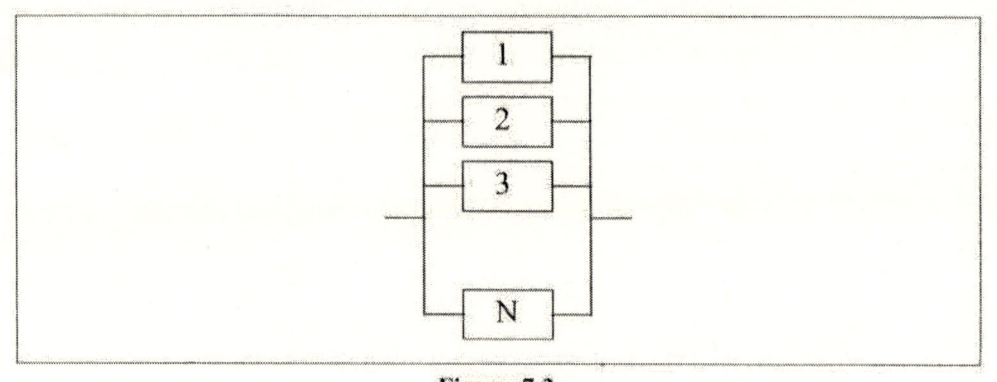

Figura 7.3

Portanto,

$$C_0(t) = 1 - [1 - C_m(t)]^n$$

onde n é o número total de componentes e $c_m(t)$ a confiabilidade de cada um dos componentes.

Na Figura 7.4, observa-se como varia a confiabilidade do sistema em função da confiabilidade e número de componentes.

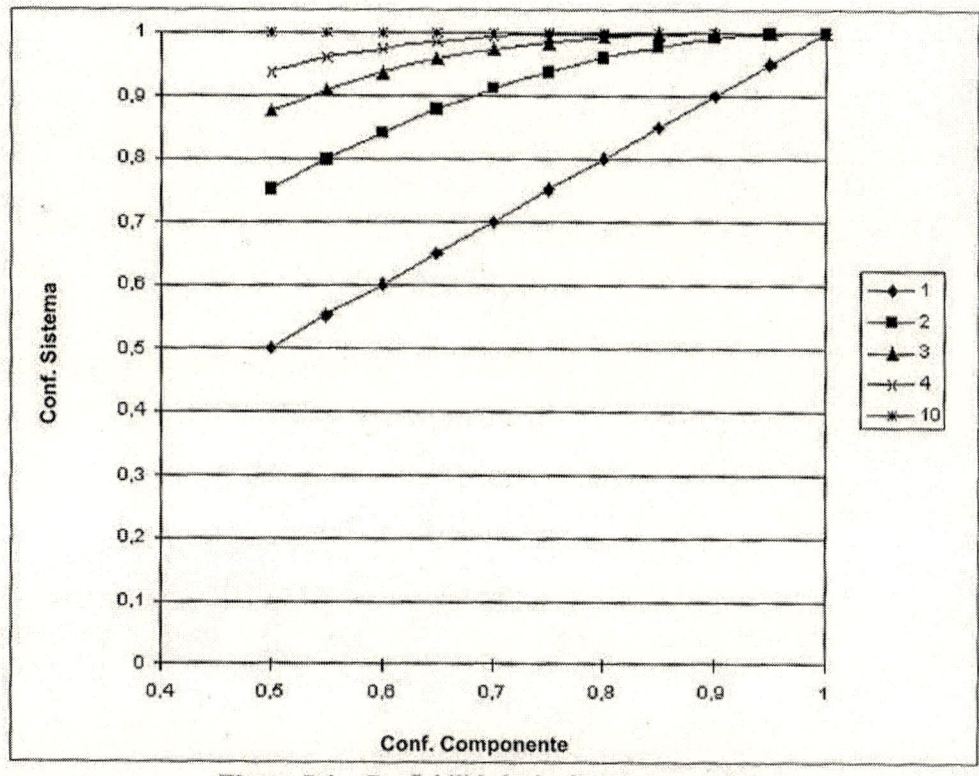

Figura 7.4 – Confiabilidade de sistema em paralelo

Exemplo

Determinar a confiabilidade de 4 elementos em paralelo:

$$C_1(t) = 0,8$$
$$C_2(t) = 0,9$$
$$C_3(t) = 0,95$$
$$C_4(t) = 0,7$$

Suas respectivas probabilidades serão:

$$P_1(t) = 1 - 0,8 = 0,2$$
$$P_2(t) = 1 - 0,9 = 0,1$$
$$P_3(t) = 1 - 0,95 = 0,05$$
$$P_4(t) = 1 - 0,7 = 0,3$$

De acordo com:

$$C_0 = 1 - [P_1(t)][P_2(t)][P_3(t)][P_4(t)]$$
$$C_0(t) = 1 - 0,2 \times 0,1 \times 0,05 \times 0,3$$
$$C_0(t) = 0,9997$$

Observa-se que a confiabilidade neste sistema é bem maior que a confiabilidade do melhor dos elementos, no caso $C_3(t) = 0,95$.

7.2.3 Sistema em Série Paralelo

Como foi visto, em sistemas em série, se um componente falhar, toda a linha pára. Isto já não ocorre em sistemas em paralelo, aonde o sistema somente falhará se todos os componentes falharem.

Logo, um estudo de sistema em série paralelo será de grande utilidade.

Por exemplo, representando um sistema com 5 elementos (Figura 7.5).

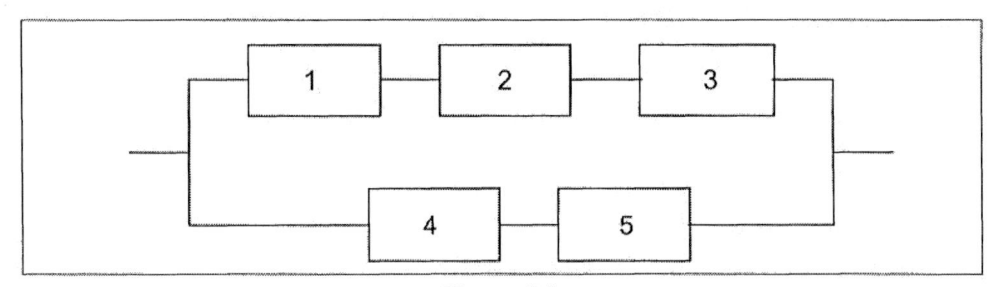

Figura 7.5

Fazendo uma analogia com sistemas elétricos:

$$C_{1^a \text{ linha}}(t) = C_1(t) \times C_2(t) \times C_3(t)$$
$$C_{2^a \text{ linha}}(t) = C_5(t) \times C_4(t)$$

Logo:

$$C_0(t) = 1 - [1 - C_{1^a \text{ linha}}(t)].[1 - C_{2^a \text{ linha}}(t)]$$

Portanto,

$$C_0(t) = C_1(t) \times C_2(t) \times C_3(t) + C_4(t) \times C_5(t) - C_1(t) \times C_2(t) \times C_3(t) \times C_4(t) \times C_5(t)$$

Exemplo

$C_1(t) = 0,9$

$C_2(t) = 0,8$

$C_3(t) = 0,5$

$C_4(t) = 0,7$

$C_5(t) = 0,85$

$C_0(t) = 0,9 \times 0,8 \times 0,5 + 0,7 \times 0,85 - 0,9 \times 0,8 \times 0,5 \times 0,7 \times 0,85$

$C_0(t) = 0,7408$

Adotando este conceito para um sistema, poderemos aumentar a sua confiabilidade.

Exemplo

Em um sistema hidráulico, se um componente falhar, o conjunto inteiro falhará. Logo, devem ser procuradas alternativas. Determine essas alternativas.

1 – Filtro	$\lambda_1 = 0,3 \times 10^{-6}$
2 – Bomba	$\lambda_2 = 10 \times 10^{-6}$
3 – Redutor	$\lambda_3 = 0,3 \times 10^{-6}$
4 – Válvula alívio	$\lambda_4 = 5,7 \times 10^{-6}$
5 – Válvula	$\lambda_5 = 4,6 \times 10^{-6}$
6 – Cilindro	$\lambda_6 = 0,2 \times 10^{-6}$

Para os elementos ligados em série, teremos Figura 7.6:

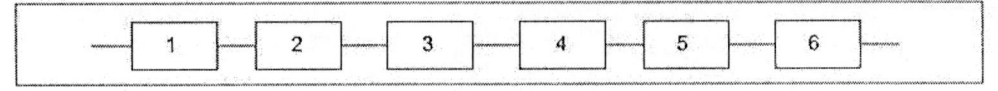

Figura 7.6

Para um tempo de 10 horas e um fator de agressividade de 100, a confiabilidade de cada elemento é dada por:

$$C(t) = e^{-kj \times y \times t}$$

Sendo $kj = 100$ e $t = 10$ horas, teremos:

$C_1(t) = 0,9997$

$C_2(t) = 0,9900$

$C_3(t) = 0,9997$

$C_4(t) = 0,9943$

$C_5(t) = 0,9954$

$C_6(t) = 0,9998$

Este sistema está instalado dentro de um avião comercial. Como foi visto, a taxa média de falhas, para acidentes, é da ordem de 1 x 10^{-6}/h ou o tempo médio entre falhas é 10^6h. O vôo tem duração de 10 horas.

Adotando-se que o avião possui 6 sistemas, determinando a confiabilidade de cada sistema, teremos, supondo que os sistemas tenham a mesma confiabilidade entre si, a confiabilidade de avião é:

$$C^0 = e^{-\lambda t} = e^{-10 - 6 \times 10}$$

$$C_0 = 0,99999$$

A confiabilidade de cada sistema será:

$$C = 0,99999^{1/6}$$

$$C = 0,9999984$$

Logo, o sistema hidráulico deverá ter uma confiabilidade mínima de 0,9999984. A confiabilidade do conjunto apresentado é:

$$C_0 = 0,9997 \times 0,9900 \times 0,9943 \times 0,9954 \times 0,9998$$

$$C_0 = 0,9771$$

Vê-se que o sistema considerado posssui uma confiabilidade bem inferior ao mínimo desejado de 0,9999984.

Para aumentar a confiabilidade, foi proposta uma utilização em série paralelo de elementos, conforme Figura 7.7.

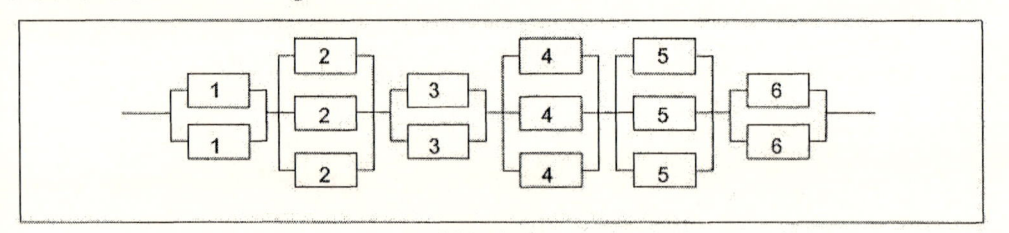

Figura 7.7

Através da taxa média de falhas, conclui-se que os elementos 2, 4 e 5 deveriam ter tripla redundância.

Para determinarmos a confiabilidade do conjunto, é prático utilizar a taxa de falhas equivalente para associação em paralelo vista anteriormente.

$$f_0(t) = n\, \lambda^n \times t^{n-1}$$

Onde n é o número de elementos em paralelo

$$f_1 = 2 \times (0,3 \times 10^{-6} \times 100)^2 \times (10)^1 = 1,8 \times 10^{-8}$$

$$f_2 = 3 \times (10 \times 10^{-6} \times 100)^3 \times (10)^2 = 3,0 \times 10^{-7}$$

$$f_3 = 2 \times (0,3 \times 10^{-6} \times 100)^2 \times (10)^1 = 1,8 \times 10^{-8}$$
$$f_4 = 3 \times (5,7 \times 10^{-6} \times 100)^3 \times (10)^2 = 5,55 \times 10^{-8}$$
$$f_5 = 3 \times (4,6 \times 10^{-6} \times 100)^3 \times (10)^2 = 2,92 \times 10^{-8}$$
$$f_6 = 2 \times (0,2 \times 10^{-6} \times 100)^2 \times (10)^1 = 8 \times 10^{-9}$$

A taxa média de falhas é:

$$f_0 = f_1 + f_2 + f_3 + f_4 + f_5 + f_6$$
$$f_0 = 4,287 \times 10^{-7}$$

A confiabilidade do sistema será dada por:

$$C_0 = e^{-f_0 \times t}$$
$$C_0 = e^{-4,287 \times 10^{-7} \times 10}$$
$$C_0 = 0,9999957$$

Observa-se que a confiabilidade do sistema hidráulico aumentou sensivelmente, porém, fica ainda abaixo da confiabilidade mínima admissível, que é 0,9999984.

Logo, um novo estudo deverá ser feito, com a utilização de mais componentes, analisando a taxa média de falhas de cada elemento obtida anteriormente, a fim de garantir uma confiabilidade de 0,9999984.

Aumentando-se o nº de elementos (ver Figura 7.8):

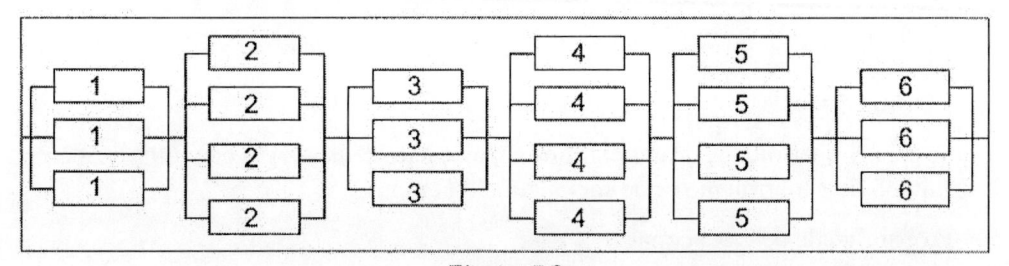

Figura 7.8

$$f_1 = 3 \times (0,3 \times 10^{-4})^3 \times (10)^2 = 8,1 \times 10^{-12}$$
$$f_2 = 4 \times (10 \times 10^{-6} \times 100)^4 \times (10)^3 = 4 \times 10^{-9}$$
$$f_3 = 3 \times (0,3 \times 10^{-6} \times 100)^3 \times (10)^2 = 8,1 \times 10^{-12}$$
$$f_4 = 4 \times (5,7 \times 10^{-6} \times 100)^4 \times (10)^3 = 4,22 \times 10^{-10}$$
$$f_5 = 4 \times (4,6 \times 10^{-6} \times 100)^4 \times (10)^3 = 1,79 \times 10^{-10}$$
$$f_6 = 3 \times (0,2 \times 10^{-6} \times 100)^3 \times (10)^2 = 2,4 \times 10^{-12}$$

A taxa média de falhas será:

$$f_0 = f_1 + f_2 + f_3 + f_4 + f_5 + f_6$$

$$f_0 = 4,6196 \times 10^{-9}$$

A confiabilidade do sistema será:

$$C_0 = e^{-4,6196 \times 10 - 9 \times 10}$$

$$C_0 = 0,99999995$$

Assim, a confiabilidade do sistema estará acima da mínima admissível, podendo ser esta a alternativa adotada.

Obviamente existem outras alternativas, porém, este exemplo visa a demonstrar como deve ser o estudo em busca de soluções.

Deve ser verificado se o aumento do peso não será crítico para o caso do avião, com a utilização do sistema em série paralelo. A manutenção é mais complicada e podem surgir interferências indesejadas com outros componentes do sistema.

7.2.4 Sistema em Paralelo com Redundância Ativa Parcial

7.2.4.1 O Teorema Binomial

Considere o seguinte exemplo envolvendo 52 cartas de um baralho. Uma carta é retirada aleatoriamente, seu é naipe anotado e devolvido ao baralho. Uma segunda carta é então retirada e seu naipe anotado. Os resultados possíveis são:

2 copas
1 copas ou outro naipe
2 outros naipes

Se p é a probabilidade de sortear uma copas então, dada a regra da multiplicação, o resultado do experimento pode ser calculado como:

Probabilidade de duas copas p^2
Probabilidade de uma copas $2pq$
Probabilidade de zero copas q^2

Argumentação similar para um experimento envolvendo três cartas produzirá:

Probabilidade de três copas p^3
Probabilidade de duas copas $3p^2q$
Probabilidade de uma copas $3pq^2$
Probabilidade de zero copas q^3

As probabilidades acima são os termos da expressão $(p+q)^2$ e $(p+q)^3$. Isto conduz à condição geral de que se p é a probabilidade de um evento aleatório e se $q = 1-p$, então as probabilidades de 0, 1, 2, 3,... resultados de um evento em n tentativas são dados pela expansão do termo:

$(p + q)^n$ o que dá

$$f(x) = \sum_{x=0}^{n} \frac{n!}{x!(n-x)!} p^x (1-p)^{n-x}$$

Onde:

n = número de eventos

x = número de eventos de um tipo

p = probabilidade de ocorrer um evento.

Exemplo

O trem de aterrissagem de um avião tem quatro (4) pneus. A experiência mostra que estouros de pneus ocorrem em média em um pouso a cada 1.200. Assumindo-se que estouros de pneus são independentes uns dos outros, e que um pouso seguro pode ser feito se no máximo dois pneus estourarem. Qual a probabilidade de termos um pouso inseguro?

7.2.4.2 O Teorema de Bayes

A probabilidade marginal de um evento é a sua probabilidade. Considere uma caixa com 7 cubos e 3 esferas na qual a probabilidade marginal de se sortear um cubo é 0,7. Para introduzirmos o conceito de *probabilidade condicional* consideremos que 4 dos cubos são pretos e 3 brancos e que 2 das esferas são pretas e uma branca.

A probabilidade de sortear-se um cubo preto é a probabilidade condicional de 4/7 e ignora-se a possibilidade de se sortear uma esfera. Similarmente, a probabilidade de sortear-se uma esfera preta é 2/3. Por outro lado, a probabilidade de sortear-se uma esfera preta é uma probabilidade conjunta. Ela considera a possibilidade de sortear-se cubos e esferas e é igual a 2/10.

Comparando as probabilidades condicional e conjunta, a probabilidade conjunta de sortear-se um item preto, dado que seja uma esfera, é a probabilidade conjunta de sortear-se uma esfera preta (2/10) dividido pela probabilidade de sortear-se qualquer esfera (3/10). O resultado é então 2/3. Portanto:

$$Pb/s = \frac{Pbs}{Ps}$$

Pb/s é a probabilidade condicional de sortear-se um item preto esférico; Ps é a probabilidade simples ou marginal de sortear-se uma esfera; Pbs é a probabilidade conjunta de sortear-se um item que seja ambos preto e esférico.

$$Pbs = Pb/s \bullet Ps = Ps/b \bullet Pb$$

Esta expressão é conhecida como o teorema de Bayes. Reordenando os termos.

Considere-se agora que a probabilidade de sortear-se uma esfera preta (Pbs) e a probabilidade de sortear-se uma esfera branca (Pws)

$$Ps = Pbs + Pws$$

Portanto,

$$Ps = Ps/b * Pb + Ps/w * Pw$$

Ou numa forma mais genérica,

$$Px = Px/a * Pa + Px/b * Pb + ... + Px/n * Pn$$

7.2.4.3 Tipos Genéricos de Configurações Redundantes

As configurações redundantes podem ser dos tipos
1) Ativas:
   a) Total.
   b) Parcial.
   c) Condicional.

2) *Stand-by:*
   a) Unidades idêntica.
   b) Unidades diferentes.

Redundâncias Parcialmente Ativas

Considere três unidades idênticas com confiabilidade R (ver Figura 7.9). Sabendo que $R + P = 1$ onde P é a probabilidade de falhas. A expressão binomial $(R + P)^3$ desenvolvida produz:

$$R^3, 3R^2 Q, 3RQ^2, Q^3 \text{ ou } R^3, 3R^2(1-R), 3R(1-R)^2, (1-R)^3$$

Esta expressão descreve a probabilidade de 0, 1, 2, 3 falhas de uma unidade.

A confiabilidade do mesmo sistema para redundância total ativa é dada por: $1 - (1 - R)^3$.

Esta expressão é consistente com as expressões acima pois é igual a 1 menos o último termo. A soma dos termos é a confiabilidade do sistema e portanto a soma dos três primeiros termos, conduzindo a 0, 1, 2 falhas é a confiabilidade do sistema.

Em muitos casos de redundância, entretanto, o número de unidades que pode falhar antes da falha do sistema é menor do que no caso de redundância total. No caso das três unidades exemplificadas, o sistema funciona com apenas uma unidade em funcionamento. No caso de redundância parcial, o sistema necessita sempre pelo me-

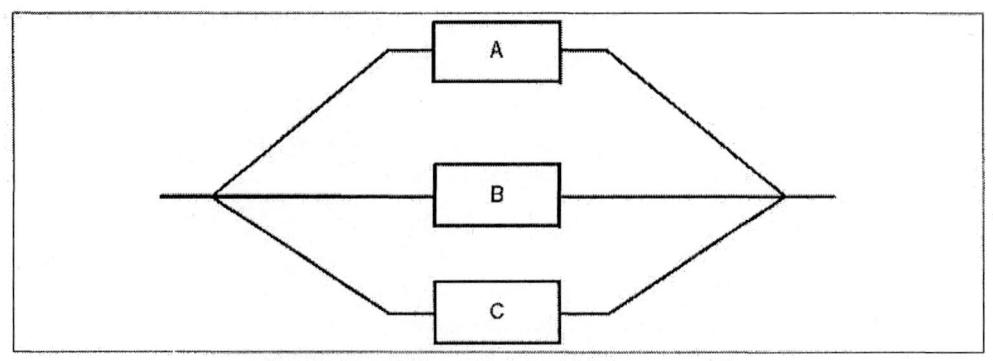

Figura 7.9 – Redundâncias parcialmente ativas

nos de duas unidades em funcionamento. Portanto, a confiabilidade pode ser obtida do desenvolvimento binomial para 0 ou 1 falhas. Portanto:

$$Rsistema = R^3 + 3R^2(1-R)$$

Geralmente, se m itens podem falhar de n a confiabilidade é a soma dos $m + 1$ termos da expressão binomial. Portanto

$$Rs = \sum_{x=0}^{m-1} \frac{n!}{x!(n-x)} R^x (1-R)^{n-x}$$

Redundâncias Condicionais Ativas

A melhor maneira de se explicar este caso é através de um exemplo. Considere a Figura 7.10

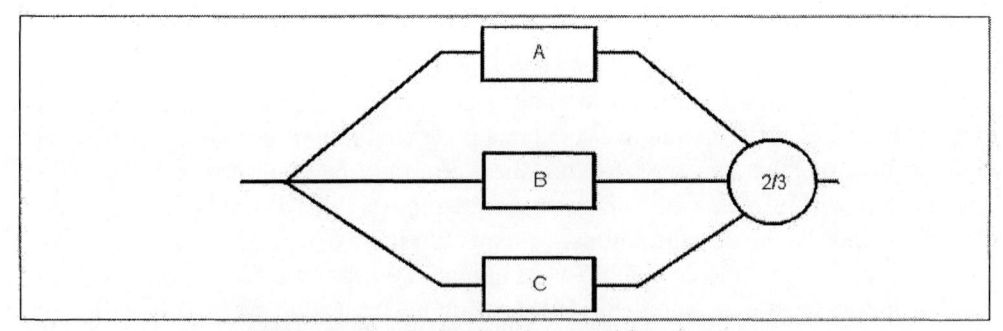

Figura 7.10 – Redundâncias condicionais ativas

Três unidades de processamento digital (A, B e C) possuem confiabilidade R. Elas são triplas para garantir a redundância no caso de falha e suas saídas idênticas alimentam uma unidade de votação 2/3. Se dois sinais idênticos são percebidos pela unidade de votação estes são reproduzidos na saída. Assumindo que a unidade de vo-

tação é muito mais confiável que as unidade de processamento digital de forma que sua probabilidade de falha pode ser descartada. A questão que resta é determinar se o sistema tem:
a) Redundância parcial   1 unidade pode falhar e somente uma.
b) Redundância total   2 unidades podem falhar.

A resposta depende do modo de falha. Se duas unidades falharem no mesmo modo de falha, então a resposta da unidade de votação será a mesma das duas falhas e o sistema falhará como um todo. Se, por outro lado, duas unidades falharem de modos diferentes, a unidade restante produzirá uma resposta correta. Esta situação requer o teorema de Bayes para a determinação da confiabilidade. Então:

$$Rsistema = Rx/a*Pa + Rx/b*Pb + ... + Rx/n*Pn$$

Neste caso, a solução é:

$Rsistema = R$ confiab. sistema no caso de falhas idênticas * P falha idêntica de 2 unidades.
+
R confiab. sistema no caso de falhas * P falha diferente de 2 unidades.

Portanto,

$$Rsistema = [R^3 + 3R^2(1-R)] \cdot Pa + [1-(1-R)^3] \cdot Pb$$

Assumindo que a probabilidade de ambos modos de falha é idêntico de forma que $Pa = Pb = 0,5$, então,

$$Rsistema = [3R - R^3]/2$$

Redundâncias Stand-by

Uma Unidade Operando *p/n Stand-by* (ver Figura 7.11).

Até então somente foram considerados sistemas com redundâncias ativas onde todas as unidades estão operando e o sistema pode continuar operando a despeito da perda de uma ou mais unidades. Redundância em *stand-by* implica na existência de unidades adicionais que são ativadas somente quando há falha de unidades em operação. Um grande ganho de confiabilidade é esperado sobre os sistemas com redundâncias ativas já que o tempo de operação das unidades em *stand-by* é bem menor. A figura na página 99 mostra n unidades idênticas com 1 item ativo. Se alguma falha for detectada então a unidade 2 será colocada em operação. Inicialmente, as seguintes considerações são necessárias:

1. O mecanismo de detecção de falha e mudança para a unidade em *stand-by* é considerado isento de falha.
2. As unidades em *stand-by* são consideradas como idênticas e com a mesma taxa de falhas.

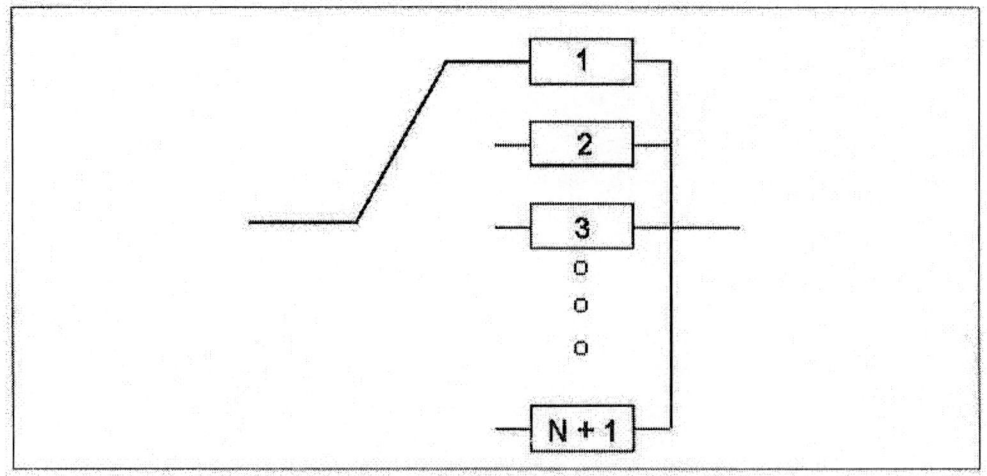

Figura 7.11 – Sistema em *Stand-by*

3. As unidades em *stand-by* não falharão enquanto estiverem paradas.
4. Como nos casos de redundâncias ativas, as unidades falhas não serão reparadas.

A confiabilidade é dada pelos primeiros n termos da expressão de Poisson:

$$Rsistema = R(t) = \exp(-\lambda t)\left(1 + \lambda t + \frac{\lambda^2 t^2}{2!} + \ldots + \frac{\lambda^{(n-1)} t^{(n-1)}}{(n-1)!}\right)$$

Para 1 unidade em *stand-by*

$$Rsistema = R(t) = \exp(-\lambda t)(1 + \lambda t)$$

Para 2 unidades em *stand-by*

$$Rsistema = R(t) = \exp(-\lambda t)\left(1 + \lambda t + \frac{\lambda^2 t^2}{2!}\right)$$

N Unidade Operando p/n Stand-by *(ver Figura 7.12)*

Para 1 unidade em *stand-by*

$$Rsistema = R(t) = \exp(-N\lambda t)(1 + N\lambda t)$$

Para 2 unidades em *stand-by*

$$Rsistema = R(t) = \exp(-N\lambda t)\left(1 + N\lambda t + \frac{N^2 \lambda^2 t^2}{2!}\right)$$

Para *n* unidades em *stand-by*

$$R_{sistema} = R(t) = \exp(-N\lambda t)\left(1 + N\lambda t + \frac{N^2\lambda^2 t^2}{2!} + \ldots + \frac{N^{(n-1)}\lambda^{(n-1)}t^{(n-1)}}{(n-1)!}\right)$$

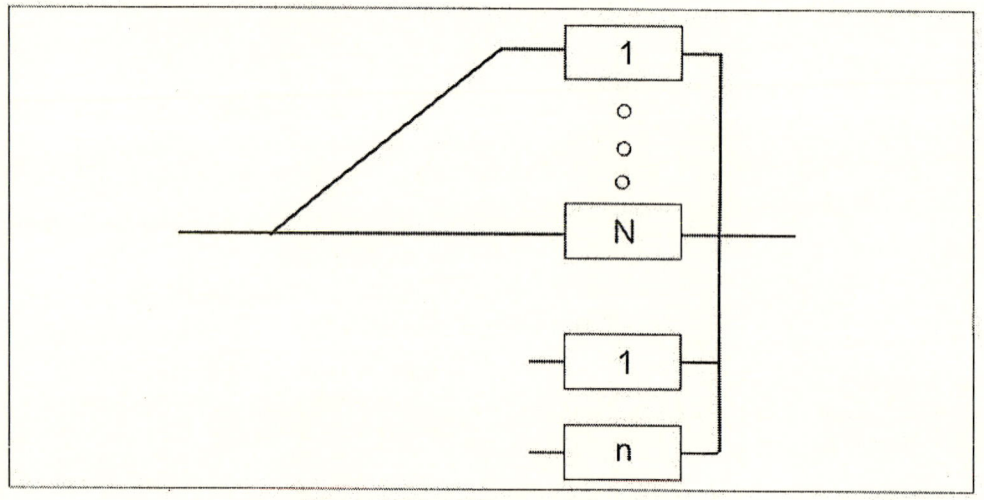

Figura 7.12 – Sistema em *stand-by*

CAPÍTULO 8

Análise de Modos de Falhas e Efeitos – FMEA

8.1 Introdução

A Análise de Modos de Falhas e Efeitos (Failure Mode and Effect Analysis – FMEA) é uma técnica indutiva, estruturada e lógica para identificar e/ou antecipar a(s) causa(s) e efeitos de cada modo de falha de um sistema ou produto. A análise resulta em ações corretivas, classificadas de acordo com sua criticidade, para eliminar ou compensar os modos de falhas e seus efeitos.

A FMEA pode ser usada também como ferramenta de comunicação para identificar a importância das características do Produto e do Processo e suas funções e os efeitos das falhas, envolvendo:

- Projetistas do Produto e do Processo.
- Engenheiros de Testes.
- Engenheiros de Produção.
- Engenheiros de Qualidade e Confiabilidade.

Outras aplicações para a FMEA:

- Meio para identificar os testes necessários e os meios requeridos para certificar um projeto.
- Meio documentado de revisão de projetos.
- Sistema lógico para considerações, avaliações ou certificação de mudanças em: projetos, processos ou materiais.

Alguns dos benefícios de aplicação da FMEA são:

- Redução do tempo de ciclo de um produto.
- Redução do custo global de projetos.
- Melhorar o programa de testes de produtos.
- Reduzir falhas potenciais em serviço.
- Reduzir os riscos do produto para o consumidor (responsabilidade civil pelo produto).
- Desenvolver uma metodologia para a prevenção de defeitos ao invés de deteção e correção.

A principal característica da FMEA é ser um processo indutivo, "de baixo para cima" (*bottom-up process*), extensivamente usada no projeto Apollo no anos 60. Sua aplicação requer:
- Conhecimento da técnica da FMEA.
- Conhecimento do produto ou sistema.
- Conhecimento das funções do produto.
- Conhecimento do meio de aplicação do produto.
- Conhecimento do processo de fabricação.
- Conhecimento dos requisitos dos clientes.
- Conhecimento dos requisitos dos clientes quanto a suas falhas.

8.2 Objetivos da Análise

Método sistemático para antecipar modos de falhas conhecidos ou potenciais e recomendar ações corretivas para eliminar ou compensar os efeitos das falhas.

Meio para identificar os testes necessários e os meios requeridos para certificar um projeto.

Meio documentado de revisão de projetos.

Sistema lógico para considerações, avaliações ou certificação de mudanças em: projetos, processos ou materiais.

8.3 Pré-Requisitos para a Análise

Determinação dos Requisitos dos Clientes através, por exemplo, da técnica do QFD (*Quality Function Deployment* – Desdobramento da Função Qualidade).

Considerações sobre o ambiente de serviço.

Determinação das Funções do Produto:
- Análise funcional.
- Requisitos de desempenho.

Desenvolvimento de diagramas de blocos:
- Hierarquia.
- Funcionalidade.
- Confiabilidade.

A Figura 8.1 mostra as ferramentas e a seqüência de sua utilização na aplicação da FMEA.

8.4 Utilização do Formulário de FMEA

A Figura 8.2 ilustra um formulário típico de FMEA. Mostramos a seguir os diversos campos e como são utilizados.

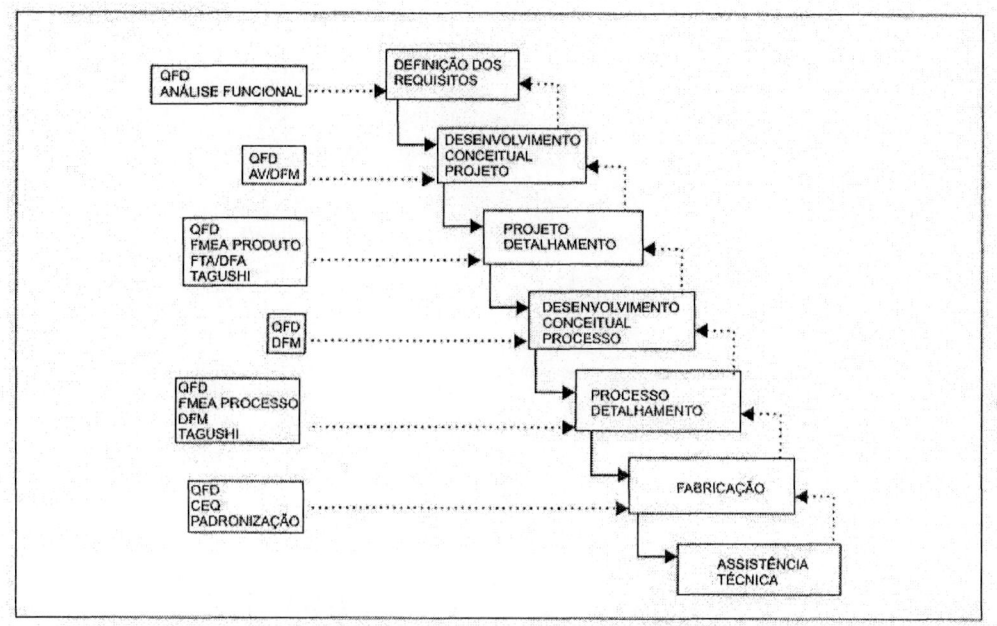

Figura 8.1 – Os pré-requisitos para a FMEA

FMEA – Análise de Modos de Falha e Efeitos

Sistemas: _____ Participantes: _____ Produto/Processo: __1__

Subsistema: _____ Data: __/__/__ Folha: __/__ Dados de Registro: __2__

Item	Componente/ Processo	Funções	Modo de Falha	Efeito(s) da Falha	Severidade	Causas	Ocorrência	Meios de Detecção	Detecção	RPN	Ações Corretivas/ Preventivas
Campo 3	Campo 4	Campo 5	Campo 6	Campo 7	Campo 11	Campo 8	Campo 10	Campo 9	Campo 12	Campo 13	Campo 14

Figura 8.2

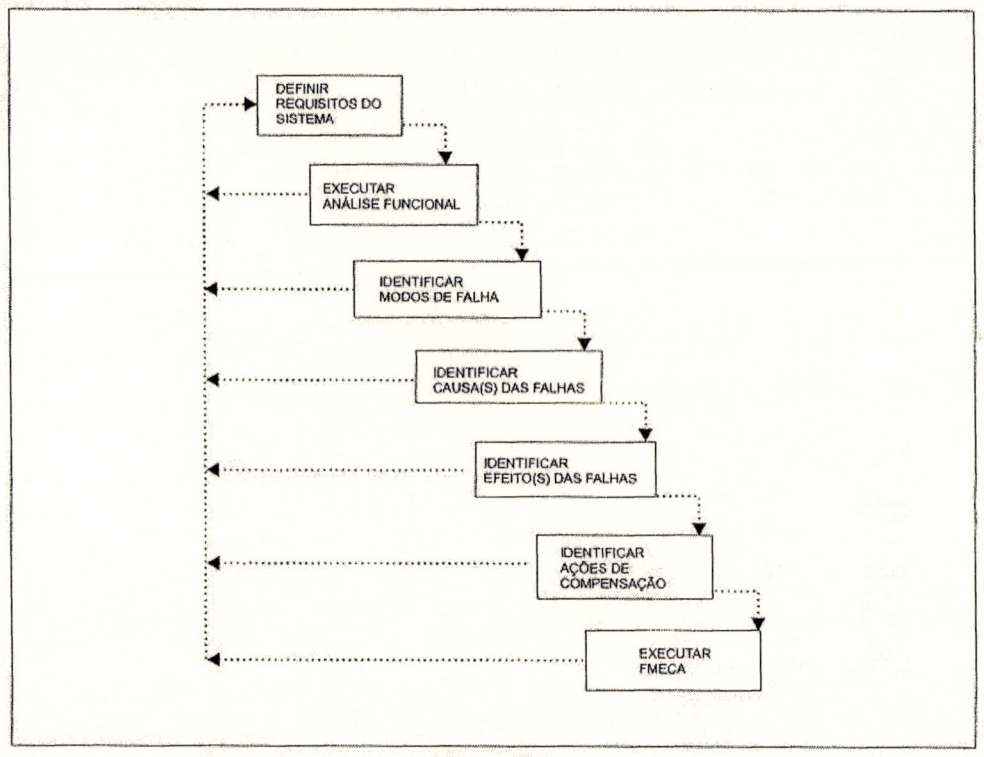

Figura 8.3

8.5 Etapas na Elaboração da FMEA

A Figura 8.3 mostra os passos usuais para aplicação da técnica.

Campo 1 – Identificação da FMEA: Produto ou Processo

Registrar se trata-se de uma FMEA de produto ou processo. Essa distinção é muito importante para nortear a análise que será conduzida.

Por exemplo: Considere a análise de:
- Item: Carcaça do eixo traseiro de um veículo.
- Modo de falha: Fratura.
- Efeito: Perda dos freios, perda de controle do veículo.
- Causa: (ATENÇÃO!) Deve fazer-se uma distinção clara entre FMEA de produto e processo. Se for considerada uma FMEA de projeto de um produto, as causas de falha serão aquelas pertinentes a problemas no projeto, como mau dimensionamento, desconhecimento do estado de tensões sobre a peça, especificação errônea do material, etc. Por outro lado, não serão consideradas as causas de falha decorrentes de uma inadequação do processo de fabricação, como por exemplo "formação de vazios durante a fundição", mesmo que

dessa inadequação decorra a fratura, com a conseqüente perda de controle do veículo. Ainda que a falha e a conseqüência sejam as mesmas, o tipo de causa é distinto: a primeira diz respeito ao projeto; a segunda é decorrente do processo de fabricação, e a falha poderá ocorrer mesmo que o projeto seja perfeito.

Registrar se trata-se da primeira análise que está sendo feita, e se o produto ou processo ainda estão em fase de elaboração (projetos), ou se trata-se de uma revisão de produto em produção e/ou processo em operação.

Campo 2 – Dados de Registro

Coloque as informações básicas que podem facilitar a posterior identificação do produto/processo e da FMEA realizada. Inclua, por exemplo:

— Nome do produto e número de série.
— Identificação da etapa do processo, se for o caso.
— Data da liberação do projeto.
— Data da revisão.
— Data da confecção da FMEA.
— Número da versão da FMEA.
— Data da versão anterior, se existir.
— Setores responsáveis pela execução.
— Coordenador e responsáveis.

Campo 3 – Item

Termo geral que designa qualquer parte, subsistema, sistema ou equipamento que possa ser considerado individualmente ou separadamente.

Campo 4 – Nome do Componente ou Etapa do Processo

Elementos que constituem um item. Utilize a nomenclatura normalmente usada para identificá-los, mesmo que não seja a tecnicamente mais correta.

Campo 5 – Função do Componente ou Processo

É toda e qualquer atividade que o item desempenha, sob o ponto de vista operacional. Para uma descrição detalhada de como obter as funções de um item, consultar o Capítulo 18.

8.6 Identificação dos Modos de Falhas (Campo 6)

Falha é a impossibilidade de um sistema ou componente cumprir com sua função no nível especificado ou requerido.

Modo de falha é a descrição da maneira pela qual um item falha em cumprir com a sua função. Compreende os eventos que levam a uma diminuição parcial ou total da função do item e de suas metas de desempenho.

Para a elaboração da FMEA, deve-se identificar os modos de falhas que podem levar à falha funcional. Não se deve tentar listar todos os modos de falhas possíveis; levar em consideração sua probabilidade de ocorrência. Exemplos de falhas a serem consideradas:
- Falhas já ocorridas antes em itens similares.
- Falhas já observadas na falta de manutenção preventiva.
- Falhas não ocorridas e que podem ocorrer de fato.
- Falhas improváveis com conseqüências catastróficas.

Os Modos de Falha mais usuais são:
A – Falha em operar no instante prescrito.
B – Falha em cessar de operar no instante prescrito.
C – Operação prematura.
D – Falha em operação.

Os Modos de Falhas A, B e C ocorrem quando o item funciona de modo intermitente; o Modo D ocorre em operação contínua.

Muitas vezes o Modo D pode ser melhor detalhado, como vemos no exemplo dos modos de falhas de um fusível:
- Não abre quando a corrente é maior que a especificada (Modo D).
- Abre abaixo da corrente especificada (Modo D).

Evitar descrições genéricas, que não acrescentam nenhuma informação aos técnicos envolvidos na análise ou não possibilitem identificar o tipo de falha. Por exemplo, utilize:

"Fusível não abre quando a corrente é maior que a especificada"
em vez de
"Fusível não funciona"

A probabilidade da falha não deve ser levada em consideração neste campo. O esforço deve concentrar-se na forma como o processo pode falhar e não se falhará ou não falhará.

8.7 Identificação das Causas Básicas das Falhas (Campo 8)

Causa Básica é o processo químico ou físico, defeito de projeto, defeito de qualidade, uso indevido ou outro processo que seja a razão básica para a falha ou que inicie o processo físico que preceda a falha. Indica porque o modo de falha ocorreu.

Evitar informações genéricas, buscar a causa fundamental é essencial para que as ações preventivas (contramedidas) ou corretivas sejam eficazes.

A Figura 8.4 mostra a relação entre as falhas, os modos de falhas e as causas das falhas. Uma dica útil para desenvolver um diagrama de árvore conforme Figura 8.4 é fazer a pergunta "por que" depois de cada retângulo.

A Tabela 8.1 mostra algumas causas de falhas de componentes mecânicos.

Tabela 8.1

Impacto	Falha de adesão
Impacto fadiga	Amolecimento
Dimensão imprópria	Fratura frágil
Falha de lubrificação	Fluência
Alteração de propriedades de materiais	Corrosão
	Corrosão fadiga
Dano devido à radiação	Corrosão erosão
Agarramento	Fluência fadiga
Lascamento	Flambagem
Corrosão sob tensão	Delaminação
Relaxação térmica	Deformação elástica
Choque térmico	Erosão
Desgaste	Fadiga
Deformação plástica	Fretting

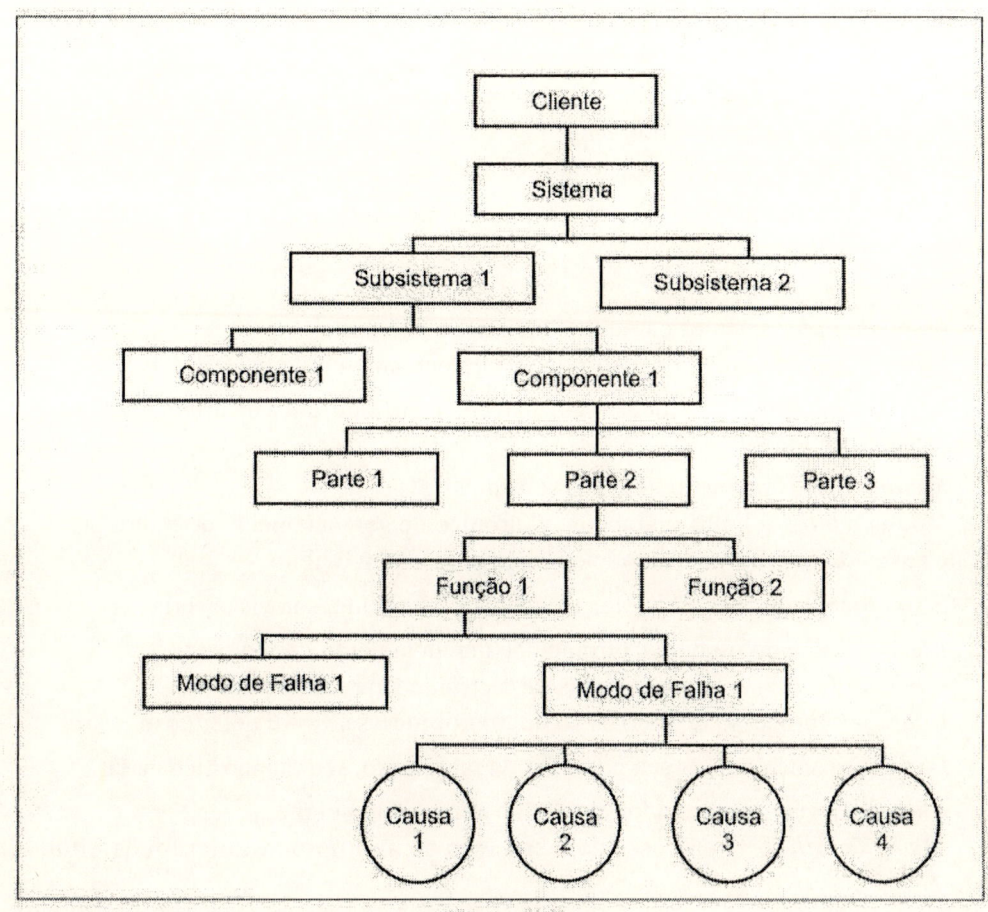

Figura 8.4

8.8 Identificação dos Efeitos das Falhas (Campo 7)

Efeito da falha é a conseqüência que o modo de falha tem sobre a operação, função ou estado de um item. Os efeitos da falha podem ser classificados como local, sobre nível superior ou sobre o sistema total (ver Figura 8.5). Ao descrever os efeitos deve-se descrever a evidência de como a falha se manifesta. O efeito deve ser descrito como se nenhuma medida de manutenção/projeto fosse feita para prevenir a falha.

Tomar cuidado para não confundir o efeito com o modo da falha. Lembrar-se que um modo de falha pode ter mais de um efeito. Relacionar todos eles.

A Figura 8.6 mostra o relacionamento efeito, modo de falhas e sua causa em função do nível de análise. Este relacionamento é importante para se determinar a que nível a análise de causa básica será efetuada.

Por exemplo, suponha que você chegue atrasado a um compromisso em função de uma falha no seu carro. Em nível de sistema, você (o usuário) fará a seguinte análise:

Efeito – Chegar atrasado para o compromisso.
Modo de falha – Parada do carro.
Causa – Motor parou de funcionar e não parte.

Imagine que na seqüência você chame um mecânico para analisar a falha. No motor, seu diagnóstico será:

Efeito – Parada do carro.
Modo de falha – Motor parou de funcionar e não parte.
Causa – Falha do módulo eletrônico de gerenciamento do motor.

Se o módulo eletrônico for enviado ao técnico em eletrônica da oficina, seu diagnóstico no componente será:

Efeito – Motor parou de funcionar e não parte.
Modo de falha – Falha do módulo eletrônico de gerenciamento do motor.
Causa – O microprocessador eletrônico apresentou defeito.

Se o processador eletrônico for enviado ao fabricante, sua visão seria:

Efeito – Falha do módulo eletrônico de gerenciamento do motor.
Modo de falha – O microprocessador eletrônico apresentou defeito.
Causa – O processo de fabricação do microprocessador foi defeituoso.

Se o fabricante analisar seu processo de fabricação, seu diagnóstico seria:

Efeito – O microprocessador eletrônico apresentou defeito.
Modo de falha – O processo de fabricação do microprocessador foi defeituoso.
Causa – Preparação indevida do equipamento de fabricação.

Função	Modo de Falha	Efeitos da Falha		
		Parte	Carro	Cliente
Amortecer vibração	Isolamento insuficiente	Tensões excessivas devida à vibração	Vibrações excessivas cabina passageiro	Descontentamento Custo de reparos
Dar estética	Descoloração Deterioração	Corrosão Degradação da parte	- - -	Descontentamento Custo de reparos
Facilitar fabricação	Definição imprecisa sobre furos p/fabricação	Atrasos Redução da produção	- - -	- - -

Figura 8.5 – Exemplo dos efeitos das falhas de componentes automotivos

Sistema	Subsistema	Componente	Parte	Processo de Fabricação
Efeito Modo Causa	Efeito Modo Causa	Efeito Modo Causa	Efeito Modo Causa	Efeito Modo Causa

Figura 8.6

Campo 9 – Meios de Detecção (*Situação Existente*)

Registre as medidas de controle implementadas durante a elaboração do projeto ou no acompanhamento do processo que objetivem:
- Prevenir a ocorrência de falhas.
- Detectar falhas ocorridas e impedir que cheguem ao cliente.

Podem ser citados como exemplos:
- Sistemas padronizados de verificação de projeto.
- Procedimentos de revisão de projetos e desenhos (conferência).
- Confrontação com normas técnicas.
- Técnicas de inspeção e ensaios.
- Procedimentos de controle estatístico do processo (gráficos de controle, etc.).

8.9 Análise de Criticidade

Os índices relacionados nos campos 10 a 13 fornecem elementos para a a priorização das falhas, mediante o estabelecimento de notas (pesos) de acordo com critérios específicos.

O modo de falha tem efeito sobre a SEGURANÇA se a perda da função ou outro dano que possa ferir ou matar alguém (SEGURANÇA) ou se algum requisito ambiental não for atingido.

Quando falamos de segurança, é importante fazer a distinção entre o perigo e o risco. O risco é composto de duas partes:

1. O perigo provável, iminente.
2. Chance de ocorrer perdas ou danos.

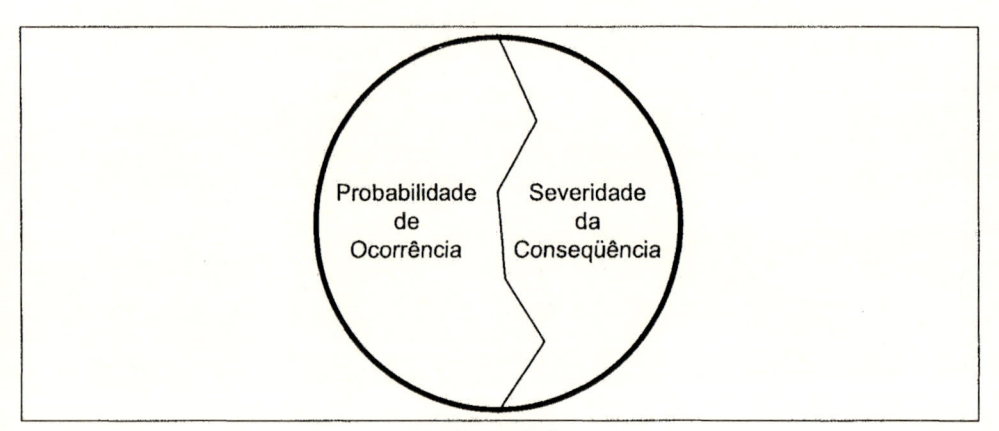

Figura 8.7

O Risco (tradução para o Inglês: *Risk, hazard*) é uma ou mais condições de uma variável com potencial necessário para causar danos. Expressa a combinação da probabilidade de ocorrência de um evento anormal ou falha e a severidade das conseqüências que o evento ou falha venha causar ao sistema, usuários ou ao meio.

O Perigo (tradução para o Inglês: *Danger*) expressa uma exposição relativa a um risco, que favorece a sua materialização dos riscos.

Análise de Risco (Análise de Criticidade) é o processo ou procedimento para identificar, caracterizar, quantificar e avaliar os riscos e seu significado.

Gerência de Risco é qualquer técnica usada para minimizar a probabilidade de ocorrência de um evento ou falha ou reduzir a severidade de suas conseqüências.

A FMEA é um processo largamente utilizado para a análise de risco e de criticidade de um sistema, bem como no gerenciamento dos riscos.

Figurativamente a relação entre perigo e risco pode ser expressa pela relação:

$$\text{Risco} = \frac{\text{Perigo}}{\text{Medidas de Controle}}$$

Matematicamente o risco é expresso pela relação:

Risco = (Prob. Ocorrência) · (Detecção)·(Severidade das Conseqüências)

Detecção é uma avaliação da probabilidade de se encontrar uma falha antes que a mesma se manifeste.

Exemplo

As conseqüências (efeitos) de um acidente aéreo são maiores que de um acidente de carro, dado que as probabilidades de ocorrência dos mesmos fossem as mesmas. Entretando:

- 1/11.000.000 pessoas morrem de acidente aéreo entre NY e LA.
- 1/14.000 pessoas morrem, de acidente de trânsito entre NY e LA.

Isto ocorre porque a probabilidade de ocorrência de acidente aéreo é menor que um acidente de trânsito em função das medidas de prevenção que são adotadas pela indústria aeronáutica.

Campo 10 – Probabilidade de Ocorrências

É uma estimativa das probabilidades combinadas de ocorrência de uma causa de falha, e dela resultar o tipo de falha no produto/processo.

Estabelecer um índice de ocorrência (nota) para cada causa de falha. Veja na tabela Probabilidade de Ocorrência os critérios para estabelecimento desse índice.

A atribuição desse índice dependerá do momento em que se está conduzindo a FMEA. Por ocasião do projeto do produto ou processo, não se dispõe de dados estatísticos, uma vez que o produto ou processo ainda não existe. Baseie sua análise em:

- Dados estatísticos ou relatórios de falhas de componentes similares ou etapas similares de um processo.
- Dados obtidos de fornecedores.
- Dados da literatura técnica.

Se a FMEA estiver sendo feita por ocasião de uma revisão do projeto do produto ou processo, então poderão ser utilizados:

- Relatórios de falhas (internos ou de Assistência Técnica Autorizada).
- Históricos de manutenção, quando for o caso.
- Gráficos de controle.
- Outros dados obtidos do controle estatístico do processo.
- Dados obtidos de fornecedores.
- Dados obtidos de literatura técnica.

A probabilidade de ocorrência pode ser classificada de 1 a 10 conforme tabela abaixo:

Tabela de Probabilidade de Ocorrência

Probabilidade de Falha	Ranking	Taxa de Falhas
Remota: A falha é improvável	1	< 1 em 10^6
Baixa: Relativamente poucas falhas	2	1 em 20.000
	3	1 em 4.000
Moderada: Falhas ocasionais	4	1 em 1.000
	5	1 em 400
	6	1 em 80
Alta: Falhas repetitivas	7	1 em 40
	8	1 em 20
Muito Alta: Falhas quase que inevitáveis	9	1 em 8
	10	1 em 2

Campo 11 – Severidade dos Efeitos

É o índice que deve refletir a gravidade do efeito da falha sobre o cliente, assumindo que o tipo de falha ocorra.

A atribuição do índice de gravidade deve ser feita olhando para o efeito da falha, e avaliando o "quanto" ele pode incomodar o cliente.

Uma falha poderá ter tantos índices de gravidade quantos forem os seus efeitos.

Veja tabela severidade da ocorrência critérios para o estabelecimento desses índices.

A severidade da ocorrência pode ser classificada conforme tabela abaixo:

Tabela de Severidade

Severidade das Conseqüências	Ranking
Marginal: A falha não teria efeito real no sistema. O cliente provavelmente nem notaria a falha	1
Baixa: A falha causa apenas pequenos transtornos ao cliente. O cliente notará provavelmente leves variações no desempenho do sistema	2 3
Moderada: A falha ocasiona razoável insatisfação no cliente. O cliente ficará desconfortável e irritado com a falha. O cliente notará razoável deterioração no desempenho do sistema	4 5 6
Alta: Alto grau de insatisfação do cliente. O sistema se torna inoperável. A falha não envolve riscos à segurança operacional ou o descumprimento de requisitos legais	7 8
Muito Alta: A falha envolve riscos à operação segura do sistema e/ou descumprimento de requisitos legais	9 10

Campo 12 – Probabilidade de Detecção

É o índice que avalia a probabilidade de a falha ser detectada antes que o produto chegue ao cliente ou as falhas afetem o sistema externamente.

O índice de detecção deve ser atribuído olhando-se para o conjunto "modo de falha–efeito" e para os controles atuais exercícios.

A probabilidade de detecção pode ser classificada de 1 a 10 conforme a tabela abaixo.

Tabela Probabilidade de Detecção

Probabilidade de Detecção	Ranking
Muito Alta: A falha será certamente detectada durante o processo de projeto/fabricação/montagem/operação	1 2
Alta: Boa chance de determinar a falha	3 4
Moderada: 50% de chance de determinar a falha	5 6
Baixa: Não é provável que a falha seja detectável	7 8
Muito Baixa: A falha é muito improvavelmente detectável	9
Absolutamente indetectável: A falha não será detectável com certeza	10

Campo 13 – Índice de Risco

Os riscos em uma FMECA (Failure Mode and Effect and Critical Analysis) pode ser quantificados através do conceito do RPN (Risk Priority Number – Número de Prioridade de Risco).

O RPN pode ser obtido pela multiplicação conforme equação abaixo:

$$RPN = \{(Ocorrência).(Detecção)\}.(Severidade)$$

Registrar no campo 13 o produto dos três índices anteriores, ou seja:

$$\text{Índice de Risco} = \text{Gravidade} \times \text{Ocorrência} \times \text{Detecção}$$

Lembrar-se que as falhas com maior índice de risco deverão ser tratadas prioritariamente, e sobre elas deve ser feito um plano de ação para o estabelecimento de contramedidas.

Note que o índice de risco é uma maneira mais precisa de hierarquizar as falhas. Uma falha pode ocorrer freqüentemente, mas ter pequena importância e ser facilmente detectável nesse caso, não apresentratá grandes problemas (baixo risco). Seguindo o mesmo raciocínio, uma falha que tenha baixíssima probabilidade de ocorrer, mas que seja extremamente grave — por exemplo o vazamento de material radiativo de um reator nuclear — merecerá uma grande atenção, e deverão ser redimensionados os equipamentos de segurança e sistemas de detecção e alarme.

Campo 14 – Ações Preventicas Recomendadas

As maneiras para se reduzirem os riscos podem ser observadas na Figura 8.7.

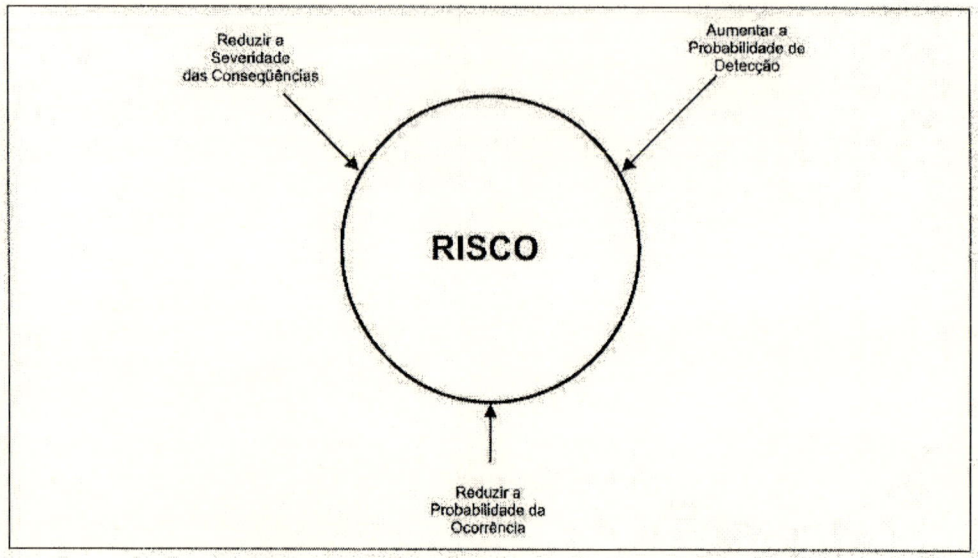

Figura 8.7 – Maneiras de se reduzir os riscos

Maneira para reduzir a Severidade do Risco:

- Adicionar dispositivos de segurança (absorvedores de choque, *fail proof*, válvulas de segurança, etc.).
- Limitar a capacidade.
- Usar tecnologias diferentes.

Maneiras para Prevenção do Risco:

- Fatores de segurança maiores.
- Sistemas em Paralelo ou *Stand-by*.
- Análise de Tensões (FEA)

Maneira para Detecção do Risco:

- Mais testes no produto.
- Mais inspeção.

Registre as ações que devem ser conduzidas para bloqueio da causa da falha ou diminuição da sua gravidade ou ocorrência.

Registre essas ações de forma objetiva e concisa. Por exemplo:
- Redimensionamento do eixo.
- Revisão dos cálculos de resistência a fadiga.
- Modificação das tolerâncias, etc.

As ações recomendadas deverão fazer parte de um plano de ação para o estabelecimento das contramedidas adotadas.

Elabore um plano de ação, utilizando o "5 W – 1 H".

Campo 15 – Ações Preventivas Adotadas (condições resultantes)

Anote nesse campo as medidas efetivamente adotadas e aplicadas.

Lembre-se que nem sempre todas as ações recomendadas são adotadas. Às vezes critérios de factibilidade e/ou custo decidem pela não implementação de alguma recomendação.

Os campos seguintes (16 a 20) que se encontram na Figura 8.9 deverão ser preenchidos após ter sido concluída a análise via FMEA e implementadas as ações preventivas recomendadas. Eles serão uma maneira de reavaliar as falhas, a partir dessas medidas. Espera-se que os índices de criticidade das falhas – ocorrência, gravidade e detecção – tenham os seus valores reduzidos.

8.9 Utilização do Formulário de FMEA

Nas figuras a seguir ver um exemplo de uma FMEA de um retroprojetor (ver Figura 8.8).

A Figura 8.10 mostra o resultado de um *"brainstorm"* que gerou a lista de funções do retroprojetor.

A Figura 8.11 mostra o diagrama de funções montado utilizando-se o método FAST, descrito no Capítulo 18.

A Figura 8.12 mostra um esquema hierárquico dos sistemas do retroprojetor e as suas partes.

A Figura 8.13 mostra uma página de uma FMEA do retroprojetor. Neste exemplo ainda deve ser avaliado o RPN após a implementação física das ações sugeridas.

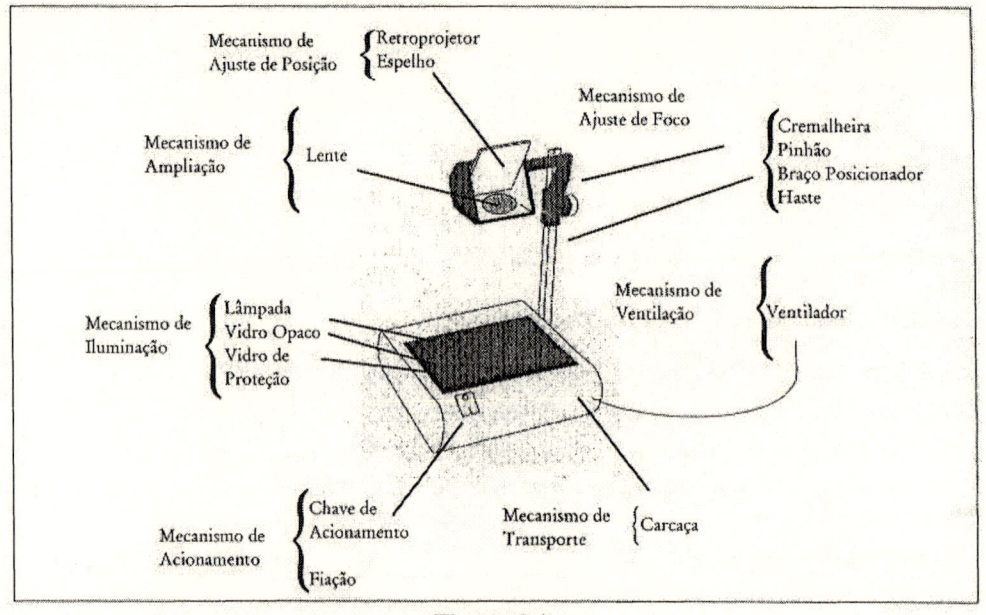

Figura 8.8

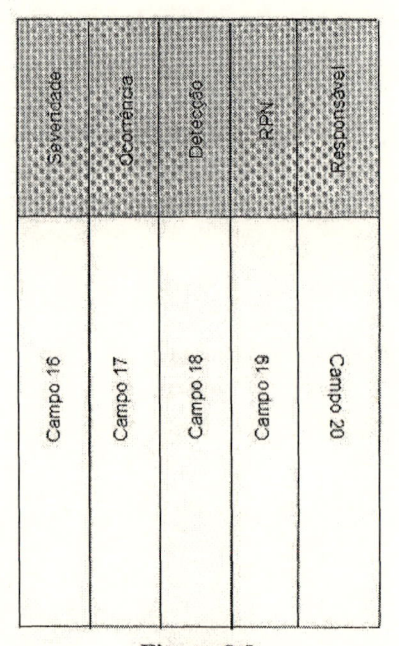

Figura 8.9

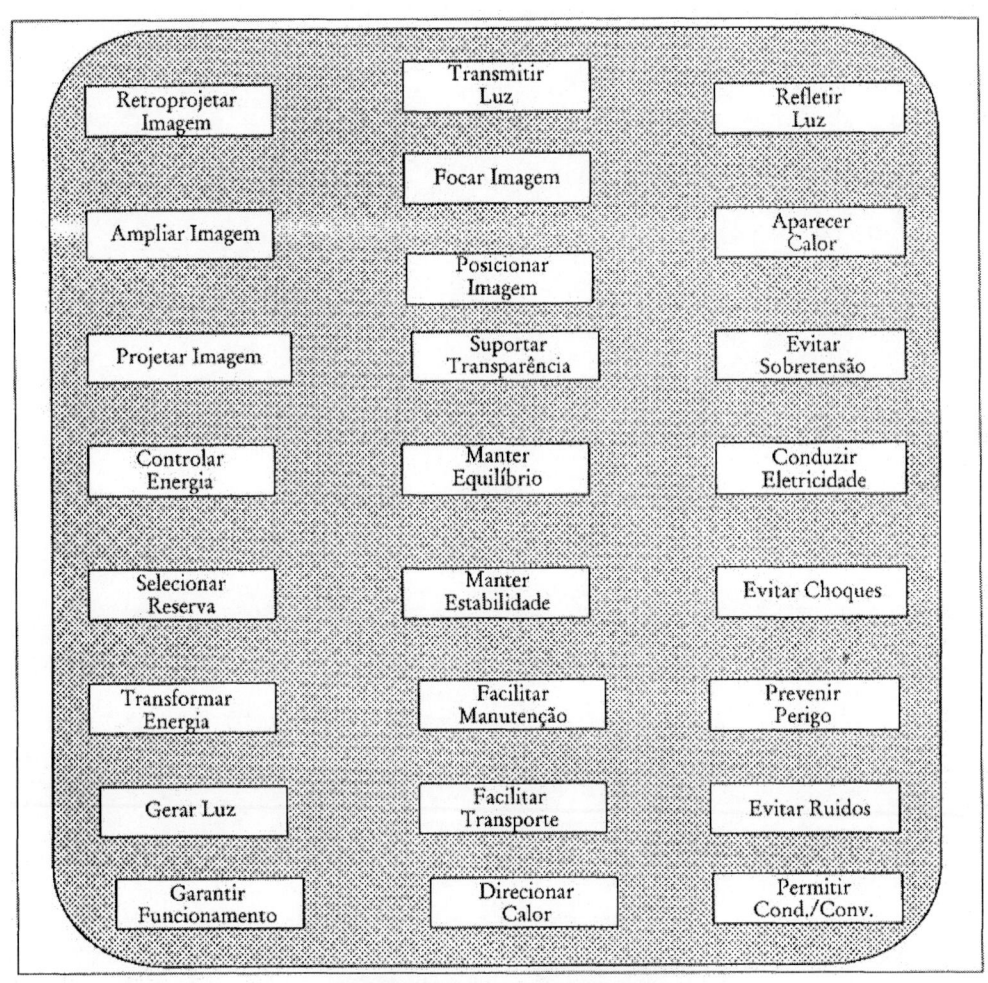

Retroprojetar Imagem	Transmitir Luz	Refletir Luz
Ampliar Imagem	Focar Imagem	Aparecer Calor
	Posicionar Imagem	
Projetar Imagem	Suportar Transparência	Evitar Sobretensão
Controlar Energia	Manter Equilíbrio	Conduzir Eletricidade
Selecionar Reserva	Manter Estabilidade	Evitar Choques
Transformar Energia	Facilitar Manutenção	Prevenir Perigo
Gerar Luz	Facilitar Transporte	Evitar Ruidos
Garantir Funcionamento	Direcionar Calor	Permitir Cond./Conv.

Figura 8.10 — Lista de funções

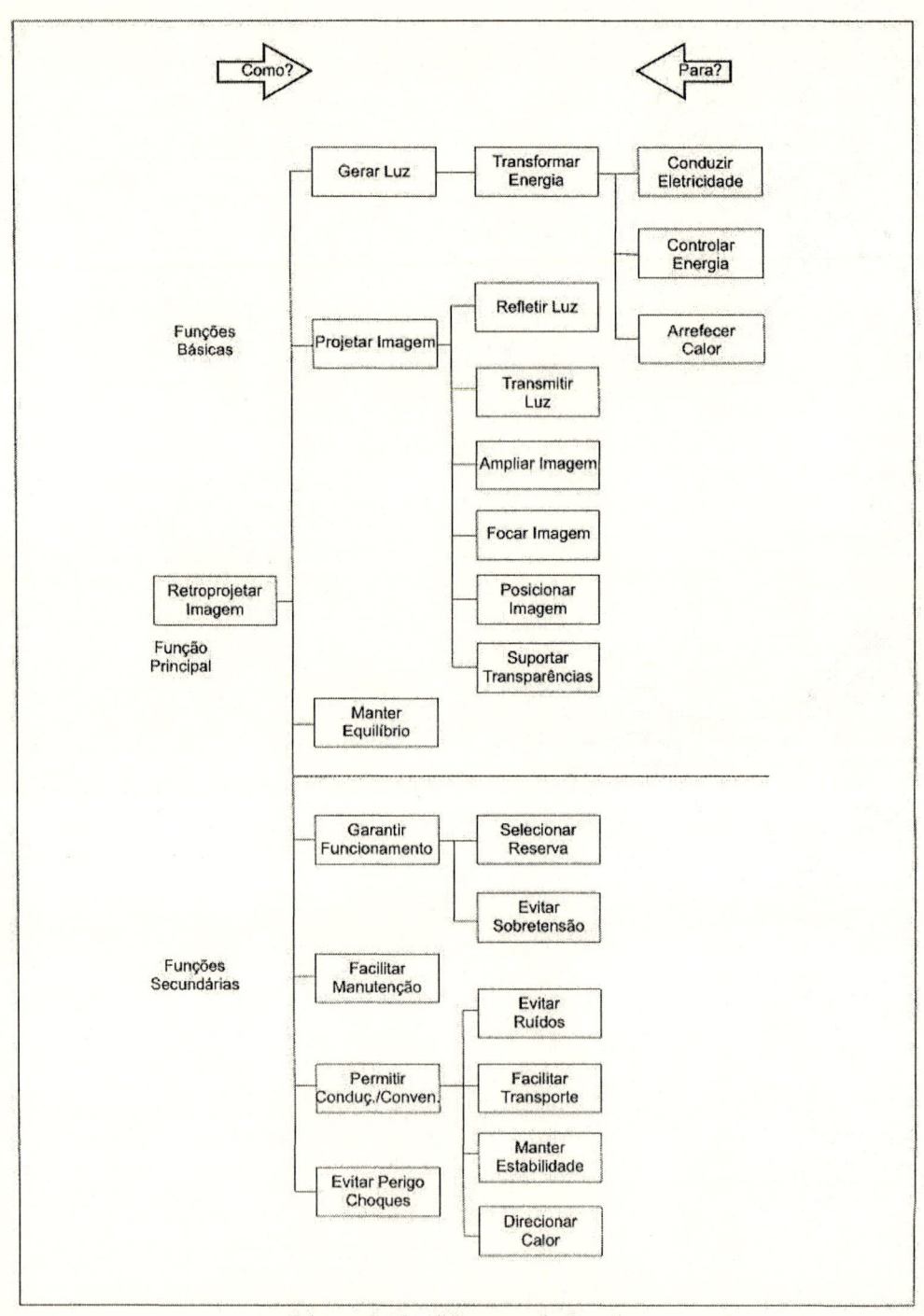

Figura 8.11 – Diagrama de funções

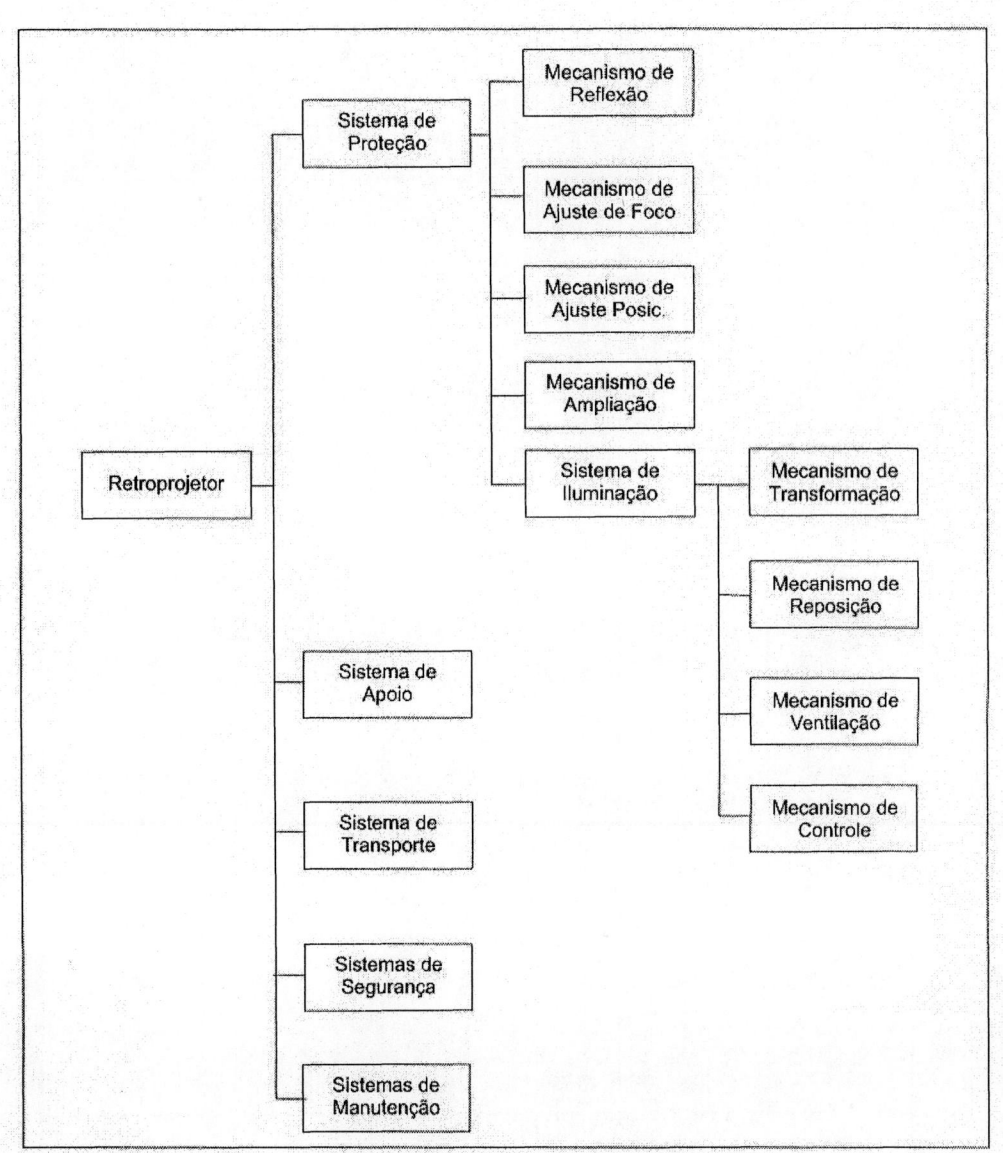

Figura 8.12 – Sistemas e partes

FMEA – Análise de Modos de Falha e Efeitos

Produto: Retroprojetor

Item	Componente	Função	Modo da Falha	Efeito da Falha	Severidade	Causa da Falha	Ocorrência	Meio de Detecção
Mecanismo de Projeção	Espelho	Refletir luz	Luz não é refletida	Falha do retroprojetor	8	Choque mecânico severo ocasionando quebra total do espelho	4	Inspeção do compartimento do espelho
			Luz refletida com deficiência	Projeção defeituosa	5	Choque mecânico moderado causando trincas no espelho	5	Inspeção do compartimento do espelho
			Luz refletida parcialmente	Projeção incompleta	6	Choque mecânico moderado causando quebra parcial do espelho	5	Inspeção do compartimento do espelho
		Transmitir luz	Transmissão parcial de luz	Projeção defeituosa	5	Depósito de sujeira sobre o espelho	8	Inspeção do compartimento do espelho
		Posicionar imagem	Luz projetada com desvio	Projeção incompleta	6	Choque mecânico moderado causando deslocamento do espelho	5	Inspeção do compartimento do espelho
Mecanismo de Iluminação	Lâmpada	Transformar energia	Energia não é transf. em luz	Falha do retroprojetor	8	Lâmpada queimada por uso normal	8	Inspeção da lâmpada
					8	Lâmpada queimada por choque mecânico do retro	5	Inspeção da lâmpada
					8	Bocal da lâmpada com defeito	3	Inspeção do bocal
Mecanismo de Refrigeração	Ventilador	Arrefecer calor	Falha de refrigeração	Falha do retroprojetor, lâmpada queimada por alta temperatura	8	Motor do ventilador queimado	3	Inspeção do ventilador. Som do retroprojetor
					8	Cubo das pás do ventilador solta do eixo — falha da chaveta	3	Inspeção do ventilador. Som do retroprojetor
Mecanismo de Controle	Chave de acionamento	Controlar energia	Falha no controle de energia	Retroprojetor não liga — Falha do retro	8	Contatos da chave sujos	4	Desmontagem da chave
				Retroprojetor não desliga	6	Contatos colados	4	Desmontagem da chave
				Retroprojetor não desliga. Ao acessar lâmpada risco de choque	9	Contatos colados	4	Desmontagem da chave

Figura 8.13 – Uma página da FMEA

FMEA – Análise de Modos de Falha e Efeitos (Continuação)										
Detecção	RPN	Ações Corretivas/Preventivas	Responsável	Prazo	Ação Tomada	Nova Severidade	Nova Ocorrência	Nova Detecção	Nova RPN
1	32	Projetor espelho para suportar choque moderado	Projeto	Imediato					
1	25	Projetar espelho para suportar choque moderado	Projeto	Imediato					
1	30	Projetar espelho para suportar choque moderado	Projeto	Imediato					
1	40	Facilitar acesso para limpeza do espelho	Projeto	Imediato					
1	30	Facilitar acesso para limpeza do espelho	Projeto						
4	256	Instalar led de lâmpada queimada	Projeto						
4	160	Projetar lâmpada reserva	Projeto						
8	192	Instalar led de lâmpada queimada	Projeto						
3	72	Instalar ventilador com confiabilidade adequada	Projeto						
4	96	Projetar chaveta com resistência adequada	Projeto						
8	256	Projetar chave com confiabilidade adequada	Projeto						
8	192	Projetar chave com confiabilidade adequada	Projeto						
8	288	Projetar dispositivo de segurança para desligar no acesso da lâmpada	Projeto						

Figura 8.13 – Uma página da FMEA

CAPÍTULO 9

Análise de Árvore de Falhas – FTA

9.1 Introdução

A Análise de Árvore de Falhas (AAF) ou Failure Tree Analysis (FTA) pode ser uma análise do tipo qualitativa ou quantitativa. Na análise qualitativa, o objetivo pode ser determinar as Causas Básicas de um evento ou a seqüência que levou ao mesmo. Na análise quantitativa, o objetivo é determinar a probabilidade de ocorrência do evento.

A Análise de Árvore de Falhas pode ser aplicada a qualquer evento indesejado, especialmente eventos e/ou sistemas complexos.

O objetivo da Análise de Árvore de Falhas é a obtenção, através de um diagrama lógico do conjunto mínimo de causas (falhas) que levaram ao evento em estudo. Além disto, é possível se obter a probabilidade da ocorrência do evento indesejado.

9.2 Metodologia

O princípio básico da metodologia consiste dos seguintes passos:
1. Seleção do evento topo.
2. Determinação dos fatores contribuintes.
3. Diagramação lógica.
4. Simplificação booleana.
5. Aplicação dos dados quantitativos.
6. Determinação da probabilidade de ocorrência.

Esta metodologia permite a utilização dos dados de confiabilidade dos componentes, inclusive a inclusão da probabilidade de erros humanos.

É um método dedutivo e estruturado.

A Figura 9.1 mostra um resumo da estrutura fundamental da análise e seus passos.

9.3 Benefícios

Citamos a seguir os principais benefícios da Análise de Árvore de Falhas:
- Conhecimento aprofundado do sistema e de sua confiabilidade.
- Detecção de falhas singulares (aquelas cuja ocorrência leva ao evento topo) desencadeadoras de eventos catastróficos e da seqüência de eventos mais prováveis.

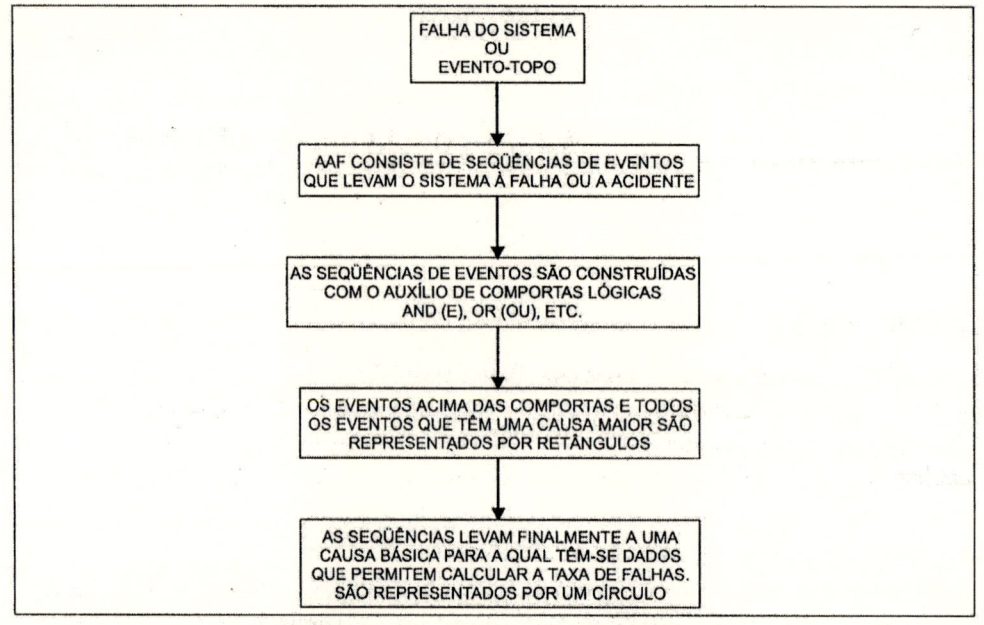

```
┌─────────────────────────────────────────────────┐
│                  ┌──────────────────┐           │
│                  │ FALHA DO SISTEMA │           │
│                  │        OU        │           │
│                  │   EVENTO-TOPO    │           │
│                  └────────┬─────────┘           │
│                           ▼                     │
│       ┌─────────────────────────────────────┐   │
│       │ AAF CONSISTE DE SEQÜÊNCIAS DE       │   │
│       │ EVENTOS QUE LEVAM O SISTEMA À       │   │
│       │ FALHA OU A ACIDENTE                 │   │
│       └───────────────┬─────────────────────┘   │
│                       ▼                         │
│       ┌─────────────────────────────────────┐   │
│       │ AS SEQÜÊNCIAS DE EVENTOS SÃO        │   │
│       │ CONSTRUÍDAS COM O AUXÍLIO DE        │   │
│       │ COMPORTAS LÓGICAS AND (E),          │   │
│       │ OR (OU), ETC.                       │   │
│       └───────────────┬─────────────────────┘   │
│                       ▼                         │
│       ┌─────────────────────────────────────┐   │
│       │ OS EVENTOS ACIMA DAS COMPORTAS E    │   │
│       │ TODOS OS EVENTOS QUE TÊM UMA        │   │
│       │ CAUSA MAIOR SÃO REPRESENTADOS       │   │
│       │ POR RETÂNGULOS                      │   │
│       └───────────────┬─────────────────────┘   │
│                       ▼                         │
│       ┌─────────────────────────────────────┐   │
│       │ AS SEQÜÊNCIAS LEVAM FINALMENTE A    │   │
│       │ UMA CAUSA BÁSICA PARA A QUAL        │   │
│       │ TÊM-SE DADOS QUE PERMITEM           │   │
│       │ CALCULAR A TAXA DE FALHAS.          │   │
│       │ SÃO REPRESENTADOS POR UM CÍRCULO    │   │
│       └─────────────────────────────────────┘   │
└─────────────────────────────────────────────────┘
```

Figura 9.1 – Estrutura fundamental

- Possibilita decisões de tratamento de riscos baseados em dados quantitativos.
- Pode ser realizada em diferentes níveis de complexidade.
- Ótimos resultados podem ser conseguidos apenas com a forma qualitativa.
- Complementa-se com a Análise de Modo de Falhas e Efeitos.
- Permite a determinação de falhas potenciais que seriam difíceis de serem detectas.
- Permite a determinação de partes críticas para teste de produtos.
- Excelente ferramenta de comunicação visual.
- Ajuda da determinação da causa de falhas e possibilita verificar a interação entre as causa.

9.4 Limitações

- Não permite determinação direta de itens críticos.
- Não permite visualização da técnica de validação da análise.
- Não permite execução de análise de criticidade.

9.5 Simbologia

Na Figura 9.2, são apresentados os símbolos mais usados para caracterizar os diferentes eventos, com seus respectivos significados.

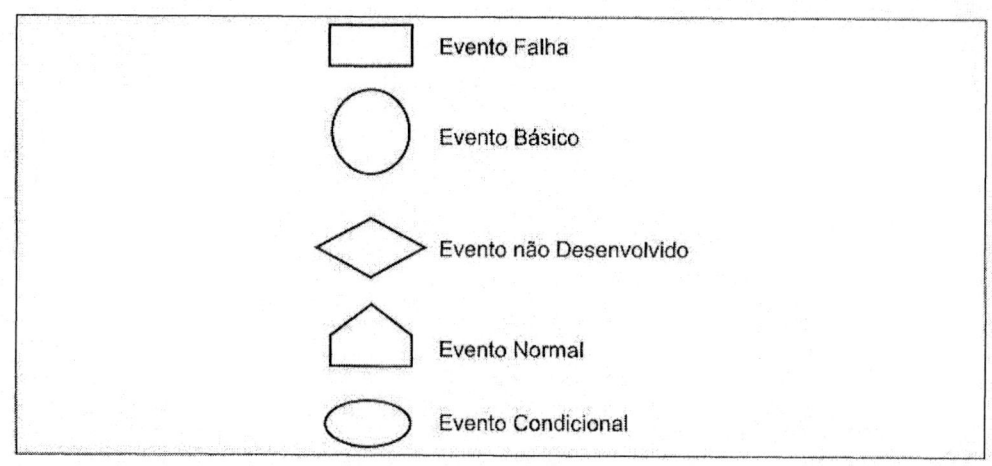

```
┌─────────────────────────────────────────────────────┐
│              ☐   Evento Falha                       │
│                                                     │
│              ○   Evento Básico                      │
│                                                     │
│              ◇   Evento não Desenvolvido            │
│                                                     │
│              ⌂   Evento Normal                      │
│                                                     │
│              ⬯   Evento Condicional                 │
└─────────────────────────────────────────────────────┘
```

Figura 9.2 – Simbologia

Na Figura 9.3, são apresentados os símbolos que caracterizam as diferentes portas lógicas.

A Figura 9.4 mostra o funcionamento da porta lógica "OU" (OR). É utilizada quando o evento ocorre quando o evento A, ou o evento B ocorrem, independentemente um do outro. A tabela da lógica booleana explica melhor este tipo de porta lógica: se a ocorrência do eventos for marcada pelo número 1 e a sua não ocorrência for marcada pelo número 0. Na forma de diagramas de blocos, a porta OU é representada for uma formação em paralelo.

A Figura 9.5 mostra o funcionamento da porta lógica "E" (AND). É utilizada quando o evento ocorre quando o evento A, e o evento B ocorrem simultaneamente. A tabela da lógica booleana explica melhor este tipo de porta lógica: se a ocorrência dos eventos for marcada pelo número 1 e a sua não ocorrência for marcada pelo número 0. Na forma de diagramas de blocos a porta OU é representada por uma formação em série.

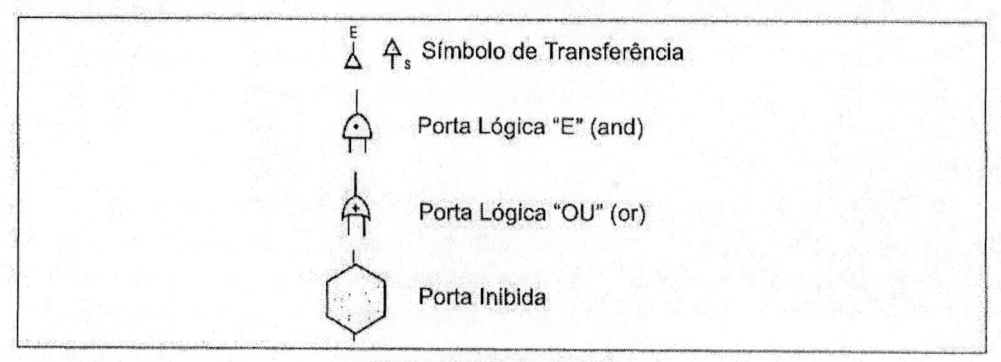

```
┌─────────────────────────────────────────────────────┐
│         △ᴱ  ⌂ₛ   Símbolo de Transferência           │
│                                                     │
│            ⌂     Porta Lógica "E" (and)             │
│                                                     │
│            ⌂     Porta Lógica "OU" (or)             │
│                                                     │
│            ⬡     Porta Inibida                      │
└─────────────────────────────────────────────────────┘
```

Figura 9.3 – Simbologia

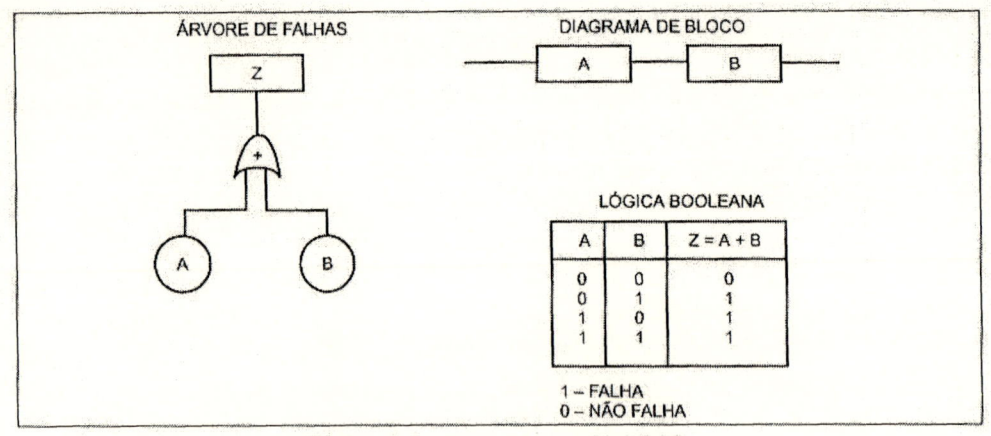

Figura 9.4 – Porta lógica "OU" (OR)

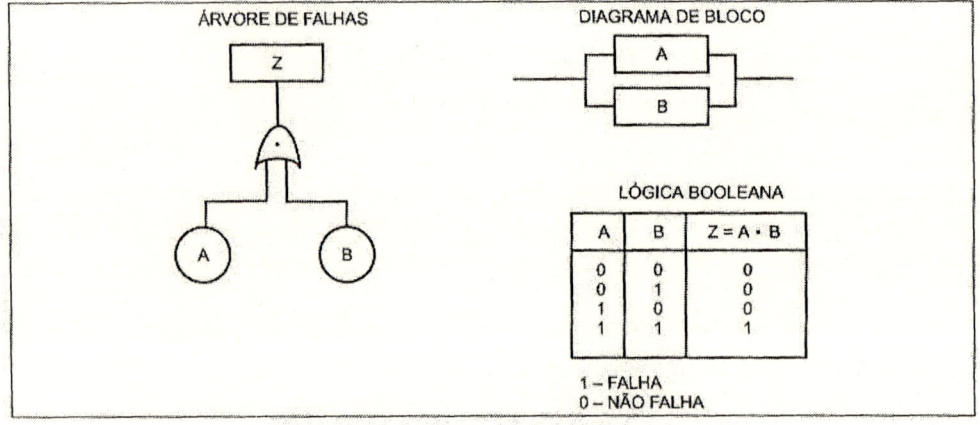

Figura 9.5 – Porta lógica "E" (AND)

9.6 Construção da Árvore de Falhas

Vamos detalhar a elaboração de uma árvore de falha por meio de um exemplo, para facilitar a sua compreensão. Para tal foi escolhido o caso de uma caixa-d'água residencial e o evento topo selecionado foi o transbordamento da água. A Figura 9.6 mostra um esquema do sistema.

O evento topo transbordamento da caixa-d'água pode ocorrer devido a três eventos: entupimento do ladrão, consumo intermitente, entrada de água continuamente. Cada um destes eventos, por si, não causaria necessariamente o transbordamento. Porém, o ladrão entupido com a entrada contínua da água e um consumo intermitente, todos simultaneamente levam ao evento topo. Portanto, estão ligados a uma porta lógia "E". Neste caso, decidimos que o evento entupimento do ladrão já caracteriza

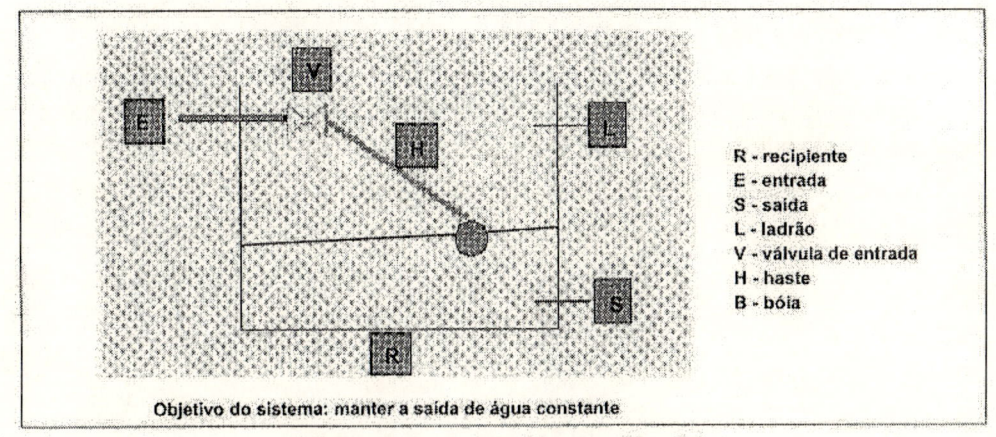

R - recipiente
E - entrada
S - saída
L - ladrão
V - válvula de entrada
H - haste
B - bóia

Objetivo do sistema: manter a saída de água constante

Figura 9.6 – Caixa-d'água residencial

um evento sobre o qual temos ação. O consumo intermintente foi considerado como um evento normal (ver simbologia) e não será estudado com mais profunidade neste caso. Já a entrada de água continuamente foi mais detalhadamente estudada. Os eventos que levam à entrada contínua de água são: bóia furada; bóia solta; haste quebrada; válvula emperrada aberta. Notar que estes eventos levam ao transbordamento independentemente uns dos outros. Portanto, estão ligados a uma porta lógica "OU". Estes quatro últimos eventos não serão estudados mais profundamente para a presente análise, portanto envoltos em um círculo.

Verificar que neste exemplo nenhum evento está ligado isoladamente abaixo de outro evento a não ser por uma porta lógica. Está é uma regra que deve ser sempre respeitada na construção de árvores de falhas. A Figura 9.6 mostra a FTA do exemplo do transbordamento da caixa-d'água residencial.

9.7 Exemplos de Árvore de Falhas

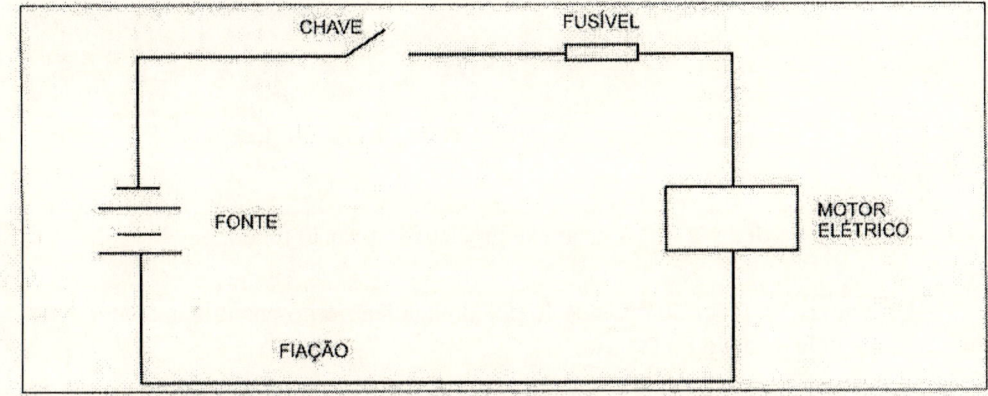

Figura 9.7 – Esquema de alimentação de um motor elétrico

9.8 A Relação entre a FTA e a FMEA

Os dois métodos discutidos têm muito em comum: são métodos para previsão de falhas (problemas) em processos e produtos, e podem ser empregados também na solução dos problemas que já apareceram.

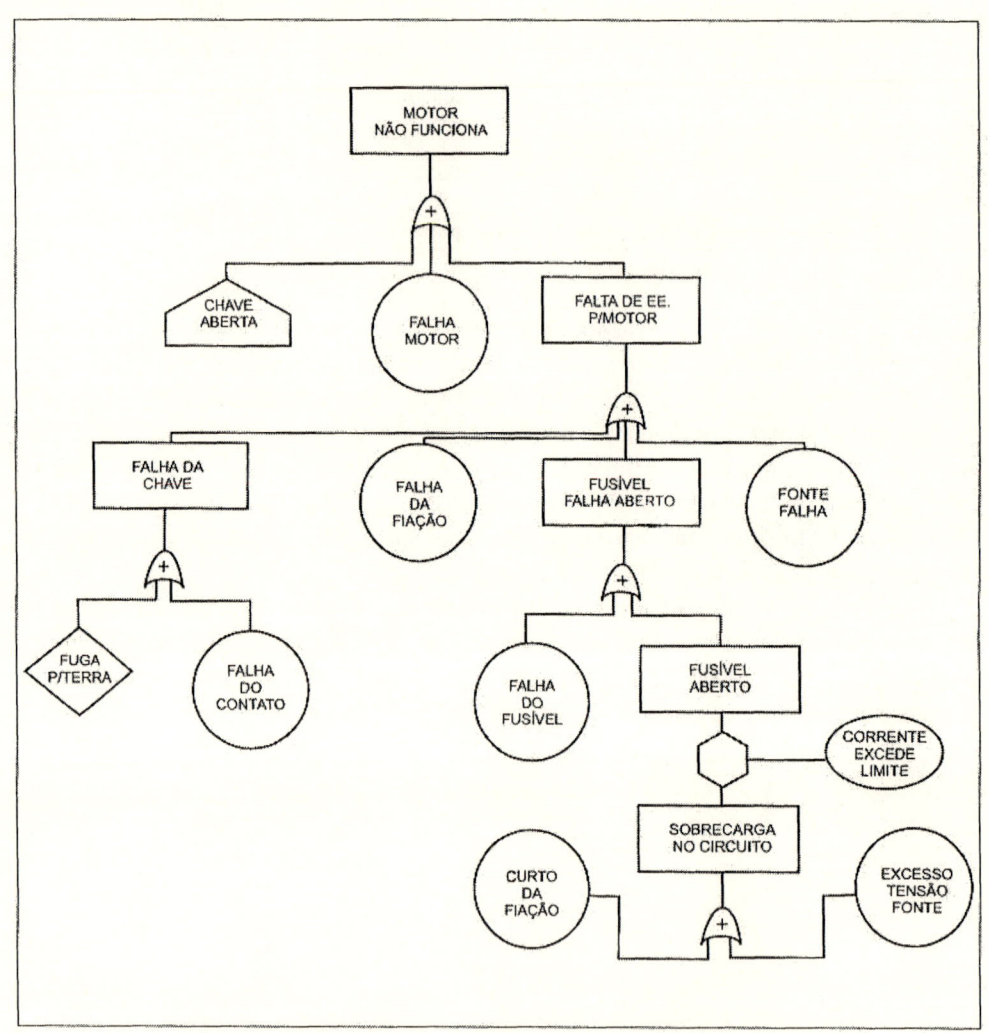

Figura 9.8 – FTA de um motor elétrico que não funciona

A FTA, ao estabelecer de maneira lógica o encadeamento das falhas de um sistema, facilita a elaboração da FMEA.

Cada um dos eventos básicos da FTA (que, em princípio, não podem ser mais expandidos) pode ser representado como um item da FMEA. Fica mais fácil, visualizan-

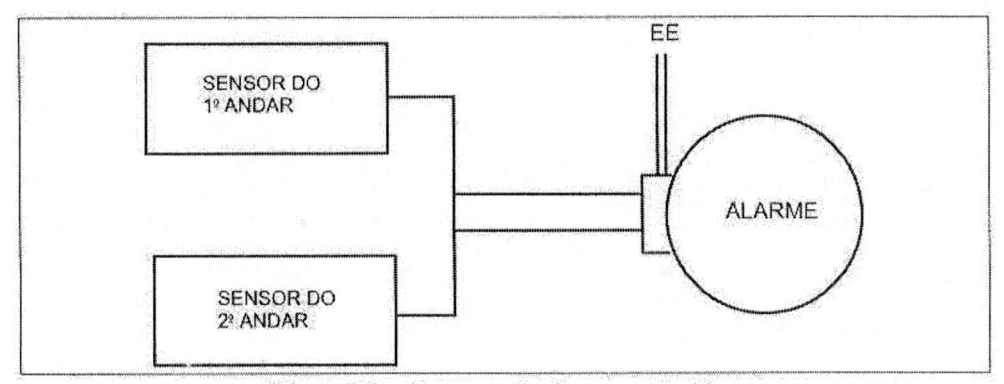

Figura 9.9 – Esquema de alarme contra fogo

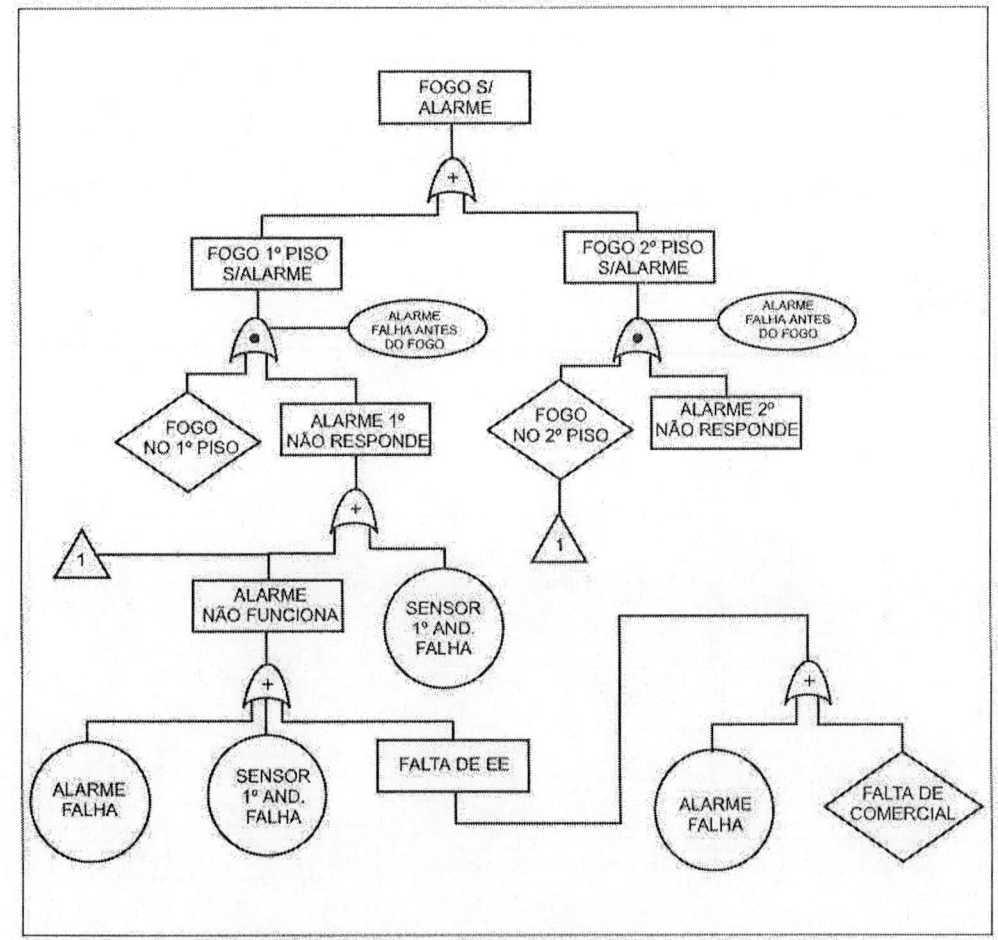

Figura 9.10 – FTA de um alarme contra fogo que não funciona

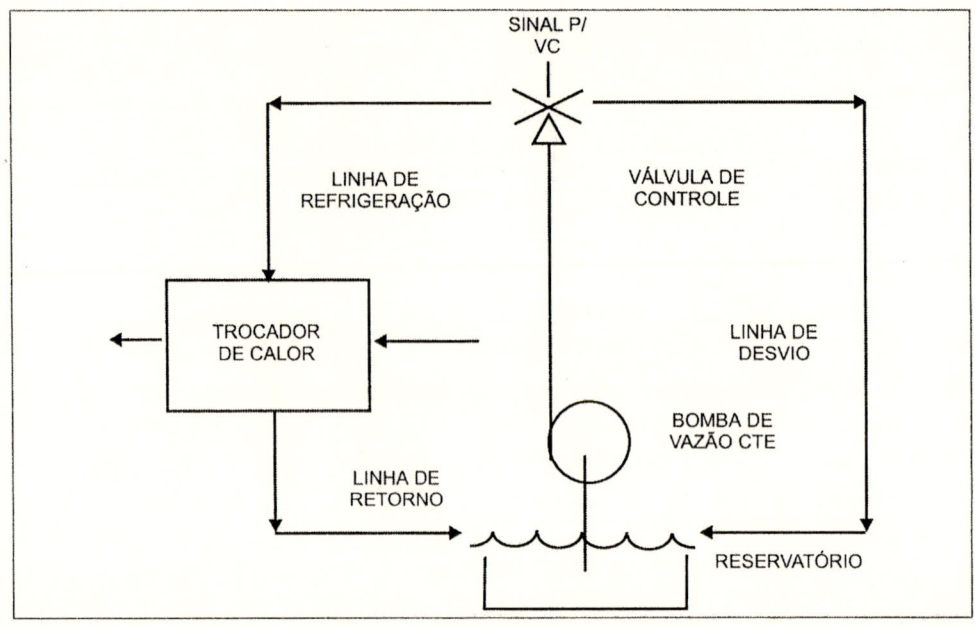

Figura 9.11 – Esquema de sistema de refrigeração de um líquido por um trocador de calor

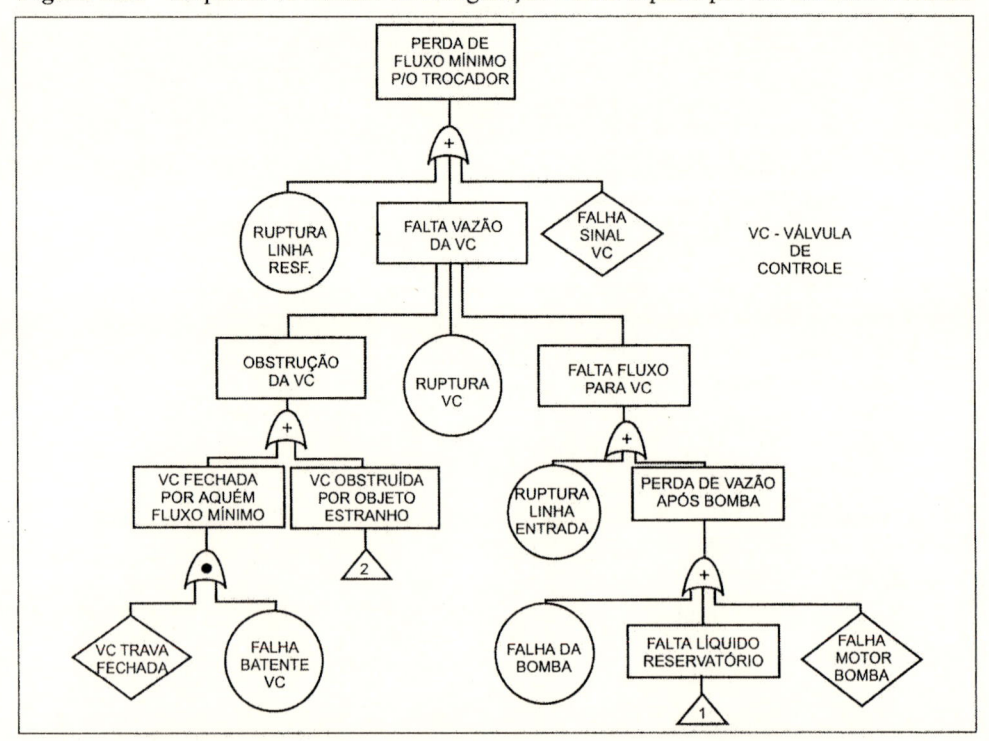

Figura 9.12 – FTA da perda de fluxo mínimo para o trocador

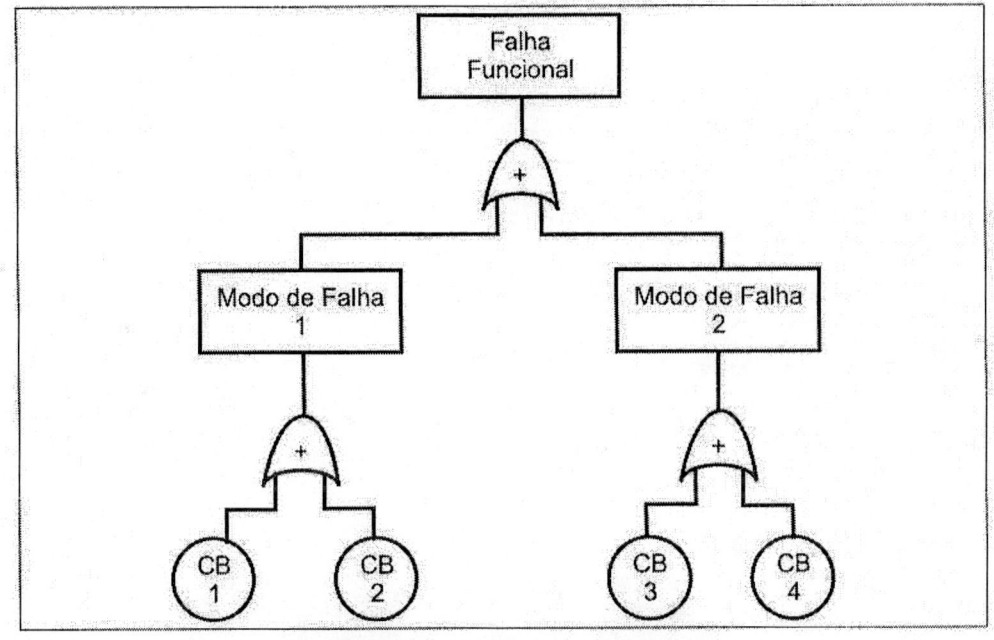

Figura 9.13 – Combinação FMEA e FTA

do a FTA, estabelecer o efeito e a causa da falha na folha da FMEA. Aí então, as falhas serão hierarquizadas por meio de índices de risco. Ver Figura 9.13.

As Tabelas 9.1 e 9.2 mostram uma comparação entre os dois métodos.

Tabela 9.1

CARACTERÍSTICA (Melhor para:)	FTA	FMEA
Analisar falhas múltiplas.	X	
Analisar falhas isoladas.		X
Evitar a análise de falhas não críticas.	X	
Identificar eventos de alto nível causado por eventos de nível mais baixo.	X	
Ter uma abrangência maior ao analisar a falha.		X
Ter menos restrições e ser mais fácil de seguir.	X	
Identificar influências externas.	X	
Identificar características críticas.		X
Prover um formato para validação dos planos.		X

Tabela 9.2

CARACTERÍSTICA (Deveria se usada quando:)	FTA	FMEA
Análise quantitativa.	X	
Não há necessidade de se garantir que a falha de cada componente seja analisada.		X
Informação é limitada às características do sistema e a funções básicas.	X	
Informações de projeto detalhadas em desenhos e especificações.		X
Avaliar alternativas de projeto/abordagem.	X	
Avaliar redundâncias.	X	
Avaliar integridade do projeto, incluindo: detecção de falhas e *failure-safe*.		X
Análises dedutivas de cima para baixo.	X	
Análises indutivas de baixo para cima.		X

CAPÍTULO 10

O Erro Humano

10.1 Introdução

Os erros humanos têm sido a grande preocupação de sistemas aeroespaciais, sistemas nucleares, sistemas petroquímicos e muitos outros sistemas, desde a sua concepção até a sua operação.

Uma análise exaustiva dos últimos 30 anos, mostra que nos sistemas, aeroespaciais tem-se uma porcentagem quase inacreditável de falhas creditadas ao erro humano – entre 50 a 75%.

Na realidade, alguém pode dizer que até 90% de todas as falhas de equipamentos podem ser atribuídas de uma forma ou de outra ao erro humano.

De qualquer forma, as falhas humanas têm provocado uma grande diminuição da eficiência dos mais diversos sistemas e isto, após ter sido feito um excelente projeto e uma correta fabricação, terem sido executados os testes e ter sido dada a aprovação pelo Controle de Qualidade dos equipamentos em questão.

Até o momento, infelizmente, a maior parte dos esforços visando à confiabilidade esteve direcionada para as máquinas e para os seus componentes.

Porém, ao se esquecer de levar em conta a falha humana, deixa-se de reduzir de pelo menos em 50% a eficiência do sistema utilizado.

Se a confiabilidade dos nossos sistemas tem melhorado substancialmente nas últimas três décadas, só a partir do início da década de 70, é que se começou a preocupar com a confiabilidade humana no sentido de quantificá-la e aumentá-la.

10.2 O Que é a Confiabilidade Humana?

Pode-se definir a confiabilidade humana simplesmente como a probabilidade de que uma tarefa ou serviço (uma ação planejada) seja feito com sucesso (alcançando os objetivos propostos) dentro do tempo reservado para o mesmo.

O erro humano pode ser definido como: falha de ações planejadas em alcançar os objetivos propostos.

Existem duas causas para o erro:
- As ações não ocorrem como planejadas.
- O planejamento foi inadequado.

Há quem pense que a falha humana pode ser levada a zero. P. Crosby escreveu vários livros sobre o assunto cabendo a ele o título de precursor do Movimento Zero Defeito (MZD).

Já Shigeo Shingo fez uma distinção interessante entre erros, defeitos e falhas. Para ele, os erros por desatenção são possíveis e inevitáveis. Os erros são as causas dos defeitos. Através do *feedback* imediato, ações corretivas e preventivas são tomadas antes dos erros se tornarem defeitos. Portanto, é possível se obter zero defeito, se os erros são corrigidos antes de se tornarem defeitos. Falhas, por sua vez, ocorrem no sistema (ou equipamento); um defeito isolado pode ou não ocasionar a falha do sistema ou do equipamento. A prevenção do erro evita o defeito que evita a falha do sistema ou equipamento.

O *feedback* é efetivo quando imediato. As ações corretivas e preventiva resultantes podem: alterar métodos de trabalho ou alterar o sistema para eliminar a fonte de erro e não a fonte do defeito.

É durante a execução ou no controle de uma tarefa ou serviço que ocorre o erro. É importante ressaltar que ele ocorre inevitavelmente nas mãos dos trabalhadores do chão da fábrica (operadores) e não nas mãos diretas dos gerentes e dos executivos, conforme pode ser observado na Figura 10.1.

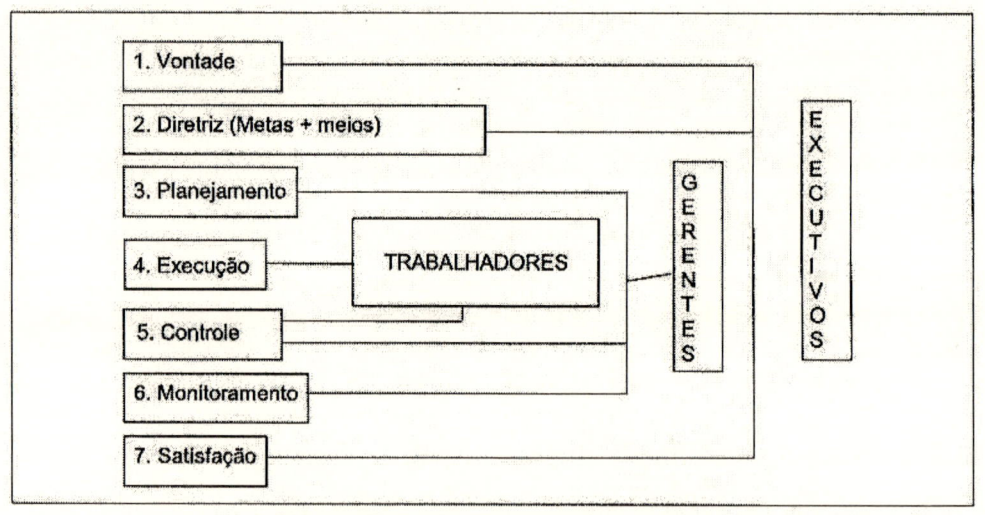

Figura 10.1 – Os sete passos para a ação

Um incidente é um tipo de erro humano sem conseqüências. A Figura 10.2 é auto-explicativa.

A importância do incidente é que a sua análise pode levar ao entendimento da causa do erro de modo muito barato (devido à ausência de conseqüências). Além disso, a constatação de muitos incidentes pode indicar estatisticamente que um erro com

Cai uma carga de um andaime:

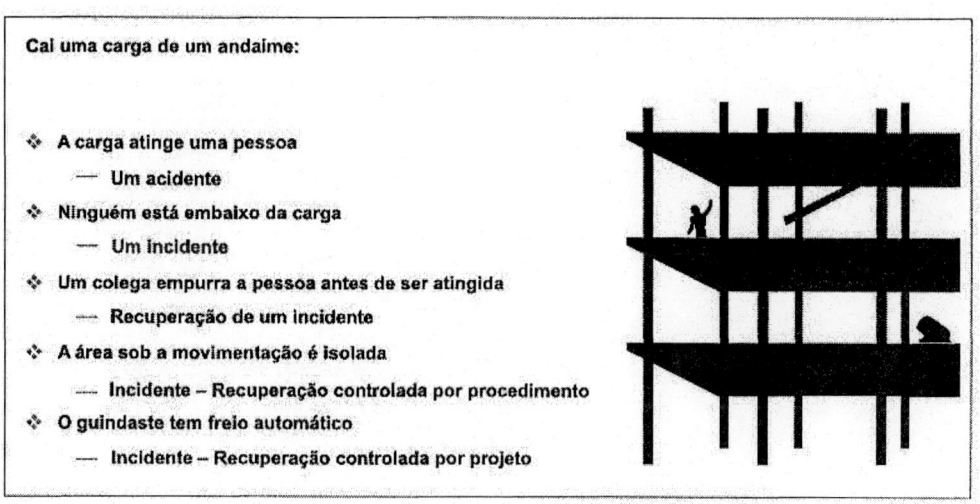

- A carga atinge uma pessoa
    - Um acidente
- Ninguém está embaixo da carga
    - Um incidente
- Um colega empurra a pessoa antes de ser atingida
    - Recuperação de um incidente
- A área sob a movimentação é isolada
    - Incidente – Recuperação controlada por procedimento
- O guindaste tem freio automático
    - Incidente – Recuperação controlada por projeto

Figura 10.2 – Exemplo de incidente

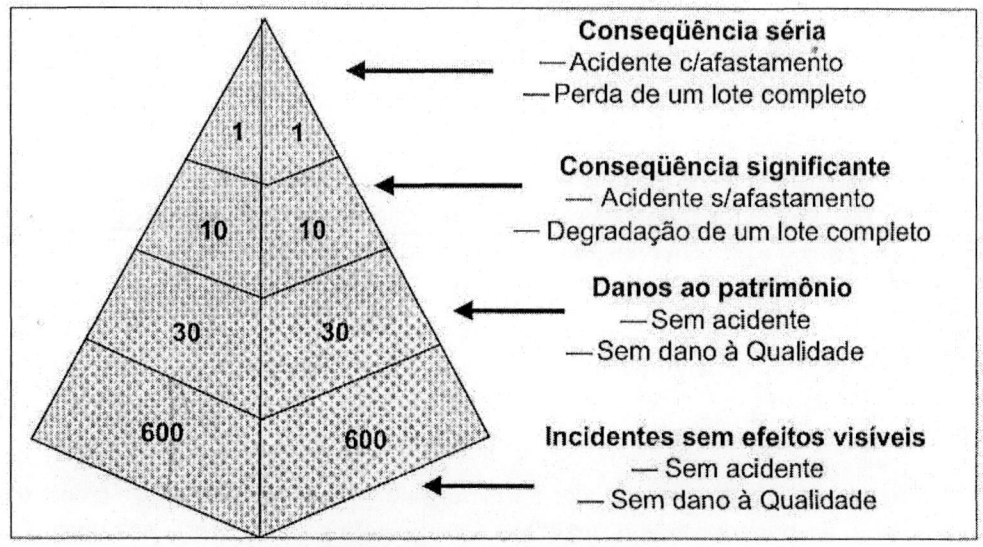

Conseqüência séria
— Acidente c/afastamento
— Perda de um lote completo

Conseqüência significante
— Acidente s/afastamento
— Degradação de um lote completo

Danos ao patrimônio
— Sem acidente
— Sem dano à Qualidade

Incidentes sem efeitos visíveis
— Sem acidente
— Sem dano à Qualidade

Figura 10.3 – A pirâmide do erro

conseqüências mais sérias (um defeito, uma falha, um acidente) está prestes a ocorrer. A análise estatística dos incidentes leva a uma proporção na forma de uma pirâmide entre incidentes e falhas graves, como pode ser visto na Figura 10.3.

Na Figura 10.4 têm-se representadas as categorias de erro humano que podem resultar em uma falha do sistema.

Os erros de montagem, depois de um certo tempo, diminuem muito e, eventualmente, podem atingir uma taxa constante.

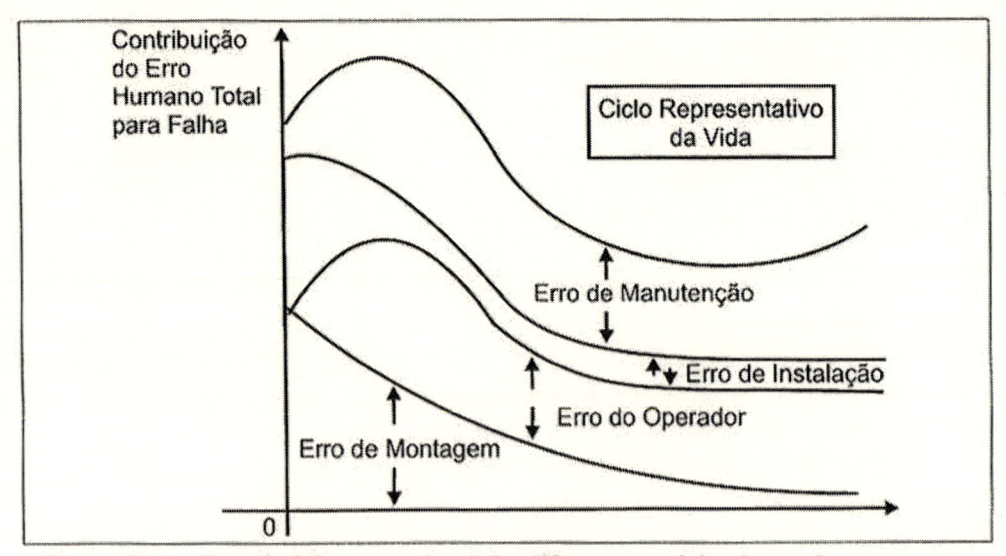

Figura 10.4 – Contribuição proporcional das diferentes espécies de erro humano para a falha do sistema

Os erros cometidos na instalação, comportam-se, depois de um certo tempo, da mesma forma que aqueles feitos na montagem.

O mesmo acontece com os erros devidos à manutenção, com exceção do que ocorre na fase inicial, quando existe uma probabilidade maior de quebra de equipamento, de forma que se tem mais trabalho e maior possibilidade de erro.

Perto do fim do ciclo da vida, existe uma taxa de falhas crescente (supondo o modelo de "curva da banheira") e devido a isto, as atividades de manutenção aumentam fazendo com que apareça uma tendência ascensional nos erros.

10.3 Defeito Controlável pelo Operador

Defeito controlável pelo operador é aquele, para o qual a administração colocou à disposição do operador todo o suporte necessário para o autocontrole pelo menos, ou em outras palavras, isto significa que o operador tem meios:

a) De saber o que se espera dele.

b) De saber se ele está fazendo o que se espera dele.

c) De regular o processo.

Apesar de se ter inúmeras situações nas quais têm-se as condições a), b) e c), mesmo assim ocorrem falhas ou erros causados pelo homem.

Por que acontece isto?

Parece que a resposta mais simples é que errar é humano.

A Abordagem Tradicional do Erro Humano

De acordo com a visão tradicional do erro humano, os erros humanos ocorrem devido a:
- Negligência.
- Falta de compromisso.
- Não observação de regras ou procedimentos.

Nessa perspectiva, as pessoas podem evitar o erro escolhendo o comportamento correto. O enfoque individual da responsabilidade e da culpa é enfatizado. A erradicação do erro é feita através de:
- Campanhas de motivação e conscientização individual.
- Premiações.
- Medidas disciplinares no caso de violações.

É muito difícil, entretanto, para os engenheiros mudarem a natureza humana e, portanto, no lugar de persuadirem as pessoas a não cometerem erros, dever-se-ia aceitar as pessoas como elas são e tentar remover de perto das mesmas as oportunidades para o erro, modificando a condição de trabalho, do projeto, do equipamento, da usina, etc.

Mesmo assim, no início da década de 60, a crença sobre a falha humana foi "desafiada" pelo MZD de P. Crosby, que, no seu conceito mais simples, mostra que não há razão para os operadores, ou seja, os trabalhadores em geral, cometerem erros se eles forem adequadamente motivados.

O MZD está com muitas dificuldades para se consolidar e, em muitas empresas que tentaram implantá-lo, sem os devidos cuidados, "evaporou-se", pois:
1. Supõe-se que um volume muito grande de defeitos é controlável pelo operador, porém, os fatos mostram irresistivelmente o contrário.
2. Negou-se o velho adágio de que "errar é humano" e no lugar disso impôs-se que o erro humano não é inevitável. Lamentavelmente, a experiência humana conduz ao contrário e parece que errar faz parte do destino do homem.
3. Supõe-se que todo erro humano poderia ser abolido se uma motivação adequada fosse aplicada. Infelizmente, nada na experiência humana ou nos estudos dos cientistas do comportamento comprova isto.

Os apelos motivacionais têm um efeito temporário, pois o homem se adapta a tudo.

Na literatura da psicologia industrial, quase não se encontram casos de eficiência real de campanhas de motivação para a segurança.

Parece que a seguinte frase de um anônimo é uma lei da natureza:

"Quando eu não faço alguma coisa sou taxado de preguiçoso, porém, quando o meu 'chefe' não faz alguma coisa é rotulado de 'muito ocupado'".

Algumas desvantagens da abordagem tradicional:
- Identificação falha da causa do erro.
- Recorrência de incidentes.
- Incidentes não são reportados.
- Recursos em iniciativas inócuas.
- Falta de compromisso gerencial.

A Visão Sistêmica do Erro Humano

De acordo com a visão sistêmica do erro humano, os erros ocorrem devido a uma complexa relação entre os fatores da Figura 10.5.

O ambiente indutor ao erro pode resultar da sobrecarga de trabalho ou informações, procedimentos ou instruções inadequadas, treinamento inadequado ou mesmo baixa motivação do operador.

A tendência inevitável ao erro origina-se da capacidade limitada da memória humana, do limite no processamento de informações e/ou na dependência de regras específicas para a execução da tarefa.

O ambiente intolerante não permite ao operador receber *feedback* em tempo hábil para que ele tome ações que evitem a transformação do erro em falha ou defeito. Muitas vezes, nem mesmo permite a percepção imediata do erro. A ausência de barreiras entre o erro e a falha e a impossibilidade de recuperação do erro caracterizam um ambiente intolerante.

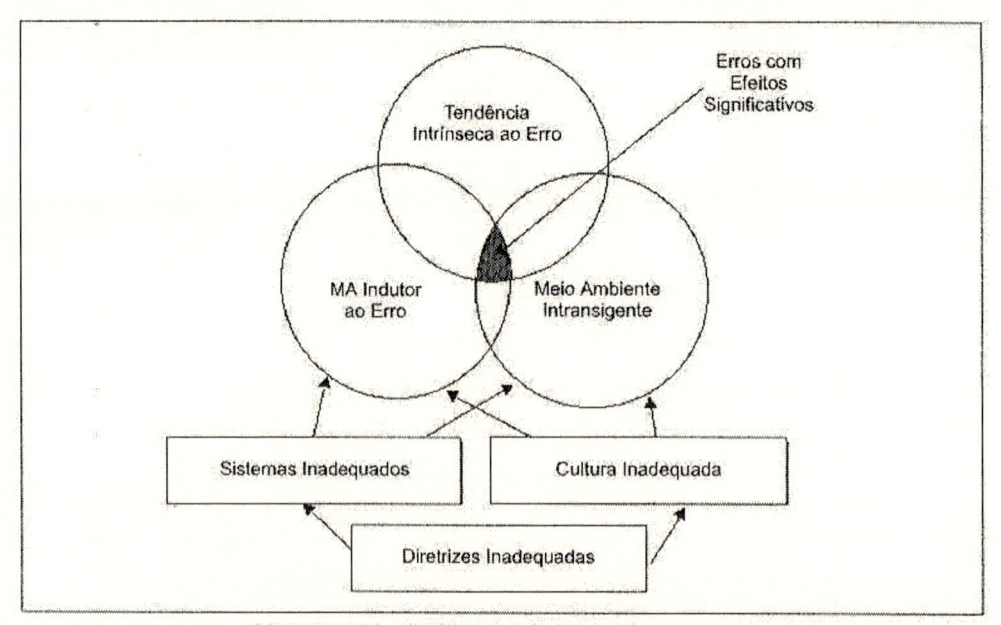

Figura 10.5 – Fatores que influenciam no erro.

A Figura 10.6 mostra como um evento iniciador transforma o erro em um defeito ou falha.

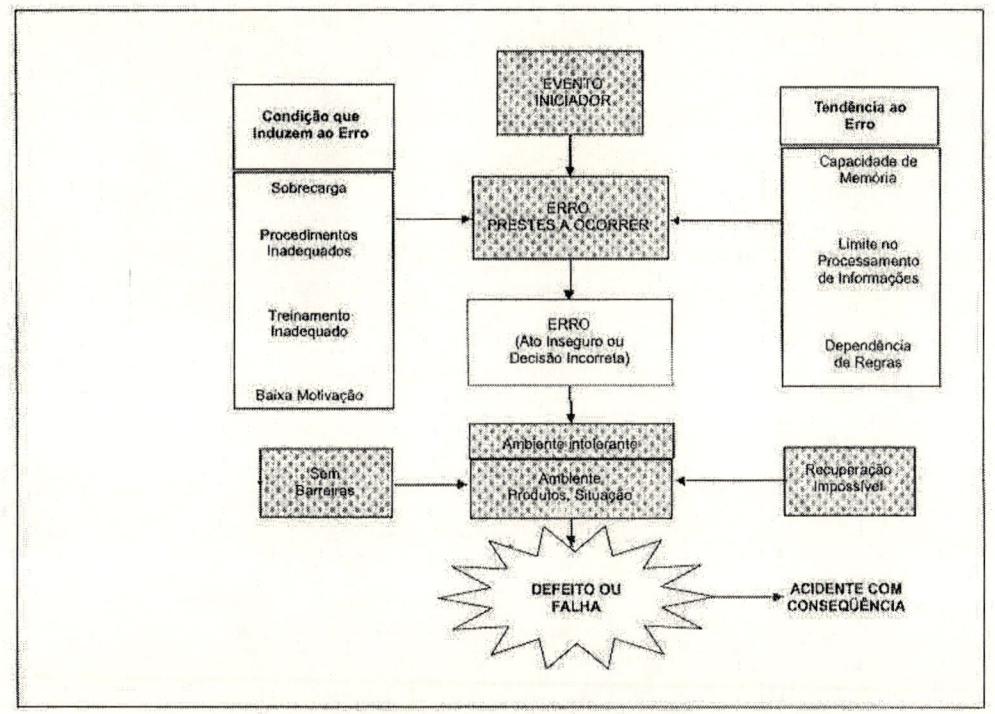

Figura 10.6 – Fatores presentes na transformação do erro em defeito.

Muitas vezes, o evento iniciador são falhas que ocorrem muito antes ou até mesmo distantes do erro humano propriamente dito. Estas falhas podem ser de origem organizacional. Estas falhas podem induzir o pessoal, não diretamente envolvidos com a execução da tarefa ou do serviço, a preparar sistemas inadequados para o operador. As falhas organizacionais podem também levar a falhas de engenharia. Todas estas falhas podem gerar: os eventos iniciadores, as condições que induzem ao erro, tendências ao erro, ambientes intolerantes. A Figura 10.7 resume este parágrafo.

A Figura 10.8 descreve a trajetória do defeito ou da falha ou do acidente. Diretrizes inadequadas dos executivos das empresas induzem os gerentes de linha a atuarem de modo inadequado. O ambiente indutor ao erro oriundo destas diretrizes somado ao erro do operador (falha ativa ou ato inseguro), na presença de defesas inadequadas (ambiente intolerante ao erro), abrem uma janela de oportunidade para o defeito ou falha transformar-se em um acidente, defeito ou falha. A dificuldade de se ter uma visão sistêmica, muitas vezes, impede a conexão entre as diversas etapas presentes na trajetória do acidente ou defeito.

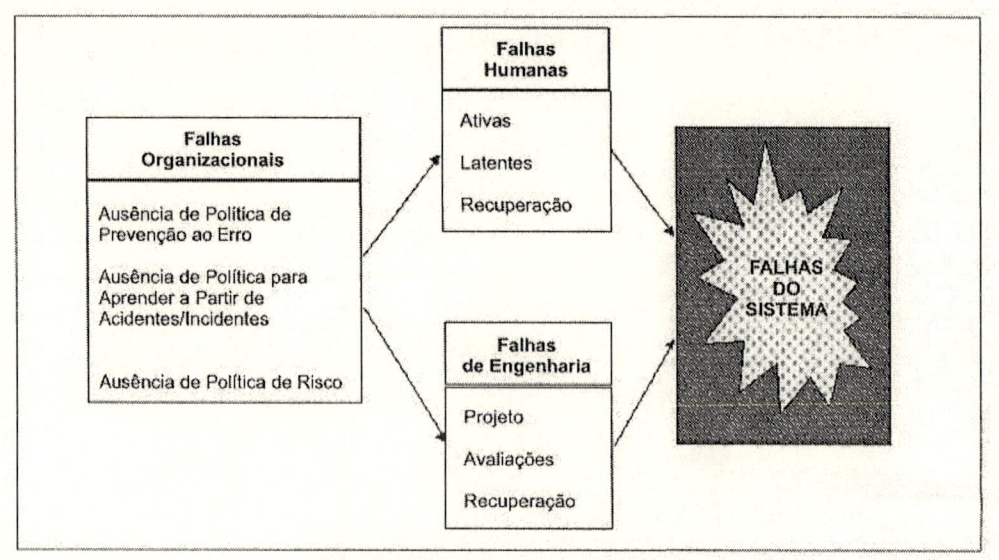

Figura 10.7 – Falhas dos sistemas.

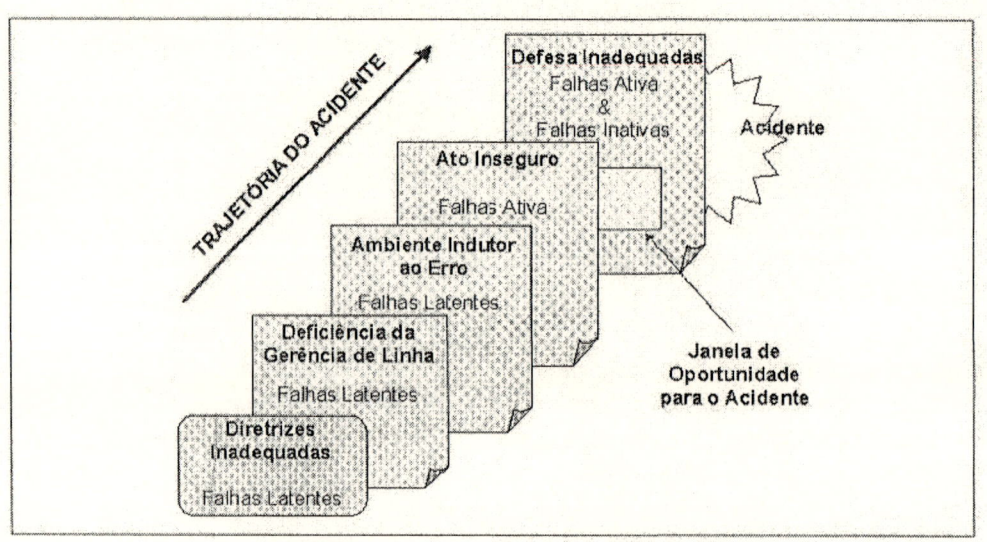

Figura 10.8 – Trajetória do acidente.

A Figura 10.9 mostra o chamado efeito dominó. As diversas janelas de oportunidade dos sistemas se alinham a uma trajetória de oportunidades que geram o acidente ou defeito. Sistemas complexos e redundantes quase sempre falham devido à falha em seqüência de diversos sistemas que os compõem. A origem das falhas destes sistemas está, muitas vezes, ligada a falhas organizacionais comuns a todos eles que, infelizmente, superam todas as defesas do sistema.

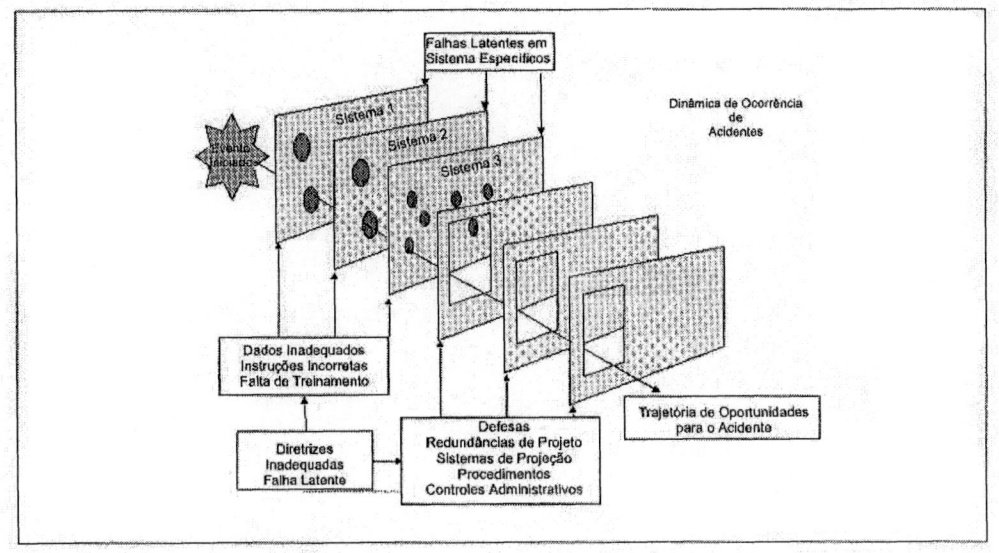

Figura 10.9 – A dinâmica do acidente

As causas das falhas nesta abordagem podem ser atribuídas aos seguintes fatores:
- Procedimentos inadequados ou incorretos.
- Não observação de procedimentos.
- Treinamento = conhecimento + habilidades.
- Motivação.
- Cognição.
- Ergonomia.
- Processo não é capaz de atender aos padrões.

A Figura 10.10 mostra que a ausência de qualquer um destes fatores conduz à invalidação do resultado correto.

De acordo com a visão sistêmica, os erros ou falhas humanas podem, porém, ser reduzidos ou até prevenidos com:

a) Melhor administração.
b) Melhor projeto.
c) Melhor método de trabalho.
d) Melhor treinamento.
e) Melhores instruções.

10.4 Classificação do Erro Humano

O Dr. J. M. Juran sugere a seguinte classificação:
1. Erros humanos por descuido ou por inadvertência.

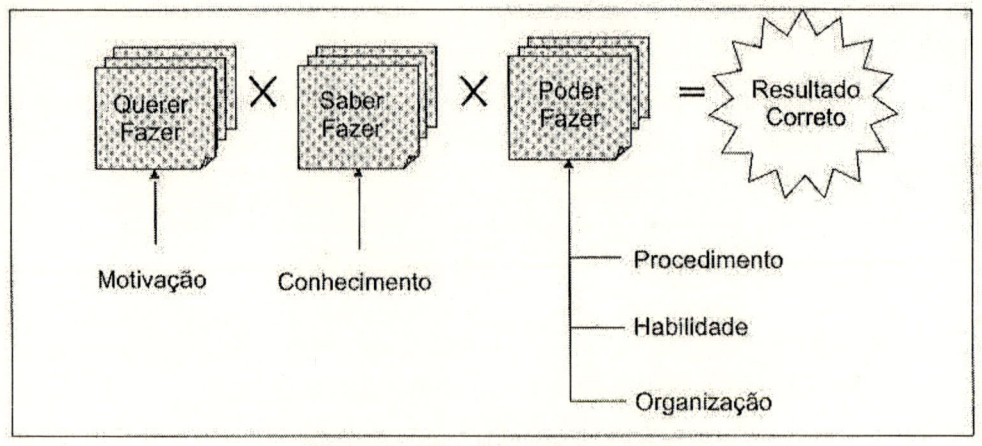

Figura 10.10 – O resultado correto

2. Erros técnicos.
3. Erros premeditados ou violações.

A Figura 10.11 mostra qual é o tratamento possível para cada tipo de erro.

O erro inadvertente (*Slips*) se caracteriza por falhas na execução de ações necessárias para atingir um objetivo planejado (exemplo: leitura errada de instrumentos, escolha inadvertida de um tipo de chave, etc.).

O erro técnico (*Mistakes*) se caracteriza pela falha no atingimento do objetivo requerido devido a um planejamento incorreto (exemplo: erro no diagnóstico levando à falha).

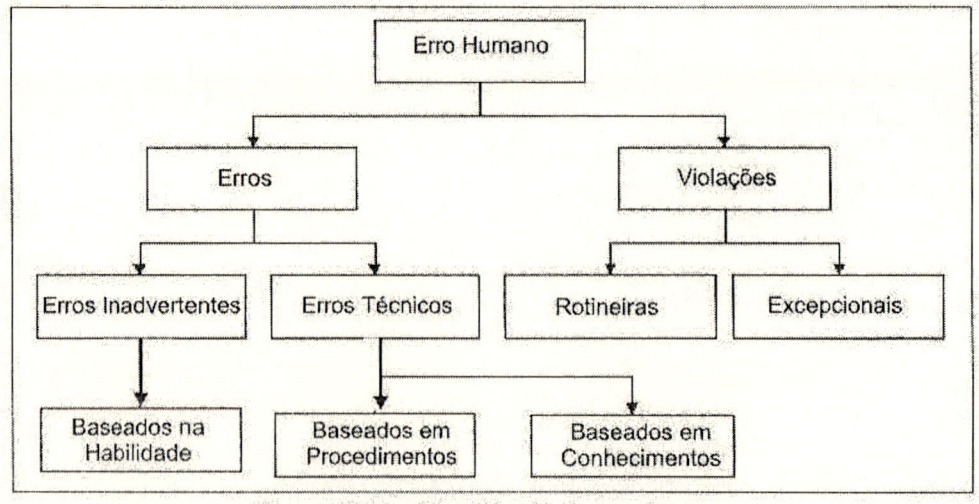

Figura 10.11 – Classificação do erro humano

Os erros premeditados (*Violations*) se caracterizam pela falha quando o indivíduo conhece as ações corretas mas, conscientemente, executa ações alternativas.

O método de eliminação dos erros depende do nível de consciência que o operador tem do comportamento causador do erro. Atividades que demandam uma interação consciente com o ambiente exigem conhecimentos específicos do trabalhador. Atividades que demandam comportamento automático necessitam de habilidades específicas. Atividades com interação semiconscientes ou semi-automáticas exigem procedimentos, regras ou instruções para que a atividade seja executa sem erro. A Figura 10.12 resume a interação entre os tipos de erros e o tipo de conhecimento/habilidade necessários para a execução da atividade.

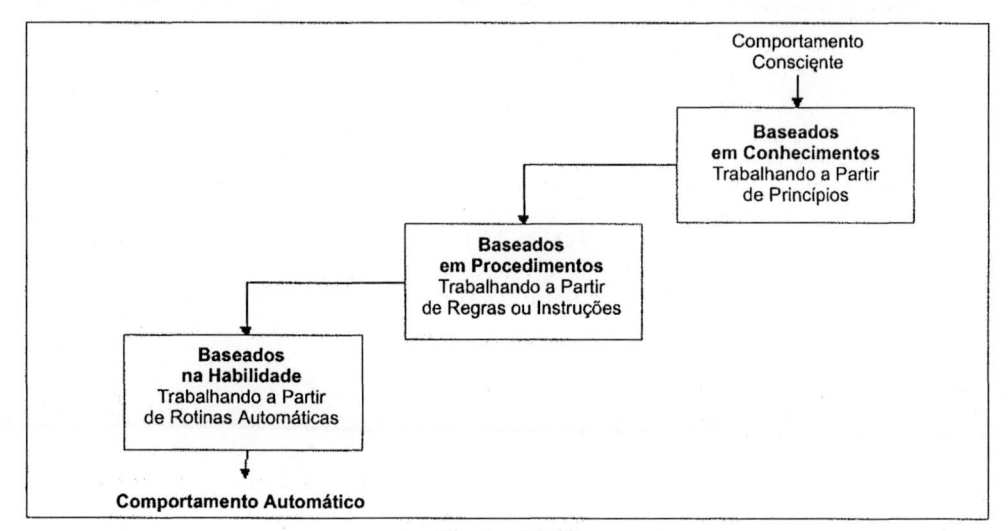

Figura 10.12

A Figura 10.13 mostra um fluxograma de como podemos analisar as atividades executadas pelo operador e o tipo de conhecimento que cada atividade exige para que a possibilidade de ocorrência de erro seja eliminada. É importante notar que, para cada tipo de atividade, existe um método adequado de prevenção. Soluções genéricas são ineficazes na prevenção do erro humano; existe uma crença induzida pelo movimento da qualidade total de que a existência de procedimentos por si melhora a qualidade dos produtos/serviços. Como mostra a Figura 10.13, este nem sempre é o caso. A adoção de procedimentos escritos se aplica à atividade onde o modo de interação do operador com o ambiente é semiconsciente. A exemplo do que ocorre com os procedimentos, a aplicação de treinamento ao operador depende da natureza da atividade. Atividades conscientes exigem treinamentos que enfatizem os princípios que as regem; por outro lado, atividades automáticas, exigem treinamentos que promovam aumento da habilidade do operador.

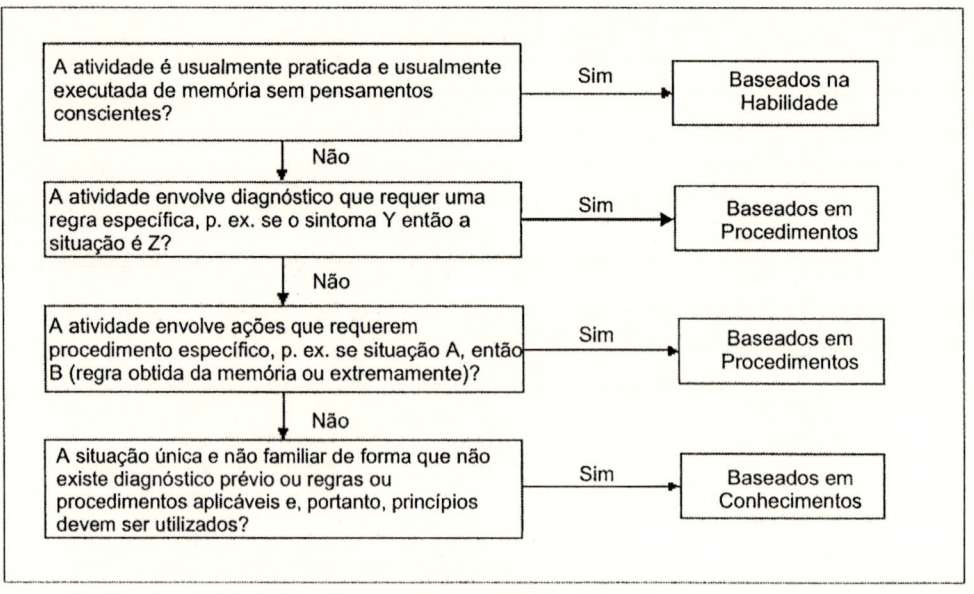

```
┌─────────────────────────────────────────────────────────────────────────────┐
│ A atividade é usualmente praticada e usualmente    Sim    ┌──────────────┐  │
│ executada de memória sem pensamentos          ──────────▶ │ Baseados na  │  │
│ conscientes?                                              │ Habilidade   │  │
│              │ Não                                        └──────────────┘  │
│              ▼                                                              │
│ A atividade envolve diagnóstico que requer uma      Sim   ┌──────────────┐  │
│ regra específica, p. ex. se o sintoma Y então a   ──────▶ │ Baseados em  │  │
│ situação é Z?                                             │ Procedimentos│  │
│              │ Não                                        └──────────────┘  │
│              ▼                                                              │
│ A atividade envolve ações que requerem             Sim    ┌──────────────┐  │
│ procedimento específico, p. ex. se situação A, então ───▶ │ Baseados em  │  │
│ B (regra obtida da memória ou extremamente)?              │ Procedimentos│  │
│              │ Não                                        └──────────────┘  │
│              ▼                                                              │
│ A situação única e não familiar de forma que não           Sim  ┌─────────┐ │
│ existe diagnóstico prévio ou regras ou           ─────────────▶ │Baseados │ │
│ procedimentos aplicáveis e, portanto, princípios                │em Conhe-│ │
│ devem ser utilizados?                                           │cimentos │ │
│                                                                 └─────────┘ │
└─────────────────────────────────────────────────────────────────────────────┘
```

Figura 10.13

Na Figura 10.14, podemos observar exemplos de ambientes relacionados com o modo de interação do operador em função da freqüência da interação, conhecimento

Modos de Interação com o Mundo	
Consciente	**Automático**
Usuário ocasional e sem habilidade Novo ambiente Devagar Grande esforço Necessidade de muita retroalimentação	Usuário freqüente e com habilidade Ambiente familiar Rápido Sem esforço Necessidade de pouca retroalimentação
Causas do Erro	**Causas do Erro**
Sobrecarga Variabilidade manual Falta de conhecimento dos modos de usos Desconhecimento das conseqüências	Instruções violentas nos hábitos Demandas freqüentes Procedimentos usados de modo inapropriado

Figura 10.14

do ambiente, velocidade da interação, esforço na consecução da atividade e a necessidade de retroalimentação para atingir os objetivos. Na mesma figura, encontramos as causas mais freqüentes de cada modo de interação.

10.4.1 Erros Humanos por Descuido ou por Inadvertência

Segundo Juran, erros humanos por descuido são aqueles que os trabalhadores são incapazes de evitar devido fundamentalmente à "fragilidade humana" em manter a atenção.

Para Juran, aí estão os erros não intencionais ou não deliberados e os não previsíveis.

No primeiro caso, o trabalhador não queria cometer o erro, ou seja, no instante de cometer o erro, não estava ciente do que estava fazendo.

Já na categoria de erro não previsível, dever-se-ia incluir algo que não é sistemático em relação a quando o erro será feito, qual é o tipo de erro que será cometido ou qual é o funcionário que fará o mesmo (erro aleatório).

Alguns acidentes ocorrem porque alguém esquece de realizar uma rotina, tal como: fechar ou abrir uma válvula (ou registro) na hora certa.

Isto acontece com muita freqüência quando se está:

1. Esquecendo da necessidade de abrir ou fechar um registro.
2. Esvaziando um reservatório.
3. Operando a válvula errada.
4. Pressionando o botão errado.
5. Comandando uma ponte rolante.
6. Carregando um forno ou um reator.
7. Falhando em enviar as informações.
8. Fazendo cálculos erradamente.
9. Acionando o pedal errado.
10. Sinalizando incorretamente, etc.

Entre alguns casos reais de falhas fatais provocadas pelo descuido, pode-se citar os seguintes casos:

Primeiro Caso – Problemas com o DC-8

Muitos aviões se rebentaram, pois os pilotos moveram a alavanca do modo errado.

Nos modernos aviões a jato têm-se os *spoilers*, placas de metal articuladas à superfície superior de cada asa, que são levantados depois de se tocar o chão para reduzir a ação ou tendência de subir do aparelho.

Eles não podem ser levantados antes do avião tocar o solo, pois, nesse caso, o mesmo cai subitamente...

Em um avião o piloto poderia:

a) Ou levantar uma alavanca antes do avião tocar o chão, para armar os *spoilers* e, assim, eles subiriam automaticamente depois que o mesmo batesse na pista.

b) Ou esperar até que o aparelho tocasse com as rodas na pista e então puxar a mesma alavanca.

Num dia, um piloto puxou a alavanca antes do avião tocar a pista.

O resultado foi a morte de 109 pessoas.

O acidente não foi considerado como falha do piloto, mas sim o resultado de um projeto inadequado.

Foi inevitável que alguém movesse a alavanca de marcha errada.

A reação da Administração Federal da Aviação dos Estados Unidos da América do Norte foi a de sugerir que em cada cabine, perto da alavanca do *spoiler* se colocasse o aviso "DESDOBRAMENTO EM VÔO PROIBIDO", quando o melhor seria ter escrito "NÃO ESTRAÇALHE ESTE AVIÃO".

O fabricante do avião achou a sugestão interessante, porém, nada fez.

Depois que caíram mais três aviões, pelo mesmo motivo, colocou uma trava que impedia armar os *spoilers* no ar.

Segundo Caso – Falha Humana na Queda do Harrier

No final de 1987, uma revista britânica publicou o relatório do Ministério da Defesa que desvendou o mistério do caça Harrier que voou 640 Km, em 22 de outubro de 1987, sem piloto!

"Uma sucessão de erros humanos fez com que o piloto Taylor Scott, de 40 anos, fosse ejetado, durante um vôo rotineiro de treinamento" – afirmou o documento, acrescentando que o assento ejetável estava mal colocado e que, aparentemente, o piloto puxou a alavanca errada. O corpo de Taylor foi encontrado perto do seu pára-quedas despedaçado. Mas o avião, embora se conheça o local onde ele caiu, no Oceano Atlântico, não foi resgatado. A equipe de investigadores fundamentou seu trabalho num filme feito pelo piloto de um avião militar que acompanhou o Harrier por algum tempo e em um relatório feito pela empresa fabricante do assento ejetável.

Uma Indagação

Um homem foi a um "shopping center" para comprar uma roupa feita.

Ele tentou tudo o que havia no estoque sem conseguir algo que se ajustasse corretamente ao seu corpo.

Finalmente, o atendente exasperado disse: "Sinto muito, porém, o senhor tem o figurino errado..."

Devem os engenheiros esperar que os homens mudem as suas formas (físicas ou mentais) de tal maneira que os mesmos possam se ajustar às fábricas e aos procedimentos ou deve-se projetar fábricas e elaborar procedimentos que se ajustem aos homens?

Os erros de operação, na situação normal, devem ser entendidos como não intencionais, porém, resultam comumente em grandes prejuízos industriais.

Os remédios para os erros da inadvertência envolvem dois enfoques:

1. Tornar mais fácil os seres humanos prestarem mais atenção. Uma das possibilidades para se chegar a isto é através da rotação nas tarefas.
2. Reduzir a extensão da dependência humana.

As "ferramentas", aqui usadas, são todas do tipo "mecanismo à prova de erros, tolices ou enganos". Em inglês, mecanismos *mistake-proofing* ou em japonês *Poka* (erros) *Yoke* (a prova de).

Desde a sua criação em 1962, os CCQ'S do Japão, desenvolveram mais de 5 milhões de sugestões para a eliminação de erros de inadvertência, sugerindo interceptadores, travas, sinais de alarme e verificações (mecanismos *Poka-Yoke*).

Hoje, é comum acender um sinal luminoso ou tocar um alarme quando você deixa a chave no contato do seu carro e pretende fechar a porta do mesmo.

Os mecanismos Poka-Yoke permitem regular as variações na qualidade, se aplicados no estágio "DO" ou/e "Check". Permitem a manutenção da qualidade, se aplicados no estágio "PLAN" do ciclo PDCA.

Método de Poka-Yoke parte dos seguintes princípios, compatíveis com a abordagem sistêmica do erro humano:

- Ser humano não é infalível.
- Trabalhadores são humanos.
- Elaborar sistemas que compensem os erros humanos.

A inspeção para descobrir defeitos (inspeção de julgamento) não reduz os defeitos, simplesmente seleciona as peças defeituosas. Ela pode se tornar mais racional pela aplicação das técnicas de amostragem e pelo controle estatístico de qualidade. Estes métodos, entretanto, já provaram ser ineficazes na busca pelo zero defeito. A inspeção na fonte e o Poka-Yoke, por sua vez, partem da idéia de eliminar os erros através da prevenção do erro ou da identificação e recuperação imediata do mesmo.

Os Mecanismos Poka-Yoke

Os mecanismos Poka-Yoke possuem duas funções:
- Permitem inspeção 100% (a baixo custo).
- *Feedback* e ação imediatos.

São usadas simultaneamente com a inspeção na fonte, a auto-inspeção e as inspeções sucessivas.

A inspeção na fonte visa a eliminar/prevenir a ocorrência de defeitos, baseada na idéia de descobrir erros que dão origem a defeitos. Não se trata de achar os defeitos após a sua introdução e, sim, de aplicar funções de controle no estágio em que o defeito é originado. O *feedback* e ações tomadas na fase de erro evita que estes se transformem em defeitos; permitem a recuperação do erro.

A auto-inspeção é uma inspeção subjetiva, porque é feita pela mesma pessoa que executa a tarefa. Os perigos com este tipo de inspeção são a desatenção e a concessão. A inspeção objetiva é aquela que é feita por outro que não o executante, com a vantagem de ser mais rigorosa e com menor risco de desatenção. Entretanto, eliminados os seus perigos a inspeção subjetiva é superior à inspeção objetiva. A maneira encontrada para eliminação da desatenção e da concessão é o emprego de inspeções subjetivas sucessivas.

As inspeções sucessivas baseiam-se nos seguintes princípios:

- Conduzir inspeção 100% sempre.
- Julgamento objetivo sobre os defeitos.
- *Feedback* imediato.
- Ação pelo trabalhador que causou o defeito.
- Processo só prossegue após eliminação das causas dos defeitos.

Este método consiste nas seguintes etapas:

1. Quando A termina operação, passa para B no próximo processo.
2. B inspeciona o item processado por A e só então processa o item. Então B passa o item para C.
3. C inspeciona o item processado por B e só então processa o item. Então C passa o item para D.
4. Desta forma, cada trabalhador inspeciona o item do processo anterior.
5. Se um defeito é encontrado, a informação é passada imediatamente ao processo anterior.
6. O defeito é analisado e ações são tomadas para prevenir defeitos.
7. A linha é imediatamente paralisada até que o problema tenha sido solucionado.

Quando anormalidades são encontradas no processo ou nas máquinas, os mesmos são interrompidos para impedir a ocorrência de defeitos em série ou alarmes chamam a atenção dos trabalhadores para anormalidade na operação.

As vantagens de paralisar a produção são:

- Identificar o processo defeituoso clara e rapidamente.
- Trabalhador ficará mais atento para não paralisar a produção.
- Geração de itens defeituosos cessará.
- Perdas de produção serão menores que as perdas de qualidade para o cliente.

Antes, entretanto, da aplicação da paralisação da produção é necessário entendimento e aceitação pelos operadores.

A Figura 10.15 mostra um exemplo de dispositivo Poka-Yoke que impede a montagem de botões de acionamento elétrico sem uma pequena mola no seu interior. A causa deste defeito comum é o esquecimento do trabalhador. Para evitá-lo, sobre a mesa de trabalho do operador é colocado um prato onde ele deve colocar uma quantidade de molas igual ao número de botões a ser montado. Ao terminar a montagem dos botões, a sobra de alguma mola no prato indica que um dos botões foi montado sem mola. Este dispositivo simples evita que uma grande quantidade de botões passe para processo seguinte com defeito e permite *feedback* imediato ao operador, dispensando a presença de um inspetor que teste todos os botões.

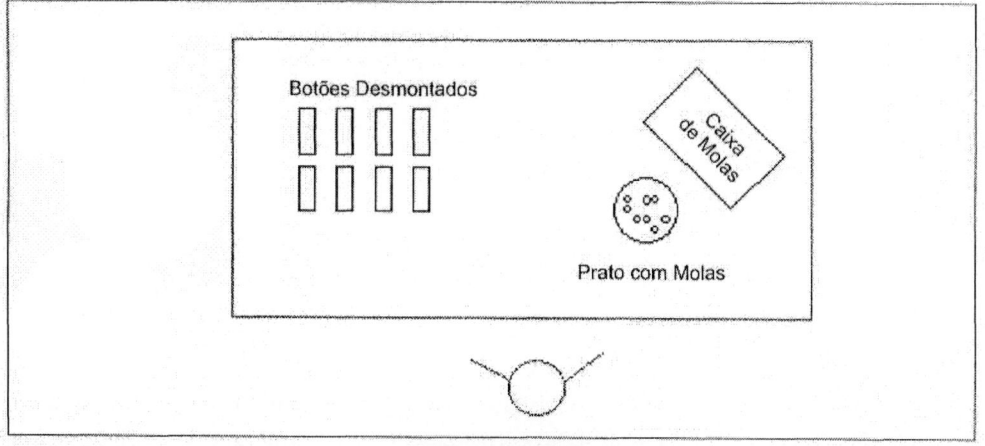

Figura 10.15

A Figura 10.16 mostra um dispositivo Poka-Yoke instalado para impedir que uma pequena esfera seja esquecida antes de se colocar um cap selando o equipamento. Toda vez que uma esfera é apanhada, uma fotocélula abre uma janela automática que permite que o operador retire um cap e monte o equipamento. Desta maneira é improvável a montagem de um equipamento sem a esfera, pois o dispositivo só permite a retirada de caps da caixa quando a esfera já esteja na mão do operador.

10.4.2 Erros Técnicos

Estes erros aparecem devido à falta que o trabalhador tem de alguma técnica essencial, habilidade ou conhecimento para impedir a ocorrência do erro.

Os erros técnicos podem ser classificados, segundo Juran, em:

1. Não intencional – O operário não quer fazer os erros.
2. Consistente – Os operários não possuem a técnica essencial e farão continuamente e constantemente mais erros do que os trabalhadores que possuem habilidade na técnica em questão.
3. Inevitável – Existem, infelizmente, trabalhadores "inferiores" e "superiores" e os primeiros não sabem como "fazer diferente".

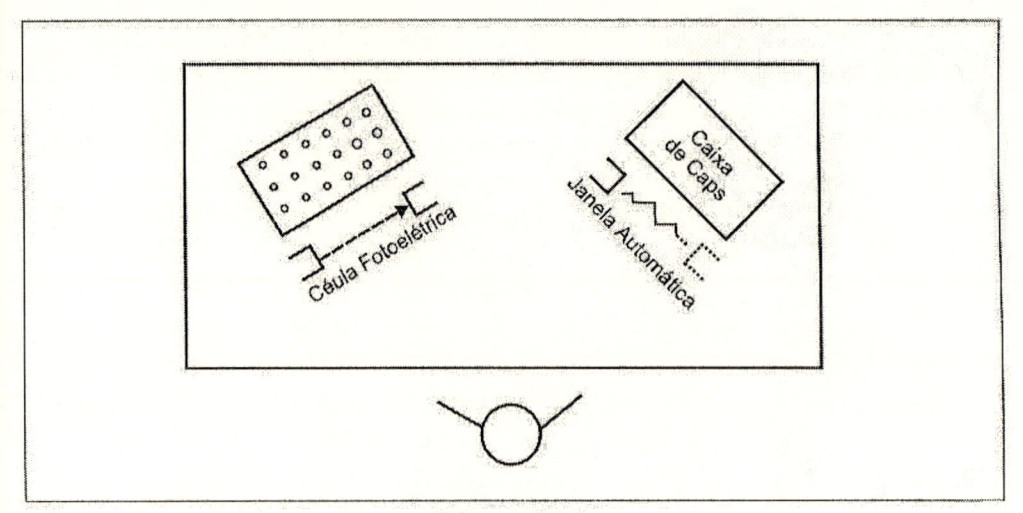

Figura 10.16

Na categoria de erro técnico inevitável, devem-se incluir aqueles que acontecem quando:

1. Solicita-se às pessoas a fazer o que é fisicamente difícil ou até impossível.
2. Solicita-se às pessoas a efetuarem algo que é mentalmente muito difícil ou impossível. É o caso da dificuldade para constatar uma falha num relatório de um microcomputador, na detecção de eventos raros, nos julgamentos de dimensões e na influência exercida pelos hábitos.
3. Esquece-se de que cada pessoa tem a sua característica e a própria tendência ao acidente. Parece que a razão para que alguns homens tenham um número não usual de acidentes, é que eles, deliberadamente, se ferem com o intuito de ter uma desculpa para poder se ausentar do trabalho que acham intolerável.
4. Tem-se a "mente ajustada" ou um pouco quadrada. Isto é muito comum nos operadores, nos projetistas, nos gerentes, etc. e deve-se fazer algo para remover este bloqueio...

Nada é impossível para as pessoas que não precisam elas próprias fazerem aquilo...

Os acidentes podem comumente ser evitados ou prevenidos com um melhor treinamento e melhores instruções.

O jeito ou a destreza para a coisa é a pequena grande diferença no método, que contribuem de forma significativa para a enorme diferença nos resultados!!!

Uma vez que o jeito é identificado, o caminho está aberto para levar todos os trabalhadores a um nível melhor.

A gerência pode conseguir isto:

1. Oferecendo um treinamento que conduza aqueles com um desempenho inferior a assimilar o jeito.
2. Mudando a tecnologia de tal maneira que o próprio processo incorpore o jeito (a habilidade).
3. Protegendo ou melhorando a operação através da imposição do uso do "macete" ou pela proibição de alguma técnica que danifique o produto.

As tarefas têm mudado, assim como as expectativas das pessoas.

Não dá mais para se ter instruções detalhadas que cubram qualquer situação.

No lugar disso, têm-se que permitir que as pessoas usem a prudência e o seu próprio julgamento, porém, para tanto, é necessário desenvolver o seu conhecimento através do treinamento.

É cada vez mais importante tornar a experiência bem sucedida do conhecimento de todos.

Às vezes, acidentes ocorrem devido à falta de um treinamento sofisticado, como aconteceu em 1979, em Three Miles Island, e outras vezes (a maior parte do tempo) o que falta é o treinamento básico.

Apesar das instruções não poderem cobrir todas as possibilidades, elas são, sem dúvida, um guia fundamental para não errar quando são:

a) Fáceis de ler.
b) Adequadamente explicadas para aqueles que vão aplicá-las.
c) Constantemente atualizadas e mantidas em "bom estado".

Os gerentes deveriam efetuar auditorias formais, inspeções ou ao menos manter os olhos "bem abertos", com o intuito de ver se os procedimentos corretos estão sendo feitos.

Para os gerentes "juniores", geralmente, é necessário dar um treinamento, para que eles se convençam da necessidade dos procedimentos de segurança e dessa forma não se utilizem de "ATALHOS".

Se os operadores começam a tomar "Atalhos" ou efetuar simplificações, é porque eles não estão convencidos de que o procedimento é necessário e, neste caso, o acidente é, na realidade, falta de treinamento.

Pode ser, entretanto, que eles encurtem o procedimento, pois todos os homens que efetuam trabalhos de rotina tornam-se descuidados com o passar do tempo.

É assim que surgem os "acidentes", quando se tomou deliberadamente a decisão de não fazer algo (veja a Categoria 3).

Estes acidentes podem ser tanto da responsabilidade da gerência, bem como dos operadores.

Um dos grandes problemas para incorporar as boas experiências e, principalmente, evitar as "experiências horríveis" é que destas últimas todas têm os seus "casos", porém, não mais de 30% das pessoas descrevem bem as mesmas.

As razões para não se ter bons relatórios estão entre as citadas abaixo:

1. Existe uma crença de que é desnecessário fazer um relatório, a menos que alguém saia ferido.
2. A pessoa admite que a falha foi dela e acha que pode ser mais cuidadosa no futuro, não precisando dessa forma informar nada a ninguém.
3. Muitas pessoas acham que o que aconteceu jamais está ligado com o acidente.
4. Pensa-se que não existe nenhuma utilidade em relatar o fato.

10.4.3 Erros Premeditados ou Violações

Entre esses erros destacam-se os deliberados ou intencionais (no instante de fazer o erro, o trabalhador, está ciente disso) e os persistentes (quando o operário tem usualmente a tendência de mantê-lo).

Se os erros de inadvertência exibem uma certa aleatoriedade, os erros premeditados mostram uma forte estabilidade, isto é, alguns trabalhadores, "consistentemente" fazem mais erros que os outros (não confunda aqui com o caso de se ter funcionários, uns melhores que os outros...).

Os erros premeditados (ou propositais) podem se iniciar:

a) Pela gerência

Comumente a administração deve cumprir inúmeros padrões entre os quais destacam-se: custo, prazo, produtividade e qualidade.

Devido às pressões do mercado os gerentes mudam as suas prioridades e, com isto, muitas vezes, violam um padrão para poder atender o outro.

b) Pelos operadores

Os empregados podem ter "desavenças" com o chefe ou com a empresa e como vingança ou sabotagem não executam o trabalho adequadamente ou não cumprem os padrões.

c) Pela comunicação inadequada

Um exemplo desta situação ocorre quando a administração lança uma campanha de divulgação através de cartazes, de que é necessário que cada um faça o seu trabalho da melhor maneira possível!

Contudo, enquanto a maior parte dos defeitos é controlável pela administração, a campanha não faz nenhuma referência de como melhorar a qualidade dos materiais comprados, a capabilidade do processo, a manutenção de máquinas, etc. Ver Figura 10.17.

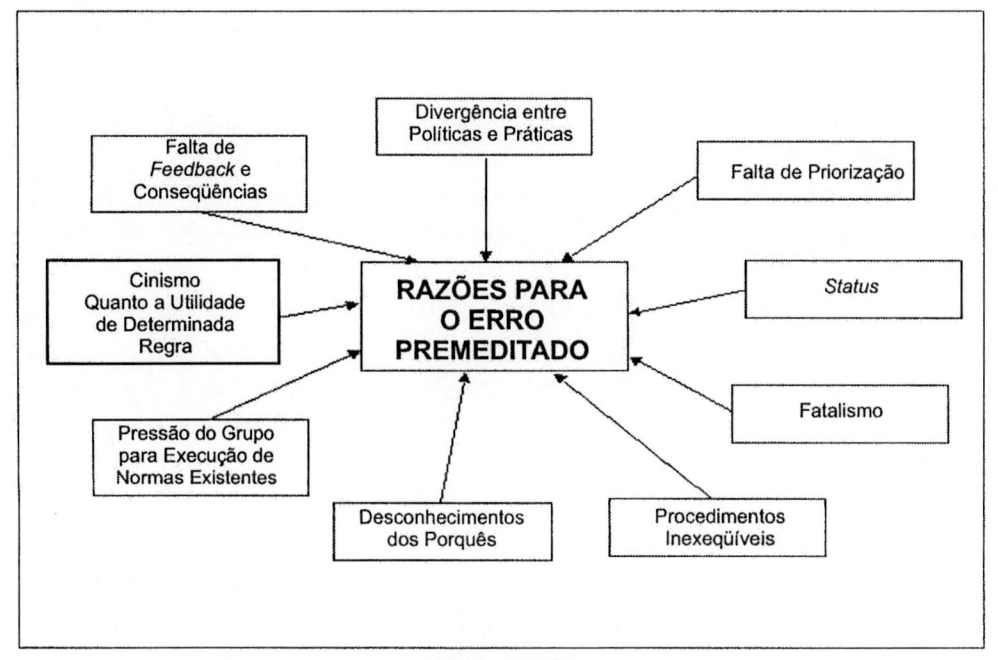

```
                    Divergência entre
                    Políticas e Práticas
   Falta de
   Feedback e                              Falta de Priorização
   Conseqüências


   Cinismo
   Quanto a Utilidade      RAZÕES PARA         Status
   de Determinada            O ERRO
   Regra                   PREMEDITADO

                                              Fatalismo
   Pressão do Grupo
   para Execução de
   Normas Existentes

                    Desconhecimentos    Procedimentos
                    dos Porquês         Inexeqüíveis
```

Figura 10.17

Não deve surpreender a ninguém se os trabalhadores questionarem a sinceridade da alta administração. Parecerá para os mesmos, que é o caso de "faça como nós dizemos, não nunca como nós fazemos".

d) Através de uma combinação de causas

Ao se procurar achar a causa de erros propositais, defronta-se com uma situação não tão simples e na qual torna-se evidente quem são os "bonzinhos" e os "ruinzinhos".

Ao se analisar os erros premeditados, a dificuldade da sua identificação pode residir:

a) Na responsabilidade distribuída.

b) Nas comunicações confusas.

c) Nos múltiplos e conflitantes padrões que se pretendem atingir.

Entre os possíveis remédios contra os erros premeditados, ai estão algumas possibilidades de se ter mudança desse comportamento:

1. *Despersonalizar a ordem:* Introduzir a lei da situação, ou seja, nenhuma pessoa daria ordens a outra. Ambas devem tirar as suas ordens da situação.
2. *Estabelecer a responsabilidade:* Em todas as espécies de erro controlado pelo trabalhador uma primeira necessidade é a de saber quem é o trabalhador responsável pela tarefa. O anonimato é uma tentação à irresponsabilidade. Além

do mais, se não se sabe quem fez o serviço, não dá para fazer um diagnóstico das causas e assegurar uma ação reparadora.
3. *Fornecer com uma ênfase balanceada os múltiplos padrões:* Deve-se não esquecer que o operário descobre a prioridade da empresa a partir do comportamento do "chefe".
4. *Conduzir auditorias da qualidade total periodicamente:* Hoje em dia, já existe um estudo da eficiência de desempenho humano em função da tensão suportada.

10.5 A Influência da Tensão no Erro Humano

A curva apresentada na Figura 10.18 mostra que a taxa de erros humanos para uma particular tarefa segue uma relação curvilínea em função da tensão imposta.

O nível de tensão moderado pode ser interpretado como sendo alto o suficiente para manter o operador em alerta.

Em nível de tensão ainda maior, o desempenho humano começa a declinar.

Na Figura 10.18, podem-se ter os seguintes serviços ou situações:

1. Controle manual do processo.
2. Erro comum de omissão ou da missão.
3. Resposta incorreta ao alarme.
4. Atividades perigosas ocorrendo rapidamente.
5. Um minuto após um incidente sério.

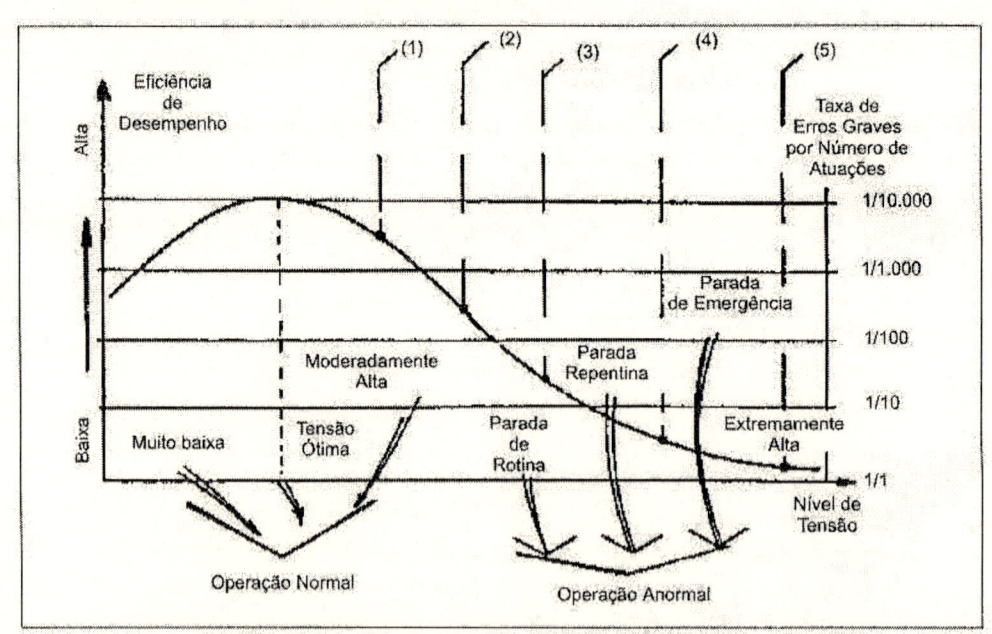

Figura 10.18 – O desempenho humano em função da tensão psicológica

O efeito da vigilância foi notado pela primeira vez na Segunda Guerra Mundial, pelos britânicos, que descobriram que o tempo máximo que um vigia a bordo de um navio poderia ficar em serviço era, efetivamente, de cerca de meia hora!!!

Após este período, a probabilidade de que o mesmo percebesse um navio ou avião inimigo era inaceitavelmente baixa, mesmo com o perigo imposto à sua vida e a de seus companheiros de navio (Figura 10.19).

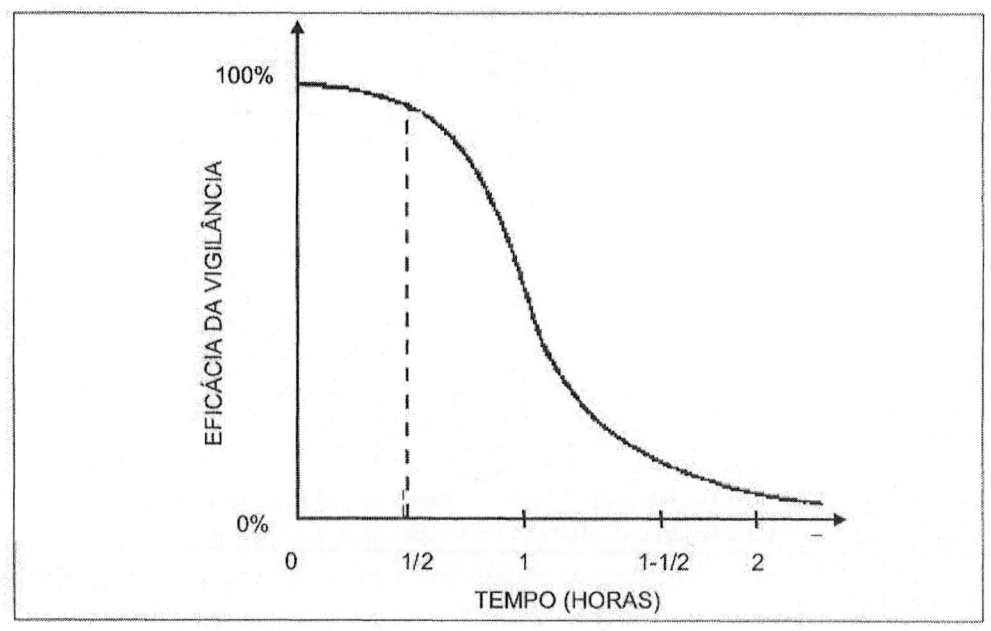

Figura 10.19 – Efeito da vigilância para tarefas passivas

Na Figura 10.20, tem-se a forma geral da curva de perda de capacitação para fazer frente a situações de emergência na ausência do treinamento (linha contínua) em comparação com o continuado melhoramento que ocorre com o treinamento prático periódico (linha tracejada).

Os causadores de tensão podem, portanto, ser tanto fatores externos, (aspectos da arquitetura, qualidade do ambiente, horas de trabalho e horas de descanso, etc.) como fatores internos (condições físicas, personalidade, inteligência, etc.).

Além disso, deve-se não esquecer nunca que um ser humano nunca realiza duas tarefas exatamente da mesma forma!!!

10.6 A Influência da Variabilidade Humana no Erro

O que realmente acontece é uma variabilidade do desempenho humano dentro de limites aceitáveis para a operação do sistema.

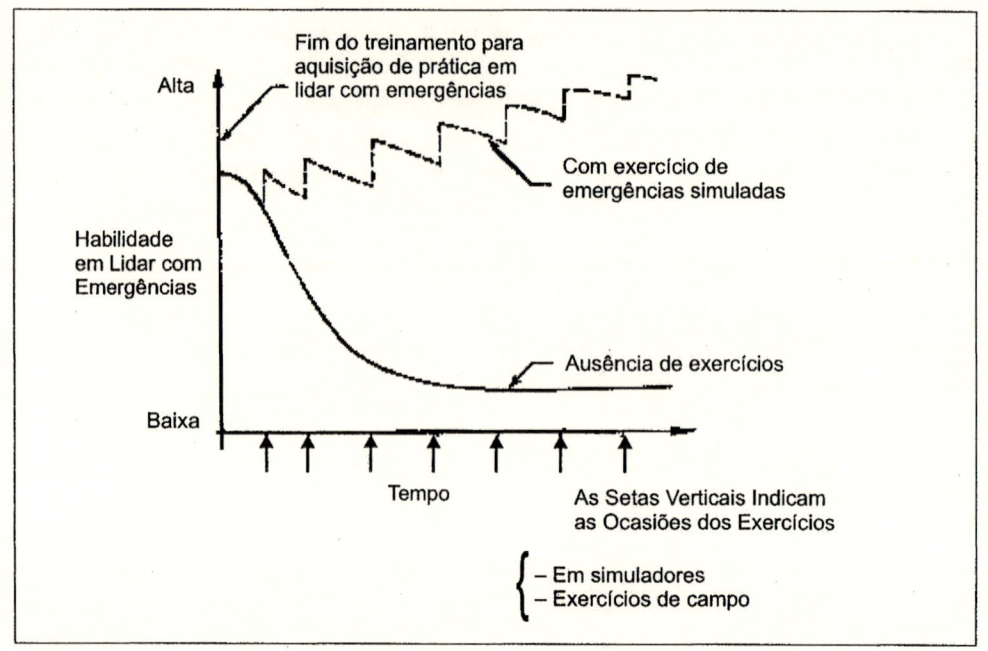

Figura 10.20 – Variação do desempenho efetivo em emergências com o passar do tempo

A variabilidade no desempenho humano atinge limites inaceitáveis com muita facilidade, principalmente, quando aumenta a tensão e, aí, pode surgir:

- *Erro de omissão* – A pessoa não realiza uma tarefa ou parte dela.
- *Erro na missão* – A pessoa realiza uma tarefa ou passo incorretamente.
- *Ato estranho* – A pessoa introduz alguma tarefa ou passo que não deveria ter sido realizado.
- *Erro seqüencial* – A pessoa realiza alguma tarefa fora da seqüência apropriada (ou realiza muito antes, ou muito depois).

Um trabalho excelente sobre o estudo de erros humanos é feito por N. C. Rasmussen no seu "Nuclear Reactor Safety Study – 1975" o qual, sem dúvida, recomenda-se a todo aquele que quer se aprofundar no assunto.

Existem muitos tipos de erros humanos que provocam falhas, porém, para concluir de uma forma bem visual, os 5 tipos que aparecem predominantemente são:

1. Falha na forma de seguir os procedimentos.
2. Diagnóstico incorreto de particulares situações.
3. Má interpretação das comunicações (escritas ou verbais).
4. Ferramentas, equipamentos ou ambientes inadequados.
5. Atenção insuficiente ou falta de prudência.

O primeiro tipo – falha na forma de seguir os procedimentos – é freqüentemente creditado à maneira não muito clara ou até inadequada com que os mesmos são escritos.

O segundo tipo – diagnóstico incorreto de particulares situações – costumeiramente está ligado a um projeto de engenharia incompleto.

O terceiro tipo – má interpretação das comunicações (escritas e verbais) – é, geralmente, o resultado da síndrome de "Eu não ouvi isto", quando eu sei que você acredita que compreendeu o que pensa que eu disse, porém, eu não estou seguro que fará aquilo que ouviu!!! Comunicações feitas de forma confusa podem também gerar interpretações incorretas e conseqüentemente daí surgirem os erros.

O quarto tipo – ferramentas, equipamentos ou ambientes inadequados – têm uma respeitável contribuição para o erro humano.

O ruído, a iluminação deficiente, equipamentos que se desregulam facilmente, etc. são alguns dos fatores que devem ser "carinhosamente" levados em conta se o desejo é a redução do erro humano.

O ambiente é importante no bom desempenho das atividades diárias dos trabalhadores.

Geralmente, duas cabeças são necessárias e muito mais do que apenas duas mãos para poder fazer tudo de forma correta!

Uma cabeça parece ser o suficiente para entender e ler a mente do engenheiro, porém, a outra não está segura se o projetista desenhou todos os passos ou se a ordem de serviço está elaborada na seqüência correta.

A disponibilidade da ferramenta certa é quase sempre um problema quando, na sua ausência, o trabalhador só pode executar o serviço parcialmente.

O quinto tipo – atenção insuficiente ou falta de prudência – é algo inerente à fragilidade humana de se portar bem no decorrer do tempo, principalmente, após se habituar com algum trabalho.

Neste último tipo, incluem-se, atualmente, aproximadamente 20% de todas as falhas, independentemente do tipo de serviço que esteja sendo feito.

Dessa forma, os 80% dos outros erros distribuem-se aproximadamente da seguinte forma: 40% no primeiro tipo, 20% no segundo tipo, 10% no terceiro tipo e 10% no quarto tipo.

10.7 O Que Pode ser Feito para Diminuir ou Mesmo Eliminar o Erro Humano?

O objetivo fundamental a ser atingido é o de criar a melhor compatibilidade possível entre as pessoas e as máquinas, dentro do sistema de restrições.

Deve-se, pois, procurar de todas as formas o desenvolvimento de máquinas que sejam amadas pelas pessoas.

Uma máquina completa seria aquela que proporcionasse um casamento ótimo com o ser humano.

Aqui, o ótimo tem um significado algo diferente de máximo, melhor ou perfeito. Por ótimo, deve-se entender o trabalho em conjunto para a obtenção do melhor resultado.

A experiência nos mostra que o homem (a mulher) pode desempenhar atividades como um sistema individual em um ambiente adequado a ser auto-suficiente durante um bom tempo...

Contudo, na maior parte do tempo, o homem (a mulher) torna-se um subsistema de um sistema bem mais amplo.

É o caso do homem que entra no carro para dirigi-lo ou do controlador de uma missão espacial que tem que comandar ou ao menos reagir a sinais bem sofisticados.

O ser humano pode, então, ser tratado analiticamente, de forma semelhante a qualquer outro componente de um sistema homem-máquina.

Considerando o subsistema humano, percebe-se que ele tem sensores (olhos, ouvidos, etc.) e partes componentes móveis (mãos, pernas, etc.) que recebem instruções da unidade central de processamento (o cérebro).

Mostra-se que o ser humano é um sistema de circuito fechado.

A "quebra" ou o funcionamento incorreto de qualquer uma das partes componentes do subsistema humano pode provocar a falha de toda a missão!!!

Portanto, em vista de toda essa complexidade deve-se, ou pelo menos pode-se, esperar que enganos sejam cometidos pelo homem.

Uma vez aceito, o fato de que o homem tem muitas formas para cometer um erro, quando o mesmo ocorre, deve-se ter condições de identificar a causa para se propor uma solução que elimine ou ao menos diminua a possibilidade de uma nova ocorrência.

A complexidade do ser humano faz com que o traçado completo da causa do erro seja, muitas vezes bastante, complicado.

Entretanto, se todas as causas de um evento são conhecidas, então, o mesmo não pode ser chamado de acidente caso ocorra uma falha.

O certo nesta situação é chamar a mesma de erro!!!

Os jogadores de bola ao cesto treinam centenas de lançamentos e, muitas vezes, apesar de conhecerem todos os fundamentos, erram lances-livres nos últimos segundos do jogo!!!

Aliás, isto acontece em quase todos os esportes, principalmente, no adorado beisebol dos norte-americanos.

Para muitos, porém, acidentes e erros caem aproximadamente dentro da mesma categoria, como é o caso do "carpinteiro acertando o dedão".

No ambiente industrial, quando as causas da maior parte dos acidentes são conhecidas, o acidente pode ser definido como: "uma explicação conveniente de uma série de erros operacionais".

Num ambiente industrial normal, erros operacionais devem ser entendidos como enganos não intencionais, os quais comumente produzem uma perda industrial de algum tipo, tal como: um dano do equipamento, atraso na programação, desperdício, perda do tempo produtivo, etc.

10.8 Quem é Responsável pelos Erros Humanos?

A alta administração, os supervisores e os trabalhadores em geral, todos precisam aceitar a sua responsabilidade pelos erros.

Saber como se deve fazer as coisas corretamente é uma meta exemplar.

O *know-how* de engenharia não é suficiente para que as tarefas sejam executadas adequadamente pelas pessoas; é necessário o conhecimento do sistema de administração e das suas funções, dos seus princípios e, principalmente, ter bastante experiência nas ciências do comportamento e "engenharia humana".

Historicamente, cabe aos engenheiros da Lockheed o galardão pelo desenvolvimento da técnica dos gráficos de árvores de falhas para a análise do sistema de segurança que permita eliminar os erros humanos.

A técnica de Análise pela Árvore de Falhas (AAF), tornou possível um casamento perfeito entre a confiabilidade e o sistema de segurança.

AAF pode lidar com a falha ou o erro do operador.

Hoje em dia, já existem programas em microcomputadores que permitem, inclusive, desenhar a árvore de falhas e obter a probabilidade de ocorrência do erro (evento topo).

CAPÍTULO 11

Conceituação de Mantenabilidade

11.1 Introdução

A maioria dos sistemas sofre manutenção, ou seja, os mesmos são reparados quando falham, além de sofrer outras atividades para mantê-los operando. A facilidade com que se efetuam reparos e outras atividades de manutenção determina a MANTENABILIDADE de um sistema.

O Departamento de Defesa dos Estados Unidos definiu *Mantenabilidade* como sendo a qualidade das feições e características combinadas do projeto de equipamentos que permite ou realça a realização de manutenção por pessoal de média especialização sob condições naturais e ambientais em que irá operar.

Sob o ponto de vista matemático, tem-se uma definição mais objetiva: MANTENABILIDADE é a probabilidade do equipamento ser recolocado em condições de operação dentro de um dado período de tempo quando a ação de manutenção é executada de acordo com os procedimentos prescritos. A ação de manutenção pode ser tanto preventiva como corretiva.

A NBR 5462 que trata da Terminologia para a Confiabilidade (Termilogia) dá a seguinte definição: facilidade de um item em ser mantido ou recolocado no estado no qual pode executar suas funções requeridas, sob condições de uso especificadas, quando a manutenção é executada sob condições determinadas e mediante procedimentos e meios prescritos.

Para outros, mantenabilidade é a característica de projeto de um item que é expresso pela probabilidade de que o tempo de manutenção não ultrapassará um dado valor, quando o item é operado e mantido por pessoas e procedimentos prescritos.

Por último: característica de projeto de um item que é expresso pela probabilidade de que o custo de manutenção não ultrapassará um dado valor, quando o item é operado e mantido por pessoas e procedimentos prescritos.

Não confudir a mantenabilidade com a manutenção de um item. O termo Manutenção pode ser definido como: "Conjunto das ações destinadas a manter ou recolocar um item num estado no qual pode executar sua função requerida".

A mantenabilidade é uma característica de projeto que define a facilidade de manutenção, o tempo de manutenção, os custos e as funções que o item executa.

O tempo de manutenção corretiva (reparo) encerra diversas atividades, geralmente, divididas em dois grupos:

1. *Tempo de manutenção ativa:* isolar a falha, realização efetiva da manutenção, testar.
2. *Tempo Administrativo:* planejar a intervenção, localizar pessoal, deslocamento, obtenção do ferramental e equipamentos de testes, etc...

O tempo de manutenção ativa inclui o tempo de estudo de diagramas de manutenção, etc., antes de realizar a tarefa propriamente dita, bem como o tempo de verificação da realização do trabalho. Pode incluir, também, o tempo necessário para a documentação, pós-execução, da tarefa, quando isto deve ser completado antes do equipamento se tornar disponível, como em aeronaves. A MANTENABILIDADE é freqüentemente especificada através do tempo médio de manutenção ativa (*Mean Active Maintenance Time* – MAMT), pois, é este tempo que o projetista do equipamento pode influenciar durante a fase de projeto. Ver Figura 11.1.

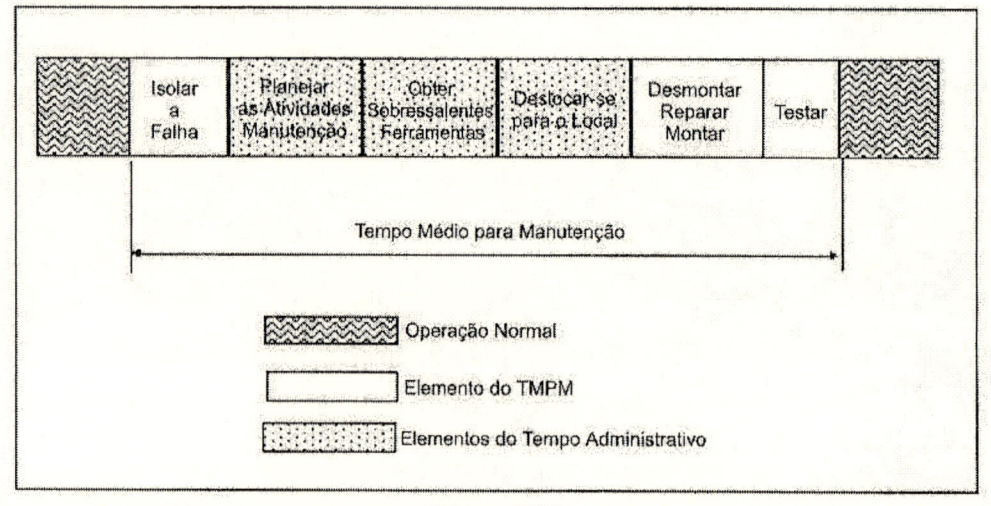

Figura 11.1

11.2 O Escopo da Mantenabilidade

O escopo das atividade da mantenabilidade inclui determinar:

- Tempo médio entre manutenção.
- Tempo médio entre substituições.
- Tempo para manutenção.
- Hh de manutenção/Horas de operação.
- Custo de manutenção/Horas de operação.

Os objetivos da mantenabilidade incluem:
- Otimização dos tempos e custo de manutenção já no projeto.

- Estimar os tempos para manutenção em função da disponibilidade requerida, se necessário; acrescentar redundância.
- Estimar a disponibilidade.
- Estimar os recursos requeridos para a execução da manutenção.

As internacionais aplicáveis à atividade de mantenabilidade:

- MIL-STD-470 – Maintainability Program for Systems and Equipments.
- MIL-STD-471 – Maintainability Verification/Demonstration/Evaluation.
- MIL-STD-472 – Maintainability Prediction.
- MIL-STD-721 – Definition of Terms for Reliability and Maintainability.

O conteúdo de um programa de mantenabilidade, geralmente, inclui as seguintes etapas ou atividades:

- Plano do Programa de Mantenabilidade.
- Monitorar/Controlar Fornecedores/Contratos.
- Revisão do Programa.
- Coleta de Dados, Análise e Ações Corretivas.
- Modelagem da Mantenabilidade.
- Alocação da Mantenabilidade.
- Previsão da Mantenabilidade.
- FMEA para Mantenabilidade.
- Análise da Mantenabilidade.
- Critério do Projeto para Mantenabilidade.
- Plano de Manutenção e Análise de Logística.
- Demonstração da Mantenabilidade.

11.3 Previsão da Mantenabilidade

Suponhamos que o tempo necessário para reparar um sistema a partir do instante da falha seja τ. Porém τ é geralmente, uma variável aleatória, pois, na realidade, reparos requerem diferentes durações para serem executados.

A função de densidade de probabilidade de reparo $g(t)$ pode ser definida como:

$$g(t)\Delta t = P\,[t \leq \tau \leq t + \Delta t]$$

onde $g(t)\Delta t$ é a probabilidade que o reparo precise de um tempo entre t e $t + \Delta t$.

A função distribuição para reparo $G(t)$ é dada por:

$$P(\tau \leq t) = G(t) \int_0^t g(t)dt$$

O tempo médio para o reparo (TMPR) é dado por:

$$TMPR = \int_0^\infty t \cdot g(t) \cdot dt$$

A taxa de reparo instantânea $m(t)$ é dada por:

$$m(t) \cdot \Delta t = \frac{P[t \leq \tau \leq t + \Delta t]}{P(\tau > t)}$$

onde $m(t)\,\Delta t$ é a probabilidade condicional de que o sistema seja reparado entre t e $tm + \Delta t$, dado que encontra-se no *estado falho* em t.

Como $P(\tau > t) = 1 - P(\tau \leq t) = 1 - G(t)$ e $P(t \leq \tau \leq t + \Delta t) = g(t) \cdot \Delta t$, tem-se:

$$m(t) = \frac{g(t)}{1 - G(t)}$$

Muitos fatores surgem quando se quer determinar o TMPR e a $g(t)$, através da qual as incertezas no tempo médio de reparo são caracterizadas.

Estes fatores variam desde a capacidade para diagnosticar a causa da falha, de um lado, até a disponibilidade de equipamento e pessoal habilitado para os procedimentos de reparo do outro.

Os fatores determinantes, na estimação do tempo de reparo, variam muito com o tipo de sistema que se está consertando.

11.3.1 Exemplos

Em muitos sistemas mecânicos as causas das falhas são bem claras.

Se uma tubulação rompe, uma válvula falha na abertura ou uma bomba pára de trabalhar, o diagnóstico do componente no qual ocorreu a falha mecânica pode ser obtido bem rapidamente.

O tempo básico que se inclui no reparo é aquele que se gasta em retirar o componente que falhou e a instalação do novo componente.

Dependendo do processo, o tempo de reparo deverá (ou poderá) incluir corte, solda ou algum outro procedimento que venha a consumir tempo.

Em contraste, caso falhe um computador, o pessoal de manutenção pode gastar a maior parte do tempo na elaboração do diagnóstico, quando se deve desenvolver considerável esforço para compreender a natureza da falha de uma forma tão precisa que permita localizar o circuito certo, o "chip" ou componente que é a causa.

Por outro lado, pode levar muito pouco tempo para substituir o componente defeituoso, assim que ele tenha sido localizado.

Nos dois exemplos citados, supõe-se que, os componentes, que são necessários, são disponíveis no instante que forem requisitados.

Na realidade, ambos, a disponibilidade de componentes e o nível de reparo, envolvem um delicado conflito econômico entre o custo de estoque, pessoal e tempo parado.

Suponhamos que uma bomba falhe devido aos mancais gastos. Deve-se decidir se é mais rápido retirar a bomba de linha e substituí-la por uma unidade nova ou separá-la e substituir o mancal (ou os rolamentos) no próprio local.

Caso a bomba toda seja substituída, é necessário ter uma similar em estoque em local próximo, porém, o nível de habilidade do pessoal de manutenção não precisa ser muito elevado.

Por outro lado, se a maior parte dos problemas com bombas reside nos mancais ou nos rolamentos, o bom senso leva a estocar somente estes componentes em local próximo, porém, o pessoal de reparo deve ter aptidão e treinamento diferentes para executar satisfatoriamente a tarefa.

11.3.2 Cálculos para Obter uma Estimativa para o TMPR

O método mais utilizado para estimar o tempo médio de reparo (TMPR) ou, em inglês, *Mean Time to Repair* (MTTR), de um sistema é efetuar a média ponderada dos tempos de reparo de cada modo de falha. A ponderação é feita pela respectiva taxa de falha:

$$MTTR = \frac{\sum \lambda . t_r}{\sum \lambda}$$

A mesma abordagem é usada para estimar o tempo médio de manutenção preventiva, com λ substituído pela freqüência de ocorrência da ação de manutenção preventiva:

$$MTPM = \frac{\sum \lambda_{pm} . t_{pm}}{\sum \lambda_{pm}}$$

11.4 Distribuição dos Tempos de Manutenção

Os tempos de manutenção tendem a ser distribuídos pela função log-normal (Figura 11.6), conforme tem mostrado o ajuste de dados reais.

A experiência mostra que há ocasiões em que o trabalho de manutenção é realizado rapidamente, mas é relativamente improvável que as tarefas sejam executadas em bem menos tempo do que o usual, enquanto é relativamente mais provável que ocorram problemas que causem atrasos no trabalho. Há, ainda, a variabilidade devida ao treinamento do pessoal, ou seja, pessoal com mais experiência tende a reduzir a média e o desvio padrão da distribuição do tempo de execução de manutenção.

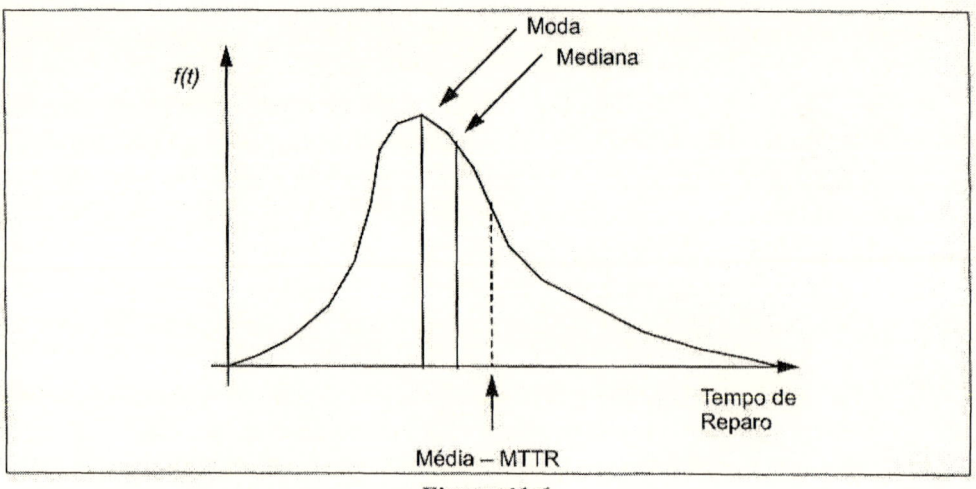

Figura 11.6

11.4.1 Taxa de Reparo Constante

Supondo que a distribuição de reparo pode ser caracterizada pela taxa de reparos:

$$m(t) = \mu$$

Portanto,

$$g(t) = \mu \exp(-\mu t)$$

e

$$TMPR = \frac{1}{\mu}$$

Embora a distribuição exponencial possa não refletir os detalhes da verdadeira distribuição de tempos para reparos de forma muito precisa, ela fornece uma aproximação bem "razoável" para a previsão da disponibilidade, pois elas tendem a depender mais do TMPR do que dos detalhes da função distribuição (f.d.), mesmo quando a f.d. apresente uma "corcunda" em torno (ou acima) do TMPR. No lugar de ser exponencialmente distribuída, um modelo com taxa de reparos constante prevê corretamente a disponibilidade em regime permanente.

11.5 A Influência da Mantenabilidade na Disponibilidade

A *Mantenabilidade* afeta diretamente a disponibilidade: o tempo gasto para reparar falhas e executar tarefas rotineiras de manutenção, retira o sistema do estado disponível. Há, assim, um relacionamento próximo entre confiabilidade e *Mantena-*

bilidade. Uma afetando a outra, e ambas afetando a disponibilidade e o custo de operação.

A **disponibilidade** é a medida do grau em que um item estará em estado operável e confiável no início da missão, quando a missão for exigida aleatoriamente no tempo. **Missão** é a indicação de ação que deve ser efetuada através de uma tarefa, para se atingir o objetivo especificado.

Em regime permanente, tem-se a seguinte expressão para a **disponibilidade**:

$$Disponibilidade = \frac{tempo\ total\ (em\ que\ o\ sistema\ está)\ disponível}{tempo\ total\ disponível + tempo\ de\ reparo + tempo\ de\ manutenção}$$

Dependabilidade é a medida da condição de funcionamento de um item em um ou mais pontos durante a missão, incluindo os efeitos de confiabilidade, mantenabilidade e capacidade de sobrevivência, dadas as condições da seção no início da missão, podendo ser expressa como probabilidade de um item: entrar ou ocupar qualquer um de seus modos operacionais solicitados durante uma missão especificada; ou desempenhar as funções associadas com aqueles modos operacionais.

Capabilidade é a capacidade de um item cumprir os objetivos de uma missão, sob condições predeterminadas.

A *Mantenabilidade* de um sistema é governada pelo projeto, que determina aspectos como acessibilidade, facilidade de teste e diagnose, requisito de calibração, lubrificação e outras ações de manutenção. Deseja-se igualmente otimizar os intervalos de manutenção preventiva, seja, maximizando a disponibilidade do equipamento, seja minimizando os custos de manutenção corretiva e preventiva, ou, ainda, minimizando a relação custo/benefício.

11.6 O Custo do Ciclo de Vida

O custo do ciclo de vida (*Life-Cycle Cost* – LCC) envolve todos os custos associados com o ciclo de vida do sistema:

1. Custo da Pesquisa e Desenvolvimento (P&D): custo da análise de viabilidade técnico e econômica, análise do sistema, projeto básico de detalhamento, desenvolvimento do produto, fabricação de protótipos, testes dos protótipos, avaliação inicial, documentação associada.
2. Custo de Produção e Fabricação: custo de fabricação, montagem e teste do sistema de produção, construção da fábrica, aquisição de equipamentos, sobressalentes.
3. Custo de Operação e Manutenção: custo da operação e manutenção do sistema durante a sua vida planejada, incluindo pessoal de manutenção, peças de reposição, equipamentos de suporte e teste, programas de gerenciamento, oficinas, etc.

4. **Custo para Disposição no Final da Vida Útil**: custo para substituição do sistema e/ou seus componentes devido à obsolescência ou desgaste. Incluídos custos com reciclagem dos materiais ou sua guarda em local adequado.

Os custos do ciclo de vida podem ser categorizados de diversas maneiras, dependendo do sistema industrial e da sua aplicação. O objetivo do seu cálculo é tornar visíveis os custos totais durante todo o ciclo de vida (ver Figura 11.7).

```
[Projeto      ] [Projeto     ] [Detalhamento  ] [Produção] [Operação        ] [Fim da    ]
[Conceitual   ] [Preliminar  ] [e             ]            [(uso pelo cliente)] [Vida Útil]
                               [Desenvolvimento]
                        ┌─────────────────────────┐
                        │  Capacidade de Produção │
                        │ - - - - - - - - - - - - │
                        │  Projeto    Utilização  │
                        └─────────────────────────┘
                              ┌──────────────────────────────────┐
                              │     Capacidade de Operação       │
                              │ - - - - - - - - - - - - - - - -  │
                              │  Projeto    Utilização (manutenção)│
                              └──────────────────────────────────┘
                        Ciclo de Vida (Life-Cycle)
```

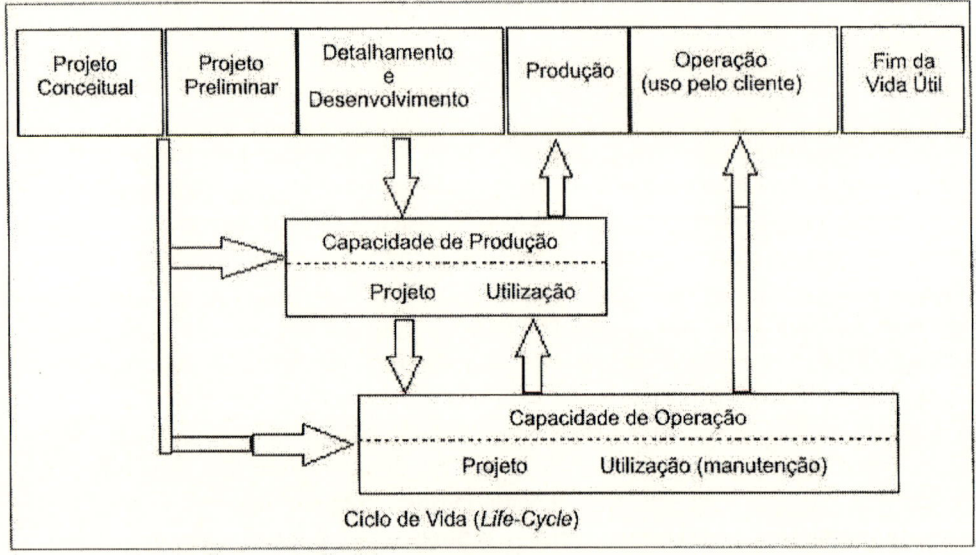

Figura 11.7

As etapas específicas, no ciclo de vida e sua respectiva duração, podem variar dependendo da natureza, complexidade e finalidade do sistema. As necessidades do cliente podem variar, o produto tornar-se obsoleto, etc. A quantidade de recurso necessária em cada etapa também pode variar em função do tipo de sistema.

A abordagem do menor custo de aquisição, que não leva em conta os custos de reparo do componente, quando em operação, tem-se provado ineficaz, principalmente, devido aos elevados custos decorrentes. A incorporação de modificações nas etapas mais avançadas do ciclo de vida é um processo caro.

Embora o objetivo seja a aquisição de produtos com uma relação apropriada entre efetividade e custo, a tendência recente mostra um desequilíbrio entre estes parâmetros (ver Figura 11.8). A complexidade de diversos sistemas tem aumento devido à incorporação de novas tecnologias. Este fato tem desviado a ênfase nos parâmetros de desempenho, qualidade, confiabilidade, mantenabilidade e qualidade. Como resultado, o custo do ciclo de vida dos produtos tende a aumentar e a efetividade a diminuir. Isto ocorre, pois, geralmente, aborda-se apenas os aspectos dos custos a curto

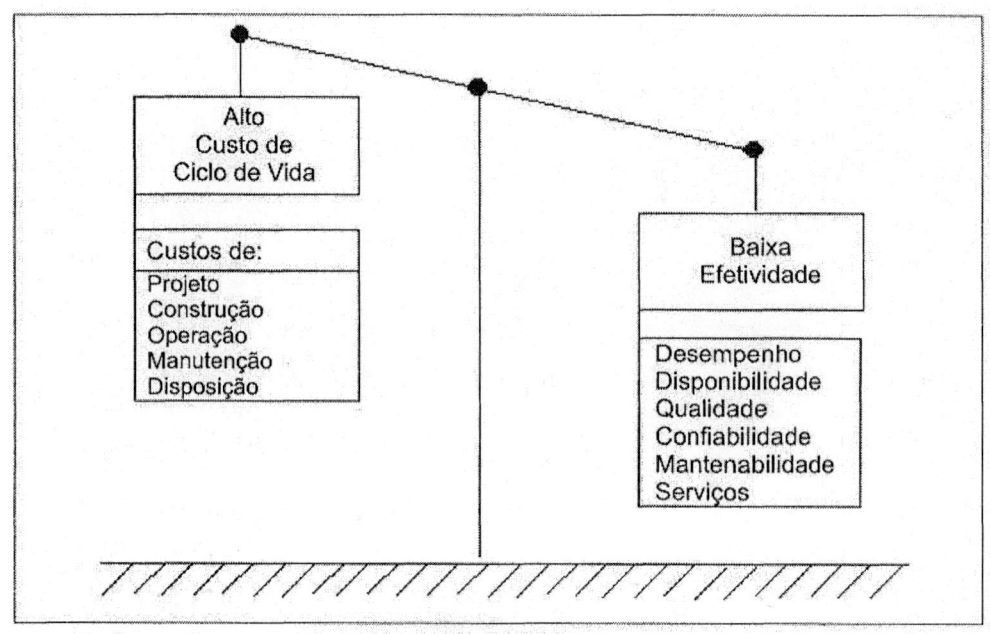

Figura 11.8

prazo na fase de aquisição e diligência. Os custos de projeto, desenvolvimento, fabricação e montagem são bem conhecidos em função da base de dados históricos destas atividades. Entretanto, os custos associados com a operação e a manutenção são, normalmente, "invisíveis" (ver Figura 11.9). Contudo, a experiência mostra que estes custos podem assumir grande parte do custo total do ciclo de vida. A falta de visibilidade do custo total conduz ao efeito "iceberg", exemplificado na Figura 11.9.

As Tabelas 11.1 e 11.2 mostram dois exemplos onde o menor custo de ciclo de vida não corresponde ao produto mais barato na fase de compra.

Tabela 11.1
Comparação do Custo do Ciclo de Vida
(*Life-Cycle Cost* – LCC)

	A	B
Custo de Aquisição do Equipamento	$ 100.000	$ 70.000
Custo Anual Operacional e de Manutenção	$ 30.000	$ 60.000
Período de Uso Previsto	5 anos	5 anos
Juros Adotados para Efeito de Cálculo	10%	10%
Valor Anual	$ 56.380	$ 78.466
Comparação dos Valores Presentes	$ 213.730	$ 297.460

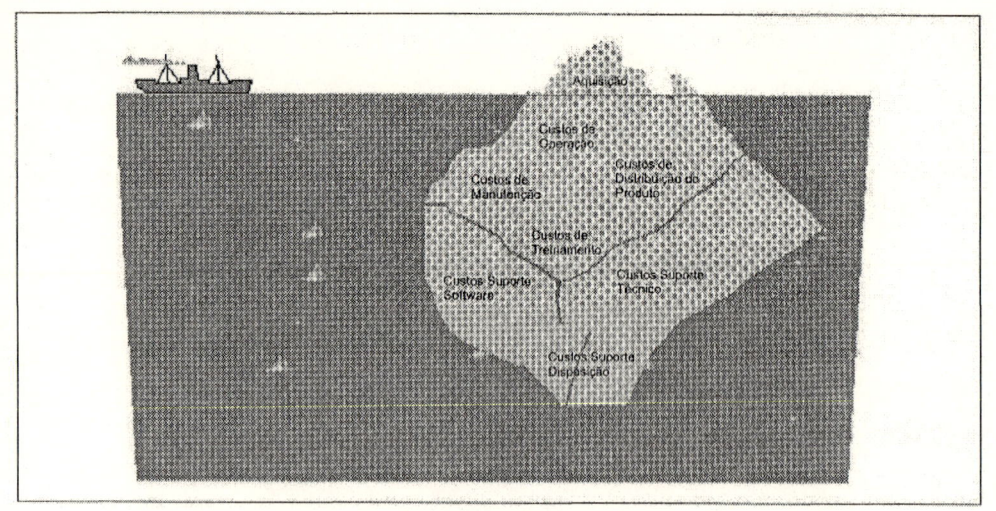

Figura 11.9

Tabela 11.2
Comparação de Dois Tipos de Pintura

	Tinta A	Tinta B
Custo da Tinta	$ 5.000	$ 15.000
Vida da Pintura	3 anos	6 anos
Custo do Serviço	$ 20.000	$ 20.000
Custo Total	$ 50.000	$ 35.000

Além disso, quando se analisa as relações causa-efeito do efeito "iceberg", é possível determinar que a maior parte do custo de ciclo de vida do produto é determinado nas fases de projeto conceitual e detalhamento do produto. Baixos custos de operação e manutenção são definidos no projeto do sistema ou do equipamento, quando o tipo de material, as facilidades de acesso para manutenção, os métodos de montagem e fabricação podem ser determinados de forma a aumentar a efetividade do sistema. Uma vez concebido um sistema de baixa efetividade, os custos para melhoria nas etapas de operação ou mesmo disposição do ciclo de vida tornam-se significativamente maiores. O custo de ciclo de vida é, então, marcadamente afetado pelo investimento feito na fase de projeto. Ver Figura 11.10.

11.7 Taxionomia dos Processos

Na fase de projeto do sistema, o equilíbrio entre efetividade e custo deve ser buscado, procurando equilibrar os pesos da Figura 11.8. Dependendo da natureza do sistema, o projetista pode selecionar níveis adequados de disponibilidade, confiabilida-

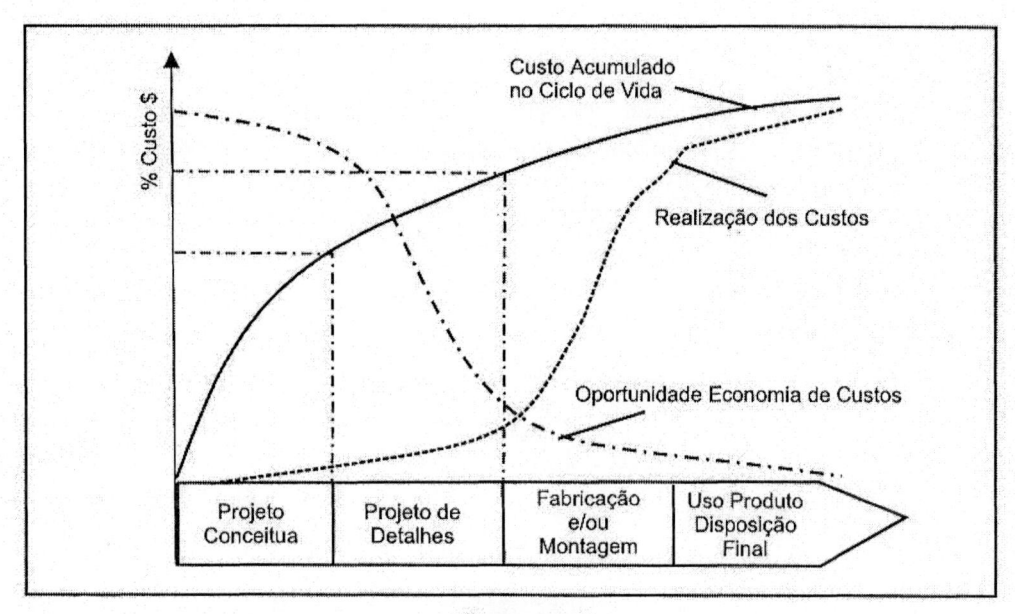

Figura 11.10

de e mantenabilidade de forma a diminuir o custo de ciclo de vida. A Figura 11.11 mostra um esquema geral, onde para aumentar a lucratividade busca-se o maior nível de confiabilidade e mantenabilidade possíveis, para aumentar o tempo médio para a falha e reduzir o tempo médio para o reparo, maximizando a disponibilidade.

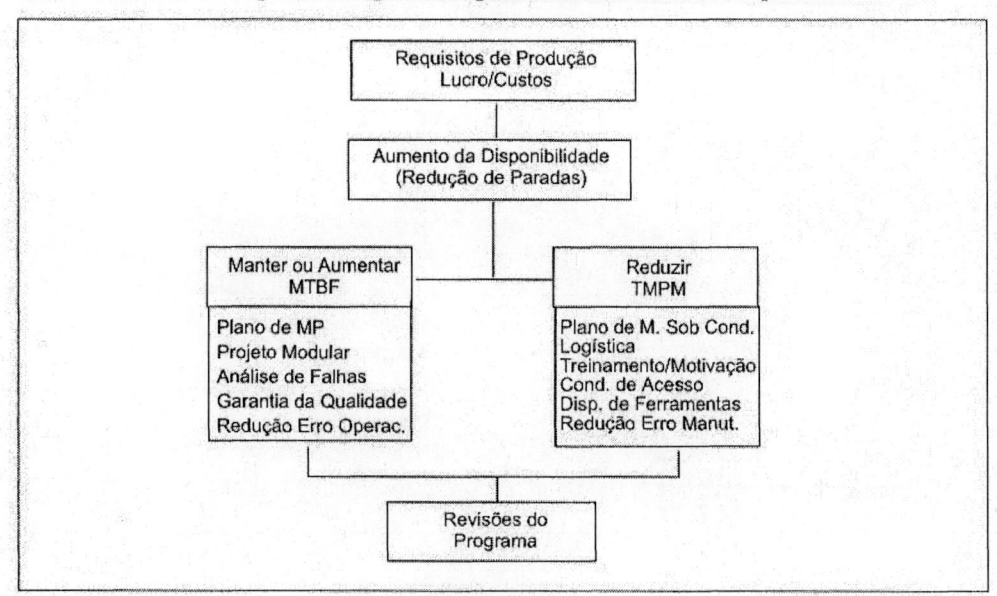

Figura 11.11

Embora o aumento do TMEF e a redução do TMPM seja sempre desejável como regra geral, isto nem sempre é possível ou mesmo necessário. Lembre-se de que para o aumento de confiabilidade, normalmente, é necessário investir-se em materais mais nobres ou até mesmo maior quantidade de material. Muitas vezes, a efetividade máxima pode ser obtida com menores níveis de confiabilidade e maiores níveis de mantenabilidade. Isto é possível, quando é possível operar-se com alto grau de disponibilidade, com algum sacrifício da confiabilidade.

A Figura 11.12 e a Tabela 11.3 mostram seis casos onde os requisitos são distintos para alguns exemplos de aplicação.

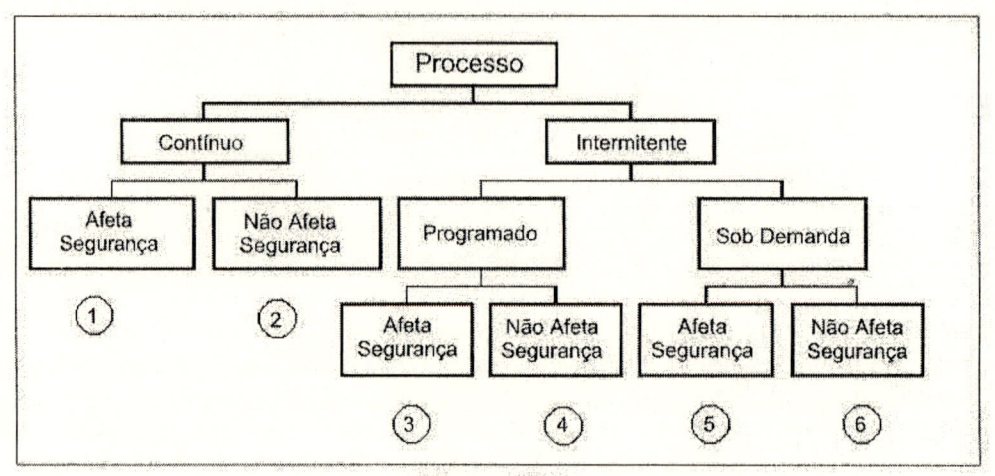

Figura 11.12

Tabela 11.3

	Requisitos	Exemplos
1	Alta Confiabilidade Pouca MC	Geração Eletricidade Tratamento de Água
2	Alta Disponibilidade	Refinarias de Pretróleo
3	Alta Confiabilidade Alta Mantenabilidade	Incineradores Hospitalares
4	RAM Baseada na Boa Prática	Processamento por Bateladas
5	Alta Disponibilidade NO Alta Confiabilidade Oper.	Sist. Emergência Plat. de Petróleo
6	Moderada Disponibilidade (NO), Alta Conf. Oper.	Aquecimento Central

CAPÍTULO 12

Os Tipos de Manutenção

12.1 Introdução

A manutenção pode ser classificada basicamente como *corretiva* e *preventiva*. A *corretiva* inclui todas as ações para retornar um sistema do estado falho para o estado operacional ou disponível. A freqüência de manutenção corretiva é determinada pela confiabilidade do equipamento. A ação de manutenção corretiva não pode ser planejada, ela normalmente ocorre quando não se deseja.

A *manutenção preventiva* procura reter o sistema em estado operacional ou disponível através da prevenção de ocorrência de falhas. Isto pode ser efetuado por meio de inspeção, controles e serviços como: limpeza, lubrificação, calibração, detecção de defeitos (falhas incipientes), etc... A manutenção preventiva afeta, diretamente, a confiabilidade e o seu efeito na taxa de falhas pode ser verificado na forma da curva da banheira, conforme Figura 12.1. Ela é planejada e deve ser executada quando assim se quer. É medida pelo tempo requerido para executá-la e pela sua freqüência. Esta pode ser prefixada ou variável em função da previsão do comportamento baseado na monitoração do estado do equipamento. Se a manutenção é executada antes da

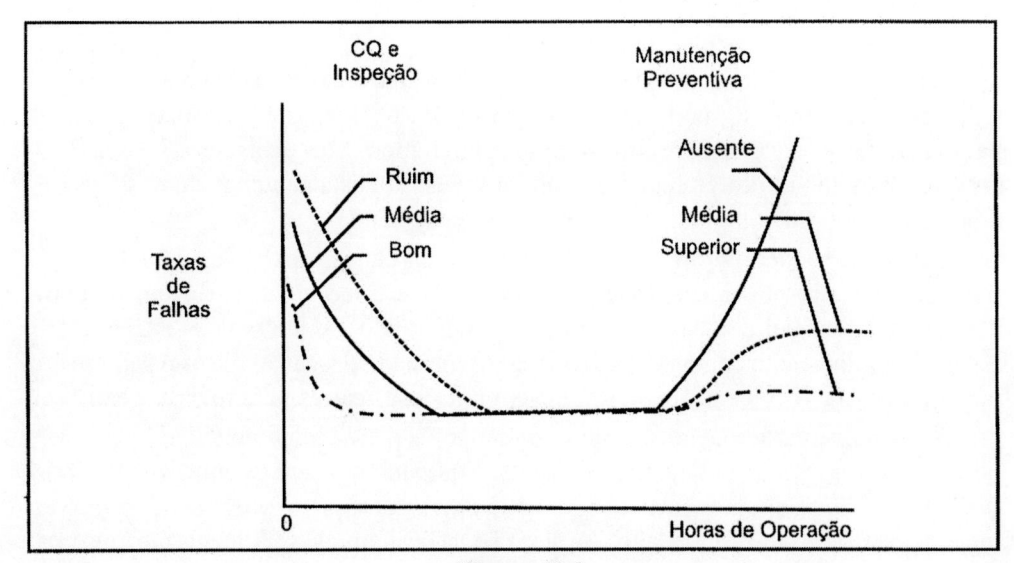

Figura 12.1

falha de um equipamento, mas somente quando suas condições, determinadas através de um monitoramento contínuo, indiquem que a falha é iminente, tem-se então a chamada *manutenção preventiva-preditiva* ou simplesmente *manutenção preditiva* ou *sob condições*.

Quando a manutenção é executada somente quando da parada do sistema por algum motivo operacional que não seja a falha tem-se a chamada *Manutenção sob Oportunidade*.

12.2 A Natureza das Falhas

Taxa de falha, cujo símbolo é λ, é definida em qualquer momento do tempo. Por exemplo, usando 100 horas de operação para ilustrar o λ.

λ [100] é a probabilidade condicional de que o equipamento falhará em exatamente 100 horas de operação, quando sabemos, com certeza, que ele sobreviveu por 99 horas, 59 minutos e 59 segundos, e ainda um pouco mais.

Em outras palavras, λ é a probabilidade de falha imediata em qualquer instante, dado que o equipamento estava operando.

Quando fazemos um gráfico de falha x horas de operação, nós obtemos a famosa curva da banheira (*bathtube*). Esta curva tem 3 regiões distintas:

1. *Amaciamento ou período de mortalidade infantil:* a taxa de falha decresce no período – Decrescent Failure Rate (DFR).
2. *Operação normal:* a taxa de falha é constante no tempo – Constant Failure Rate (CFR).
3. *Desgaste:* o envelhecimento do equipamento. A taxa de falha aumenta com o tempo (IFR).

Estas três definições são tiradas dos livros-texto. Milhares de profissionais de manutenção concordam com estas definições. Mas, na verdade, a curva da banheira tem muito contra-senso; particularmente na parte do "desgaste". A curva é usada para justificar intervalos de revisão baseados em tempo. Más decisões são tomadas. Os intervalos são muito curtos. Todo ano, a indústria gasta centenas de milhões de dólares fazendo trabalho que não necessitava ser feito.

A curva da banheira se aplica a componentes individuais, mas não a equipamentos. Digamos que um equipamento rotativo possua 100 peças individuais. Ele tem também 100 curvas da banheira, todas se sobrepondo e defasando. Os intervalos CFR são diferentes. O equipamento como um todo nunca irá entrar em desgaste. Ele está sempre no período normal. Tecnicamente, nunca haverá uma justificativa para revisão geral.

Obviamente, não podemos rodar equipamentos permanentemente sem revisões periódicas. Temos é que mudar nosso foco do equipamento para os componentes críticos. Estes são os componentes que, quando chegam na parte de desgaste da curva, devem ser trocados ou consertados. A duração da desmontagem é tão grande que nós aproveitamos a "oportunidade" para revisar a máquina inteira. Chama-se isto de manutenção por oportunidade.

Por exemplo, se uma bomba de água de um motor de um automóvel falha por desgaste, não fazemos revisão no motor inteiro (pelo menos, espera-se que não); nós apenas substituímos a bomba. É diferente se ocorrerem alvéolos no virabrequim. Aí, nós revisamos o motor inteiro.

Revisões gerais são tanto um assunto econômico como um assunto de confiabilidade. Infelizmente, muitos profissionais de manutenção, altamente técnicos em sua orientação, não consideram o aspecto econômico. Eles fazem trabalho que não necessita ser feito.

12.3 Estratégias de Manutenção Preventiva

A eficácia e economia da manutenção podem ser maximizadas, levando em conta as distribuições do tempo para falha dos componentes mantidos, bem como a tendência da taxa de falha do sistema. Em geral, se um componente tem taxa de falha decrescente, qualquer substituição irá aumentar a probabilidade de falha, conforme pode ser visto na Figura 12.2.

Se a taxa de falha for constante, a substituição não afetará a probabilidade de falha, desde que a substituição seja bem feita (ver Figura 12.3).

Já, se a taxa de falha for crescente, a substituição em qualquer tempo irá, teoricamente, melhorar a confiabilidade do sistema, conforme Figura 12.4. Se um componente tiver vida sem falhas, então sua substituição antes da falha irá assegurar ausência de falhas.

A fim de otimizar a substituição preventiva, deve-se ter conhecimento dos seguintes parâmetros:

1. Parâmetros de distribuição do tempo para falha dos principais modos de falha.
2. Os efeitos de todos os modos de falha.

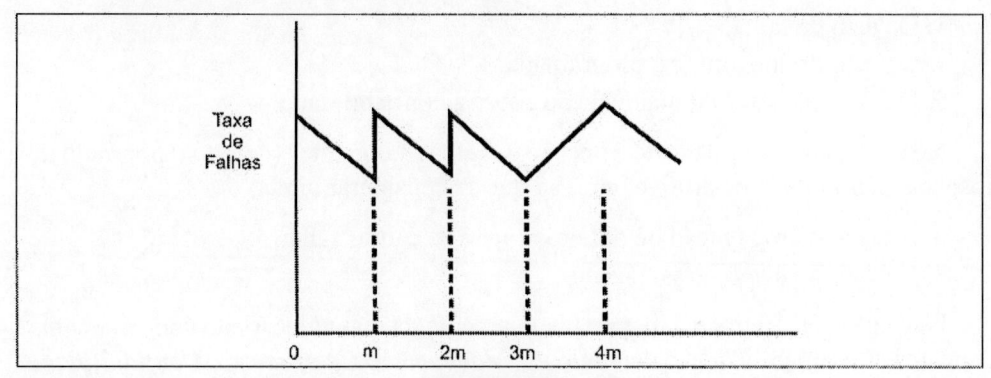

Figura 12.2

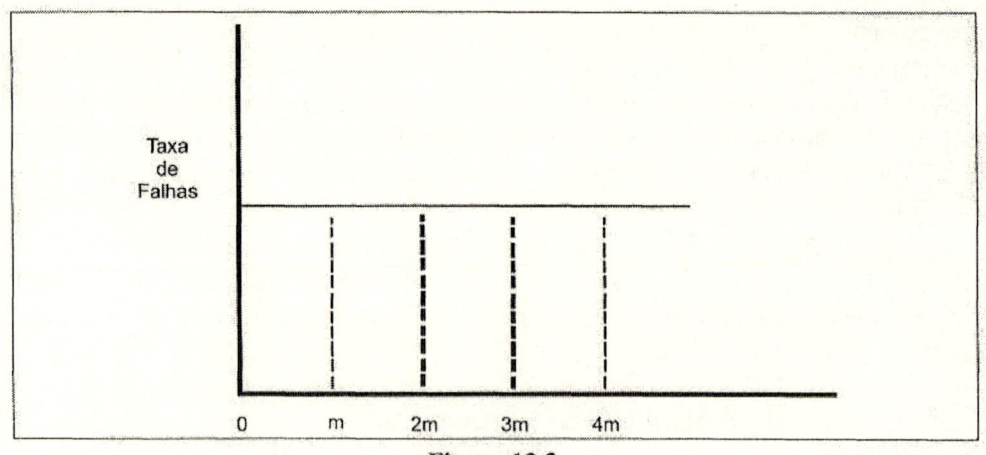

Figura 12.3

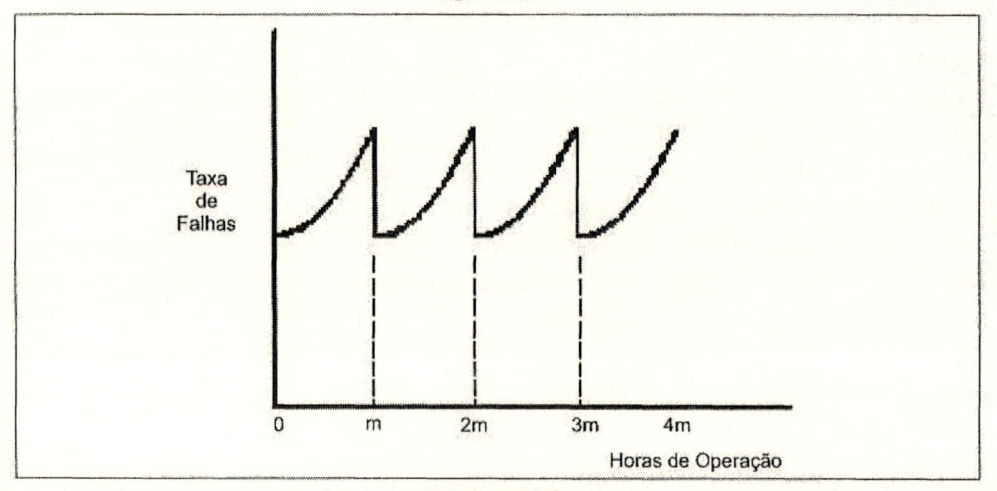

Figura 12.4

3. O custo da falha.
4. O custo de substituição programada.
5. O efeito possível da manutenção sobre a confiabilidade.

No caso da possibilidade de detecção de falhas incipientes (defeitos) por meio de inspeção, ensaio não destrutivo, etc., há que se considerar ainda:

6. A taxa de propagação de defeitos capaz de causar falha.
7. O custo da inspeção ou ensaio.

Este enfoque sistemático para o planejamento da manutenção, levando em conta aspectos de confiabilidade, é denominada *Manutenção Centrada em Confiabilidade* (MCC), em inglês, *Reliability Centred Maintenance* (RCM). Ver Capítulo 17.

12.3.1 Implicações Práticas

As distribuições dos tempos para a falha dos componentes de um sistema ditam a política ótima de manutenção. Geralmente, como componentes eletrônicos não se desgastam, testes e substituições programadas não melhoram a confiabilidade. Na verdade, os mesmos podem induzir falhas. Assim, equipamentos eletrônicos somente devem ser submetidos a testes ou calibração periódica, quando ocorrerem alterações em seus parâmetros ou outras falhas possam causar que o equipamento opere fora das especificações sem que o usuário se aperceba do fato. Testes embutidos e autocalibração podem reduzir ou eliminar a necessidade de testes periódicos.

Por outro lado, equipamento mecânico sujeito a desgaste, corrosão, fadiga, etc., deve ser considerado para sofrer manutenção preventiva. Nestes casos, porém, é importante se conhecer a curva de desgaste do equipamento para se determinar o tempo ótimo de manutenção, caso contrário, pode-se incorrer nos seguintes casos (ver Figura 12.5):

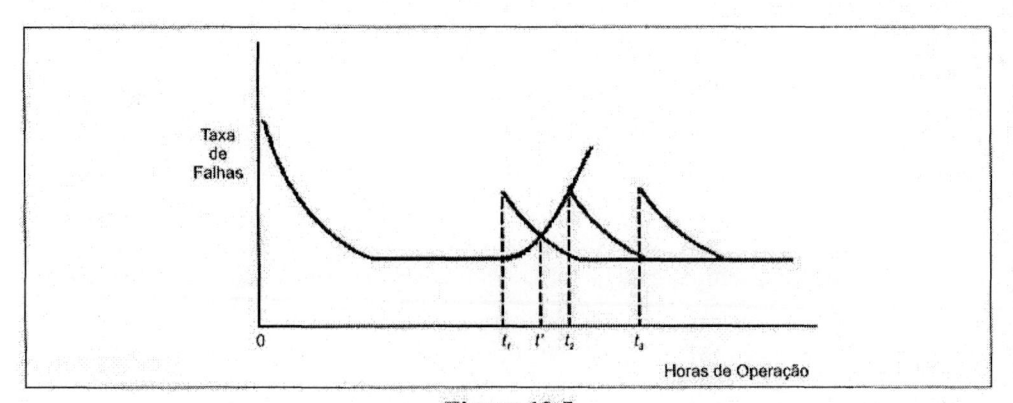

Figura 12.5

Se a manutenção preventiva é em:

$t_1 < t < t'$ – tempo muito cedo → aumento da taxa de falha.

$t' < t < t_2$ – tempo ideal.

$t_2 < t < t_3$ – tempo muito tarde → taxa de falha muito alta.

12.4 Análise Estatística das Falhas

A distribuição de probabilidade de Weibull é a ferramenta principal para análise estatística de falhas. A função é:

$$C(t) = 1 - F(t) = \exp\left[-\left(\frac{t}{\eta}\right)^{\beta}\right]$$

Onde:

C(t): probabilidade de sobrevivência no intervalo de tempo t.

Exp.: operador exponencial.

η: tempo característico de falha; uma medida similar a TMEF mas não exatamente este valor, exceto em ocasiões especiais. O η é medido em horas de operação.

β: o fator de forma de Weibull. É uma medida inversa da dispersão; um baixo β significa muita dispersão de pontos de dados (*spread*); um alto β, baixa dispersão.

O tempo característico para a falha, "η", é a medida da confiabilidade. Procuramos obter um número grande. $\eta = 1.000$ horas não é tão bom como $\eta = 10.000$ horas.

O "η" não nos diz que tipo de programa de manutenção devemos usar. Nós olhamos o fator de forma β para esta informação.

Existem 3 relações:

1. $\beta < 1$ = amaciamento (*wear-in*).
2. $\beta = 1$ = operação normal.
3. $\beta > 1$ = desgaste (*wear-out*).

Uma vez que conheçamos o valor de β, sabemos onde estamos na curva da banheira. É importante ressaltar que estas relações valem exclusivamente para componentes individuais, não para equipamentos. Porque um equipamento, composto de muitos componentes, sempre está na parte de operação normal da curva da banheira; isto é, $\beta = 1$.

Na parte plana da curva da banheira (operação normal), o valor de β é 1. A distribuição de probabilidade de Poisson é que vale. Esta distribuição representa a situação na natureza o mais aleatória possível. Não se pode encontrar mais aleatoriedade do que Poisson. Mas a distribuição de Poisson é indiferente quanto à causa da aleatoriedade. O mecanismo de falha inerente pode ser aleatório. Ou a aleatoriedade pode vir do fato de que o equipamento é composto de muitos componentes de idades aleatoriamente variáveis e com diferentes curvas da banheira. Aleatório é aleatório.

Não há utilidade em programar manutenções maiores baseadas em horas de operação quando um equipamento está operando na parte plana da curva da banheira. Especificar um intervalo de parada implica em previsibilidade, o oposto de aleatoriedade. Presumidamente, quando fazemos assim, acreditamos que se não fizermos a parada, estamos correndo o risco de uma falha. Na verdade, estamos prevendo uma falha, qualquer que seja. Mas a distribuição de Poisson mostra que a previsão é inviável, devido à aleatoriedade. Mais uma vez, é feito um trabalho que não precisa ser feito.

Valores representativos de β são:

0,8 a 1,2 – equipamento rotativo.

1,3 a 1,4 – fadiga.
2,5 a 3,0 – corrosão de O_2 / H_2O.
3,5 a 4,0 – desgaste mecânico.
4,5 a 7,5 – fadiga de fricção (*creep fatigue*).

O inverso não é necessariamente verdadeiro. Por exemplo, se a fadiga é causa da falha, você encontrará, provavelmente, um $\beta = 1,3$ ou próximo, mas outros modos de falha também podem produzir $\beta = 1,3$.

A análise de Weibull pode ser feita para uma planta inteira, um grupo de equipamentos dentro de uma planta, um equipamento individual ou para componentes individuais. Estas análises são todas feitas da mesma maneira, mas a interpretação dos resultados depende do que nós estamos procurando.

A entrada básica para a análise de Weibull é o tempo t, o número de horas de operação entre o *start-up* e a parada. Coletamos tantos valores de t quantos forem convenientes; quantos mais forem, mais precisos serão os resultados. Os dados coletados podem variar de 25 valores até várias centenas. Os números grandes de valores são usados quando olhamos para o mesmo tipo de equipamento; por exemplo, motores elétricos no mesmo serviço ou em serviços similares.

Paradas Administrativas

Quando analisamos plantas, grupos de equipamentos ou equipamentos individuais, freqüentemente obtemos valores de β na faixa de 0,5 a 0,7, mesmo para equipamentos velhos que claramente não estão em amaciamento. Como isto pode acontecer? A causa mais freqüente são as paradas administrativas. Paradas administrativas são paradas para as quais não existe motivo técnico; não houve falha física.

Para ilustrar as paradas administrativas, vamos imaginar um grupo de bombas, todas do mesmo modelo, em serviço similar. Obtemos 135 valores de t para todas as paradas de qualquer origem.

Sempre vamos ver $\beta = 0,5$ a 0,7. Isto é porque todas as paradas foram feitas por motivos de processo ou de mercado. Então, removemos estas paradas da nossa amostra e contamos as horas de operação entre 2 falhas consecutivas de componentes. Duas coisas poderão acontecer:

1. η poderá aumentar enormemente.
2. β aumentará até a faixa de 0,9 a 1,1.

O efeito das paradas administrativas (processo e mercado) é de baixar o valor aparente de β. Quando removemos sua influência, vemos seu valor real. As bombas estão operando na parte plana da curva da banheira.

Mas o que acontece se, depois de remover todas as paradas de processo e mercado, o valor de β aumenta apenas para 0,5 a 0,8? Ele não volta para 1,0. Isto significa que ainda há paradas administrativas na amostra. Elas ficam disfarçadas como falhas quando na realidade não são. Elas são falhas artificiais criadas pela imaginação humana. Alguém disse que a máquina parou porque alguma coisa quebrou. Este alguém acreditava que estava protegendo a máquina contra um desastre, tirando-a de serviço. Na verdade, estava parando a máquina sem necessidade.

Não há maneira para identificarmos paradas individuais quando esta avaliação incorreta está sendo feita. O que podemos fazer é olhar para o padrão de um grande número de paradas. Se, após remover o efeito de paradas de processo e de mercado, $\beta < 0,9$, então olhe para o fator "homem" na interface homem/máquina; e não para a "máquina".

Muitas vezes, os profissionais de manutenção batem suas cabeças contra a parede, tentando melhorar a baixa confiabilidade com mudanças técnicas, mas não olhando o fator humano. Não alcançam sucesso. Fatores relacionados com as pessoas devem ser identificados e corrigidos antes que passemos a trabalhar nos problemas técnicos reais.

No passado, virtualmente, todas as grandes inspeções, revisões e substituições eram baseadas em horas de operação. Atualmente, a indústria não usa mais este procedimento e trocou-o pela manutenção baseada nas condições do equipamento. A confiabilidade melhorou e a disponibilidade aumentou.

Exemplo

Um cabo flexível, numa linha de montagem robotizada, tem uma distribuição de tempo para falhar Weibull com $to = 150$ h, $\beta = 1,7$ e $\eta = 300$ h. Se ocorrer falha quando em uso, o custo de parar a linha de montagem e substituir o cabo é de $ 5.000,00. O custo de substituição, durante a manutenção programada, é de apenas $ 500,00. Se a linha operar por 5.000 horas ao ano e a manutenção preventiva ocorrer a cada semana (100 h), qual será o custo esperado anual de substituição em intervalos semestrais e quinzenais?

Solução

Sem substituição programada, a probabilidade de uma falha ocorrer em t horas é dada por:

$$F(t) = 1 - \exp\left[-\left(\frac{t-150}{300}\right)^{1,7}\right] \quad p/t > 150 \text{ h}$$

e

$$F(t) = 0 \qquad \forall\, t \leq 150 \text{ h}$$

Com substituição programada após m horas, o custo de manutenção programada em 5.000 horas será:

$$\frac{5.000}{m} \cdot 500 = \frac{2,5 \cdot 10^6}{m}$$

e o custo esperado da falha em cada intervalo de substituição programada será (supondo não mais de uma falha ocorrendo em qualquer dos intervalos de substituição):

$$5.000 \cdot \left\{ 1 - \exp\left[-\left(\frac{m - 150}{300} \right)^{1,7} \right] \right\}$$

O custo total do ano será:

$$C = \frac{2,5.10^6}{m} + \frac{5.000 \cdot 5.000}{m} \left\{ 1 - \exp\left[-\left(\frac{m - 150}{300} \right)^{1,7} \right] \right\}$$

Resolvendo a expressão acima para alguns valores de m, conforme Tabela 12.1.

Tabela 12.1

m	$\lambda(m)$	C (\$)	Nº de Substituições Programadas	Falhas Esperadas
100	0,001617	25.000	50	0
200	0,004988	18.304	25	1,2
400	0,007526	38.735	12	6,5

Assim, a política ótima pode ser a de substituir os cabos em cada outro intervalo de manutenção programada, aceitando um pequeno risco de falha.

Uma análise mais completa pode ser feita mediante simulação de Monte Carlo. Assim, poder-se-ia analisar a não substituição programada do cabo se tivesse ocorrido uma substituição por falha pouco anterior.

12.5 Análise Física das Falhas

A metodologia de análise se divide em duas partes:
- Análise física.
- Análise estatística.

A análise física é a análise em que todo mundo pensa quando se fala em análise de confiabilidade. Um componente de equipamento falha. Qual foi a causa desta falha? Quais foram as repercussões? O que podemos fazer para evitar a repetição desta falha?

Recentemente, relatou-se as causas de falhas em elementos rotativos:

Causa	Freqüência Relativa
Desgaste:	**51**
abrasão	25
fadiga	18
corrosão	8
Sobrecarga	**49**
deformação	14
quebra	12
fissura	12
sobreaquecimento (*hot run*)	11

Estes dados são resultados típicos da análise física de confiabilidade.

Saber que 25% das falhas de mancais resultam de abrasão é uma informação valiosa, mas não nos diz que tipo de programa de manutenção devemos ter na unidade de destilação de uma refinaria. Nós precisamos conhecer o padrão de falhas no equipamento da unidade.

Vamos esclarecer um ponto freqüentemente mal compreendido. Nós falamos em "falhas do equipamento", mas os equipamentos não falham; eles param de funcionar. O que falha são os componentes. Um equipamento pode parar em função de qualquer das várias falhas de componentes possíveis. A quantidade média de horas entre duas paradas acidentais de um equipamento (isto é, MTBS – *Mean-Time Between Shutdowns* – ou tempo médio entre paradas) é muito menor do que a quantidade média de horas entre falhas físicas de um tipo de componente em particular (isto é, MTBF – *Mean-Time Between Failures* – ou tempo médio entre falhas). O motivo é:

1. A análise física foca nos componentes.
2. A análise estatística foca no equipamento ou grupo de equipamentos.

Muitas vezes, dizemos "falha do equipamento" quando deveria se dizer mais apropriadamente "falha do componente ou da peça".

A definição de manutenção neste contexto é o trabalho que fazemos para prevenir falhas do equipamento e para corrigir aquelas falhas que não conseguimos prevenir. Conseqüentemente, as falhas são as bases para os programas de manutenção. Se os equipamentos (melhor dizendo, componentes) não falham, nós não precisamos de programas de manutenção ou de profissionais de manutenção.

12.6 Relatórios de Falhas

Qualquer organização de manutenção organizada tem relatórios sobre as falhas de equipamentos. Geralmente, isto é feito em uma ou mais de quatro maneiras:

1. No encerramento da ordem de serviço: quando a ordem de serviço é encerrada, comentários (ou códigos) sobre a causa, condição e trabalho realizado são anotados no arquivo de história do equipamento. Alguns sistemas possibilitam uma descrição do que aconteceu.
2. Relatórios de falhas eventuais (*stand-alone*): um registro em computador é feito para falhas importantes em equipamentos importantes. Dependendo do tamanho da planta e de como são definidas as importâncias dos equipamentos e das falhas, haverá de 3 relatórios por dia a 3 relatórios por semana.
3. Relatórios narrativos detalhados para falhas severas com impacto econômico sério. Uma equipe de investigação deve ser formada. Deve haver muita avaliação, fotos, análise metalúrgica e estudos de engenharia. Consultores externos devem ser trazidos.
4. Relatórios descritivos feitos em revisões e substituições.

Os relatórios de falhas possibilitam as informações para a análise de confiabilidade. Se não houver relatórios, não haverá análise de confiabilidade, resultando em baixa confiabilidade, queda de produção e custos elevados.

Na prática, as companhias de operação não dão atenção suficiente para relatórios de falhas e análise de falhas. Muitos programas de manutenção trabalham com a síndrome "operação/falha/conserto". *Assim como escalar uma montanha, a manutenção é feita porque está lá. A filosofia é "fazer manutenção" em vez de "não fazer manutenção". Uma análise de confiabilidade abrangente, acompanhada por um programa solidamente estruturado de melhoria de confiabilidade, é a base para eliminação de muito trabalho desnecessário.*

12.7 Tendência da Taxa de Falha com o Tempo

O envelhecimento de equipamentos é caracterizado por taxa de falha crescente com o tempo. Em princípio, a manutenção preventiva poderia diminuir o crescimento continuado da taxa de falha, conforme pode ser visto na Figura 10.1. Pode-se distinguir duas formas extremas de manutenção, além de uma intermediária:

a) Reparo mínimo.
b) Substituição.
c) Reforma.

O reparo mínimo não afeta a evolução da taxa de falha do equipamento. Diz-se que ele está *tão ruim quanto velho* (*as bad as old*). Já a substituição reduz a taxa de falha ao valor inicial, podendo ela ser executada tanto como medida preventiva, quanto corretiva; o equipamento fica *tão bom quanto novo* (*as good as new*). A reforma, por sua vez, reduz a taxa de falha a valores intermediários. Ver Figura 12.7.

Uma alteração da prática de manutenção pode rejuvenescer o equipamento, invertendo por algum tempo a tendência crescente da taxa de falha. A isso se dá o nome

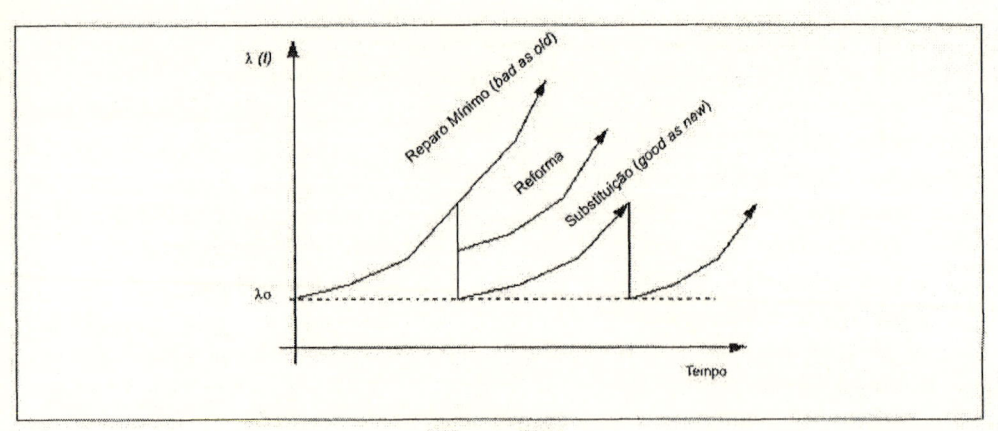

Figura 12.7

de "crescimento da confiabilidade" (*reliability growth*). Este fenômeno ocorre, naturalmente, durante a fase da infância de certos equipamentos, também conhecida como *burn-in*, onde a taxa de falha se reduz com o tempo até se estabilizar ou tender a crescer.

No caso em que um equipamento ou sistema apresente taxa de falha crescente, quando se pratica manutenção preventiva imperfeita a intervalos de tempos iguais, a taxa de falha apresentará uma tendência crescente. Isto significa que o equipamento ou sistema apresentará maior tendência a falhar à medida que envelhece. Este efeito pode ser apreciado na Figura 12.8, onde β é o fator de melhoria da manutenção. De-

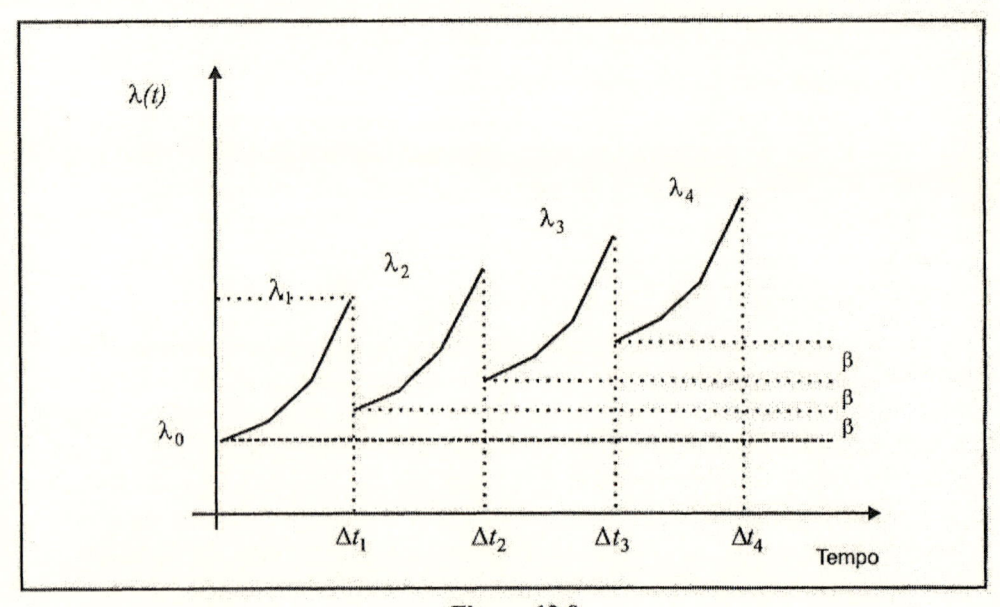

Figura 12.8

ve-se ressaltar que a existência de manutenção imperfeita é ditada por questões práticas; por exemplo, na primeira manutenção preventiva de um automóvel são substituídos somente aqueles componentes cujas taxas de falha tenham alcançado um nível inadequado. Outros componentes ficarão no sistema até que a suas taxas de falha atinjam o limite máximo estabelecido, o que, certamente, elevará a taxa de falha do sistema como um todo.

Desejando-se operar até um determinado risco máximo de falha, por exemplo no caso de equipamentos ou componentes críticos de aviões e centrais nucleares, o período de manutenção preventiva deve ser decrescente para contrabalançar os efeitos da manutenção preventiva imperfeita, ver Figura 12.9. Note-se que os períodos de manutenção diminuindo, aumenta-se a freqüência de manutenção e, conseqüentemente, o custo de manutenção. Nestes casos, há que se estabelecer um tempo máximo para a substituição para evitar custos de manutenção muito altos ou intervalos de manutenção incompatíveis com questões de produção.

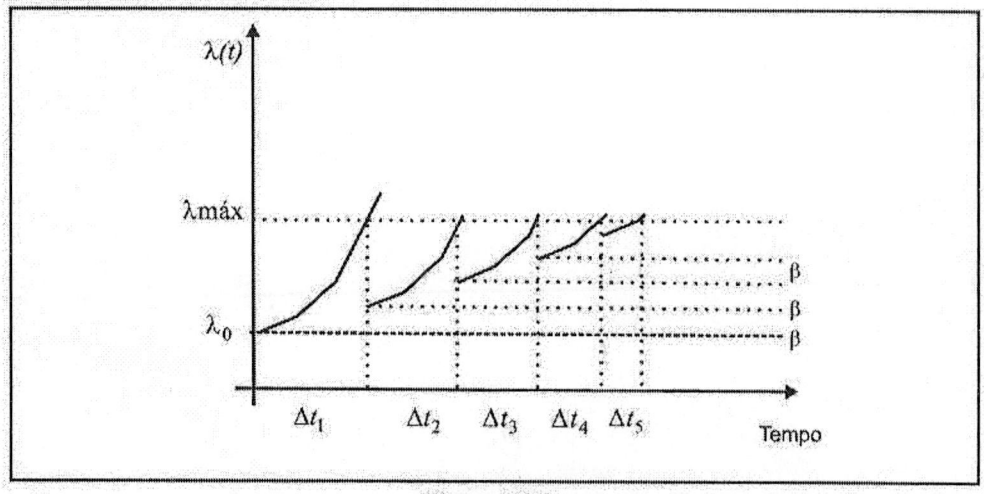

Figura 12.9

CAPÍTULO 13

Influência da Manutenção Sobre a Confiabilidade

13.1 Manutenção Preventiva Perfeita

Em equipamentos de elevada confiabilidade sujeitos à manutenção preventiva ideal, perfeita (aquela com a qual um sistema ou componente é "restaurado" ou levado à condição "tão bom como novo"), a confiabilidade pode ser avaliada antes e após cada ação de manutenção preventiva como segue.

Seja t a variável tempo de operação, T o intervalo entre manutenções preventivas, $C(t)$ a confiabilidade do equipamento sem manutenção preventiva e $C_M(t)$ a confiabilidade com manutenção preventiva, ou seja, a probabilidade de não ocorrer falha até o instante t de operação.

Assim, para:

$0 \leq t < T$ $\qquad C_M(t) = C(t)$

$T \leq t < 2T$ $\qquad C_M(t) = C(T).C(t-T)$

$2T \leq t < 3T$ $\qquad C_M(t) = C^2(T).C(t-2T)$

$NT \leq t < (N+1)T$ $\qquad C_M(t) = C^N(T).C(t-NT)$

Para o caso de taxa de falha constante, resulta:

$$C_M(t) = (e^{-\lambda T})^N . e^{-\lambda(t-NT)} = e^{-\lambda NT} e^{-\lambda t + \lambda NT} = e^{-\lambda t},$$

ou simplesmente

$$C_M(t) = C(t) \qquad t \geq 0$$

ou seja, não há nenhum ganho de confiabilidade ao se efetuar manutenções preventivas periódicas.

Se a confiabilidade do equipamento for modelada pela distribuição de Weibull, então:

$$C(t) = \exp\left[-\left(\frac{t}{\eta}\right)^\beta\right]$$

Dessa forma, para um sistema com manutenção preventiva perfeita (MPP), tem-se:

$$C_M(t) = \exp\left[-N\left(\frac{T}{\eta}\right)^\beta\right].\exp\left[-\left(\frac{t-NT}{\eta}\right)^\beta\right] \quad \text{para} \quad NT \le t < (N+1)T$$

Para examinar o efeito da manutenção, deve-se calcular a razão $C_M(t)/C(t)$. Fazendo $t = NT$, tem-se:

$$\frac{C_M(NT)}{C(NT)} = \exp\left[-N\left(\frac{T}{\eta}\right)^\beta + \left(\frac{NT}{\eta}\right)^\beta\right]$$

Assim, ter-se-á ganho de confiabilidade somente se o argumento da exponencial for positivo ou seja:

$$\left(\frac{NT}{\eta}\right)^\beta > \left(\frac{T}{\eta}\right)^\beta \quad \text{ou} \quad N^{\beta-1} - 1 > 0$$

Esta expressão mostra que β precisa ser maior do que 1 para se ter efeito positivo na confiabilidade. Isto ocorre a uma taxa de falhas que é crescente com o tempo devido ao envelhecimento.

Reciprocamente, para $\beta<1$, a MPP diminui a confiabilidade. Isto corresponde a uma taxa de falha que é decrescente com o tempo em relação às falhas precoces. Especificamente, se componentes novos defeituosos são introduzidos dentro do sistema que já tenha sido "amaciado", deve-se esperar um crescimento da taxa de falha.

Estes efeitos sobre a confiabilidade estão indicados na Figura 13.1.

Naturalmente, um sistema pode ter vários modos de falha correspondendo a taxas de falhas crescente e decrescente. Prova-se que a "curva da banheira" pode ser expressa como uma soma de distribuições de Weibull. Mais precisamente, tem-se:

$$ln[C(t)] = \int_0^t \lambda(t).dt = \left(\frac{t}{\eta_1}\right)^{\beta_1} + \left(\frac{t}{\eta_2}\right)^{\beta_2} + \left(\frac{t}{\eta_3}\right)^{\beta_3}$$

Deve-se, então, fazer MPP somente nos componentes para os quais o efeito do desgaste é dominante.

Exemplo

Um compressor é projetado para 5 anos de operação. Existem duas contribuições para a taxa de falhas. A primeira é devido ao desgaste no mancal de empuxo e é descrita por uma distribuição de Weibull com $\beta = 2,5$ e $\eta = 7,5$ anos. A segunda, a qual inclui todas as outras causas, é uma taxa de falha constante $\lambda = 0,013$ falhas/ano.

    a) Qual é a confiabilidade se nenhuma MPP é efetuada no decorrer da vida projetada de 5 anos?

```
         C(t)
          │
          │────\__
          │       _____
          │                   _____
          │                      ·  _____  Cm(t)
          │                      ·       ·\
          │                      ·       · \
          │                      ·       ·  \
          │                      ·       ·   \  C(t)
          │                      ·       ·    \
          │                      ·       ·     \
          └──────────────────────┴───────┴──────┴──────▶
          0          T          2T      3T
                          Tempo
```

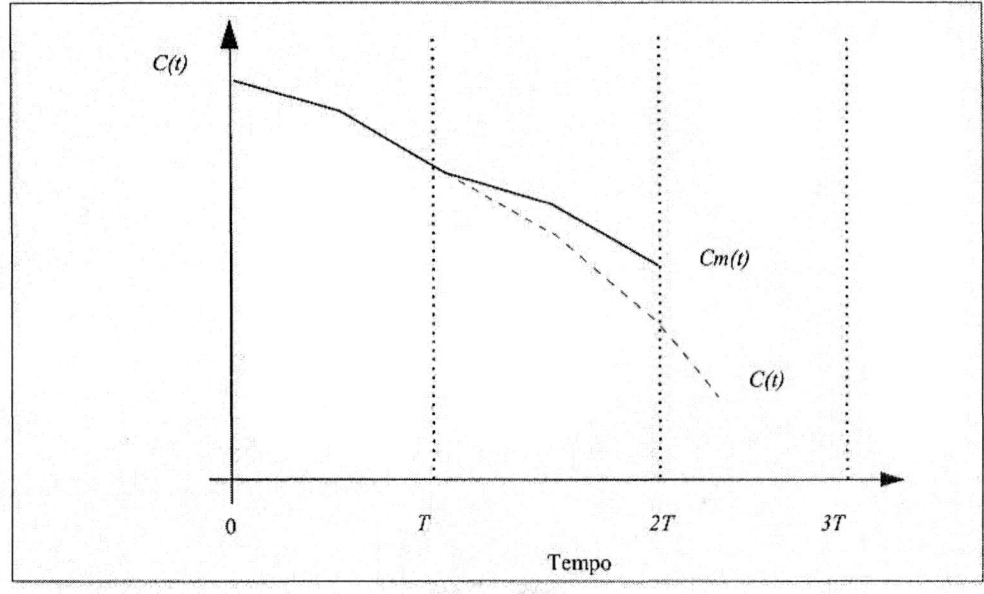

Figura 13.1

b) Caso a confiabilidade para o tempo de vida projetado de 5 anos deva ser aumentada em ao menos para 0,9 através de uma substituição periódica do mancal de empuxo, com que freqüência deve ser o mesmo trocado?

Solução

a) Seja $T_P = 5$ a vida projetada ou planejada, então a confiabilidade do sistema sem manutenção preventiva é:

$$C_S(T_P) = C_0(T_P).C_W(T_P) = e^{-0,0135}.e^{-\left(\frac{5}{7,5}\right)^{2,5}} = 0,93707.0,69766 \cong 0,6519$$

b) Sendo $T_P = 5$ o intervalo de planejamento e T o intervalo entre manutenções preventivas do mancal, a relação T_P/T fornece o número de manutenções no intervalo de planejamento. A confiabilidade do mancal em $t = T_P$ vale:

$$C_W(T_P) = C_W^N(T)$$

A confiabilidade do conjunto nesse mesmo tempo vale:

$$C_S(T_P) = C_0(T_P)\cdot C_W(T_P) = C_0(T_P)C_W^N(T)$$

Para que esse valor seja não inferior a 0,9, é preciso que se atenda às seguintes desigualdades:

$$C_S(T_P) \geq 0,9$$
$$C_0(T_P) \geq \frac{0,9}{C_W(T_P)}$$

ou

$$C_W^N(T) \geq \frac{0,9}{C_W(T_P)}$$

o que representa uma inequação não-linear em N.

A solução pode ser obtida iterativamente através da montagem da tabela abaixo:

N	$C_W(T_P) = C_W^N(T)$	$C_S(T_P) = C_0(T_P).C_W^N(T)$
1	0,69566	0,651884833
2	0,87959	0,824234617
3	0,93255	0,873857721
4	0,95565	0,895510868
5	0,96806	0,907140774
6	0,97561	0,914213306
7	0,98060	0,918885206
8	0,98409	0,922159103

Assim, o critério é atingido com $N = 5$ e o intervalo de tempo para a substituição do mancal é $T = T_P/N = 5/5 = 1$ ano.

Observação

Este mesmo problema poderia ser resolvido literalmente, supondo-se que se tenha dividido a vida planejada em N intervalos iguais, de tal forma que a MPP seja efetuada no final de cada período $T = T_P/N$ ou $T_P = NT$.

Para a substituição do mancal no fim de cada intervalo de tempo T, tem-se:

$$C_W^N(T_P) = \exp\left[-N\left(\frac{T_P}{N\eta}\right)^\beta\right] = \exp\left[-N^{\beta-1}\left(\frac{T_P}{\eta}\right)^\beta\right]$$

Para que o critério seja atingido, precisa-se ter:

$$C_W^N(T) \geq \frac{0,9}{C_W(T_P)} \geq \frac{0,9}{0,9371}$$

Substituindo-se os valores, vem:

$$C_W^N(T) = \exp\left(-0{,}36289\,N^{-1{,}5}\right) \geq 0{,}9604$$

O valor limite seria:

$$\exp(-0{,}36289\,N^{-1{,}5}) = 0{,}9604$$

o que fornece $N = 4{,}32$ ou $T = 5/4{,}32 = 1{,}16$ ano.

13.2 Manutenção Preventiva Imperfeita

Vamos considerar agora o efeito da falha humana na confiabilidade de um sistema que sofreu manutenção. Dessa forma, é necessário introduzir uma probabilidade finita de que a manutenção seja feita de forma não satisfatória, de tal forma que venha a causar a falha no sistema.

Se p a probabilidade de que a manutenção cause a falha no sistema. Assim, $1-p$ é a probabilidade de que a manutenção seja realizada corretamente. A probabilidade de não ocorrer a falha até um instante t após N manutenções preventivas imperfeitas vale:

$$C_M(t) = C^N(T)\cdot(1-p)^N\, C(t-NT), \quad NT \leq t \leq (N+1)T, \quad N = 0, 1, 2, \ldots$$

Para facilitar a análise, convém utilizar a aproximação:

$$(1-p)^N \cong e^{-Np}$$

Assim, tem-se a relação, usando a distribuição de Weibull:

$$\frac{C_M(NT)}{C(NT)} = \exp\left[-N\left(\frac{T}{\eta}\right)^\beta - Np + \left(\frac{NT}{\eta}\right)^\beta\right]$$

Da expressão acima, nota-se imediatamente que para se ter uma melhoria, mesmo havendo uma manutenção imperfeita, basta que o argumento da exponencial seja positivo ou seja:

$$p < (N^{\beta-1} - 1)\left(\frac{T}{\eta}\right)^\beta$$

Conseqüentemente, os benefícios da Manutenção Preventiva Imperfeita (MPI) tornam-se evidentes para um tempo longo quando ou N ou T é grande.

Isto é plausível, pois depois de longo tempo os efeitos de desgaste degradam a confiabilidade o bastante de tal forma que o efeito positivo da manutenção compensa a probabilidade da falha humana na mesma.

Exemplo

Se for adotado que a probabilidade de uma substituição defeituosa do mancal de impulso do compressor é igual a $p = 0,02$, qual é a confiabilidade para a vida planejada se for aplicado um programa de substituição anual?

Solução

Com MPI, tem-se:

$$C_S(T_P) = C_0(T_P) \cdot C_W(T_P)(1-p)^{N-1} = 0,937 \cdot 0,968 \cdot 0,98^4 = 0,836$$

É natural que no fim da vida planejada ($T_P = 5$ anos) a manutenção foi executada 4 vezes apenas. Ao se avaliar a relação entre a manutenção e o envelhecimento, é necessário examinar o modo de falha precisamente. Suponhamos, por exemplo, que após a manutenção uma máquina não queira trabalhar, porém nenhum dano é notado na mesma. Neste caso, a falha pode ser corrigida refazendo a manutenção. Neste caso, p pode ser igualado a zero.

No modelo analisado anteriormente, com o entendimento que a MP inclui uma verificação e o reparo dos erros de manutenção. A situação é potencialmente mais séria, caso a falha venha a danificar o sistema.

Suponhamos inicialmente que após a manutenção dá-se a partida na máquina e ela esta irreparavelmente danificada pela manutenção. Decidir se a manutenção é desejável nestas condições depende em muito do modo de falha que se espera prevenir com a mesma.

Se o modo normal de falha é simplesmente a parada da máquina, pois algum componente está gasto, com nenhum dano para o resto da mesma, é bastante improvável que mesmo uma confiabilidade aumentada com a MP seja economicamente viável.

Desde que não haja nenhum envolvimento com segurança, pode ser mais conveniente esperar pela falha e então reparar, no lugar de criar uma possibilidade de danificar o sistema através de uma manutenção defeituosa.

Se, entretanto, estamos atendendo um avião a situação é completamente diferente. Danificar um motor ocasionalmente em terra, devido a uma manutenção defeituosa, pode ser inteiramente justificável com o intuito de diminuir a probabilidade de que ocorra o desgaste que venha a provocar uma falha em vôo.

13.3 Substituição em Função da Idade

Suponhamos que a política de substituição seja substituir o componente depois de ter trabalhado um tempo T.

Caso o componente falhe antes do instante T, digamos em algum instante t_f, o mesmo é substituído e a próxima substituição deve ocorrer no instante $t_f + T$ ou no instante que aparecer uma falha, sempre o que ocorrer primeiro.

Para determinar o tempo ótimo para ser fazer a substituição (T^*) deve-se ter o custo de substituição do componente que não falhou durante a MP (que representaremos por c_p) e o custo quando o componente falha inopinadamente antes da substituição programada (que representaremos por c_f).

Na maior parte das vezes tem-se:

$$c_f > c_p$$

Assim, o custo de uma falha brusca, devida ao desgaste de algum componente de um automóvel, inclui obviamente além do trabalho de substituição, o tempo perdido por não utilizar o veículo.

O custo operacional esperado de um componente para um certo intervalo de tempo t é dado por:

$$c_f = n_f \cdot c_f + n_m \cdot c_p$$

onde n_f e n_m são respectivamente o número esperado de falhas e o número esperado de reposições de componentes que não falharam durante o intervalo de tempo t.

Para avaliar n_f e n_m deve-se calcular inicialmente o número total de substituições n:

$$n = n_f + n_m$$

Suponhamos que o tempo total de operação t seja bem maior que o tempo entre as substituições. Assim, está também se supondo que o n é grande e que pode-se estimar o mesmo pela expressão:

$$n \cong \frac{\tau}{TMES}$$

onde *TMES* é o Tempo Médio Entre as Substituições.

Para calcular o TMES deve-se definir $S(t)$ como sendo a probabilidade que um componente opere por um tempo maior que t sem substituição.

Desde que o componente seja substituído automaticamente no instante T, tem-se:

$$S(t) = \begin{cases} C(t) \text{ para } t \leq T \\ 0 \quad \text{ para } t > T \end{cases}$$

onde *C(t)* é a confiabilidade do componente, então:

$$TMES = \int_0^\infty S(t)dt = \int_0^T C(t)dt$$

Portanto,

$$n = \frac{\tau}{\int_0^T C(t)dt}$$

Desde que apenas uma fração $C(T)$ dos componentes sobreviverá à próxima MP o número de componentes que não falharam e foram substituídos será:

$$n_m = C(T).n = \frac{\tau.C(T)}{\int_0^T C(t)dt}$$

Além disso, desde que uma fração $1 - C(T)$ irá falhar, tem-se:

$$n_f = [1-C(T)].n = \frac{\tau.[1-C(T)]}{\int_0^T C(t)dt}$$

Portanto,

$$C_\tau(T) = \frac{\tau.[1-C(T)]}{\int_0^T C(t)dt}.c_f + \frac{\tau.C(T)}{\int_0^T C(t)dt}.c_p$$

Pode-se agora obter o T que nos leva ao custo mínimo, para tanto basta fazer

$$\frac{d}{dT}[C_\tau(T)] = 0$$

Depois de algumas manipulações algébricas, não, tão simples, chega-se à seguinte equação transcendente:

$$C(T) + \lambda(T)\int_0^T C(t)dt - 1 = \frac{c_p}{c_f - c_p}$$

Para o caso particular de se ter uma Weibull biparamétrica para qual

$$\begin{cases} C(t) = \exp\left[-\left(\dfrac{t}{\eta}\right)^\beta\right] \\ \lambda(t) = \dfrac{\beta}{\eta}\left(\dfrac{t}{\eta}\right)^{\beta-1} \end{cases}$$

Vem:

$$\exp\left[-\left(\frac{t}{\eta}\right)^\beta\right] + \frac{\beta}{\eta}\left(\frac{t}{\eta}\right)^{\beta-1}\int_0^T\left\{\exp\left[-\left(\frac{t}{\eta}\right)^\beta\right]\right\}dt - 1 = \frac{c_p}{c_f - c_p}$$

Suponhamos que se esteja considerando o caso no qual $c_f \gg c_p$, ou seja, a situação na qual o custo da falha no processo é bem maior do que a MP (substituição preventiva). Neste caso, sem dúvida, justifica-se a MP bem freqüente.

Isto leva, sem dúvida, também a ter

$$T \ll \eta$$

e com isto pode-se expandir a confiabilidade em série de McLaurin usando como uma boa aproximação apenas os dois primeiros termos:

$$C(t) = \exp\left[-\left(\frac{t}{\eta}\right)^\beta\right] = 1 - \left(\frac{t}{\eta}\right)^\beta + ...$$

Portanto, a nossa última expressão pode tomar o seguinte aspecto aproximado:

$$1 - \left(\frac{t}{\eta}\right)^\beta + \frac{\beta}{\eta}\left(\frac{t}{\eta}\right)^{\beta-1}\left[T - \frac{1}{\beta+1}\left(\frac{T}{\eta}\right)^{\beta+1}\right] \cong \frac{c_p}{c_f}$$

$$(\beta - 1)\left(\frac{T}{\eta}\right)^\beta \cong \frac{c_p}{c_f}$$

ou finalmente

$$T^* \cong \eta\left[\frac{1}{\beta-1}\frac{c_p}{c_f}\right]^{\frac{1}{\beta}}$$

Dá para notar que para $\beta <= 1$ não existe idade ótima para substituição.

Exemplo
Suponhamos que $c_f = 50$. c_p, então para os diferentes valores de β tem-se:

β	1,5	2,0	2,5	3,0	3,5	4,0
T^*/η	0,117	0,141	0,177	0,215	0,252	0,286
$C(T^*/\eta)$	0,961	0,980	0,987	0,990	0,992	0,993

Como está mostrado pela confiabilidade, isto corresponde a uma fração bem pequena de componentes que falhem antes da substituição.

CAPÍTULO 14

Conceituação de Disponibilidade

14.1 Introdução

Para sistemas reparáveis uma quantidade de fundamental interesse é a *disponibilidade*.

Disponibilidade *D(t)* é a probabilidade de que um sistema esteja em condição operacional no instante t. Esta definição tem sido usada para expressar o conceito de "disponibilidade instantânea", tendo em vista a sua dependência *temporal implícita*.

A disponibilidade média $D_{méd}(T)$ intervalo de tempo T é dada pela expressão:

$$D_{méd}(T) = \frac{1}{T} \int_0^T D(t) \cdot dt$$

É freqüente descobrir que, depois de alguns efeitos transitórios iniciais, a disponibilidade instantânea assume um valor independente do tempo. É, aí, que se torna importante o conceito de disponibilidade assintótica ou estacionária:

$$D^* = D_{méd}(\infty) = \lim_{T \to \infty} \frac{1}{T} \int_0^T D(t) dt$$

14.1.1 Estados de um Componente Reparável

Supondo que um componente reparável possui apenas dois estados de interesse, a saber:

- $S_0 \to$ Funcionando.
- $S_1 \to$ Falho.

Vamos chamar de *falha* a transição do estado *funcionando (normal)* para o *estado falho* e de *reparo* a transição no sentido inverso, ou seja:

- Falha: Funcionando → Falho.
- Reparo: Falho → Funcionando.

O diagrama da Figura 14.1 mostra a transição de falha e reparo. O componente falhou no instante t_1 e foi reparado em t_2, sendo que o intervalo de tempo $t_2 - t_1$ é o tempo de reparo.

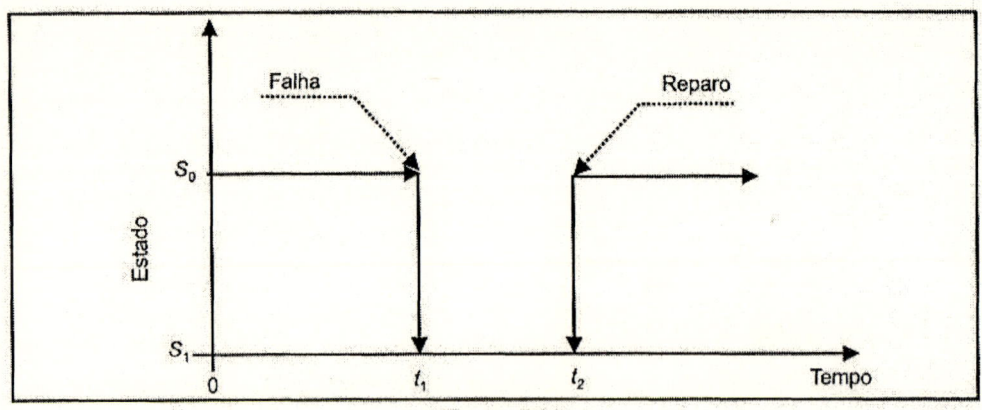

[Figura 14.1: gráfico de Estado vs Tempo mostrando transições Falha (em t_1) e Reparo (em t_2) entre estados S_0 e S_1]

Figura 14.1

Para um sistema de dois estados S_0 e S_1 a disponibilidade $D(t)$ e a indisponibilidade $I(t)$ são as probabilidades que se esteja ou no estado S_0 ou no estado S_1 respectivamente, no instante t, onde t é medido a partir da data na qual o sistema começou a operar.

Tem-se, portanto, as condições iniciais:
- $D(0) = 1$.
- $I(0) = 0$.

E, naturalmente, a condição geral:

$$D(t) + I(t) = 1$$

14.1.2 Equação Diferencial para a Disponibilidade

Considerando-se a mudança em $D(t)$ entre t e $t + \Delta t$, existem duas contribuições. Como $\lambda \cdot \Delta t$ é a probabilidade condicional de ocorrer uma falha durante Δt, dado que o sistema é disponível no instante t, a perda de disponibilidade durante Δt é $\lambda \cdot \Delta t \cdot D(t)$.

De modo semelhante, o ganho em disponibilidade é igual à $\mu \cdot \Delta t \cdot I(t)$, onde $\mu \cdot \Delta t$ é a probabilidade condicional que o sistema seja reparado durante Δt, dado que é indisponível no instante t. Assim:

$$D(t + \Delta t) = D(t) - \lambda \cdot \Delta t D(t) + \mu \cdot \Delta t I(t)$$

ou, sabendo-se que $I(t) = 1 - D(t)$

$$\frac{D(t + \Delta t) - D(t)}{\Delta t} = -(\lambda + \mu) \cdot D(t) + \mu$$

Pode-se, aqui, usar o fator integrante $\exp(\lambda + \mu)$ junto com a condição inicial $D(0) = 1$ para obter:

$$D(t) = \frac{\mu}{\lambda + \mu} + \frac{\lambda}{\lambda + \mu} \exp[-(\lambda + \mu)t]$$

Deve-se notar que a disponibilidade começa com $D(0) = 1$ e decresce monotonicamente até o valor assintótico:

$$\frac{1}{1 + \frac{\lambda}{\mu}}$$

o qual depende somente da relação entre as taxas de falha e reparo.

Pode-se agora obter a disponibilidade na média do intervalo:

$$D_{méd.}(T) = \frac{\mu}{\lambda + \mu} + \frac{\lambda}{(\lambda + \mu)^2 T} \{1 - \exp[-(\lambda + \mu)T]\}$$

e a disponibilidade assintótica é obtida fazendo T tender ao infinito, logo:

$$D^* = D_{méd.}(\infty) = D(\infty) = \frac{\mu}{\lambda + \mu}$$

Desde que, na maior parte dos exemplos, as taxas de reparo são muito maiores que as taxas de falha, pode-se utilizar a aproximação:

$$D^* \cong 1 - \frac{\lambda}{\mu}$$

A forma mais popular para expressar a disponibilidade no estado estacionário é aquela em função de TMPR e TMEF:

$$D^* \cong \frac{TMEF}{TMEF + TMPR} = \frac{\frac{1}{\lambda}}{\frac{1}{\lambda} + \frac{1}{\mu}} = \frac{\mu}{\lambda + \mu}$$

Esta expressão é às vezes usada para obter a disponibilidade mesmo que a falha ou o reparo não seja caracterizada "adequadamente" pela distribuição exponencial. Isto é freqüentemente conveniente, quando em geral a disponibilidade é tomada sobre intervalos de tempo relativamente grandes (indisponibilidade "média"), tornando-se pouco sensível aos detalhes das distribuições das falhas ou dos reparos.

Exemplo

Na tabela abaixo, têm-se os tempos (em dias) para um período de 6 meses durante o qual foram registrados os instantes de falha (t_{fi}) e de reparo (t_{ri}) numa linha de produção de uma fábrica.

i	t_{fi}	t_{ri}	i	t_{fi}	t_{ri}
1	12,8	13	6	56,4	57,3
2	14,2	14,8	7	62,7	62,8
3	25,4	25,8	8	131,2	134,9
4	31,4	33,3	9	146,7	150,0
5	35,3	35,6	10	177,0	177,1

a) Calcular a disponibilidade para o intervalo de 6 meses, ou seja, 182,5 dias.
b) Estimar para os dados da tabela o TMEF e o TMPR.
c) Calcular a disponibilidade em regime estacionário para as taxas de falha e de reparo. A estimativa deve ser feita com os valores do item b) e supondo que as mesmas são constantes.

14.2 Análise de Markov

Se o sistema ou componente pode estar no estado falho ou não-falho e se podemos definir as probabilidades associadas com estes estados de modo discreto ou contínuo, a probabilidade de estar em um ou outro estado, no futuro, pode ser determinada usando a análise de espaço-estado (ou estado-espaço). Em análises de confiabilidade e disponibilidade, a probabilidade de falha e a probabilidade de retornar ao estado disponível, ou às taxas de falha e de reparo, respectivamente, são variáveis de interesse.

A análise de espaço-estado mais conhecida é a análise de Markov. O método de Markov pode ser aplicado desde que as seguintes condições (ou restrições) possam ser admitidas:

1. A probabilidade de mudar de um estado para outro deve permanecer constante, isto é, o processo deve ser homogêneo. Portanto, o método somente pode ser usado na presença de taxas de falhas ou de reparos constantes.
2. Os estados futuros são independentes dos estados passados, excetuando-se o estado imediatamente precedente. Esta é uma restrição importante na análise de sistemas reparáveis, pois implica que, após o reparo, o sistema retorna à condição de bom como novo (*as good as new*).

Apesar disto, o método de Markov pode ser aplicado na determinação da confiabilidade, segurança e disponibilidade de sistemas, particularmente em sistemas que sofrem manutenção, para os quais diagramas de blocos não podem ser diretamente aplicáveis, e desde que as restrições 1 e 2 não sejam muito sérias. O método pode ser usado para análise de sistemas complexos como os de geração de energia elétrica e telecomunicação. Programas de computador podem ser escritos para aplicações mais confortáveis da análise de Markov.

Pode-se ilustrar o método de Markov através de um exemplo de um componente simples que pode estar somente em dois estados: S_0 (Funcionando) e S_1 (Falho). A probabilidade de mudar de S_0 para S_1 é $P_{S0 \rightarrow S1}$ e de S_1 para S_0 é $P_{S1 \rightarrow S0}$. A Figura 14.2

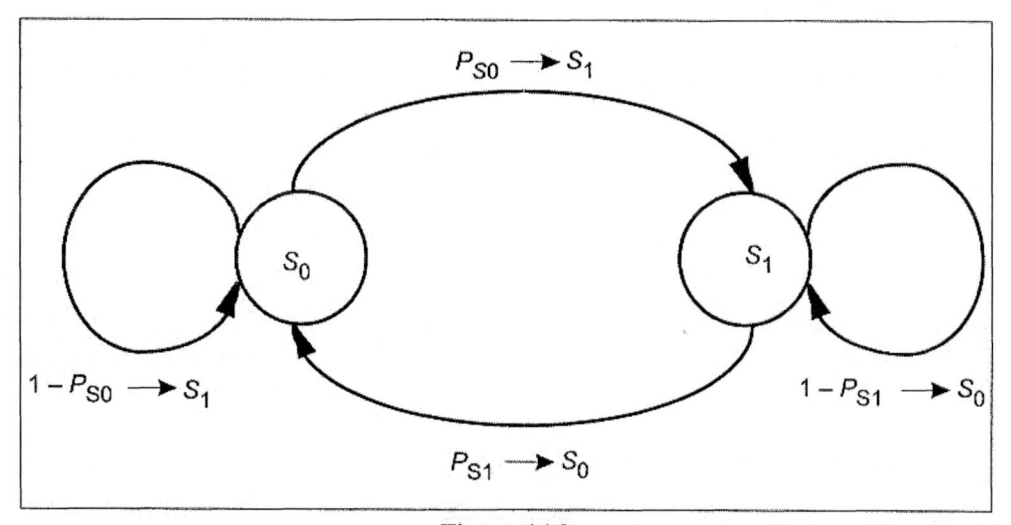

Figura 14.2

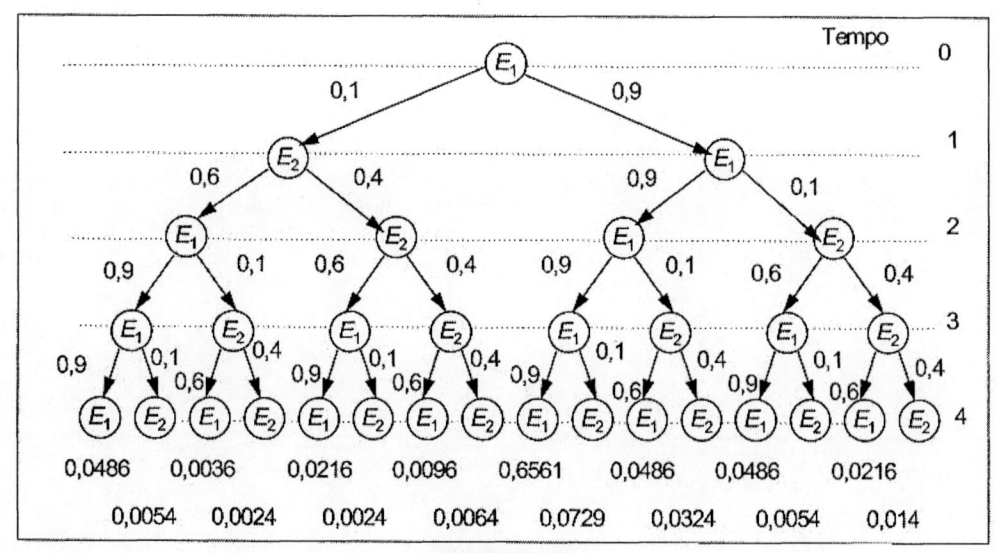

Figura 14.3

ilustra esta situação graficamente. Esta figura também é conhecida como *estado de transição* ou *diagrama de espaço-estado*.

Todos os estados, todas as probabilidades de transição de estado e probabilidade de permanecer no estado existente (=1 – probabilidade de transição) são mostrados no diagrama de transição. Este é um exemplo de uma cadeia de Markov discreta, pois se pode usá-la para descrever a situação de incremento em incremento de tempo. A Figura 14.3 ilustra estes incrementos.

Exemplo

O componente da Figura 14.2 tem as probabilidades de transição em intervalos iguais de tempo como:

- $P_{S0 \to S1} = 0,1$.
- $P_{S1 \to S0} = 0,6$.

Qual é a probabilidade de estar disponível após 4 intervalos de tempo, assumindo que o sistema estava disponível inicialmente?

O problema pode ser resolvido, usando-se o diagrama de árvore da Figura 14.3.

A disponibilidade é traçada versus o tempo na Figura 14.4. Note-se como a disponibilidade tende para um valor constante após um certo tempo. Esta é uma conclusão necessária em função de se assumir taxas de falha e de reparos constantes e da independência dos eventos.

Enquanto o estado transiente dependa do estado inicial (disponível ou falho), o estado permanente é independente do estado inicial. Entretanto, a velocidade, em que o regime permanente é atingido, depende das condições iniciais e das probabilidades de transição.

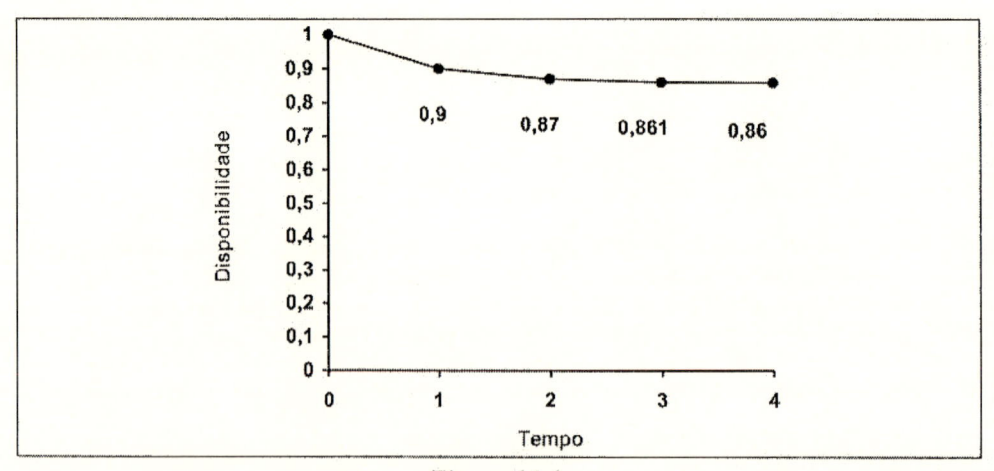

Figura 14.4

14.2.1 Sistemas Complexos

O diagrama de árvore usado torna-se rapidamente intratável, se o sistema é muito mais complexo do que o sistema de um componente descrito e analisado após alguns poucos incrementos. Para sistemas mais complexos, um método matricial pode ser usado, particularmente porque matrizes podem ser facilmente manipuladas por programas de computador. Por exemplo, para um sistema composto por um único componente reparável, a probabilidade de estar disponível ao final de qualquer intervalo pode ser obtida usando-se a *matriz de transição estocástica:*

$$T = \begin{vmatrix} P_{S0 \to S0} & P_{S0 \to S1} \\ P_{S1 \to S0} & P_{S1 \to S1} \end{vmatrix}$$

A matriz de transição estocástica do exemplo é:

$$T = \begin{vmatrix} 0,9 & 0,1 \\ 0,6 & 0,4 \end{vmatrix}$$

A probabilidade de estar disponível após o primeiro intervalo de tempo é dada pelo primeiro elemento da primeira coluna (0,9) e a probabilidade de estar indisponível é dada pelo segundo termo da segunda coluna (0,1). Para obter a disponibilidade, após o segundo incremento de tempo, eleva-se a matriz ao quadrado, donde:

$$T = \begin{vmatrix} 0,9 & 0,1 \\ 0,6 & 0,4 \end{vmatrix}^2 = \begin{vmatrix} 0,87 & 0,13 \\ 0,78 & 0,22 \end{vmatrix}$$

A probabilidade de estar disponível ao final do segundo intervalo de tempo é dada pelo primeiro elemento da primeira linha (0,87). A indisponibilidade = 1 − 0,87 = 0,13 (segundo elemento da primeira linha).

Para o terceiro intervalo de tempo, eleva-se a matriz ao expoente 3 e assim por diante.

Note-se que a linha inferior da matriz de transição fornece a probabilidade de estar disponível (primeira coluna) ou indisponível (segunda coluna) se o sistema iniciar da condição falha.

14.2.2 Processo de Markov Contínuo

Até agora, o processo considerado foi discreto. Pode-se também usar o método de Markov para avaliar a disponibilidade de sistemas na qual as taxas de falha e de reparo são consideradas constantes ao longo do tempo contínuo. O diagrama de transição de estado para um componente reparável único é mostrado na Figura 14.5.

Na condição de regime permanente, a matriz de transição estocástica é:

$$T = \begin{vmatrix} 1-\lambda & \lambda \\ \mu & 1-\mu \end{vmatrix}$$

O método descrito pode ser aplicado para avaliar sistemas mais complexos, conforme será descrito no próximo capítulo.

14.2.3 Limitações, Vantagens e Aplicações do Método de Markov

O método de Markov tem uma desvantagem principal. Como já dito, é necessário assumir taxas de falha e reparos constantes para todas as ocorrências. Também é necessário assumir que os eventos são independentes, o que caracteriza um processo sem memória. Estas condições, entretanto, são raramente encontradas na prática. O grau que estas considerações afetam a análise deve ser cuidadosamente analisado para se usar os resultados obtidos pelo método.

14.3 Simulação de Monte Carlo

A simulação de Monte Carlo também pode ser usada para modelar a disponibilidade e a indisponibilidade, através da utilização de programas de computador. Como o método de Monte Carlo não envolve análises matemáticas complexas, é uma alternativa mais atraente do que o método de Markov. Não existem limitações no que se refere aos parâmetros de falha e reparo, o que permite a utilização de taxas de falha crescentes, constantes ou decrescentes. Também o modelo pode considerar aspectos como filas para reparo, prioridades de reparo, "canibalização" (uso de componentes de sistemas em reparo).

A simulação de Monte Carlo é um método muito versátil e pode ser usado para examinar diferentes políticas de manutenção, soluções de projetos, sobressalentes necessários e diversos outros parâmetros, que afetam a confiabilidade, disponibilidade ou outra medida de eficácia.

Considere um componente com confiabilidade de 95% em uma situação dada. A princípio, esta afirmação é obtida através de testes efetuados. Nestes, um certo número de componentes é testado, sendo que 5% falham e 95% funcionam com sucesso. Um relatório deste teste seria elaborado com informações relevantes e não relevantes para a situação dada. Informações sobre as condições ambientais, o nome do fabricante ou fabricantes dos componentes poderiam não ser relevantes, enquanto o registro do sucesso ou da falha poderia ser importante. Uma lista contendo os componentes que não falharam (sucesso – S) e falharam (F) poderia fazer parte do anexo desse relatório. Podem ter sido conduzidos 20 testes com uma falha, 100 testes com 5 falhas ou 1.000 testes com 50 falhas.

É possível produzir dados de natureza similar utilizando-se um dado de 20 lados no qual 1 lado é marcado com F (de falha) e os outros 19, com S (de sucesso). Este dado seria jogado tantas vezes quanto requerido, sendo efetuado o registro dos F's e

S's obtidos nestas jogadas. Esta lista, embora não seja idêntica aos dados reais do teste do parágrafo anterior, teria uma grande semelhança com eles. Dentro de limites permissíveis de variabilidade estatística, a proporção de falhas seria similar, como também seria a proporção de duas falhas consecutivas. O número de jogadas com o registro de sucesso (S's) entre registro de falha (F) apresentaria, da mesma forma, esta similaridade. Seria impossível dizer por algum teste estatístico se o conjunto de dados em uma lista de S's ou F's foi originado em um teste real ou pela jogada dos dados. Este fato é utizado para validar o uso das simulações de Monte Carlo ou simplesmentes simulações como algumas vezes estas são chamadas.

Na prática, os dados não são usados para a geração dos dados aleatórios usados nas simulações. A maioria das calculadoras e planilhas de cálculo possuem um gerador de números aleatórios, geralmente designados RAN, que são usados. Se a função RAN é usada, um número entre 0 e 1 será apresentado. Se esta função é usada sucessivamente, diferentes números serão apresentados, aparentemente sem padrão algum. É como se houvesse um dado real sendo jogado no interior da calculadora ou do computador. Entretanto, os números obtidos por esta função não são verdadeiros números aleatórios como no caso dos dados reais arremessados. Eles são calculados através de fórmulas matemáticas. Estes números calculados são conhecidos como pseudo-aleatórios e exibem diversas propriedades dos números aleatórios reais. Todos os números entre 0 e 1 são igualmente prováveis, no sentido de que um grande número de dados fosse gerado e um histograma de freqüência com os mesmos fosse traçado, este seria aproximadamente plano. Não existe correlação significativa entre cada número e o próximo. O projeto de um bom gerador de números aleatórios é uma tarefa árdua e teses acadêmicas têm sido elaboradas investigando esta teoria.

Considere um gerador de número, aleatórios conforme descrito no parágrafo anterior. Se a confiabilidade de um componente é R e o número aleatório gerado for "r" a seguinte relação é aplicável:

"r" < R implica em sucesso,

"r" > R implica em falha.

Neste caso, a probabilidade de sucesso é exatamente R, pois todos os números entre 0 e 1 são igualmente prováveis. Vamo examinar o desta técnica através de exemplo.

Exemplo

Suponha que um sistema é composto de dois componentes em série, um com confiabilidade de 95% e outro com confiabilidade de 90%.

A simulação, ou o teste simulado, consiste em determinar o sucesso ou falha para cada componente através do uso de jogadas de dados para cada um seguido do registro do sucesso ou falha do sistema se ambos tiverem sucesso ou falha respectivamente. A Tabela 14.1 mostra o resultado de vinte jogadas. Se o gerador de números aleatórios for bom (e a maioria dos computadores e calculadoras científicas possuem bons geradores) é impossível determinar através de testes estatísticos se estes dados são oriundos de simulações ou testes reais.

Tabela 14.1 – Simulação de Dois Componentes em Série

Simulação	Componente 1		Componente 2		Sistema
	"r"	S ou F	"r"	S ou F	S ou F
1	0,543	S	0,634	S	S
2	0,586	S	0,708	S	S
3	0,755	S	0,974	F	F
4	0,143	S	0,819	S	S
5	0,683	S	0,643	S	S
6	0,788	S	0,912	F	F
7	0,111	S	0,717	S	S
8	0,150	S	0,349	S	S
9	0,451	S	0,925	F	F
10	0,932	S	0,289	S	S
11	0,795	S	0,747	S	S
12	0,177	S	0,128	S	S
13	0,561	S	0,054	S	S
14	0,481	S	0,832	S	S
15	0,849	S	0,781	S	S
16	0,029	S	0,331	S	S
17	0,194	S	0,640	S	S
18	0,692	S	0,715	S	S
19	0,911	S	0,266	S	S
20	0,566	S	0,062	S	S

Para os mesmos componentes em paralelo, uma nova simulação seria gerada. Neste caso, o sistema falharia se ambos os componentes falhassem. A Tabela 14.2 mostra o resultado desta simulação.

Tabela 14.2 – Simulação de Dois Componentes em Paralelo

Simulação	Componente 1		Componente 2		Sistema
	"r"	S ou F	"r"	S ou F	S ou F
1	0,698	S	0,400	S	S
2	0,471	S	0,127	S	S
3	0,910	S	0,224	S	S
4	0,710	S	0,916	F	S
5	0,601	S	0,590	S	S
6	0,040	S	0,791	S	S
7	0,745	S	0,941	S	S
8	0,032	S	0,233	S	S
9	0,681	S	0,722	S	S
10	0,171	S	0,819	S	S
11	0,759	S	0,927	F	S
12	0,440	S	0,553	S	S
13	0,971	F	0,987	F	F
14	0,350	S	0,217	S	S
15	0,590	S	0,848	S	S
16	0,336	S	0,288	S	S
17	0,656	S	0,671	S	S
18	0,682	S	0,771	S	S
19	0,727	S	0,157	S	S
20	0,125	S	0,760	S	S

Esta breve introdução sobre a simulação de Monte Carlo ilustra o método em situações muito simples nos quais cada componente ou falha ou funciona. Na prática, é necessário obter mais dados sobre o sistema, tais como o MTTF ou MTBF, sua disponibilidade, o efeito nestes parâmetros do MTTR, o número de equipes de reparo, a quantidade de sobressalentes, etc.

CAPÍTULO 15

Disponibilidade de Sistemas

15.1 Solução Diferencial para Sistemas Reparáveis de um Único Componente

Mais uma vez, considere-se uma unidade com dois estados possíveis:
- S_0: A unidade está funcionando.
- S_1: A unidade falhou em serviço e está sendo reparada.

Para facilitar os cálculos matemáticos, assume-se que a falha foi detectada imediatamente e que o reparo iniciou logo em seguida. Quando tais considerações não puderem ser feitas, as elegantes derivações a serem feitas neste item não podem ser adotadas e os cálculos matemáticos devem ser substituídos por modelos aproximados de simulação.

Como já foi dito, considerar-se-á as taxas de falha (λ) e de reparo (μ) como tendo distribuição exponencial. Com freqüência, $1/\lambda$ é substituído pelo TMPF (Tempo Médio Para a Falha) e $1/\mu$, pelo TMPR (Tempo Médio Para o Reparo). Os estados do sistema estão resumidos na Tabela 15.1, onde t é um tempo arbitrário qualquer e h é um pequeno intervalo de tempo após t. O intervalo incremental de tempo h pode ser considerado como equivalente à Δt o dt.

Tabela 15.1

Evento	Durante Tempo t	Durante o Incremento h	No Tempo $t + h$
E_1:	S_0	Sem falha	S_0
E_2:	S_1	Em reparo	S_0
E_3:	S_0	Falha	S_1
E_4:	S_1	Sem reparo	S_1

Como as falhas e os reparos seguem a distribuição exponencial, pode-se escrever as probabilidades de transição, algumas vezes denominadas equações de Markov, como:

$$P_0(t + h) = P(E_1 \text{ ou } E_2) = P_0(t)\cdot(1 - \lambda h) + P_1(t)\cdot\mu h$$

e

$$P_1(t + h) = P(E_3 + E_4) = P_0(t)\cdot\lambda h + P_1\cdot(1 - \mu h)$$

Expandindo as expressões anteriores, passando os termos comuns para os mesmos lados, dividindo por h e, então, levando ao limite quando h tende a 0, resulta o seguinte sistema de equações simultâneas:

$$P_0'(t) = -\lambda P_0(t) + \mu P_1(t)$$

$$P_1'(t) = \lambda P_0(t) - \mu P_1(t)$$

A resolução deste sistema é um exercício de sistema de equações diferenciais. A maneira mais fácil de resolvê-lo é através do uso das Transformadas de Laplace. Considerando-se que no tempo $t = 0$ o item está funcionando, de forma que $P_0(0) = 1$ e $P_1(0) = 0$, e, aplicando as seguintes relações de Laplace, vem:

$$L[P_i(t)] = Z_i(s) = Z_i, \qquad i = 0,1$$

e

$$L[P_i'(t)] = sL[P_i(t)] - P_i(t), \qquad i = 0,1$$

obtém-se o seguinte par de transformadas:

$$sZ_0 - 1 = -\lambda Z_0 + \mu Z_1$$
$$sZ_1 = \lambda Z_0 - \mu Z_1$$

que pode ser escrita como:

$$(s + \lambda)Z_0 - \mu Z_1 = 1$$

$$-\lambda Z_0 + (s + \mu)Z_1 = 0$$

Resolvendo o sistema através da regra dos determinantes de Cramer, vem:

$$Z_0 = \frac{\begin{vmatrix} 1 & -\mu \\ 0 & s+\mu \end{vmatrix}}{\begin{vmatrix} s+\lambda & -\mu \\ -\lambda & s+\mu \end{vmatrix}} = \frac{s+\mu}{(s+\lambda).(s+\mu) - \lambda\mu}$$

$$= \frac{s+\mu}{s(s+\lambda+\mu)}$$

$$= \frac{A}{s} + \frac{B}{s+\lambda+\mu}$$

A última expressão pode ser resolvida por decomposição parcial das frações de modo que $A + B = 1$, o que fornece:

$$A = \frac{\mu}{\lambda + \mu} \quad \text{e} \quad B = \frac{\lambda}{\lambda + \mu}$$

Portanto:

$$Z_0 = \frac{1}{s} \cdot \frac{\mu}{\lambda + \mu} + \frac{\lambda}{\lambda + \mu} \cdot \frac{1}{s + \lambda + \mu}$$

Tomando o inverso da transformação de Laplace, obtemos o já conhecido resultado:

$$P_0(t) = \frac{\mu}{\lambda + \mu} + \frac{\lambda}{\lambda + \mu} \exp\left[-(\lambda + \mu)t\right] = D(t)$$

Observação:

$$L^{-1}\left(\frac{1}{s}\right) = 1 \quad \text{e} \quad L^{-1}\left(\frac{1}{s-a}\right) = \exp(at)$$

É claro que, para sistemas de um componente, a disponibilidade $D(t)$ é o mesmo que $P_0(t)$. Além disso:

$$D(\infty) = \frac{\mu}{\lambda + \mu} = \frac{TMEF}{TMEF + TMPR}$$

e

$$D_{méd}(T) = \frac{\mu}{\lambda + \mu} + \frac{\lambda}{(\lambda + \mu)^2 T}\left\{1 - \exp\left[-(\lambda + \mu)T\right]\right\}$$

Deve-se lembrar que estes resultados são razoavelmente genéricos; embora derivados para um único item, este, de fato, pode ser um sistema bem complexo. Nestes casos, é razoável supor taxas de falhas constantes (falhas aleatórias). A consideração exponencial para taxa de reparos, entretanto, deve ser verificada mais detalhadamente.

A equação para $P_1(t)$ pode ser obtida da solução do sistema de transformadas, através da regra de Cramer:

$$Z_1 = \frac{\begin{vmatrix} s+\lambda & 1 \\ -\lambda & 0 \end{vmatrix}}{\begin{vmatrix} s+\lambda & -\mu \\ -\lambda & s+\mu \end{vmatrix}}$$

É mais fácil, entretanto, obter $P_1(t)$ do fato de que $P_1(t) + P_0(t) = 1$.

15.2 Generalização do Método das Cadeias de Markov

Para generalizar os resultados acima para sistemas mais complexos, é conveniente se fazer uma pequena modificação na solução anterior através da introdução da *matriz de transição de Markov*. Para ilustrar este método, podemos resolver este simples problema através dos seguintes passos. A matriz de transição T é montada considerando-se que os (i, j) elementos representem a probabilidade de mudança do estado i para o estado j, em um período infinitesimal de tempo h. Para o caso do único componente a matriz T é:

	Estado Final	
	0	1
Estado Inicial 0	$1 - \lambda h$	λh
Inicial 1	μh	$1 - \mu h$

Note-se que os elementos de cada linha somam 1, o que sempre será verdadeiro para as matrizes de transição estocásticas. Esta situação também pode ser descrita de modo gráfico conforme Figura 15.1. Os *loops* em cada evento são necessários de forma que os eventos saindo de cada elemento somem 1. Cada seta saindo de um nó corresponde a uma linha na matriz de transição.

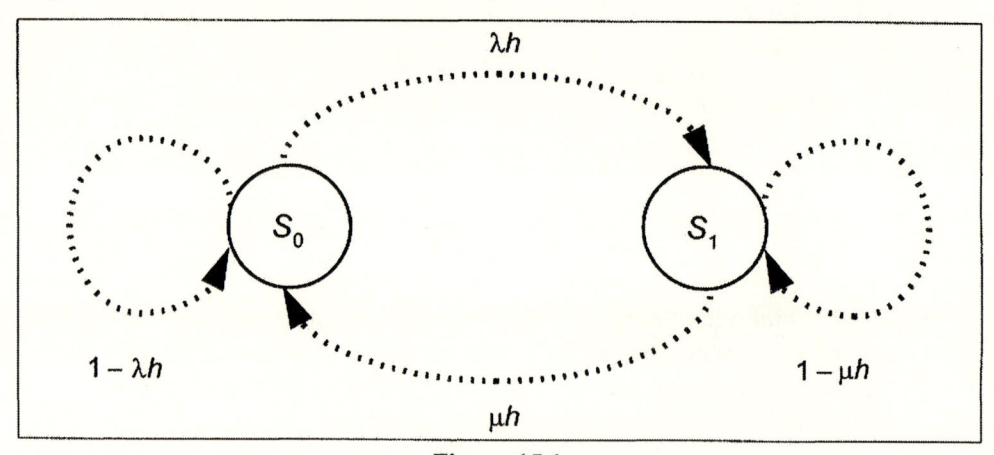

Figura 15.1

A matriz T é usada como uma matriz coeficiente para o vetor linha de estado abaixo:

$$P'(t) = [P_0(t), P_1(t)]$$

e de forma matricial

$$P'(t) \cdot T = P'(t + h)$$

Como é mais tradicional trabalhar-se com vetores colunas, esta equação pode ser escrita como:

$$T'P(t) = P(t+h)$$

Subtraindo $P(t)$ de ambos os lados desta equação, vem:

$$P(t+h) - P(t) = (T' - I).P(t)$$

de forma que:

$$\lim_{h \to 0} \frac{P(t+h) - P(t)}{h} = \left(\frac{T' - I}{h}\right).P(t)$$

Fazendo:

$$C = \left(\frac{T' - I}{h}\right)$$

a equação diferencial matricial toma a forma:

$$P'(t) = C P(t)$$

onde no caso do problema anterior:

$$C = \begin{vmatrix} -\lambda & \mu \\ \lambda & -\mu \end{vmatrix}$$

A soma das colunas de C deve ser 0, já que a soma das colunas de T é 1. Aplicando a transformação de Laplace à equação diferencial matricial vem:

$$sZ(s) - P(0) = CZ(s)$$

que é equivalente ao sistema de equações do item anterior. Com um pouco de prática, é possível escrever-se a matriz de transição estocástica T a partir destes princípios, obter-se então a matriz C e aplicar a transformação de Laplace acima. Esta é resolvida para $Z = Z(s)$ para dar:

$$sZ - CZ = P(0) \quad \text{ou} \quad (sI - C)Z = P(0)$$

Neste procedimento, deve-se construir a matriz C^* através da relação:

$$C^* = sI - C = sI - \frac{T' - I}{h}$$

e, então, achar o vetor Z que satisfaça a:

$$C^* \cdot Z = P(0)$$

Aqui, é onde reside o trabalho duro, para sistemas mais complicados. Muitas vezes, estes problemas não podem ser resolvidos analiticamente, de forma que normalmente só se obtém a solução para regime permanente ao invés da solução mais geral de regime transiente.

Para regime permanente, a taxa de variação de um estado para o outro é zero. Isto não significa, entretanto, que não há uma transição longa de um regime para o outro. Está, se dizendo, somente, que, após um tempo adequado, o regime transiente se estabiliza. Esta condição pode ser obtida fazendo-se $P'(t) = 0$, o que, através da equação matricial diferencial, nos dá a expressão genérica:

$$CP(\infty) = 0 \quad \text{ou usualmente} \quad CP = 0$$

com $P' = [P_0(\infty), P_1(\infty)] = [P_0, P_1]$. A dependência do tempo é omitida por conveniência pois na condição de regime permanente o intervalo temporal não é mais relevante. A equação homogênea $C.P = 0$ é indeterminada, pois as colunas de C são linearmente dependentes (lembrar que a soma das colunas é zero) e, portanto, o determinante de C é zero. Portanto, há infinitas soluções para o sistema. A única de interesse é aquela para os quais:

$$P_0 + P_1 = 1$$

de forma que a última linha, ou outra linha conveniente, do sistema $C.P = 0$ é substituído por $P_0 + P_1 = 1$. As equações resultantes são:

$$\begin{vmatrix} -\lambda & \mu \\ 1 & 1 \end{vmatrix} \cdot \begin{vmatrix} P_0 \\ P_1 \end{vmatrix} = \begin{vmatrix} 0 \\ 1 \end{vmatrix}$$

Ou

$$-\lambda P_0 + \mu P_1 = 0$$
$$P_0 + P_1 = 1 \quad \therefore$$
$$P_0 = \frac{\mu}{\lambda + \mu}$$

resultado já obtido de outras maneiras.

Passaremos a discutir agora alguns exemplos.

15.3 Duas Unidades em Paralelo com uma Única Equipe de Reparos

Este segundo sistema é composto de duas unidades idênticas ou equivalentes em paralelo, com uma única equipe de reparo disponível para a manutenção das unidades. Os possíveis estados deste sistema são:

- S_0: ambas unidades funcionando.

- S_1: uma unidade funcionando, outra unidade falha e em reparo.
- S_2: as duas unidades falhas, com uma em manutenção.

O diagrama de estado está mostrado na Figura 15.2. Supõe-se, como antes, que as falhas são detectadas imediatamente e o reparo é iniciado também imediatamente, se a equipe de reparo estiver disponível. As taxas de falha e reparo são assumidas como constantes e independentes, isto é, falhas ou reparos não podem ocorrer no mesmo intervalo de tempo h. Apesar desta consideração, pode-se escrever a matriz de transição e se aplicar uma correção. Todos os eventos são considerados, independentemente de serem ou não possíveis, e depois expurgados os termos envolvendo h^2 porque são termos diferenciais de ordem elevada.

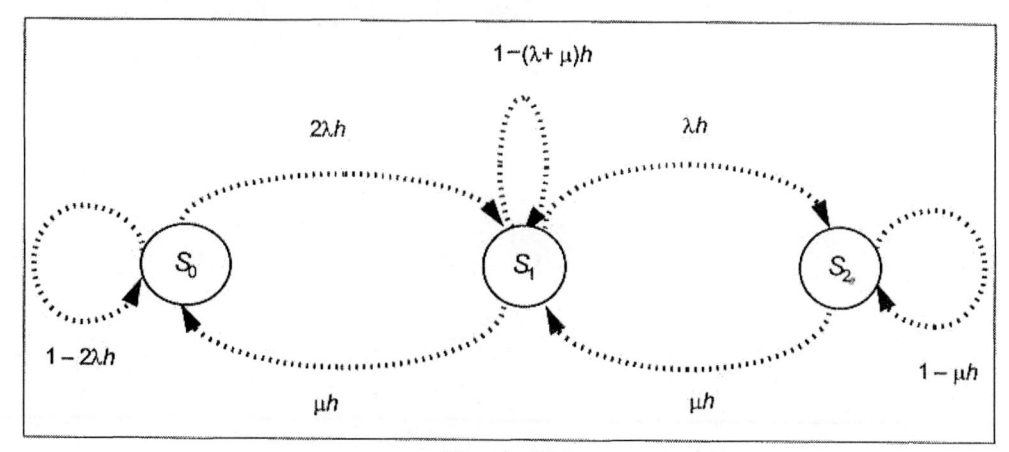

Figura 15.2

A matriz de transição deste caso é:

	Estado Final 0	1	2
Estado Inicial 0	$(1-\lambda h)^2$	$2\lambda h(1-\lambda h)$	$(\lambda h)^2$
1	$\mu h(1-\lambda h)$	$(1-\lambda h)(1-\mu h)+(\lambda h)(\mu h)$	$(1-\mu h)\lambda h$
2	$\mu h(0)$	μh	$1-\mu h$

Onde:
- Elemento (1, 1): probabilidade conjunta de nenhum falhar.
- Elemento (2, 1): probabilidade de um falhar e do outro continuar operando.
- Elemento (3, 1): probabilidade de falha simultânea dos dois elementos.

- Elemento (2, 2): probabilidade de que não haja mudança no sistema, ou seja, o elemento que está funcionando continua funcionando; o elemento que está em reparo, continua em reparo, *ou* de que as duas unidades mudem de estado, ou, seja, a unidade funcionando, falha e a unidade em reparo entra em funcionamento.
- Elemento (1, 3): zero, pois é impossível para uma única equipe de reparo colocar as duas unidades falhas em funcionamento simultaneamente.

Após expandir os termos e eliminar os termos em h^2 a matriz de transição assume a forma:

$$T = \begin{vmatrix} 1-2\lambda h & 2\lambda h & 0 \\ \mu h & 1-(\lambda+\mu)h & \lambda h \\ 0 & \mu h & 1-\mu h \end{vmatrix}$$

A matriz C, dada pela expressão $C = \left(\dfrac{T'-I}{h}\right)$ é

$$C = \begin{vmatrix} -2\lambda & \mu & 0 \\ 2\lambda & -(\lambda+\mu) & \mu \\ 0 & \lambda & -\mu \end{vmatrix}$$

A solução para o regime permanente é obtida fazendo-se $C.P = 0$ e impondo a condição $P_0 + P_1 + P_2 = 1$ a terceira linha, por exemplo (esta condição pode ser imposta a qualquer das linhas), o que dá:

$$\begin{vmatrix} -2\lambda & \mu & 0 \\ 2\lambda & -(\lambda+\mu) & \mu \\ 1 & 1 & 1 \end{vmatrix} \cdot \begin{vmatrix} P_1 \\ P_2 \\ P_3 \end{vmatrix} = \begin{vmatrix} 0 \\ 0 \\ 1 \end{vmatrix}$$

Resolvendo o sistema de equações resultantes em P_0 e P_1 e sabendo que $A(\infty) = P_0 + P_1$, vem:

$$P_0 = \frac{\mu^2}{\mu^2 + 2\lambda\mu + 2\lambda^2} \quad \text{e} \quad P_1 = \frac{2\lambda\mu}{\mu^2 + 2\lambda\mu + 2\lambda^2} \quad \therefore \quad D(\infty) = \frac{\mu^2 + 2\lambda\mu}{\mu^2 + 2\lambda\mu + 2\lambda^2}$$

A expressão de $D(t)$ também poderia ser obtida após algum trabalho algébrico.

15.4 Duas Unidades em Paralelo com Duas Equipes de Reparo

Esta situação pode ser resolvida de maneira semelhante ao Item 15.3, supondo que as duas equipes de reparo são igualmente competentes.

A matriz de transição do Exemplo 15.3 é ainda válida, excetuando-se a última linha que deve ser substituída por:

$$\left| (\mu h)^2 \quad 2.\lambda \mu(1-\mu h) \quad (1-\mu h)^2 \right|$$

o que após simplificação fornece

$$\left| 0 \quad 2.\mu h \quad 1-2\mu h \right|$$

o que fornece

$$C = \begin{vmatrix} -2\lambda & \mu & 0 \\ 2\lambda & -(\lambda+\mu) & 2\mu \\ 0 & \lambda & -2\mu \end{vmatrix}$$

Resolvendo o sistema de maneira similar ao item anterior, obtemos:

$$D(\infty) = \frac{2\lambda\mu + \mu^2}{(\lambda + \mu)^2}$$

15.5 Duas Unidades Diferentes em Paralelo com Duas Equipes de Reparo

Nesta situação, consideraremos que duas unidades, chamadas A e B, possuem diferentes taxas de falhas. Assumiremos que as duas equipes de reparo são igualmente competentes, porém, as unidades não são igualmente reparáveis. Portanto, as taxas de falhas são λ_1 e λ_2 e as taxas de reparos μ_1 e μ_2. Os estados possíveis são:

- S_0: ambas unidades funcionando.
- S_1: A funcionando, B em reparo.
- S_2: B funcionando, A em reparo.
- S_3: ambas unidades em reparo.

Como os três sistemas estão em paralelo $A(t) = P_0(t) + P_1(t) + P_2(t)$.
O diagrama de estado é mostrado na Figura 15.3.

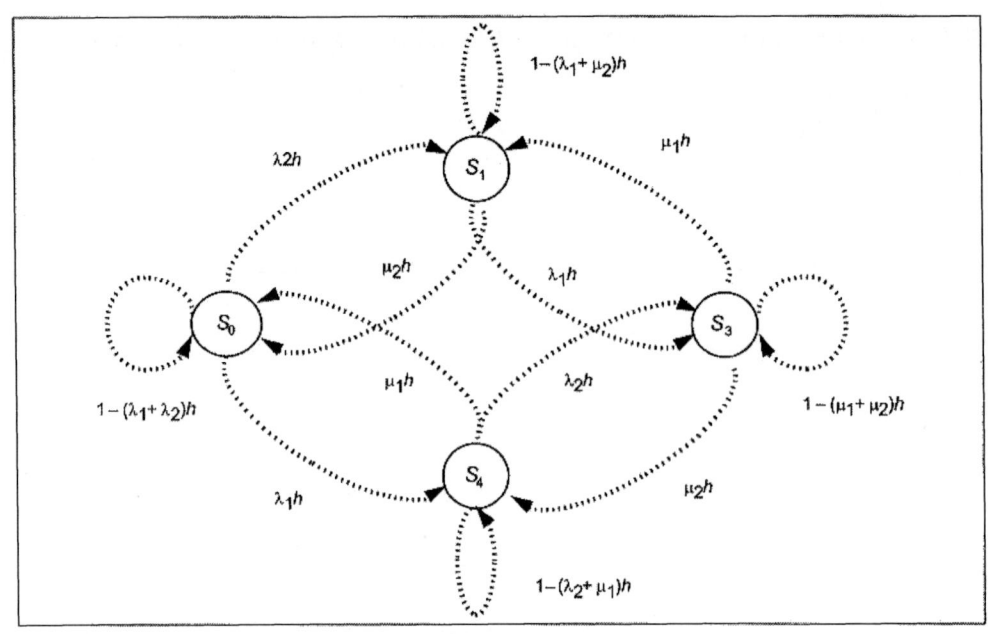

Figura 15.3

A matriz de transição T é dada por:

$$T = \begin{vmatrix} (1-\lambda_1 h).(1-\lambda_2 h) & \lambda_2 h & \lambda_1 h & \lambda_1 h \lambda_2 h \\ \mu_2 h & (1-\lambda_1 h).(1-\mu_2 h) & \lambda_1 h.\mu_2 h & \lambda_1 h \\ \mu_1 h & \lambda_2 h.\mu_1 h & (1-\lambda_2 h).(1-\mu_1 h) & \lambda_2 h \\ \mu_1 h \mu_2 h & \mu_1 h & \mu_2 h.(1-\mu_1 h) & (1-\mu_1 h).(1-\mu_2 h) \end{vmatrix}$$

Após fazer $h^2 = 0$, chega-se a matriz de transição T:

$$T = \begin{vmatrix} 1-(\lambda_1+\lambda_2)h & \lambda_2 h & \lambda_1 h & 0 \\ \mu_2 h & 1-(\lambda_1+\mu_2)h & 0 & \lambda_1 h \\ \mu_1 h & 0 & 1-(\lambda_2+\mu_1)h & \lambda_2 h \\ 0 & \mu_1 h & \mu_2 h & 1-(\mu_1+\mu_2)h \end{vmatrix}$$

A matriz C é dada por:

$$C = \begin{vmatrix} -(\lambda_1+\lambda_2) & \mu_2 & \mu_1 & 0 \\ \lambda_2 & -(\lambda_1+\mu_2) & 0 & \mu_1 \\ \lambda_1 & 0 & -(\lambda_2+\mu_1) & \mu_2 \\ 0 & \lambda_1 & \lambda_2 & -(\mu_1+\mu_2) \end{vmatrix}$$

Outra vez, em regime permanente $C.P = 0$ e substituindo pela condição $P_0(t) + P_1(t) + P_2(t) + P_3(t) = 1$, obtemos a solução para o regime permanente.
Os valores obtidos são:

$$P_0 = \frac{\mu_1 \mu_2}{(\lambda_1 + \mu_1).(\lambda_2 + \mu_2)}$$

$$P_1 = \frac{\lambda_1 \mu_2}{(\lambda_1 + \mu_1).(\lambda_2 + \mu_2)}$$

$$P_2 = \frac{\lambda_2 \mu_1}{(\lambda_1 + \mu_1).(\lambda_2 + \mu_2)}$$

$$P_3 = \frac{\lambda_1 \lambda_2}{(\lambda_1 + \mu_1).(\lambda_2 + \mu_2)}$$

A disponibilidade é dada por:

$$D = P_0 = P_1 + P_2$$

15.6 Efeito de Manutenção Corretiva e Preventiva

Seja um sistema que sofre manutenção corretiva ante falhas e manutenção preventiva com uma dada freqüência. Suponhamos que a ocorrência manutenção preventiva seja aleatória, da mesma forma como a corretiva, com taxas de transição constantes. A cadeia de Markov é bastante elementar (Figura 15.4).
Os seguintes estados são possíveis:
- S_0: o sistema está em funcionamento.
- S_1: o sistema se encontra sob reparo.
- S_3: o sistema se encontra em manutenção preventiva.

As seguintes considerações serão feitas:
- λ_c – taxa de falha do sistema.
- μ_c – taxa de reparo.
- λ_p – taxa ou freqüência de manutenção preventiva.
- μ_p – taxa de ação de manutenção preventiva.

A matriz de estado pode ser descrita como:

$$T = \begin{vmatrix} (1-\lambda_p h).(1-\lambda_c h) & \lambda_c h & \lambda_p h \\ \mu_c h & 1-\mu_c h & 0 \\ \mu_p h & 0 & 1-\mu_p h \end{vmatrix}$$

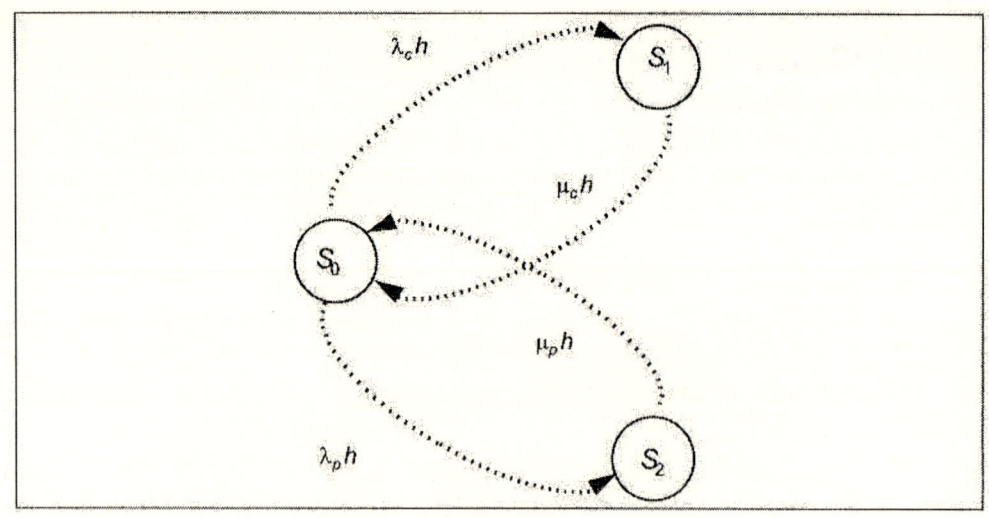

Figura 15.4

Eliminando os infinitésimos de segunda ordem,

$$T = \begin{vmatrix} 1-(\lambda_p+\lambda_c)h & \lambda_c h & \lambda_p h \\ \mu_c h & 1-\mu_c h & 0 \\ \mu_p h & 0 & 1-\mu_p h \end{vmatrix}$$

Para obtermos C, utilizaremos a relação $C = \left(\dfrac{T^t - I}{h}\right)$, o que dá

$$C = \begin{vmatrix} -(\lambda_p+\lambda_c) & \mu_c & \mu_p \\ \lambda_c & -\mu_c & 0 \\ \lambda_p & 0 & -\mu_p \end{vmatrix}$$

A solução em regime permanente é dada por $C.P = 0$ e da condição de

$$P_0 + P_1 + P_2 = 1$$

substituindo uma linha do sistema, o que fornece:

$$\begin{vmatrix} -(\lambda_p+\lambda_c) & \mu_c & \mu_p \\ \lambda_c & -\mu_c & 0 \\ 1 & 1 & 1 \end{vmatrix} \cdot \begin{vmatrix} P_0 \\ P_1 \\ P_2 \end{vmatrix} = \begin{vmatrix} 0 \\ 0 \\ 1 \end{vmatrix}$$

A solução literal é dada por:

$$P_0 = \frac{1}{1 + \frac{\lambda_c}{\mu_c} + \frac{\lambda_p}{\mu_p}}, \quad P_1 = \frac{\lambda_c}{\mu_c} P_0 \quad \text{e} \quad P_2 = \frac{\lambda_p}{\mu_p} P_0$$

Onde $D(\infty) = P_0$ que é a disponibilidade total em regime permanente, que também pode ser escrita como:

$$D = \frac{1}{1 + \lambda_c TMPR + \lambda_p . TMMP} \quad \text{onde} \quad TMPR = \frac{1}{\mu_c} \quad \text{e} \quad TMMP = \frac{1}{\mu_p}$$

e TMPR é o Tempo Médio Para o Reparo e TMMP é Tempo Médio de Manutenção Preventiva λ_p.

As parcelas λ_cTMPR e λ_p.TMMP representam as frações de tempo médio gastas em reparo e manutenção preventiva ao longo de uma unidade de tempo, geralmente um ano. Como estas parcelas, numericamente, são bastante inferiores a 1, pode-se aproximar muitas vezes a expressão acima por:

$$D = \frac{1}{1 + \lambda_c \, TMPR + \lambda_p \cdot TMMP} \cong 1 - \lambda_c TMPR + \lambda_p \cdot TMMP$$

Na ausência de manutenção preventiva, as expressões acima se reduzem a já conhecida expressão da disponibilidade.

CAPÍTULO 16

Otimização da Freqüência de Manutenção Preventiva

16.1 Maximização da Disponibilidade Média

Dado um equipamento com taxa de falha crescente, deseja-se determinar a freqüência de manutenção preventiva que a disponibilidade média do mesmo seja máxima.

Vimos que a disponibilidade total em regime permanente de um equipamento é dada por:

$$D = \frac{1}{1+\dfrac{\lambda_c}{\mu_c}+\dfrac{\lambda_p}{\mu_p}} = \frac{1}{1+\lambda_c TMPR + \lambda_p . TMMP}$$

Onde:
  D: disponibilidade total em regime permanente.
  λ_c: taxa de falha.
  μ_c: taxa de reparo de manutenção corretiva.
  λ_p: freqüência de manutenção preventiva.
  μ_p: taxa de ação de manutenção preventiva.
  TMPR: tempo médio para o reparo $= \dfrac{1}{\mu_c}$
  TMMP: tempo médio de ação de manutenção preventiva $= \dfrac{1}{\mu_p}$

Suponhamos, agora, que a taxa de falha seja variável com o tempo e que essa variação seja lenta comparada com a dinâmica Markoviana do sistema. Pode-se, então, definir a *disponibilidade instantânea* como:

$$D(t) = \frac{1}{1+\dfrac{\lambda_c(t)}{\mu_c}+\dfrac{\lambda_p}{\mu_p}}$$

Um sistema que não sofre manutenção preventiva ($\lambda_p = 0$) tem sua disponibilidade decrescente no tempo à medida que a taxa de falha cresce:

$$D(t) = \frac{1}{1+\frac{\lambda_c(t)}{\mu_c}} = \frac{\mu_c}{\mu_c + \lambda_c(t)}$$

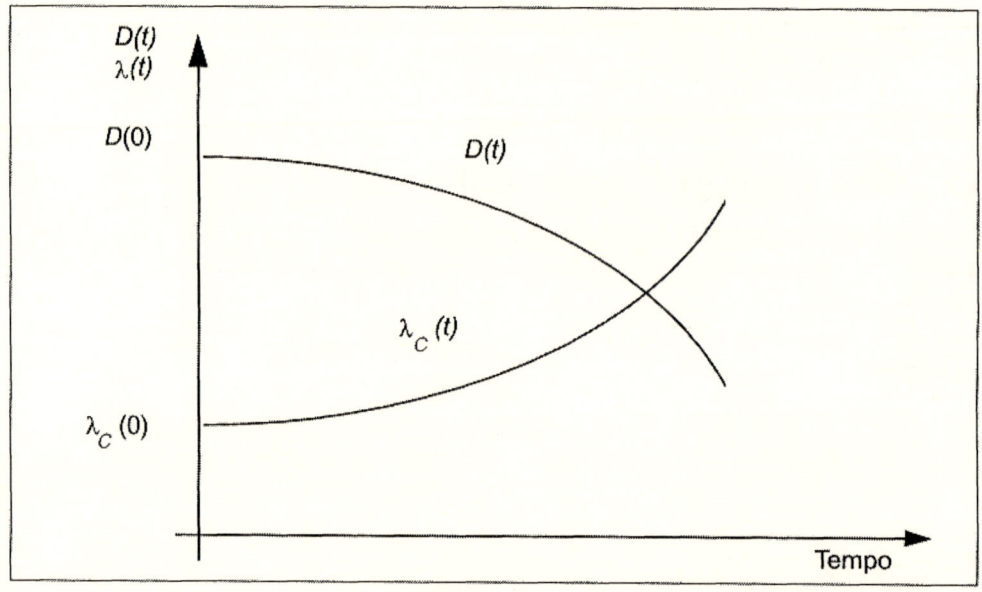

Figura 16.1

Exemplo

Um equipamento tem taxa de falha linearmente crescente com o tempo e não sofre manutenção preventiva. Determinar a sua disponibilidade como o tempo.

$$\lambda_c(t) = \lambda_{c0} + \alpha_c \cdot t$$

$$A(t) = \frac{1}{1+\frac{\lambda_c(t)}{\mu_c}} = \frac{1}{1+\frac{\lambda_{c0}+\alpha_c \cdot t}{\mu_c}} = \frac{\mu_c}{\mu_c + \lambda_{c0} + \alpha_c \cdot t}$$

Dados:

μ_c: 50 reparos/ano.

λ_{c0}: 2 falhas/ano.

α_r: 2 falhas/ano².

$$A(t) \frac{50}{50+2+2.t} = \frac{1}{1,04+0,04.t}$$

ou

t	$\lambda_r(t)$	$D(t)$
0	2	0,9615
0,5	3	0,9434
1	4	0,9259
2	6	0,8929
3	8	0,8621
4	10	0,8333

Supondo que a manutenção preventiva seja perfeita, do tipo substituição, ou seja, reduz a taxa de falha ao valor inicial, tem-se então o processo de renovação a cada execução de manutenção preventiva. Em conseqüência pode-se definir a taxa de falha média, bem como a disponibilidade média. Para tanto, convém utilizar como variável tempo, o tempo operacional, ou seja, o tempo cronológico descontadas as paradas correspondentes aos reparos e ações de manutenção preventiva.

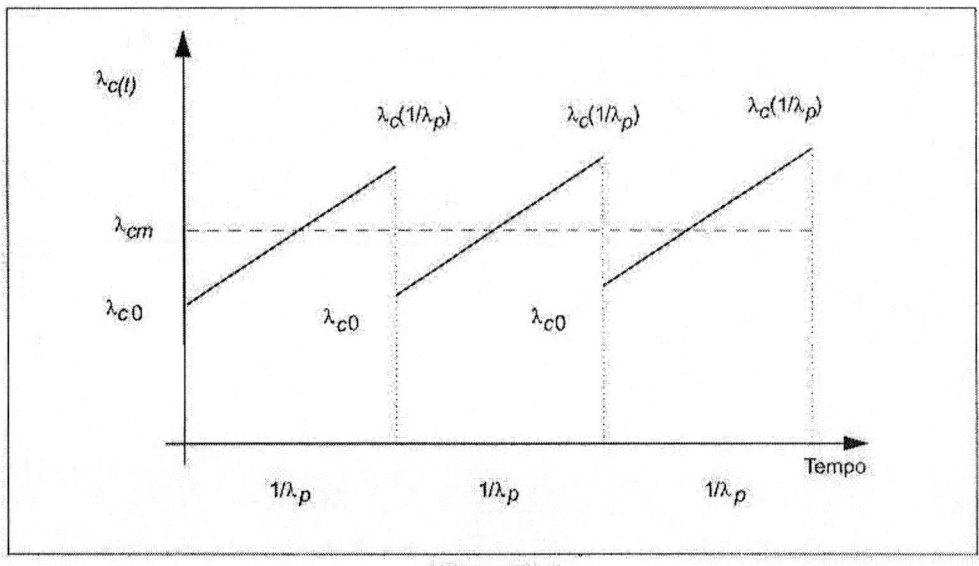

Figura 16.2

$$\lambda_{cm} = \frac{1}{1/\lambda_p} \int_0^{1/\lambda_p} \lambda_c(t).dt$$

$$Dm = \frac{1}{1/\lambda_p} \int_0^{1/\lambda_p} D(t).dt$$

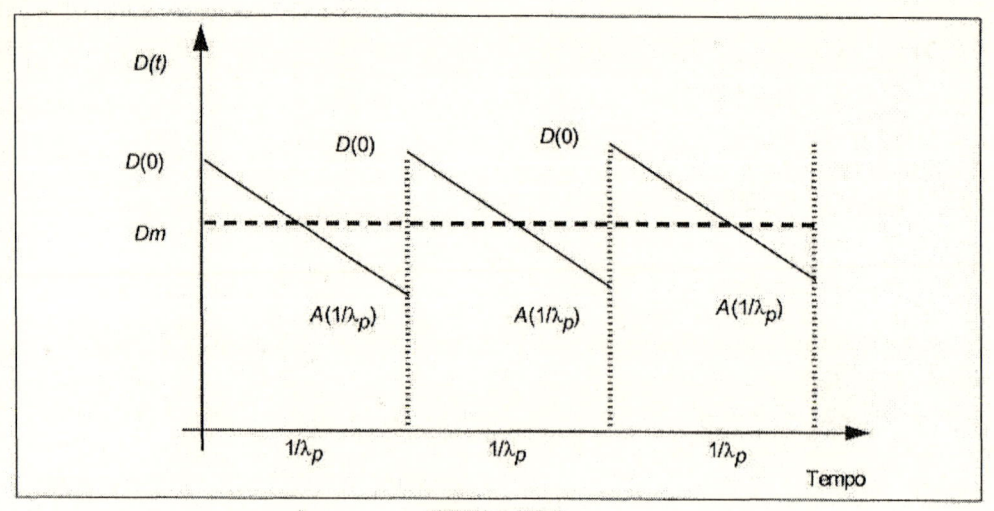

Figura 16.3

Em termos práticos, pode-se calcular a disponibilidade média através da taxa de falha média, sem incorrer em grande erro em relação à expressão original:

$$Dm \cong \frac{1}{1 + \frac{\lambda_{cm}}{\mu_c} + \frac{\lambda_p}{\mu_p}}$$

O problema de otimização é então equacionado através das expressões:

$$\underset{\lambda_p}{Máx}\, Dm \cong \underset{\lambda_p}{Máx}\, \frac{1}{1 + \frac{\lambda_{cm}}{\mu_c} + \frac{\lambda_p}{\mu_p}}$$

onde
$$\lambda_{cm} = \frac{1}{1/\lambda_p} \int_0^{1/\lambda_p} \lambda_c(t)\, dt$$

- Sujeito a reparo mínimo e manutenção preventiva do tipo substituição, além de reparo e manutenção preventiva constantes.

Apresentam-se, agora, alguns casos particulares.

16.1.1 Taxa de Falha Constante

Neste caso:

$$\lambda_c(t) = \lambda_{c0}$$

Assim,

$$\lambda_{cm} = \lambda_{c0}$$

e

$$Dm \cong \frac{1}{1 + \dfrac{\lambda_{c0}}{\mu_c} + \dfrac{\lambda_p}{\mu_p}}$$

$$\underset{\lambda_p}{\text{Máx}}\, Dm \cong \underset{\lambda_p}{\text{Máx}}\, \frac{1}{1 + \dfrac{\lambda_{c0}}{\mu_c} + \dfrac{\lambda_p}{\mu_p}}$$

A máxima disponibilidade média ocorre quando $\lambda_p = 0$, ou seja, quando não há manutenção preventiva.

16.1.2 Taxa de Falha Constante

$$\lambda_c(t) = \lambda_{c0} + \alpha_c \cdot t \qquad\qquad \alpha_c > 0$$

Assim,

$$\lambda_{cm} = \frac{1}{1/\lambda_p} \int_0^{1/\lambda_p} (\lambda_{c0} + \alpha_c \cdot t).dt = \lambda_{c0} + \frac{a_c}{2}\frac{1}{\lambda_p}$$

Portanto,

$$Dm \cong \frac{1}{1 + \dfrac{1}{\mu_c}\left(\lambda_{c0} + \dfrac{\alpha_c}{2}\dfrac{1}{\lambda_p}\right) + \dfrac{\lambda_p}{\mu_p}} = \frac{2\mu_c \lambda_p \mu_p}{2\mu_c \lambda_p \mu_p + 2\lambda_p \mu_p \lambda_{c0} + \alpha_c \mu_c + 2\lambda_p^2 \mu_c}$$

O ponto de mínimo é obtido igualando-se a zero a primeira derivada da função em relação à variável a ser otimizada:

$$\frac{\partial Dm}{\partial \lambda_p} = 0$$

Dessa operação resulta a freqüência ótima de manutenção preventiva:

$$\lambda_p^* = \sqrt{\frac{\alpha_r \mu_p}{2\mu_c}}$$

Exemplo

Seja o equipamento do exemplo anterior, calcular a freqüência ótima de manutenção preventiva, visando maximizar sua disponibilidade média.

Dados:

μ_c: 50 reparos/ano.

TMPR = $1/\mu_c$ = 1/50 = 0,02 anos/reparo.

μ_{c0}: 2 falhas/ano.

α_r: 2 falhas/ano².

μ_p = 10 manutenções preventivas/ano.

$$\lambda_p^* = \sqrt{\frac{2*10}{2*10}} = 0{,}4472 \text{ m.p./ano } (\textit{ou seja, } 1 \textit{ vez a cada } 2{,}236 \textit{ anos})$$

A taxa média de falha e a disponibilidade média valem:

$$\lambda_{cm}^* = \lambda_{c0} + \frac{\alpha_c}{2}\frac{1}{\lambda_p^*} = 4{,}236 \text{ falha/ano}$$

$$Dm^* \cong \frac{1}{1 + \frac{\lambda_{cm}^*}{\mu_c} + \frac{\lambda_p^*}{\mu_p}} = 0{,}8854$$

Qual a probabilidade de ocorrer uma ou mais falhas durante o intervalo entre manutenções preventivas?

Usando a distribuição de Weibull de três parâmetros:

$$F(t) = 1 - \exp\left[-\left(\frac{t-t_0}{\eta}\right)^\beta\right]$$

cuja densidade é dada por:

$$f(t) = \frac{\beta}{\eta^\beta}(t-t_0)^{\beta-1}\exp\left[-\left(\frac{t-t_0}{\eta}\right)^\beta\right]$$

e como função taxa de falha

$$\lambda(t) = \frac{\beta}{\eta}\left(\frac{t-t_0}{\eta}\right)^{\beta-1}$$

Fazendo: $\lambda_c(t) = \lambda_{c0} + \alpha_c \cdot t = \dfrac{\beta}{\eta}\left(\dfrac{t-t_0}{\eta}\right)^{\beta-1}$

Tem-se:

$$\beta = 2$$

$$\eta^{-\beta} = \dfrac{\alpha_r}{2}$$

$$t_0 = -\dfrac{\lambda_{c0}}{\alpha_r}$$

Assim,

$$F(t) = 1 - \exp\left[-\dfrac{\alpha_r}{2}\left(t + \dfrac{\lambda_{c0}}{\alpha_r}\right)^2\right]$$

ornece a probabilidade de haver uma ou mais falhas em qualquer instante do intervao entre manutenções preventivas. Ao final desse intervalo tem-se $F(1/\lambda_p)$, que no aso de λ_p^* vale:

$$F(1/\lambda_p) = 0{,}999971$$

Suponhamos agora diferentes freqüências de manutenção para o citado equipamento, como varia a disponibilidade média?

λ_p	λ_{cm}	D_m	$F(1/\lambda_p)$	Observações
0,25	6	0,8734	1	M.p. 1 vez a cada 4 anos
0,4472	4,336	0,8854	0,999971	Ponto ótimo
0,5	4	0,8850	0,999880	M.p. 1 vez a cada 2 anos
0,75	3,333	0,8759	0,995700	
1	3	0,8621	0,981700	M.p. anual

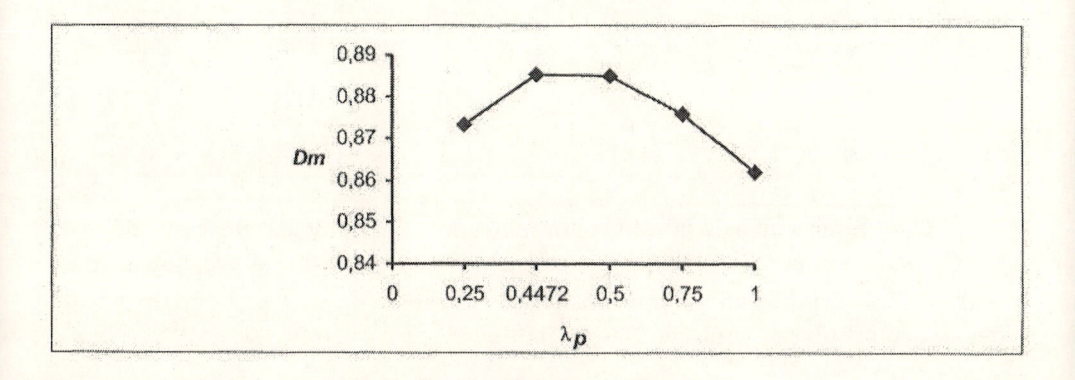

16.1.3 Taxa de Falha em Forma Tabular

$$\lambda_{cm} = \frac{1}{n} \sum_{i=1}^{n} \lambda_{ci}$$

Onde $\lambda_{ci} = \lambda_c (t = i.\Delta t)$

e $n = \dfrac{1}{\Delta t} \dfrac{1}{\lambda_p}$ número de passos de tempo Δt contidos no tempo médio até m.p.

A disponibilidade média continua sendo calculada pela expressão:

$$Dm \cong \frac{1}{1 + \dfrac{\lambda_{cm}}{\mu_c} + \dfrac{\lambda_p}{\mu_p}}$$

Pode-se utilizar um método numérico (iterativo) de busca da solução ótima.

Exemplo

Sejam dadas as taxas de falha para cada intervalo de meio ano:

$\Delta t = 0,5$ anos.

$\mu_c = 50$ reparos/ano (25 reparos/ano, como ilustração comparativa).

$\mu_p = 10$ m.p./ano.

i	1	2	3	4	5	6	7	8
λ_{ci}	1,0	1,1	1,3	2,0	3,0	4,5	6,0	8,0

Para os diferentes valores de λ_p temos a tabela

λ_p	$1/\lambda_p$	n	λ_{cm}	Dm ($\mu_C=50$)	Dm ($\mu_C=25$)
1	1	2	1,050	0,8921	0,8755
0,6667	1,5	3	1,133	0,9180	0,8993
0,5	2,0	4	1,350	0,9285	0,9058
0,5	2,5	5	1,680	0,9314	0,9032
0,333	3,0	6	2,150	0,9291	0,8934
0,286	3,5	7	2,700	0,9237	0,8798
0,25	4,0	8	3,363	0,9155	0,8624

Observa-se que a taxa de falha nos primeiros dois anos é menos crescente do que após. Como conseqüência, observa-se que em torno do ponto ótimo a disponibilidade varia pouco, dando ampla flexibilidade para a escolha de λ_p em função de outros critérios não abordados aqui.

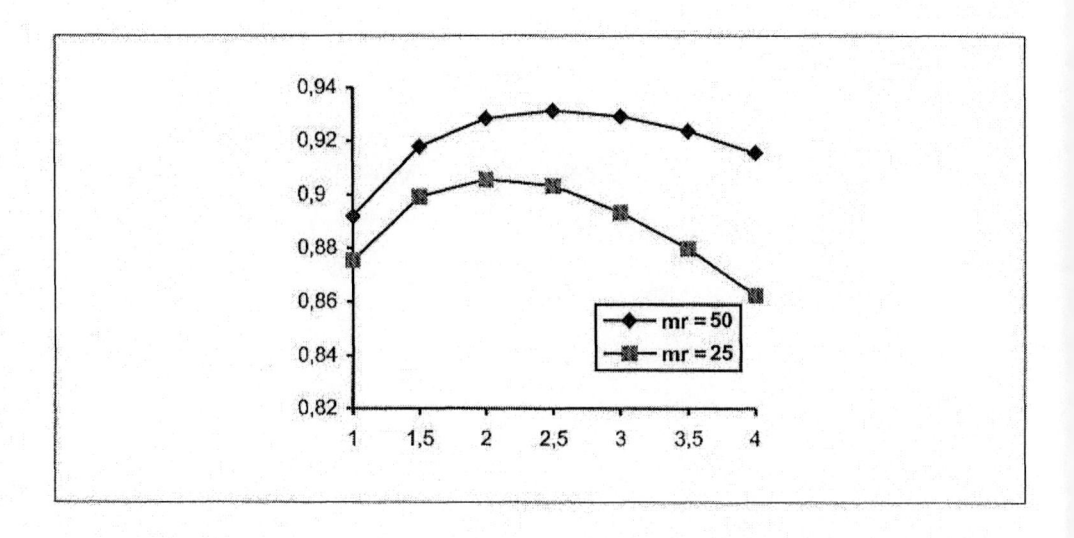

[Gráfico com eixo y de 0,82 a 0,94 e eixo x de 1 a 4, com séries mr = 50 e mr = 25]

16.2 Minimização do Custo Total de Manutenção

O custo médio de manutenção é igual à soma dos custos de reparo e de manutenção preventiva ponderados pelas respectivas freqüências médias de ocorrência:

$$C_m = \lambda_{cm} C_c + \lambda_p C_p$$

Onde:

C_m: custo médio (anual) de manutenção.
C_c: custo médio de um reparo (manutenção corretiva).
C_p: custo médio de uma manutenção preventiva.

Pode-se minimizar este custo em relação à freqüência de ocorrência da manutenção preventiva:

$$\underset{\lambda_p}{Min}\ C_m = \underset{\lambda_p}{Min}\ \{\lambda_{cm} C_c + \lambda_p C_p\}$$

Onde

$$\lambda_{cm} = \frac{1}{1/\lambda_p} \int_0^{1/\lambda_p} \lambda_c(t).dt$$

16.2.1 Taxa de Falha Constante

Neste caso:

$$\lambda_c(t) = \lambda_{c0}$$

Assim,

$$\lambda_{cm} = \lambda_{c0}$$

$$\min_{\lambda_p} C_m = \min_{\lambda_p} \{\lambda_{c0} C_c + \lambda_p C_p\}$$

Obviamente, o custo mínimo é alcançado com $\lambda_p^* = 0$, ou seja, não deverá haver manutenção preventiva. Esta solução é coincidente com a máxima disponibilidade.

16.2.2 Taxa de Falha Constante

$$\lambda_c(t) = \lambda_{c0} + \alpha_c \cdot t \qquad \alpha_c > 0$$

Assim,

$$\lambda_{cm} = \lambda_{c0} + \frac{\alpha_c}{2} \frac{1}{\lambda_p}$$

$$\min_{\lambda_p} C_m = \min_{\lambda_p} \left\{ \left[\lambda_{c0} + \frac{\alpha_c}{2} \frac{1}{\lambda_p}\right] C_c + \lambda_p C_p \right\}$$

Derivando esta expressão em relação a λ_p e igualando-a a zero, permite determinar o ponto ótimo:

$$\frac{\partial C_m}{\partial \lambda_p} = -\frac{\alpha_c}{2} \frac{C_r}{\lambda_p^2} + C^p = 0$$

Resulta:

$$\lambda_p^* = \sqrt{\frac{\alpha_r C_r}{2 C_p}}$$

Exemplo

Seja um equipamento com taxa de falha linearmente crescente com $\alpha_{c0} = 2$ falhas/ano, $\alpha_c = 2$ falhas/ano² e relação de custo de reparo/custo de manutenção preventiva variável conforme tabela abaixo. Determinar a freqüência ótima de m.p. visando a minimizar o custo médio de manutenção.

C_c / C_p	λ_p^*	C_m^* / C_p
1	1 (1 m.p. por ano)	4,0
1/2	0,707	2,414
1/4	0,5 (1 m.p. a cada 2 anos)	2,0

Variação do custo médio de manutenção com λ_p

$$C_m = \left[\lambda_{c0} + \frac{\alpha_c}{2} \frac{1}{\lambda_p} \right] C_c + \lambda_p C_p$$

C_c / C_p	λ_p	C_m^* / C_p
1	0,25	6,25
	0,50	4,50
	1,00	4,00
	1,50	4,17
	2,00	4,50
1/2	0,25	3,25
	0,50	2,50
	0,707	2,414
	1,00	2,50
	2,00	3,25
1/4	0,20	2,50
	0,25	2,25
	0,50	2,00
	1,00	2,25
	2,00	3,25

A análise da minimização do custo de manutenção, embora simples, não deve ser realizada de forma isolada, e sim, em integração com o custo de produção do sistema em que o equipamento está inserido. Este custo de produção, por sua vez, está relacionado com a disponibilidade do equipamento. Em outras palavras, durante a indisponibilidade do equipamento haverá um custo de substituição deste por outro disponível, mas de custo de produção mais elevado; ou na falta de um equipamento de reserva, o custo de substituição será o custo de não atendimento da demanda, algo ainda mais difícil de quantificar com precisão. A forma mais simples de se reunir os dois critérios de otimização num único seria através de:

$$\underset{\lambda_p}{Min} \left\{ C_c (1 - A_m) + C_m \right\}$$

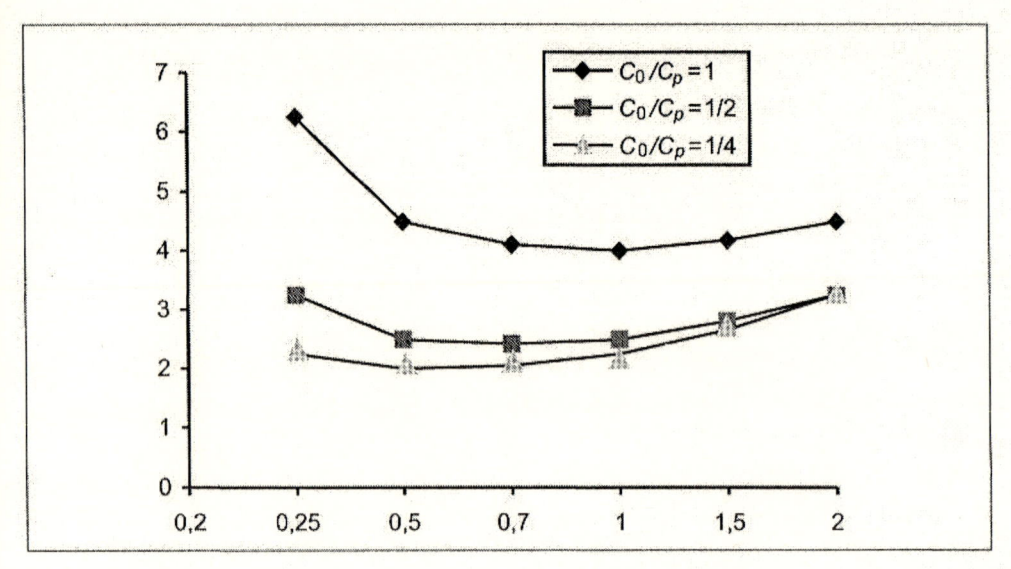

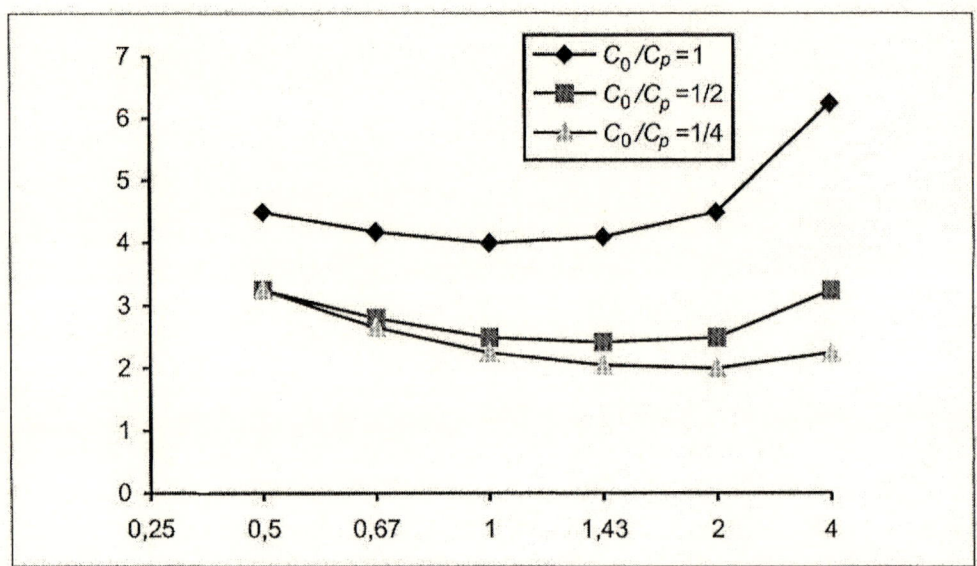

onde C_c é uma estimativa do custo médio anual de substituição, A_m é a disponibilidade média do equipamento, e:

$$C_m = \lambda_{cm} C_p + \lambda_p C_p$$

Em verdade, o custo de substituição é bastante variável ao longo do tempo, de acordo com a demanda e a disponibilidade dos demais equipamentos, merecendo um tratamento mais detalhado.

CAPÍTULO 17

Manutenção Centrada na Confiabilidade

17.1 Introdução

Algumas coisas que estão neste item irão pegá-los de surpresa. Vocês podem não concordar, podem discordar fortemente, mas asseguro a vocês que existe um grande número de evidências práticas e teóricas que suportam estas afirmações.

A confiabilidade do equipamento é quase inteiramente uma função da qualidade do programa de manutenção. Com algumas exceções, a confiabilidade "intrínseca" (ver Figura 17.1) dada a um equipamento pelo fabricante não é um fator significativo.

CONFIABILIDADE INTRÍNSECA
O que se pode fazer com o equipamento

A manutenção só pode garantir o desempenho até este nível

Figura 17.1

Obviamente, o equipamento precisa estar corretamente especificado para a aplicação. *"Nos casos em que se exige mais do que o equipamento pode dar, a manutenção é inútil."* Ver Figuras 17.2 e 17.3, a seguir.

Alta confiabilidade intrínseca rapidamente se perde com um programa de manutenção precário. Baixa confiabilidade inerente pode ser melhorada para uma alta confiabilidade com um bom programa de manutenção. Aqui, estou me referindo mais sobre equipamento rotativo do que sobre equipamento estático.

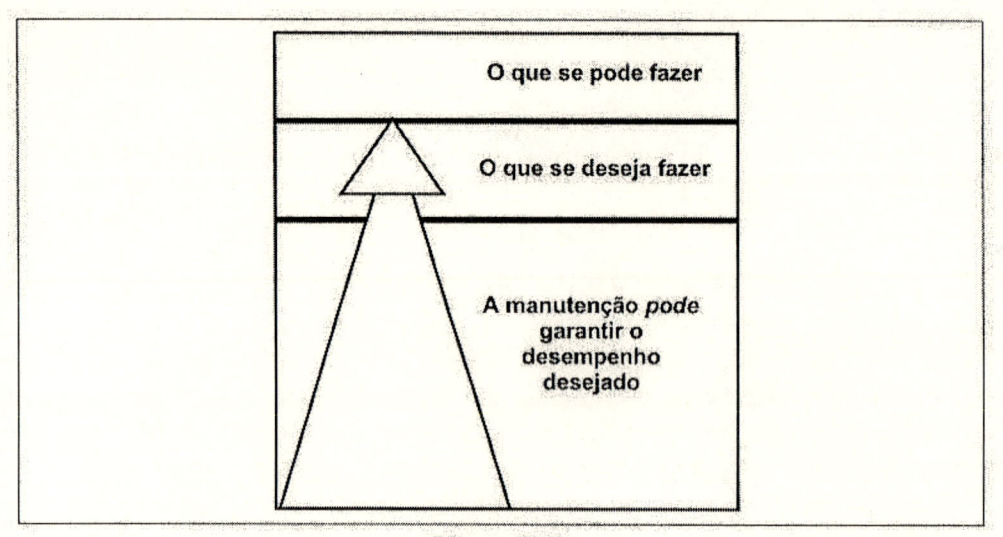

Figura 17.2

- O que se pode fazer
- O que se deseja fazer
- A manutenção *pode* garantir o desempenho desejado

Figura 17.3

- O que se deseja fazer
- O que se pode fazer
- A manutenção *não pode* garantir o desempenho desejado

O equipamento é substancialmente mais confiável do que os profissionais de manutenção o permitem demonstrar. É o fator homem na interface homem/máquina que é o problema; não o fator máquina.

Para melhorar a confiabilidade, temos que trabalhar o fator homem da interface. "Homem" neste contexto significa a filosofia de manutenção, política, práticas, estrutura organizacional, *staffing*, nível de habilitação, treinamento; os fatores relacionados ao pessoal mais do que os fatores relacionados à máquina.

Provavelmente, existem mais decisões erradas tomadas e mais coisas erradas feitas em manutenção do que em qualquer outra atividade industrial.

Antes do nível do *staff*, a confiabilidade obtida do equipamento é inversamente proporcional à quantidade do pessoal de reparos; quanto maior a quantidade de pessoal de reparos, menor a confiabilidade obtida.

Alta disponibilidade mecânica não é resultado de altos níveis de Manutenção. Ver o Capítulo 26 sobre aspectos gerenciais.

A definição do pessoal de reparos por área tem um efeito devastador na confiabilidade do equipamento. A presença de pessoal de reparos produz paradas. Genericamente, a melhor política é centralizar o gerenciamento de manutenção e permitir a atuação do pessoal de reparos nas áreas de operação somente quando:

- Há trabalho de manutenção programado e planejado a ser feito.
- Há um defeito no equipamento.

Em outras palavras, praticar manutenção sem pôr as mãos no equipamento aumenta a confiabilidade. Lembrem-se de que o problema é o homem, não a máquina. Se você acredita nisto, então será mais difícil comprovar necessidade de mais pessoal do que o contrário.

É irônico que, não obstante uma enorme quantidade de evidências apontando o contrário, muitos gerentes continuam acreditando que é "bom" encher uma área de operação com pessoal. Alguém disse que "aqueles que se recusam a aprender com a História serão condenados a repeti-la". Para nós, este lapso resulta em baixa confiabilidade, baixa disponibilidade do equipamento e custos elevados.

Têm aparecido muitos melhoramentos nas técnicas de manutenção nos últimos 25 anos, mas ainda existe muita manutenção importante baseada em horas e trabalho do equipamento (inspeções, revisões, substituições). Nos últimos anos, houve uma mudança marcante de grandes manutenções baseadas em horas de operação para manutenção baseada nas condições do equipamento. Quando isto é feito, os períodos de operação aumentam de 100 a 500 porcento. Mas as indústrias não estão totalmente atuando assim. Ainda há um longo caminho a percorrer (ver Figura 17.4).

O termo "Manutenção Preventiva" (MP), provavelmente, tem mais impacto negativo na confiabilidade obtida e na performance do equipamento do que qualquer outro fator. O número de más decisões justificadas na MP se aproximam do infinito.

A maioria dos programas de manutenção estão 180° defasados do que deveriam ser. A ênfase "fazer manutenção" é melhor do que "não fazer manutenção". Quando um gerente vê um homem de manutenção sem fazer nada (porque o equipamento é tão confiável que nada precisa ser feito), ele o adverte com um "vá trabalhar, seu preguiçoso". O homem vai fazer o que lhe é pedido: trabalhar. Ele faz alguma coisa que não precisa ser feita. Ele introduz problemas no equipamento. A confiabilidade cai

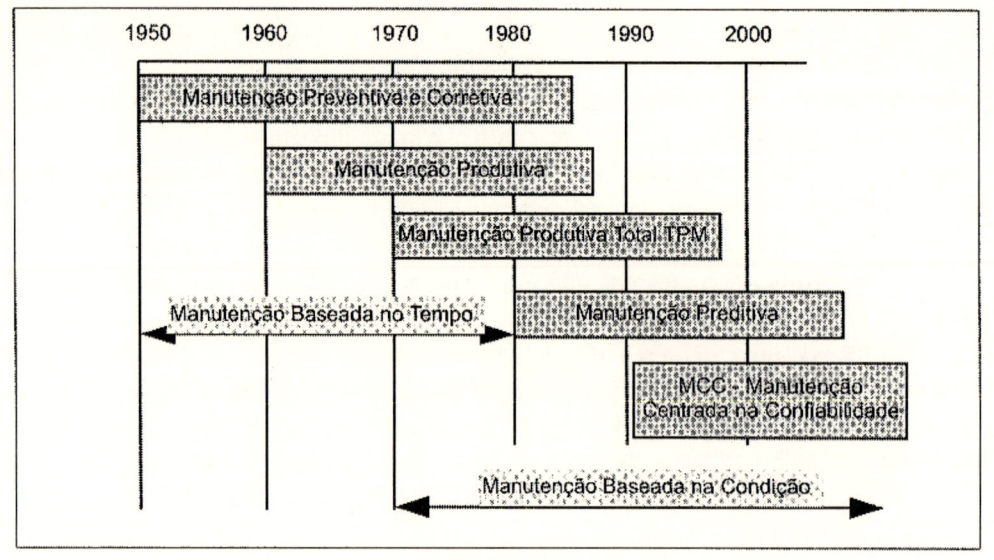

Figura 17.4

como o balão de chumbo do provérbio. A ênfase deve ser na solução de problemas, e não em "trabalhar". A Figura 17.5 divide as diversas gerações da função manutenção em função das respostas que a mesma tem que fornecer.

17. 2 O Enfoque da Manutenção Centrada na Confiabilidade

O objetivo da manutenção na ótica da Manutenção Centrada na Confiabilidade (MCC) é assegurar que um sistema ou item continue a preencher as suas funções desejadas.

No enfoque tradicional da manutenção todas as falhas são ruins e, portanto, todas devem ser prevenidas. Esta filosofia não é realista por duas razões:
- Tecnicamente, mostramos que é impossível se evitar todas as falhas.
- Ainda que se pudesse antecipar todas as falhas, os recursos financeiros não seriam suficientes.

Na MCC, determina-se *o que deve* ser feito para assegurar que um equipamento continue a cumprir suas *funções* no seu *contexto operacional*. A ênfase é determinar a manutenção preventiva necessária para manter o *sistema funcionando*, ao invés de tentar restaurar o equipamento a uma condição ideal.

Na manutenção tradicional, o enfoque é na característica técnica das falhas, enquanto na MCC, o enfoque é nos efeitos funcionais (operacionais) das falhas.

Na MCC, os objetivos da manutenção de qualquer item são definidos pelas funções e padrões de desempenho requeridos deste item no seu contexto operacional.

No planejamento tradicional de manutenção, a seleção de tarefas é baseada em critérios intuitivos, tais como:

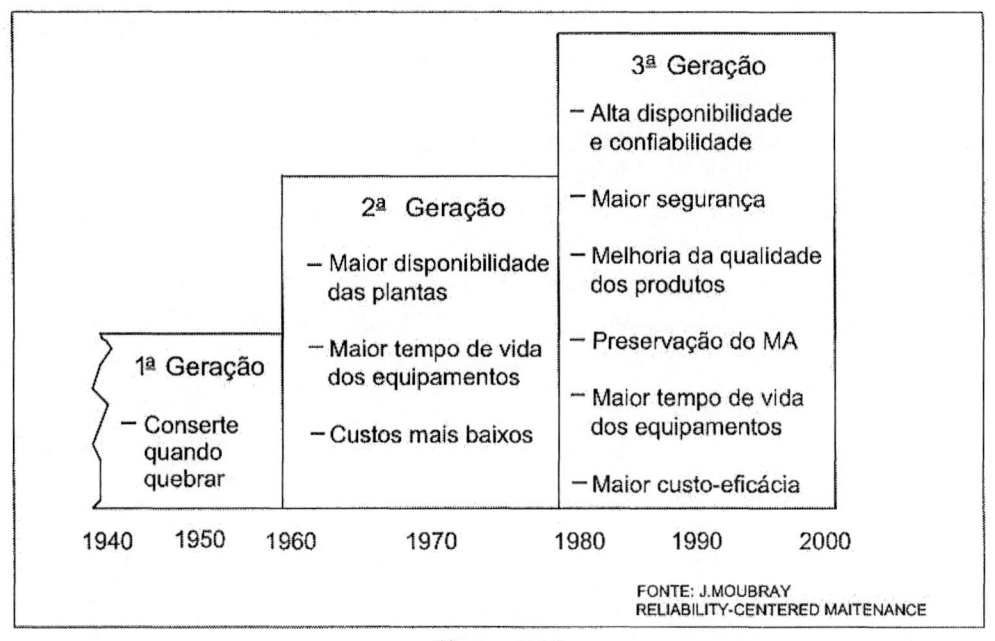

Figura 17.5

- Experiência – fazemos assim a 15 anos, deve ser bom!
- Julgamento – achamos que isto deve ser uma coisa boa!
- Recomendação do fabricante.
- Tentativa e Erro – vamos reduzir a manutenção neste item!
- Força bruta – quanto mais manutenção, melhor!

Nos casos de equipamentos/sistemas, com inúmeras tarefas de manutenção preventiva (mp) ou com um grande histórico de manutenção corretiva (mc), é que a MCC tem o seu maior potencial, seja pela redução de mp desnecessária, seja pela adição de mp para reduzir mc indesejáveis.

O resultado da aplicação da MCC é que as tarefas de manutenção, dado o *contexto operacional*, são *otimizadas* através da análise das *conseqüências* de suas *falhas funcionais (operacionais)*, sob o ponto de vista de segurança, meio ambiente, qualidade e *custos*.

A aplicação da MCC resulta no decréscimo das atividades de manutenção preventiva (mp) e no custo dos programas de manutenção preventiva. A redução nos custos de mão-de-obra e materiais é da ordem de 30% a 40%, mesmo quando o número de tarefas de manutenção preventiva aumenta.

A MCC é um processo contínuo. Sua aplicação deve ser reavaliada conforme a experiência operacional for acumulada. No início da sua aplicação a freqüência de manutenção é determinada conservadoramente, pois não há informação específica disponível. A aplicação continuada da MCC resulta na obtenção de dados que permitem reavaliar a freqüência em bases mais realistas.

Um resumo dos benefícios da MCC:
— Redução na carga de trabalho de mp.
— Aumento da disponibilidade dos sistemas.
— Aumento da vida útil dos equipamentos.
— Redução do nº de peças sobressalentes.
— Especialização de pessoal em planejamento de manutenção.
— Rastreamento das decisões.
— Motivação para o trabalho em equipe.

Indústrias que utilizam a MCC:
— Aeronáutica civil e militar.
— Geração e distribuição de energia.
— Refinarias de petróleo.
— Laboratórios farmacêuticos.
— Usinas siderúrgicas.
— Papel e celulose.
— Marinha de Guerra.
— Montadoras de automóveis.
— Estradas de ferro.
— Indústria de alimentos.
— Fábricas de cigarros.
— Metalúrgicas.
— Fornecimento de água.
— Cervejarias.

Um exemplo na indústria aeronáutica. O intervalo entre inspeções da estrutura do DC-8 com a manutenção tradicional era de 20.000h. Já no DC-10, com a aplicação da MCC, este intervalo passou para 66.000h, aumentando a disponibilidade da aeronave para a operação. No programa tradicional do DC-8 339 itens tinham recondicionamento programado com base no tempo; com o programa baseado na MCC, o DC-10 passou a ter somente 7 itens de recondicionamento programado no tempo. Com a MCC, houve redução de 50% no número de sobressalentes de uma turbina do DC-10, o que significou uma redução de US$ 1 milhão por turbina.

17.3 Etapas na Execução da MCC

A Figura 17.6, a seguir, descreve as etapas para a execução de uma análise de MCC completa. A Figura 17.7 detalha cada uma das etapas. Os itens seguintes deste capítulo serão dedicados ao detalhamento de cada uma destas subetapas.

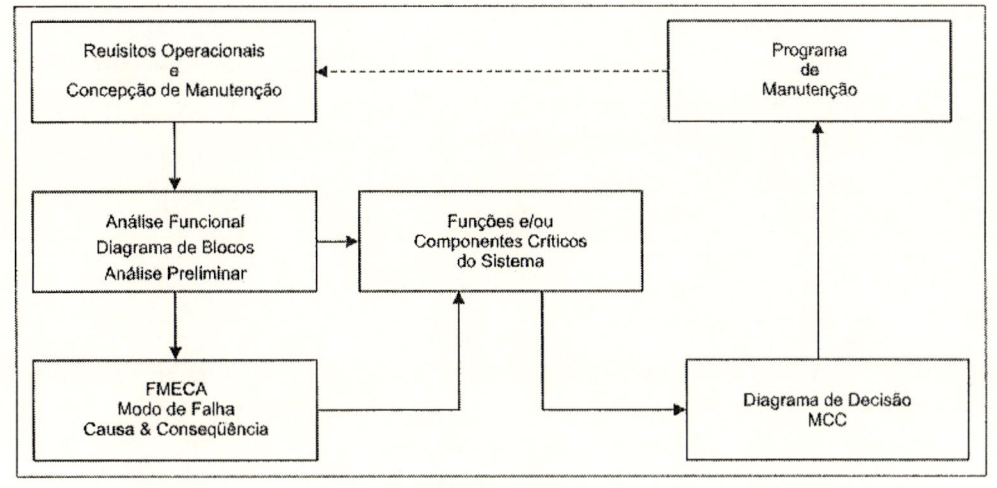

```
┌─────────────────────────────┐                                    ┌──────────────┐
│   Reuisitos Operacionais    │                                    │   Programa   │
│              e              │◄─ ─ ─ ─ ─ ─ ─ ─ ─ ─ ─ ─ ─ ─ ─ ─ ─ ─│      de      │
│   Concepção de Manutenção   │                                    │  Manutenção  │
└──────────────┬──────────────┘                                    └──────▲───────┘
               │                                                          │
               ▼                                                          │
┌─────────────────────────────┐      ┌─────────────────────────┐          │
│      Análise Funcional      │      │     Funções e/ou        │          │
│     Diagrama de Blocos      │─────►│  Componentes Críticos   │          │
│     Análise Preliminar      │      │       do Sistema        │          │
└──────────────┬──────────────┘      └────────────▲────────────┘          │
               │                                  │                       │
               ▼                                  │          ┌─────────────────────────┐
┌─────────────────────────────┐                   │          │  Diagrama de Decisão    │
│           FMECA             │                   │          │          MCC            │
│       Modo de Falha         │───────────────────┴─────────►│                         │
│    Causa & Conseqüência     │                              │                         │
└─────────────────────────────┘                              └─────────────────────────┘
```

Figura 17.6

Requisitos Operacionais	Análise Funcional	Elaborar FMEA	Diagrama de Decisões	Programa de Manutenção
Montar equipe de análise	Identificar funções	Definir os modos de falhas	Aplicar diagrama de decisões	Comparar com atividades existentes
Identificar dados	Definir funções	Definir as causas das falhas	Identificar tarefas Manutenção Preventiva	Detalhar instruções
Coletar dados	Definir falhas funcionais	Definir efeitos das falhas	Selecionar tarefas efetivas	Revisar planos
Descrever sistema		Classificar conseqüência	Estabelecer intervalos	Conduzir auditorias
Identificar elementos		Identificar sistemas críticos	Identificar mudanças de projeto	Conduzir mudanças de projeto
Definir fronteiras e interfaces				

Figura 17.7

17.4 Requisitos Operacionais

A MCC procura determinar as tarefas de manutenção necessárias para manter o sistema funcionando, ao invés de tentar restaurar o equipamento a uma condição ideal. Para isto, é necessário o perfeito entendimento do contexto operacional no qual o equipamento se encontra, pois equipamentos idênticos podem demandar diferentes tarefas a depender do contexto. A MCC procura assegurar que os equipamentos continuem a executar suas funções ao invés de tentar restaurar o equipamento a uma condição ideal como é feito na abordagem de manutenção tradicional.

Para que os requisitos operacionais e suas funções sejam determinados é necessário que a equipe de análise identifique as fontes de dados. Estas fontes podem ser:
- P&Id (*System Piping And Instrumentation Diagram*).
- Esquema do sistema ou diagrama de blocos.
- Manuais de fabricantes.
- Histórico de falhas dos equipamentos.
- Manuais de operação.
- Especificações de projeto.

Uma vez determinada as fontes de dados, é necessário descrever o sistema, incluindo os equipamentos que o compõem, as definições de limites, as entradas e saídas e as principais considerações e limitações.

Com o sistema definido, a próxima etapa consiste em definir o nível de análise. Este nível pode ser definido da seguinte maneira (ver Figura 17.8):
- Partes.
- Componentes (caixas pretas).
- Equipamentos.
- Sistemas.
- Plantas.

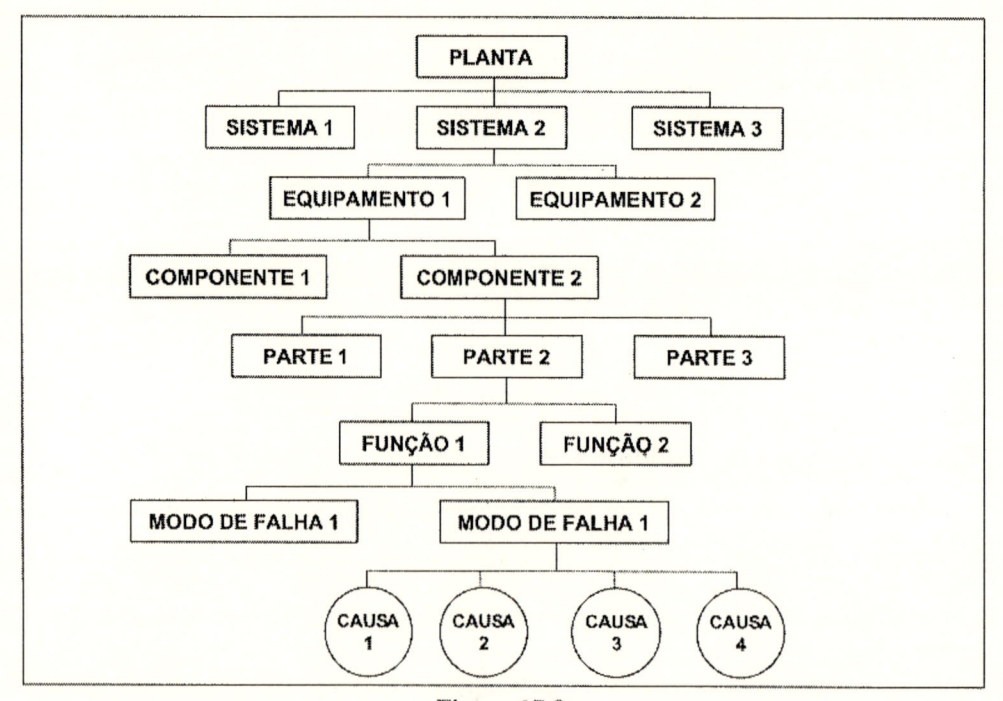

Figura 17.8

Esta etapa é muito importante, pois, ela definirá a quantidade de trabalho alocada na análise. Se a equipe decidir detalhar as partes componentes, a análise exigirá grande massa de dados e grande quantidade de HH para a análise. Se, por outro lado, a análise se restringir aos sistemas, a massa de dados e os HH's necessários serão menores, porém, as recomendações de manutenção podem ser ineficazes. A priori, não existe um nível ideal predeterminado de análise; isto vai depender da experiência que a equipe vai adquirindo com o decorrer das análises e do acompanhamento da efetividade das recomendações de manutenção.

Passamos a seguir a uma análise detalhada de cada etapa da MCC. No Capítulo 18 discutiremos a análise funcional; no Capítulo 19 explicaremos como a MCC utiliza a FMEA; no Capítulo 20 apresentaremos o diagrama de decisões que conduzirá a um plano de manutenção baseado na confiabilidade.

CAPÍTULO 18

Análise Funcional

18.1 Introdução

Função é toda e qualquer atividade que o item desempenha, sob o ponto de vista operacional.

O objetivo da análise funcional é traduzir a estrutura física de um item em palavras.

Uma função é, normalmente, definida por um verbo mais um substantivo. Os verbos utilizados não devem ser de ligação como ser, estar, parecer, etc., uma vez que eles exprimem uma qualidade ou atributo do item. É importante evitar usar nomes de componentes na descrição das funções para que a análise seja a mais abstrata possível. Também é importante não confundir a função do item com a utilidade que este tem para o usuário. Por exemplo, a função da caneta não é escrever; quem escreve é o usuário da caneta.

As funções podem ser classificadas em primárias e secundárias. As funções primárias exprimem o motivo pelo qual o item existe. São normalmente dadas pelo nome do item.

No caso da MCC, é importante que as funções sejam específicas ao contexto operacional do item. É importante que na descrição das funções estejam incluídos:
- Os padrões de desempenho desejado e/ou esperado.
- Os padrões de qualidade estabelecidos pelo cliente.
- Os padrões de segurança e preservação do meio ambiente.

A seguir, encontram-se alguns exemplos de funções primárias específicas:

DE UMA BOMBA CENTRÍFUGA
- Transferir água do Vaso A para o Vaso B na vazão mínima de 800 l/min.

DE UM TRANSPORTADOR DE CORREIA
- Transportar pedras do Silo ao Triturador numa taxa mínima de 15 t/h.

DE UM TROCADOR DE CALOR
- Aquecer até 500 kg/h de óleo X da temperatura ambiente na entrada até 125°C na saída.

As funções secundárias são menos óbvias que as funções primárias. Entretanto, elas são essenciais para aumentar o valor agregado do item e contribuem para a sua qualidade. Procuram expressar o ponto de vista (desejos) do operador. Normalmente distinguem o item da concorrência. Suas falhas podem ter conseqüências tão sérias como as funções primárias e podem consumir mais tempo e recursos da manutenção que as próprias funções primárias.

Exemplos de funções secundárias típicas:
- Contenção.
- Suporte.
- Aparência.
- Higiene.
- Medições.

Um ponto importante é o não esquecer as funções exercidas pelas redundâncias, dispositivos de proteção e de controle (instrumentação). As funções típicas destes itens são:
- Chamar atenção.
- Desligar.
- Eliminar ou descarregar.
- Reserva (*stand-by*).
- Afastar do perigo (cercas).

Convém ressaltar que um mesmo item pode ter funções diferentes a depender do contexto operacional em que se encontra inserido. A bomba **A** da Figura 18.1 tem funções e requisitos de manutenção diferentes da bomba **B** e da bomba **C**.

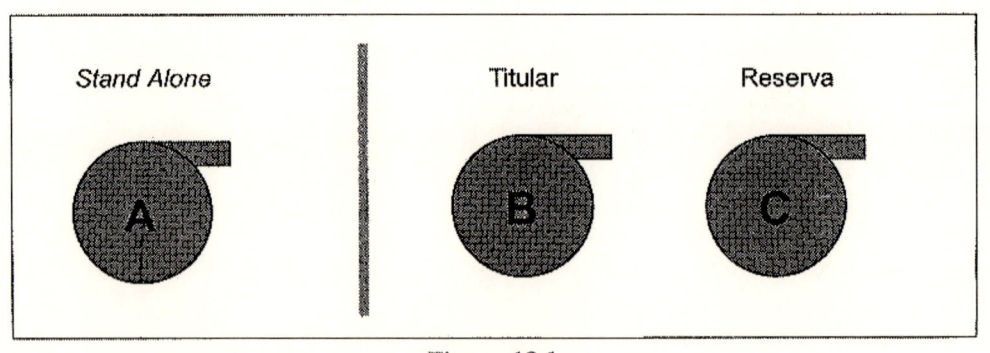

Figura 18.1

A falha da bomba **A** (*stand alone*) pode provocar a falha do sistema. A falha da bomba **B**, se a bomba **C** estiver disponível neste momento, pode não provocar a falha do sistema. A bomba **C** também pode falhar sem provocar a falha do sistema desde que esta não ocorra simultaneamente à falha da bomba **B**. É intuitivo que os requisitos de manutenção destas duas bombas sejam diferentes, embora a manutenção tradicional procure recomendar o mesmo tipo de intervenção já que os equipamentos são idênticos.

Muitas vezes, a determinação da função em sistemas complexos pode não ser uma tarefa trivial. Para isso, é possível se recorrer a uma série de técnicas que auxiliam a determinação das funções de maneira sistematizada. Veremos estas técnicas nos itens que se seguem.

18.2 Análise Randômica de Funções

A análise randômica de funções é uma técnica centrada na intuição das pessoas que descrevem as funções. Baseia-se na elaboração inicial de uma lista de verbos e substantivos que possam representar algumas funções do objeto em estudo.

Exemplo

Funções de um isqueiro:
- Armazenar gás.
- Provocar faísca.
- Regular gás.
- Produzir calor.

A partir da lista de funções, procura-se identificar a finalidade do item, suas funções principais e secundárias.

Este tipo de análise é muito prática e requer conhecimento específico sobre o item. Sua desvantagem é o risco do esquecimento de alguma função na listagem inicial.

18.3 Análise Seqüencial de Funções

É um método de análise apropriado para a determinação das funções de sistemas simples, sistemas sem muitas funções secundárias ou componentes isolados.

Provavelmente, é a técnica que apresenta a maior garantia de que nenhuma função foi esquecida. Baseia-se na decomposição do item em subsistemas, conjuntos, subconjuntos ou componentes.

Descrevem-se, então, as funções de cada subdivisão como se fossem independentes das demais. Ao final desta etapa, determina-se, através de uma análise lógica, a função principal e secundária.

A vantagem da Análise Seqüencial reside em ser nulo o risco de esquecimento de alguma função do item, além de ser de aplicação universal. Porém, quando o item apresenta grande número de componentes, a sua adoção, na prática, torna-se exaustiva e demorada.

Exemplo 1

Descrição das funções de um isqueiro.

Componente	Função	Classificação
Corpo	Armazenar gás	Primária
	Prover resistência	Secundária
	Resistir pressão	Secundária
	Possibilitar manuseio	Secundária
Válvula	Dar segurança	Secundária
	Regular vazão	Primária
	Prover aparência	Secundária
Tampa da base inferior	Armazenar gás	Primária
	Prover identificação	Secundária
	Prover aparência	Secundária
Subconjunto acionador	Abrir válvula	Primária
	Provocar faísca	Primária
	Dar atrito	Secundária
	Fechar válvula	Secundária
Tampa da base superior	Prover aparência	Secundária
	Proteger chama	Primária
	Resistir temperatura	Secundária
Bico de saída do gás	Permitir saída do gás	Primária
	Dar segurança	Secundária
Chama	Produzir calor	Primária
Gás	Permitir combustão	Primária
	Função Básica: Produzir calor	

Exemplo 2
Descrição das funções de uma bomba centrífuga:

Componente	Função	Classificação
Carcaça	Conter Líquido	Secundária
Rotor	Elevar Pressão	Primária
Selo	Garantir Vedação	Secundária
Base	Reduzir Vibração	Secundária

18.4 Análise de Blocos Funcional

É um tipo de análise adequada para sistemas de processamento contínuos onde existam inúmeros controles, restrições e transmissão de dados.

Consiste em colocar as funções/atividades dentro de blocos. As entradas necessárias à atividade são colocadas como setas que entram no bloco pela esquerda. As saídas das atividades, colocadas como setas que saem do bloco pela direita. Os controles ou restrições são colocados como setas que entram no bloco por cima, enquanto os dados/mecanismos são colocados como setas que saem do bloco por baixo. A Figura 18.2 resume este procedimento.

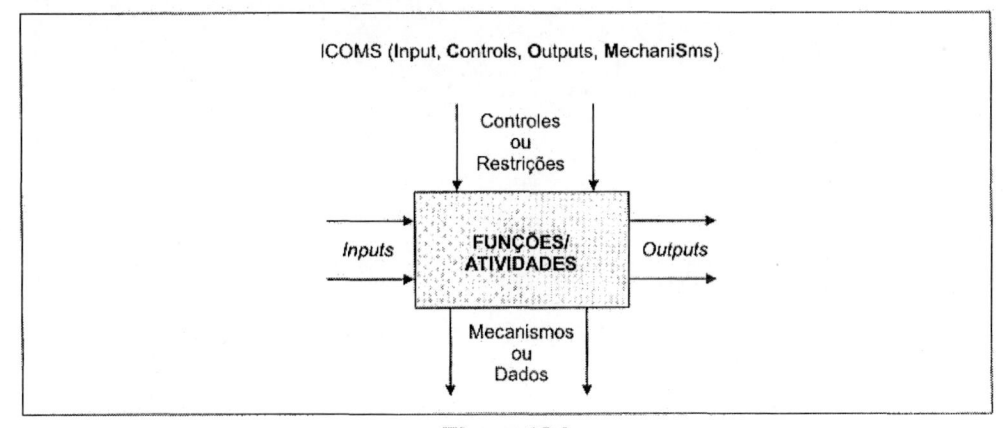

Figura 18.2

Exemplo de um diagrama de bloco funcional de um Condensador a Ar (ver Figura 18.3).

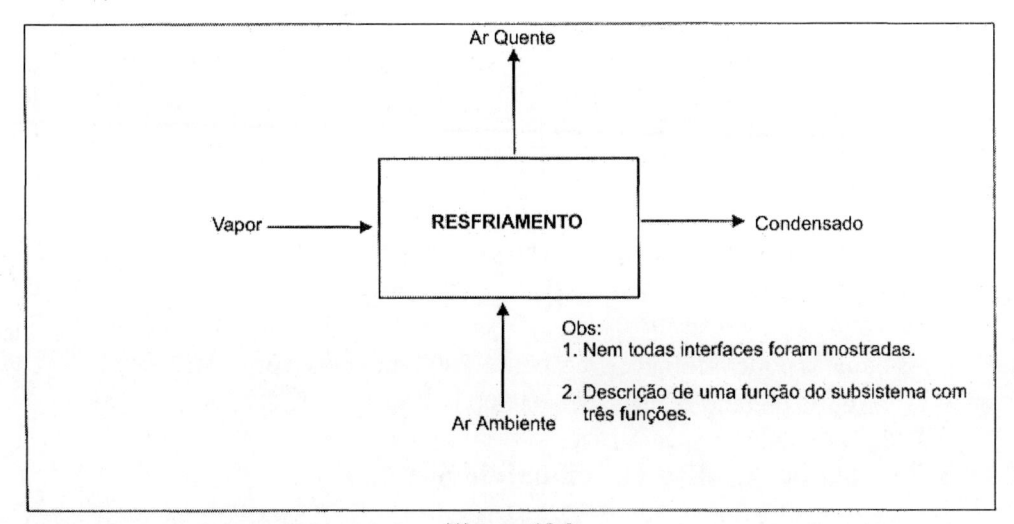

Figura 18.3

Descrição do sistema:

- O vapor da saída da turbina a vapor e/ou desvio é enviado para os resfriadores a ar com 16 módulos de tubos aletados, e é condensado pela passagem do fluxo de ar ambiente através da tiragem força de 16 ventiladores de 9 pás com diâmetro de 9,0 m.

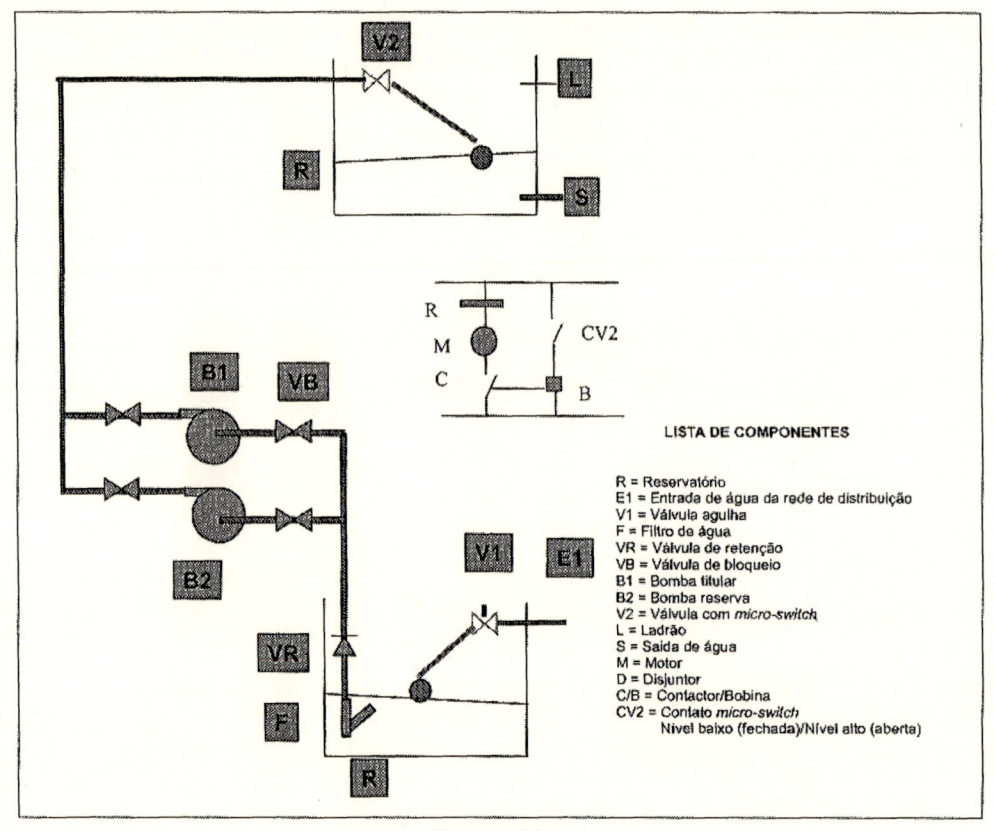

Figura 18.4

Exemplo de um diagrama de bloco funcional de um sistema de alimentação de água predial.

Informações sobre o sistema:
- As bombas podem fornecer vazão de 1.000 l/min de água.
- O consumo do tanque superior é de 800 l/min.

18.5 Técnica de Análise Funcional de Sistema

Esta técnica é conhecida como FAST (*Function Analysis System Technique*) e permite agrupar as funções em três níveis.

Os passos para aplicação desta técnica consistem em:

1 – Definição de funções (entre 40 e 80 funções):

- Definir as atividades executadas desempenhadas pelo produto ou parte.
- Responde à questão: "O que isto faz?"

Definição dos sistemas:

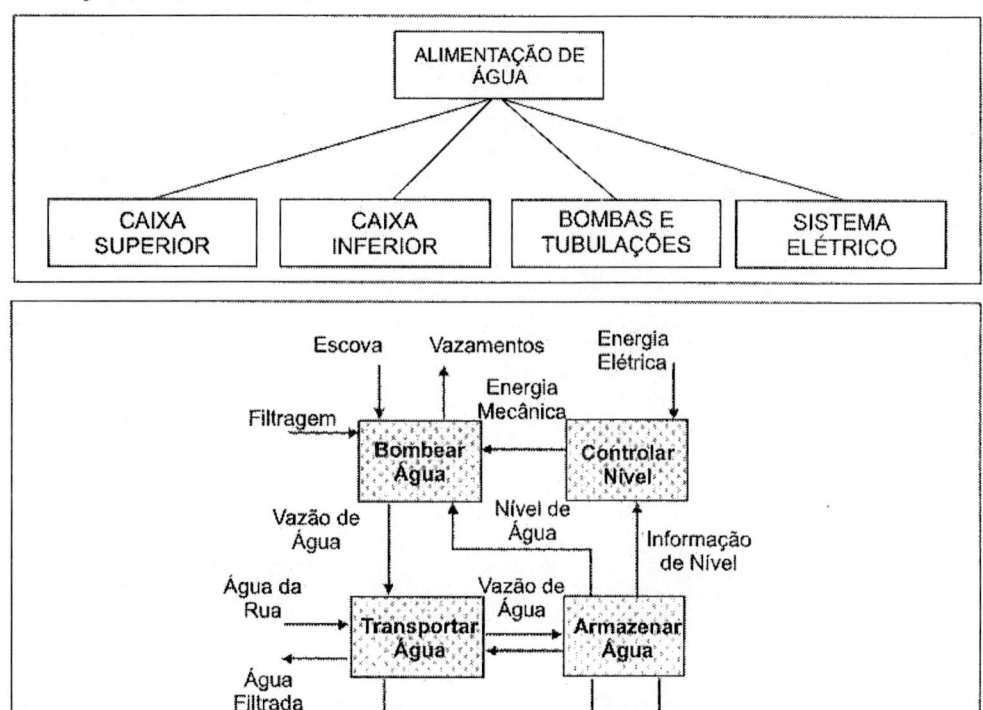

```
                    ALIMENTAÇÃO DE
                          ÁGUA
         ┌──────────┬──────────┴──────────┬──────────┐
    CAIXA        CAIXA         BOMBAS E        SISTEMA
   SUPERIOR    INFERIOR       TUBULAÇÕES      ELÉTRICO
```

Diagrama de blocos funcional com: Escova, Vazamentos, Energia Elétrica, Filtragem, Energia Mecânica, Bombear Água, Controlar Nível, Vazão de Água, Nível de Água, Informação de Nível, Água da Rua, Vazão de Água, Transportar Água, Armazenar Água, Água Filtrada, Vazamentos, Proteção, Vazamentos.

Figura 18.5 – Diagrama de blocos funcional

Diagrama "Como?" — Função Principal: CONTROLAR AMBIENTE.

Funções Básicas:
- ADICIONAR CALOR
- REMOVER CALOR
- CIRCULAR AR

Funções Secundárias:
- ASSEGURAR DISPONIBILIDADE
- ASSEGURAR CONVENIÊNCIA
- MELHORAR PRODUTO
- SATISFAZER SENTIDOS

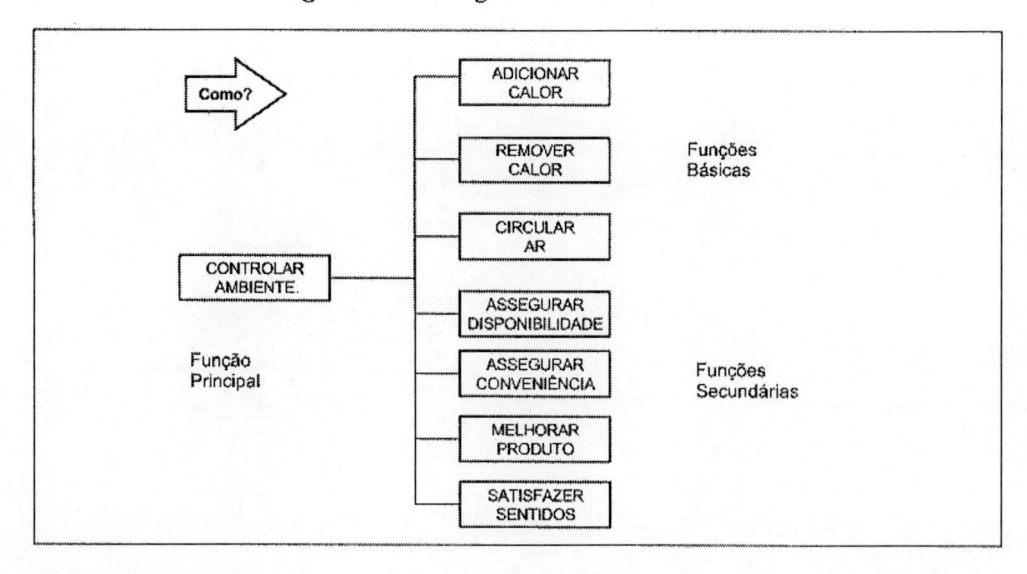

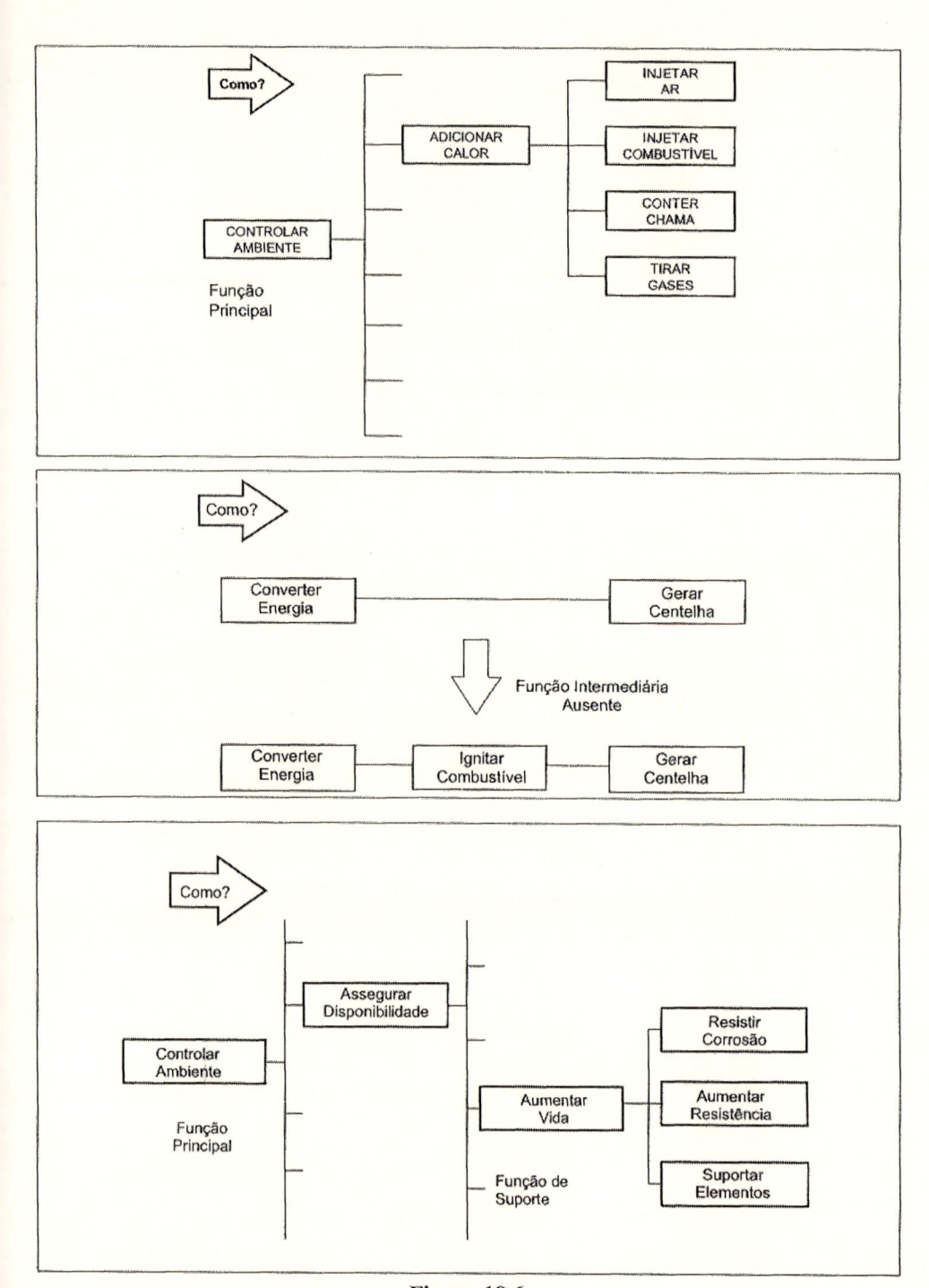

Figura 18.6

- Isto = elemento, característica, parte, trabalho, atividade, material, tolerância ou requisito.
- Definir as funções de todo elemento ou atividade que tiver custo.
- Colocar as funções em pedaços de papel (3M Post-it) na parte inferior da cartolina.

2 – Escolher iterativamente a função principal:

- Selecionar aquelas que respondem: "Como o produto executa a função principal".
- Se a pergunta não for respondida diretamente, é necessária uma função intermediária.

3 – Dividir as funções em básicas e secundárias.
4 – Identificar as funções básicas principais.
5 – Identificar as funções secundárias principais:

- *Quatro grupos de funções secundárias:*
    - Assegurar disponibilidade.
    - Minimizar deterioração.
    - Aumentar resistência.
    - Prevenir corrosão.
    - Aumentar segurança do produto.
    - Evitar agressão ao MA.
    - Aumentar Confiabilidade.
    - Aumentar Manutenabilidade.
- *Assegurar conveniência:*
    - Instruções.
    - Assistência técnica.
    - Limpeza.
    - Ergonomia.
    - Sobressalentes.
- *Melhorar produto:*
    - Menores dimensões.
    - Maior rapidez.
    - Menor peso.
    - *Status*.
- *Satisfazer sentidos:*
    - Estética.
    - Nível de ruído.
    - Velocidade.
    - Ergonomia.

6 – Expandir o diagrama para a direita:
- Expandir cada função fazendo a pergunta: "Como" o produto faz isto?
- Procurar a resposta nas funções determinadas. Adicionar novas funções se necessário.
- Manter o ponto de vista do cliente durante o questionamento.
- Evitar frases condicionais. Se necessário, adicionar funções.

7 – Verificar a lógica do diagrama:

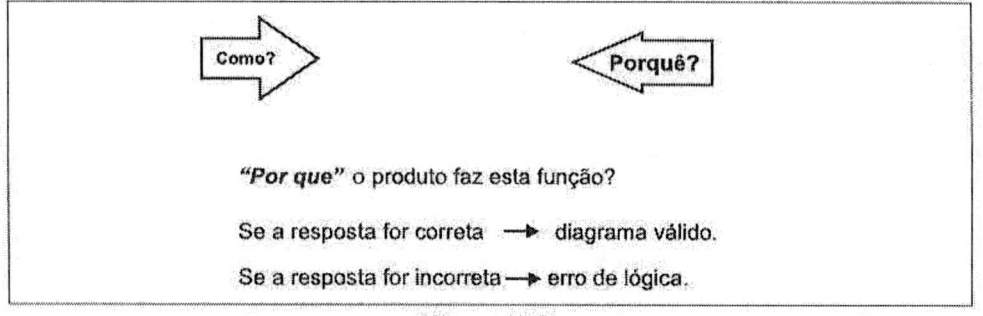

Como?   **Porquê?**

"Por que" o produto faz esta função?

Se a resposta for correta → diagrama válido.

Se a resposta for incorreta → erro de lógica.

Figura 18.7

8 – Numerar as funções por níveis:

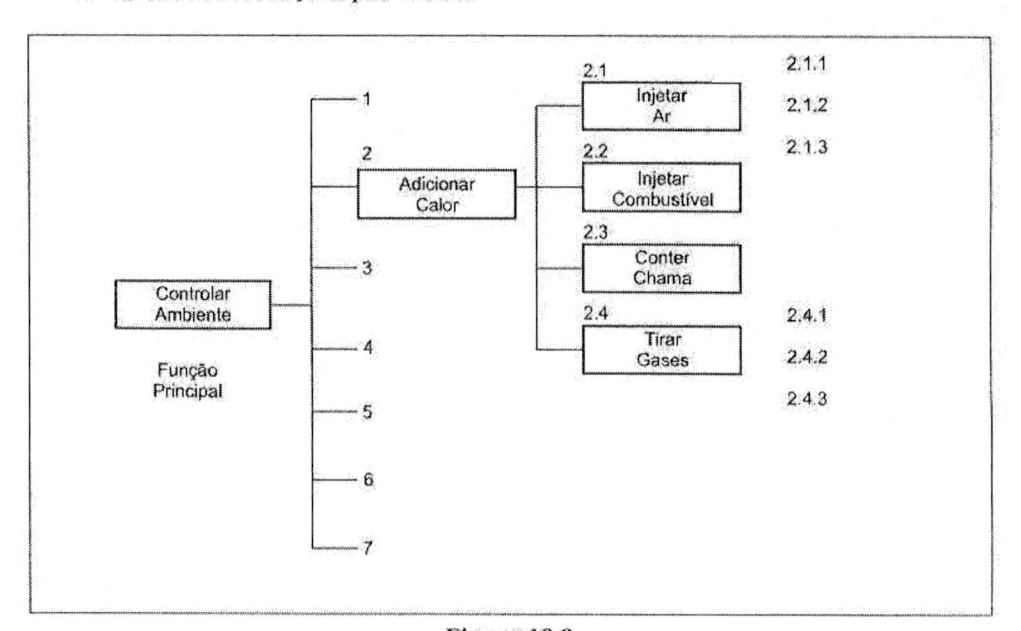

Figura 18.8

Exemplo do sistema de alimentação de água predial, apresentado na Figura 18.3.

Figura 18.9 – Lista de funções

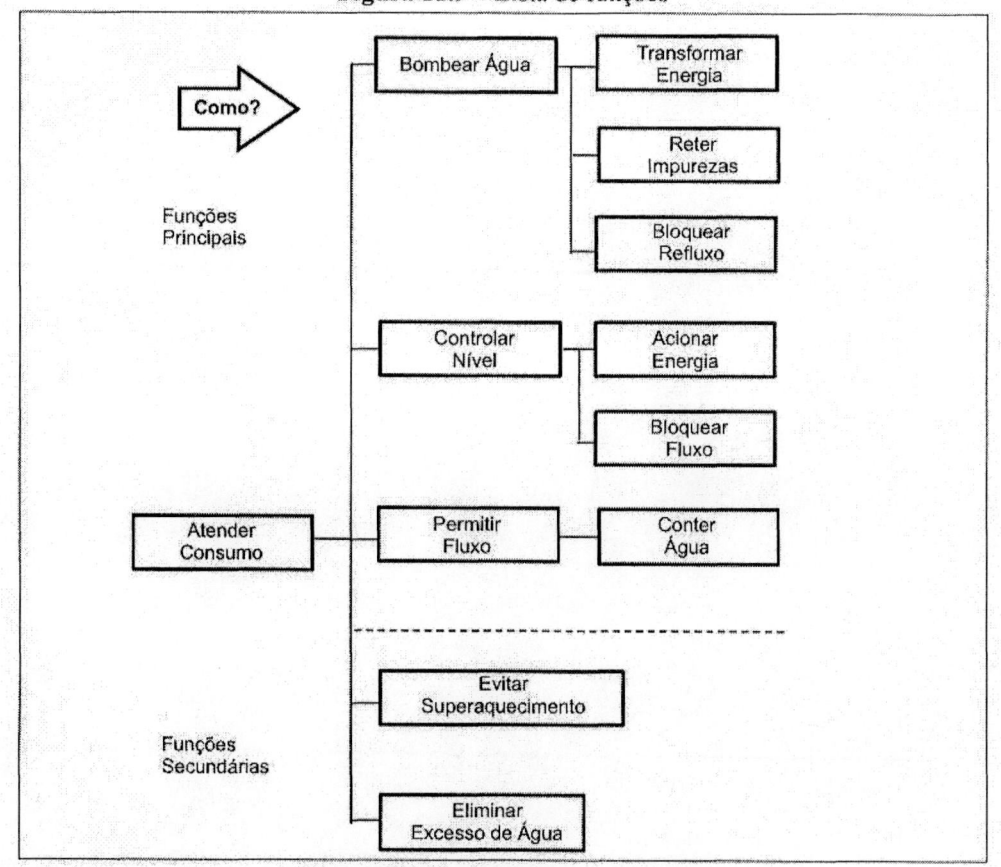

Figura 18.10 – Diagrama de funções

CAPÍTULO 19

A MCC e a FMEA

19.1 Introdução

No capítulo sobre FMEA, descrevemos os princípios de aplicação desta técnica. Neste capítulo, descrevemos algumas peculiaridades de sua aplicação na MCC.

19.2 Identificação das Falhas Funcionais

Uma falha é definida como a perda de uma função.

Uma falha funcional é definida como a incapacidade de qualquer item em atingir o padrão de desempenho esperado. Os padrões de desempenho devem ser estabelecidos em conjunto pela engenharia, produção e manutenção, no caso de uma FMEA realizada durante uma análise de MCC.

Convém enfatizar que o objetivo principal da MCC é preservar as funções do sistema, enquanto na manutenção tradicional o objetivo principal é preservar o equipamento.

Na MCC, o fato de que as funções não são todas iguais é enfatizado e as falhas são priorizadas em função das conseqüências da perda da função do item.

A definição da falha funcional deve levar em conta o contexto operacional do item. A Figura 19.1 mostra as diversas visões da falha: a formação de uma poça de

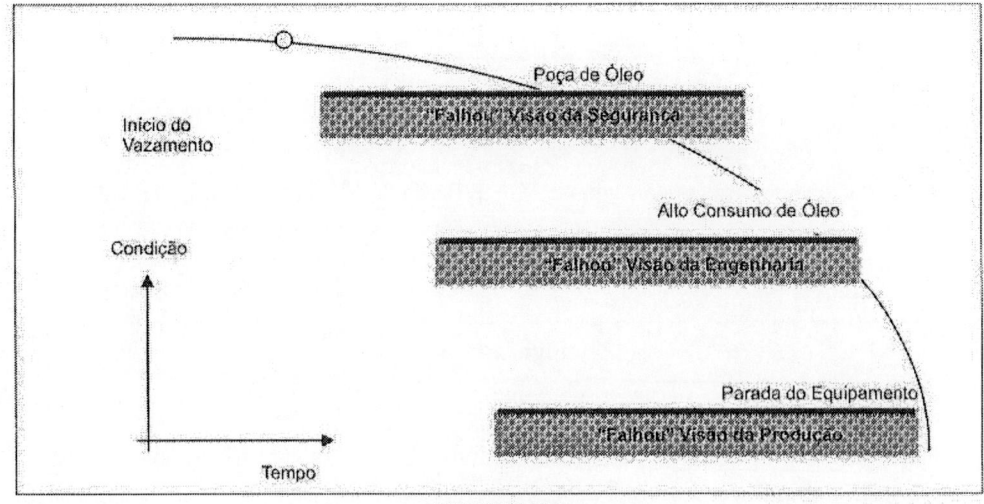

Figura 19.1

óleo pode ser encarada como falha sob o ponto de vista da segurança; já a engenharia enxergaria que a falha ocorreria se o consumo de óleo do item passasse a ser alto; a visão da produção é de que a falha ocorre quando o equipamento pára e não mais executa sua função principal. O enfoque multidisciplinar da MCC e da FMEA exige uma discussão de qual visão da falha é relevante no contexto operacional.

A Figura 19.2 mostra um exemplo de falhas funcionais. Observar a importância dos requisitos operacionais na definição da falha, fixando as condições em que a operação enxerga a perda de função como intolerável para o processo.

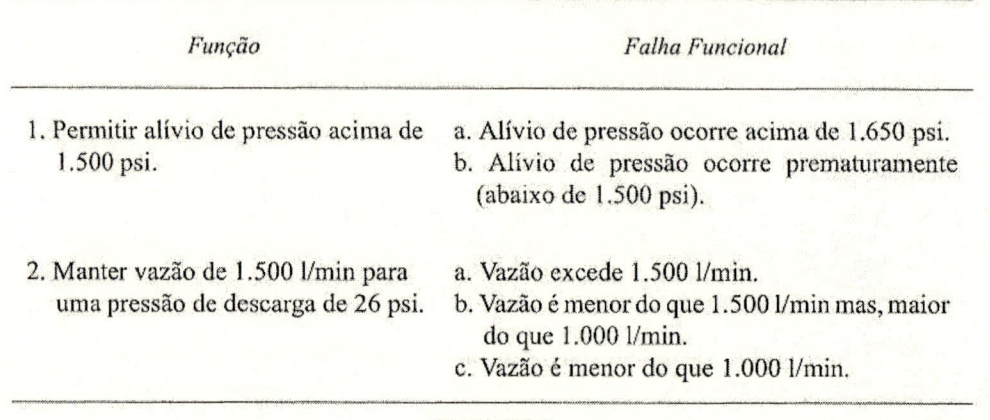

Função	Falha Funcional
1. Permitir alívio de pressão acima de 1.500 psi.	a. Alívio de pressão ocorre acima de 1.650 psi. b. Alívio de pressão ocorre prematuramente (abaixo de 1.500 psi).
2. Manter vazão de 1.500 l/min para uma pressão de descarga de 26 psi.	a. Vazão excede 1.500 l/min. b. Vazão é menor do que 1.500 l/min mas, maior do que 1.000 l/min. c. Vazão é menor do que 1.000 l/min.

Figura 19.2

No caso do exemplo do condensador de ar apresentado no Capítulo 17, temos o seguinte exemplo de falha funcional:

Função	Falha Funcional
1. Converter o vapor em condensado.	a) Perda de 5% na capacidade de resfriamento do condensado; com menos de 5% de perda o sistema funciona, com mais de 5% o sistema deve parar.

Figura 19.3

Na Figura 19.4 podemos verificar as falhas funcionais do sistema de alimentação de água predial (ver Figura 18.4).

Funções	Falha Funcional	
	Número	Descrição
Transformar Energia	FF01	Não há transformação de energia
Reter Impurezas	FF02	Impurezas não são retidas
Bloquear Refluxo	FF03	Refluxo não é bloqueado
Bombear Água	FF04	Pressão abaixo da especificada
Acionar Energia	FF05	Não aciona energia
Bloquear Fluxo	FF06	Fluxo não é bloqueado
Controlar Nível	FF07	Ausência de informação de nível
Conter Água	FF08	Vazamentos
Permitir Fluxo	FF09	Bloqueio de vazão
Evitar Superaquecimento	FF10	Temperatura acima do especificado
Eliminar Excesso de Água	FF11	Não eliminação do excesso de água

Figura 19.4

19.3 Identificação dos Modos de Falhas

O Modo de Falha é a descrição da maneira pela qual um item falha em cumprir com a sua função.

Para a elaboração da FMEA, deve-se identificar os modos de falha que podem levar à falha funcional. Não se deve tentar listar todos os modos de falha possíveis; levar em consideração sua probabilidade de ocorrência.

Na MCC, é necessário o relacionamento dos Modos de Falha possíveis para cada falha funcional (ver Figura 19.5).

Função	Falha Funcional	Modo de Falha
1. Transferir água do tanque X para o tanque Y na vazão de no mínimo 800 l/min.	a. Incapaz de transferir nenhuma água.	1. Mancais fundidos. 2. *Queda do impelidor.* 3. *Impelidor destruído por objeto estranho.* 4. Cisalhamento do acoplamento. 5. Queima do motor. 6. Linha de sucção totalmente bloqueada.
	b. Transferência de menos de 800 l/min de água.	1. *Desgaste do impelidor.* 2. Linha de sucção parcialmente bloqueada.

Figura 19.5

No caso da FMEA aplicada à MCC, a gerência da manutenção é feita em nível do modo de falha, enquanto na manutenção tradicional a gerência é feita em nível de componente ou equipamento. Normalmente, recomenda-se a elaboração de uma tabela como a da Figura 19.6, onde são identificadas as falhas funcionais possíveis para cada componente.

	1.1 Perda de 5% da CAP de Resfriamento	1.2	1.3	
Válvula de 86"	x			000
Motor do Ventilador	x	x		000
0				
0				
0				
0				
Pás do Ventilador	x		x	000

Figura 19.6

Na Figura 19.8, apresentamos os modos de falha do sistema de alimentação de água predial apresentado na Figura 18.4.

Para a determinação dos modos de falha de cada componente, é necessário identificar suas funções. Isto, é, normalmente feito através de uma matriz que correlaciona os componentes (partes) e suas funções. A Figura 19.7 apresenta esta matriz para o sistema de alimentação predial.

19.4 Identificação das Causas Básicas das Falhas

A atividade de manutenção será efetiva em eliminar ou reduzir os modos de falhas se atuar nas causas que levam ao processo de falha. Na Figura 19.9, correlacionamos alguns modos de falha, sua causa e as atividades de manutenção que são efetivas em função da compreensão na natureza das falhas, conforme descrito no Capítulo 6.

Função \ Partes	Reservatório	Entrada D'Água	Válvula Agulha	Filtro de Água	Válvula de Retenção	Válvula de Bloqueio	Bomba Titular	Bomba Reserva	Válvula com *Micro-Switch*	Ladrão	Saída de Água	Motor	Disjuntor e RT	Contato/Bobina	Contato *Micro-Switch*	Tubulação
Transformar Energia												X				
Reter Impureza				X												
Bloquear Ref.					X											
Bombear Água							X	X				X				
Acionar Água									X				X	X	X	
Bloquear Fluxo						X			X							
Controlar Nível			X						X	X						
Conter Água	X		X	X	X	X	X	X								X
Permitir Fluxo				X	X				X							X
Proteger Superaquecimento													X			
Eliminar Excesso de Água										X				X	X	

Figura 19.7

Falha Funcional		Modo de Falha
Número	Descrição	
FF01	Não há transformação de energia	Motor queimado
		Acoplamento motor/bomba rompido
FF02	Impurezas não são	Rompimento do filtro
FF03	Refluxo não é bloqueado	Falta de estanqueidade da válvula de retenção
FF04	Pressão abaixo da especificada	Desgaste do impelidor da bomba
		Emperramento de válvulas
		Obstrução do filtro
		Encrustração da tubulação
		Avaria de mancais da bomba/motor
FF05	Não aciona energia	Não fecha contatos da *micro-switch*
		Bobina do contactor queimada
		Avaria no relé térmico
FF06	Fluxo não é bloqueado	Passagem de água em válvulas fechadas
FF07	Ausência de informação de nível	Bóias furadas
		Haste quebrada
FF08	Vazamentos	Vazamentos em tubulações/reservatório
FF09	Bloqueio de vazão	Obstrução de componentes
FF10	Temperatura acima do especificado	Desregulagem do relé térmico
FF11	Não eliminação do excesso de água	Obstrução do ladrão

Figura 19.8

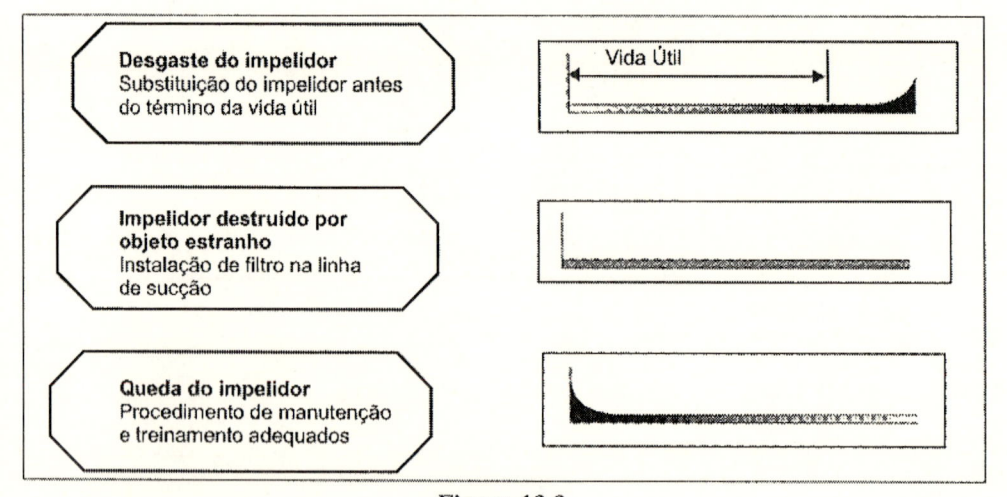

Desgaste do impelidor
Substituição do impelidor antes do término da vida útil

Vida Útil

Impelidor destruido por objeto estranho
Instalação de filtro na linha de sucção

Queda do impelidor
Procedimento de manutenção e treinamento adequados

Figura 19.9

19.5 Identificação dos Efeitos das Falhas

A Figura 19.10 mostra o exemplo da FMEA do condensador a ar apresentado anteriormente.

FALHA FUNCIONAL	MODO DE FALHA	CAUSA DA FALHA	EFEITO DA FALHA		
			LOCAL	SISTEMA	PLANTA
Perda de 5% na Capacidade de Resfriamento do Condensado	Separação das Pás	Vibração Defeito no Material	Parada do Resfriamento Danos Secundários	Redução no Resfriamento Danos Secundários	Redução da Eficiência Redução da Produção

Diagrama de Decisão: Efeito do Tipo Segurança e Não-Oculta

Figura 19.10

19.6 Exemplo de FMEA

A Figura 19.11 abaixo exemplifica a FMEA do sistema de alimentação de água de alimentação predial, apresentado na Figura 18.

A Figura 19.4 contém a descrição das falhas funcionais do sistema, identificadas pelo respectivo número.

A Figura 19.8 contém a análise dos modos de falha de cada folha funcional.

Na Figura 19.11 acrescentamos a análise das causas e efeitos de cada modo de falha do sistema.

Falha funcional Número	Modo de Falha	Causa Básica da Falha	Efeitos da Falha
FF01	Motor queimado	Perda de isolamento devido umidade	Falta de água na caixa superior
		Travamento dos mancais devido sujeiras	Falta de água no condomínio
	Acoplamento motor/bomba rompido	Desgaste devido a fadiga	
FF02	Rompimento do filtro	Corrosão do material do filtro	Desgaste do rotor da bomba Depósitos de sujeira nas tubulações e acessórios

Figura 19.11

Falha Funcional Número	Modo de Falha	Causa Básica do Falha	Efeitos da Falha
FF03	Falta de estanqueidade da válvula de retenção	Pino da portinhola quebrada devido a vibração	Perda de sucção da bomba
		Depósito de sujeira na sede	Falta de água da caixa superior
FF04	Desgaste do impelidor da bomba	Presença de sujeira na água	Demora no enchimento da caixa superior
	Emperramento de válvulas	Desgaste dos internos devido ao uso	
	Obstrução do filtro	Excesso de sujeira na água	
	Encrustração da tubulação	Presença de sujeira na água	
	Avaria de mancais da bomba/motor	Falta de lubrificação	
FF05	Não fechamento dos contatos da *micro-switch*	Oxidação/sujeira nos contatos	Falta de água no condomínio
	Bobina do contactor queimada	Presença de umidade	
	Avaria no relé térmico	Presença de umidade	
FF06	Passagem de água em válvulas fechadas	Corrosão do material das válvulas	Consumo excessivo de água
			Dificuldade de liberar o sistema para manutenção
FF07	Bóias furadas	Desgaste do material da bóia/haste	Perda excessiva de água pelo ladrão do reservatório
	Haste quebrada		
FF08	Vazamentos em tubulações/reservatório	Corrosão interna nas tubulações e acessórios	Consumo excessivo de água
FF09	Obstrução de componentes	Excesso de sujeira na água	Falta de água no condomínio
FF10	Desregulagem do relé térmico	Excesso de corrente no motor devido obstrução das tubulações	Desarme do motor/Falta de água no condomínio
FF11	Obstrução do ladrão	Presença de sujeira na água	Transbordamento de água pela caixa

Figura 19.11

(Continuação)

CAPÍTULO 20

Estabelecimento de um Plano de Manutenção

20.1 Introdução

Após a conclusão da Análise de Modos de Falhas e Efeitos (*Failure Mode and Effect Analysis* – FMEA), é possível se estabelecer um plano de manutenção efetivo em função do efeito da falha e da efetividade deste plano em estabelecer tarefas que sejam aplicáveis e custo-eficientes em:

- Detectar.
- Monitorar.
- Restaurar.
- Substituir.
- Inspecionar.
- Mudar o projeto.
- Os modos de falhas.

No Capítulo 12, apresentamos e discutimos os diversos tipos de manutenção e sua aplicabilidade em função do comportamento das taxas de falhas. Como o programa de manutenção na MCC é elaborado no nível do Modo de Falhas, é essencial a compreensão do tipo de manutenção que é mais adequado a cada tipo de comportamento da taxa de falha.

20.2 Os Tipos de Manutenção

Chamaremos aqui de *Manutenção Preventiva* as tarefas efetuadas a intervalos predeterminados conforme critérios prescritos e planejados, destinadas a reduzir a probabilidade de falha ou a degradação do desempenho de um item.

As tarefas de MANUTENÇÃO PREVENTIVA são divididas em:

- *Baseada no Tempo* – Destinada à prevenção ou postergação da falha. Pode incluir: Substituição, Restauração ou Inspeção.
- *Baseada na Condição* – Destinada à detecção do início da falha ou do sintoma da falha.
- *Teste para Descobrir a Falha* – Destinada a revelar falhas ocultas antes de uma demanda operacional.

A Manutenção Preventiva baseada no tempo tem a característica de que as suas ações e sua periodicidade são predeterminadas e ocorrerão sem informações adicionais na data preestabelecida. Estas ações requerem alguma forma de intrusão no equipamento. São **Tecnicamente Viáveis** quando:

- Há um ponto identificável do aumento da taxa condicional de falha (ver capítulo sobre tipos de manutenção).
- A maioria dos itens sobrevive àquela data (*hard time*).
- Restaura a resistência do item ao valor inicial.

Exemplos de Manutenção Preventiva baseada no tempo:

- Restauração de um motor elétrico.
- Substituição de rolamentos.
- Alinhamentos.
- Troca de óleo e filtro.
- Inspeção.

A Manutenção Preventiva baseada nas condições tem a característica de se poder medir um parâmetro de desempenho diretamente e obter-se uma correlação com a iniciação da falha. Podem ser usados meios não intrusivos de medição para estas medições.

São tecnicamente viáveis quando:

- É possível se identificar claramente o processo de deterioração.
- O tempo para a falha é razoavelmente determinável.
- O intervalo das medições é menor que o intervalo para a falha.
- O tempo para a falha após a medição é suficiente para prevenir ou evitar as conseqüências da falha funcional.

Exemplos da Manutenção Preventiva baseada nas condições:

- Monitoramento da profundidade de sulcos em pneus.
- Medição de espessura.
- Medição de vibração.
- Termografia.
- Monitoração de fluência.
- Emissão acústica.
- Análise de óleos lubrificantes.
- Ensaios não destrutivos.
- Monitoramento de corrosão.

A Figura 20.1 mostra um gráfico que procura descrever o processo de deterioração das condições que levam até a falha. Após o início do processo de falha, uma técnica preditiva (ou não intrusiva) qualquer permite a detecção do processo de falha. A manutenção preventiva será efetiva quando é possível se determinar com precisão o PF (Tempo para a Falha). Se o intervalo de inspeções for maior que o PF, a manutenção preventiva será ineficiente, pois a falha ocorrerá em ocasião indesejável. Na Fi-

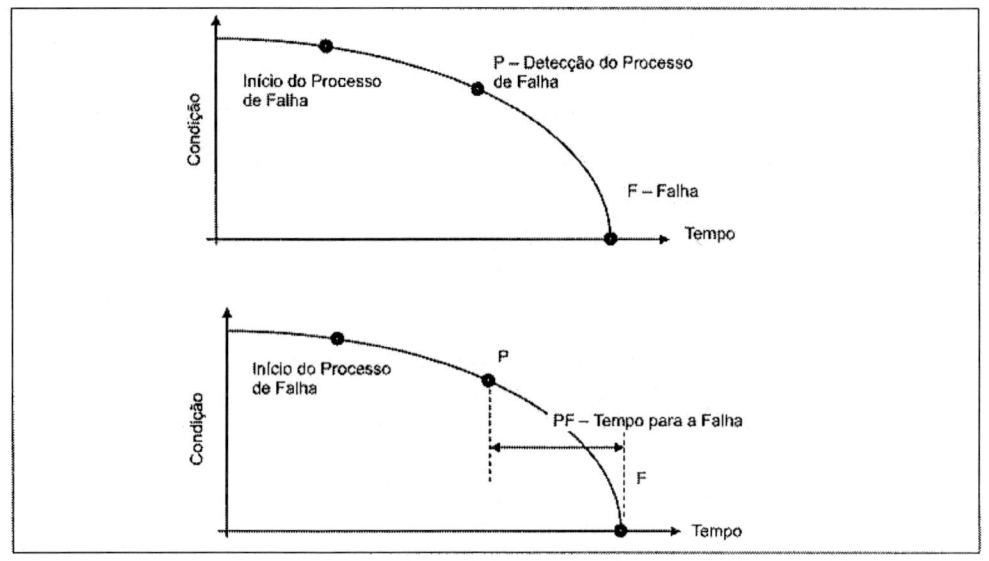

Figura 20.1

gura 20.2, apresentam-se dois intervalos de inspeção, mostrando no primeiro caso um acompanhamento que permite estabelecer a evolução do processo de falha, enquanto no segundo caso este processo não pode ser estabelecido com precisão em função do elevado intervalo entre as inspeções.

As Manutenções Preventivas (Inspeções ou *Teste para Descobrir a Falha*) são utilizadas para descobrir falhas ocultas. Lembrando que *Falha Oculta* é aquela que não se tornará evidente ao operador ou equipe em condições normais de operação, se ocorrer por si só.

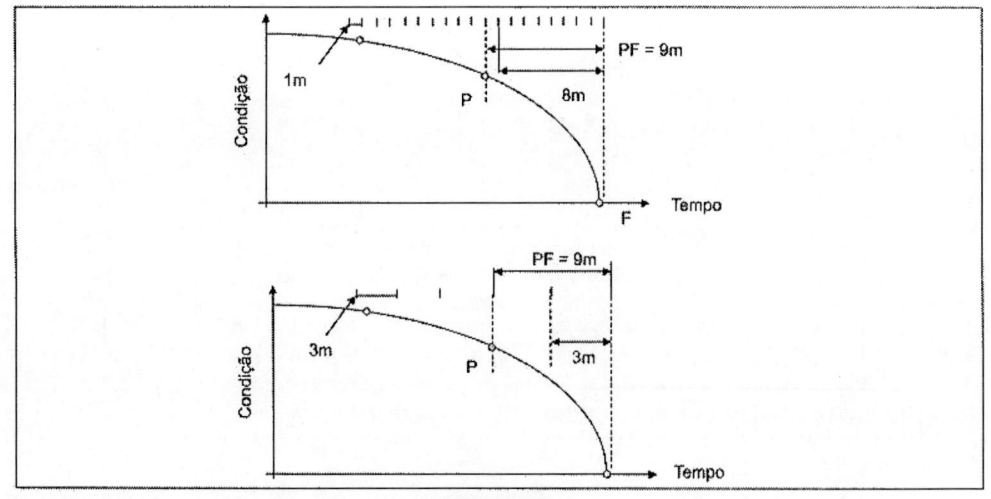

Figura 20.2

Exemplos de testes para descobrir a falha:
- Verificação periódica da pressão do pneu reserva. Não seria viável se fazer mp no pneu reserva (falhas aleatórias).
- Teste de válvulas de bloqueio que somente são usadas em paradas do sistema.
- Teste de motogeradores reservas.

Chamaremos de **Manutenção Corretiva** aquelas tarefas efetuadas após a ocorrência de uma falha e destinadas a recolocar um item num estado no qual pode executar sua função requerida.

A Manutenção corretiva é efetiva quando nenhuma manutenção preventiva for efetiva (eficiente + eficaz), quando o custo da falha é menor que o custo da mp para evitar a falha ou quando a função é de muito baixa importância.

20.3 O Diagrama de Decisões da MCC

O objetivo da MCC é justamente estabelecer os efeitos causados pela falha e determinar o tipo de atividade de manutenção que seja aplicável e custo-eficiente.

Os efeitos das falhas podem ser evidentes para a operação em situações normais (ver Figura 20.3). Usualmente as falhas evidentes têm influência sobre:

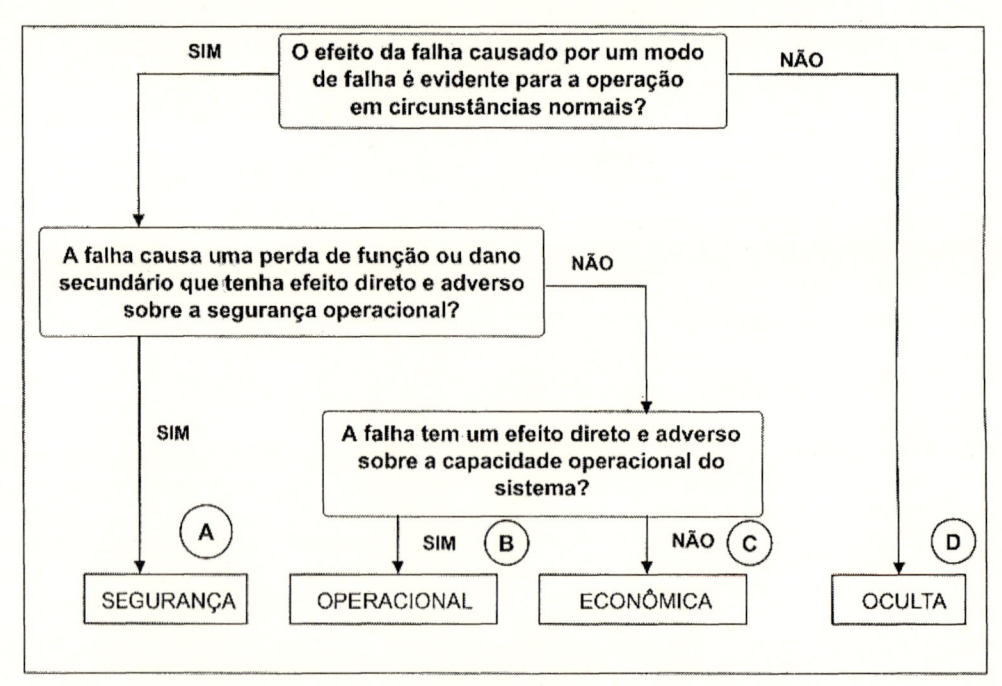

Figura 20.3

- A Segurança ou o Meio Ambiente.
- O nível de Produção.
- Desempenho Econômico.
- Seus efeitos não toleráveis.

Uma **FALHA OCULTA** é aquela que não se tornará evidente ao operador ou à equipe em condições normais de operação, se a falha ocorrer por si só. A única conseqüência de uma falha oculta é aumentar o risco de falhas múltiplas. O objetivo de um programa de manutenção de falhas ocultas é prevenir – ou pelo menos reduzir – o risco de falhas múltiplas. A grande maioria das falhas ocultas ocorre em dispositivos de proteção que não são *"fail-safe"*. No caso de dispositivos de proteção, falhas múltiplas só ocorrerão se a função protegida falhar quando o dispositivo de proteção estiver no estado falho.

A Figura 20.4 mostra a fórmula de cálculo para se determinar a probabilidade de falha múltipla em função da probabilidade de falha da função protegida e do tempo médio de indisponibilidade do dispositivo de proteção.

```
PROBABILIDADE DE        PROBABILIDADE DE FALHA    X   TEMPO MÉDIO INDISPONÍVEL
FALHA MÚLTIPLA    =     DA FUNÇÃO PROTEGIDA           DO DISPOSITIVO DE PROTEÇÃO
```

FUNÇÃO PROTEGIDA
Pf = 1/4

DISPOSITIVO DE PROTEÇÃO
Indisp. = 1/3

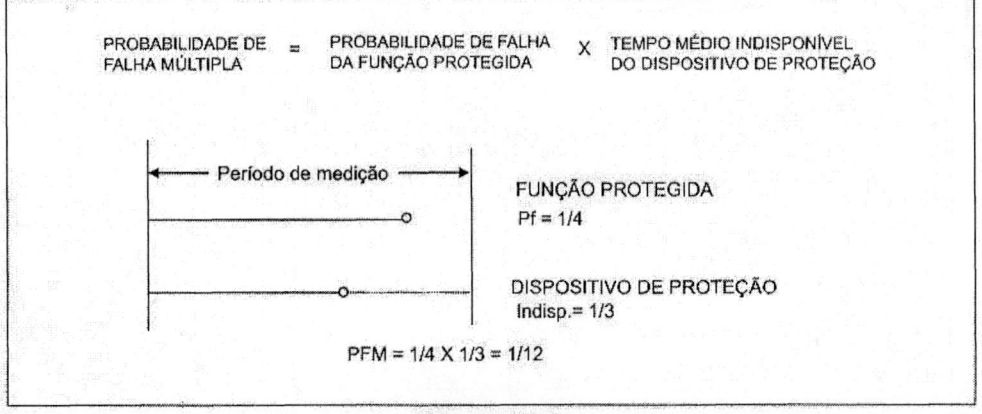

PFM = 1/4 X 1/3 = 1/12

Figura 20.4

O modo de falha tem efeito sobre a *SEGURANÇA* se a perda da função ou outro dano que possa ferir ou matar alguém (SEGURANÇA) ou se algum requisito ambiental não for atingido.

No caso específico da MCC estamos interessados nas tarefas de manutenção que reduzam o nível de risco de falha para um nível aceitável.

Quando a falha afeta adversamente a capacidade operacional (quantidade, qualidade, atendimento e custo), classificamos seu efeito como OPERACIONAL. As tarefas de manutenção valem a pena se, num dado período, elas custarem menos do que os custos das perdas operacionais mais o custo das falhas.

20.4 Determinação dos Tipos de Manutenção

Para cada tipo de efeito de falha determinado na FMEA da MCC, é possível se estabelecer o tipo de manutenção seguindo-se os diagramas de decisões apresentados nas figuras a seguir.

Para falhas que afetem a segurança, são aplicáveis as seguintes tarefas, conforme Figura 20.5:
- Manutenção preventiva tipo inspeção.
- Manutenção preventiva tipo restauração programada.
- Manutenção preventiva tipo substituição programada.
- Modificação de projeto.
- Quantificação dos riscos.

Observe que neste caso a falha só será tolerada após quantificação dos riscos. Ou seja, se o risco não for tolerável, a manutenção corretiva não pode ser aplicada e mudanças no projeto devem ser efetuadas.

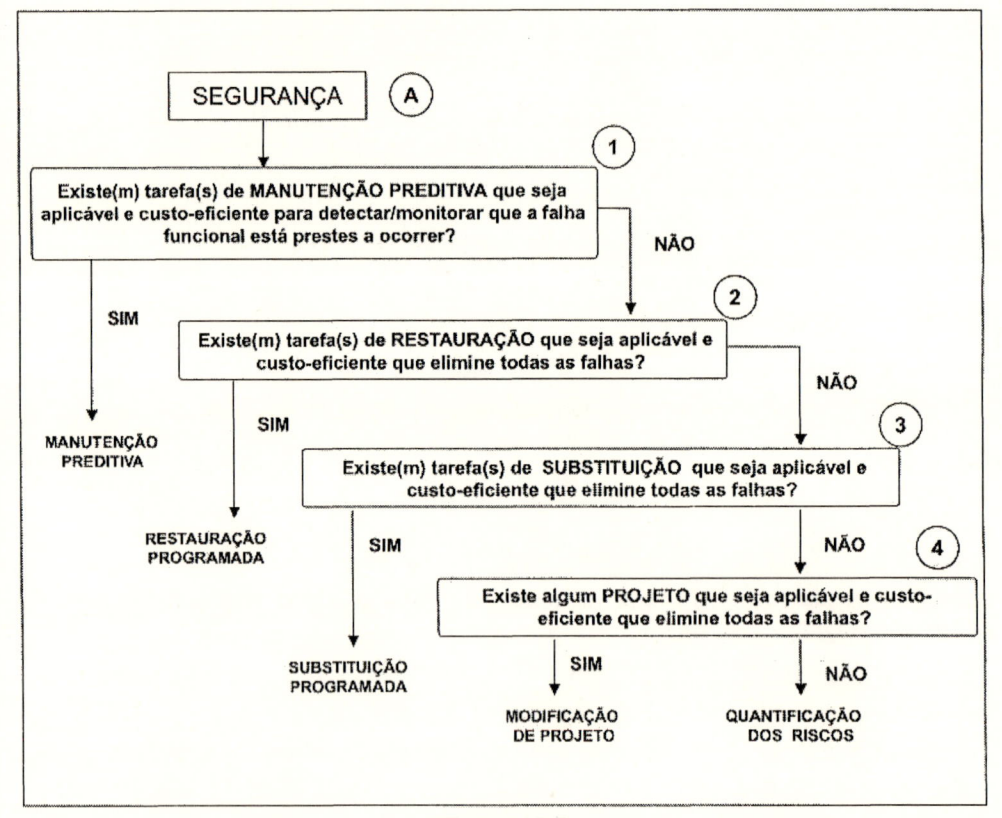

Figura 20.5

Normalmente, análises quantitativas de risco são caras e este é bom critério para priorização dos sistemas que devem ser avaliados.

Para Falhas Ocultas são aplicáveis as seguintes tarefas, conforme Figura 20.6:
- Manutenção preventiva tipo preditiva.
- Manutenção preventiva tipo restauração programada.
- Manutenção preventiva tipo substituição programada.
- Manutenção preventiva tipo teste/inspeção periódicos.
- Modificação de projetos.
- Manutenção corretiva.

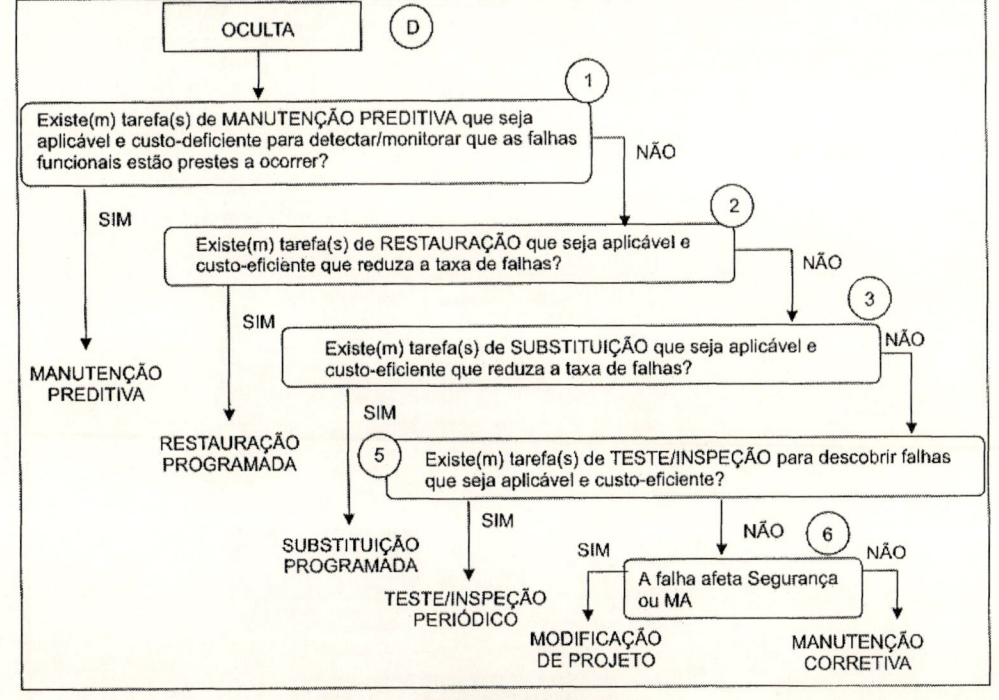

Figura 20.6

Para falhas operacionais ou econômicas são aplicáveis as seguintes tarefas, conforme Figura 20.7:
- Manutenção preventiva tipo preditiva.
- Manutenção preventiva tipo restauração programada.
- Manutenção preventiva tipo substituição programada.
- Manutenção corretiva.

A Figura 20.8 a seguir procura dar uma visão integrada das Figuras 20.3, 20.4 e 20.7.

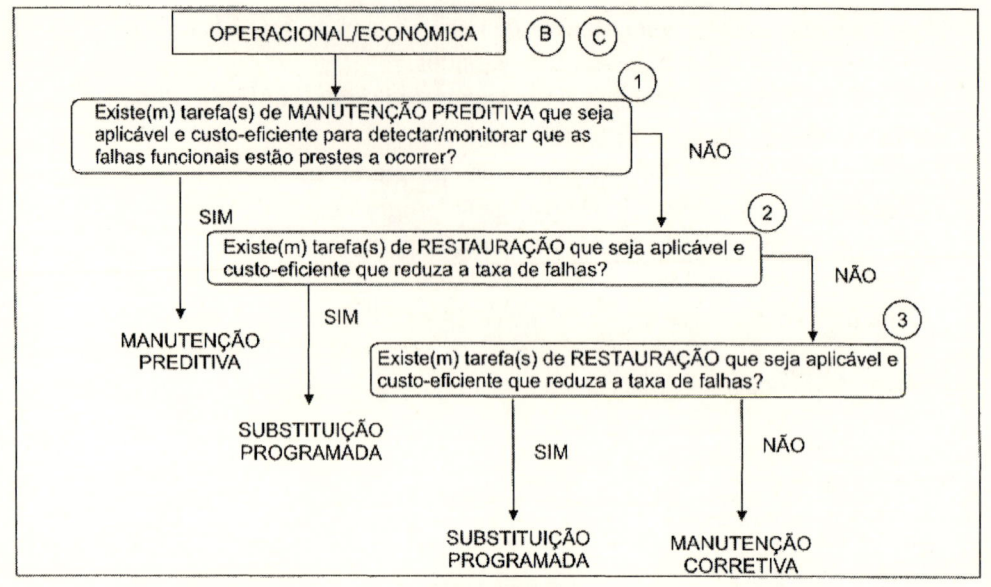

Figura 20.7

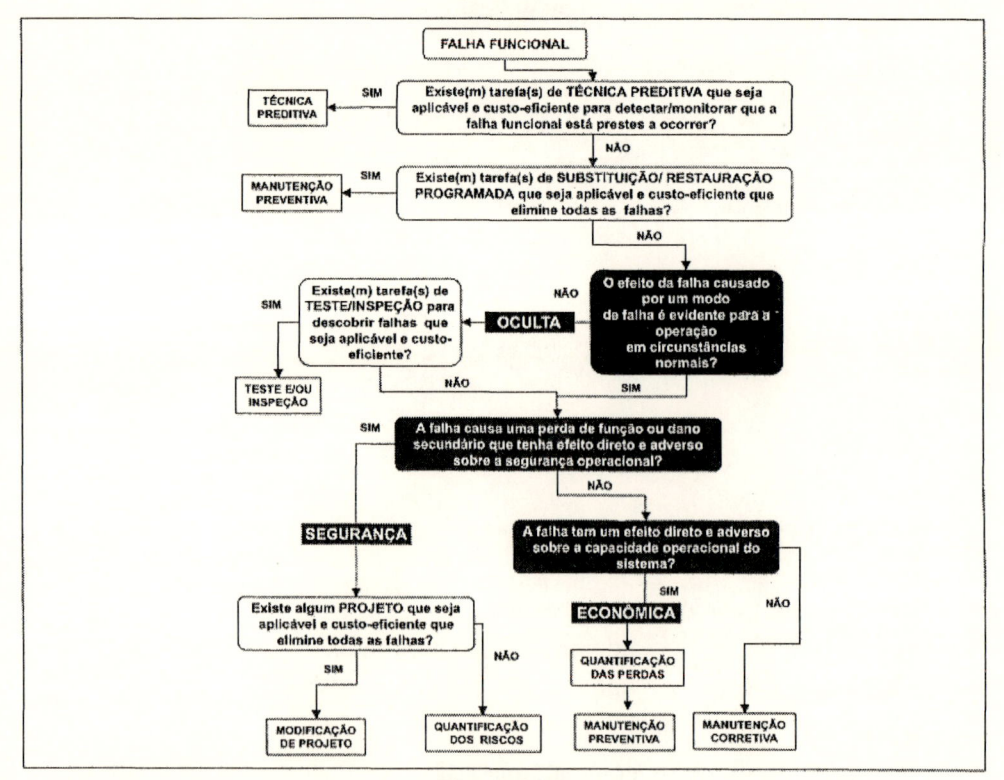

Figura 20.8

20.5 Exemplo de Determinação dos Tipos de Manutenção

No caso da FMEA a seguir (continuação do exemplo do condensador de ar – Figura 19.6), as alternativas possíveis seriam:
1. Inspeção visual periódica da região de fixação das pás.
2. Monitoração de vibração.
3. Deixar quebrar.

Análise das atividades:
1. Inspeção visual é difícil e demorada (144 pás de difícil acesso).
2. Execução simples, fornece mais informações (pode monitorar outros componentes).
3. Manutenção corretiva não é aplicável como existe implicação na segurança:
- Proposta do plano de manutenção da MCC:
  — Monitoração de vibração através de aparelhos portáteis a cada 3 meses. Este tempo pode ser aumentado em função da análise de tendência.
- Proposta do Plano de Manutenção do OEM:
  — Verificar a fixação das 144 pás a cada 6 meses. (Opção 1, rejeitada.)

Na Figura 20.9 podemos acompanhar a seleção do tipo de manutenção de acordo com a MCC do sistema de alimentação predial, apresentado nos capítulos anteriores.

MCC – FORMULÁRIO DE DECISÕES – SISTEMA DE ALIMENTAÇÃO PREDIAL

FALHA FUNCIONAL NÚMERO	MODO DE FALHA	CLASSIFICAÇÃO DO EFEITO	TIPO DE MANUTENÇÃO	PLANO DE MANUTENÇÃO PROPOSTO DESCRIÇÃO DA ATIVIDADE	FREQ.	RESP.	JUSTIFICATIVA DA EFETIVIDADE
FF01	Motor queimado	OPERACIONAL	PREVENTIVA	Medição do isolamento elétrico	a cada 3 anos	Condomínio	Eqpto sofre desgaste, taxa de falha crescente
	Acoplamentor motor/bomba rompido		PREVENTIVA	Lubrificação e limpeza do acoplamento	a cada ano	Condomínio	Custo da manutenção compensa o desgaste
FF02	Rompimento do filtro	ECONÔMICA	CORRETIVA	Substituir o filtro quando ocorrer	xx	Condomínio	Não existe técnica preditiva aplicável
FF03	Falta de estanqueidade da válvula de retenção	OPERACIONAL	CORRETIVA	Fazer a manutenção quando ocorrer	xx	Condomínio	Não existe técnica preditiva aplicável
FF04	Desgaste do impelidor da bomba		PREDITIVA	Medição de vibração	a cada 6 meses	Caseiro	O acompanhamento semestral evitará quebra
	Emperramento de válvulas	ECONÔMICA	CORRETIVA	Fazer a manutenção quando ocorrer	xx	Condomínio	Não existe técnica preditiva aplicável
	Obstrução do filtro		CORRETIVA	Limpar o filtro quando ocorrer	xx	Condomínio	Não é possível prever a taxa de depósito
	Encrustação da tubulação		CORRETIVA	Limpar a tubulação quando ocorrer	xx	Condomínio	Não é possível prever a taxa de depósito
	Avaria de mancais da bomba/motor		PREVENTIVA	Lubrificação e limpeza dos mancais	anual	Condomínio	Eqpto sofre desgaste, taxa de falha crescente
FF05	Não fechamento dos contatos da *micro-switch*	OPERACIONAL	PREVENTIVA	Limpeza dos contatos	anual	Condomínio	Eqpto sofre desgaste, taxa de falha crescente
	Bobina do contator queimada		CORRETIVA	Fazer a manutenção quando ocorrer	xx	Condomínio	Não existe técnica preditiva aplicável
	Avaria no relé térmico		PREVENTIVA	Regulagem do relé térmico	a cada 3 anos	Condomínio	Eqpto sofre desgaste, taxa de falha crescente
FF06	Passagem de água em válvulas fechadas	ECONÔMICA	PREVENTIVA	Substituir reparos das válvulas	a cada 5 anos	Condomínio	Custo da manutenção menor que o custo da água
FF07	Bóias furadas	ECONÔMICA	CORRETIVA	Substituir quando furar	xx	Condomínio	Falhas aleatórias, não existe técnica preventiva
	Haste quebrada		CORRETIVA	Substituir quando quebrar	xx	Condomínio	Falhas aleatórias, não existe técnica preventiva
FF08	Vazamentos em tubulações/reservatório	ECONÔMICA	CORRETIVA	Reparar vazamentos quando ocorrer	xx	Condomínio	Falhas aleatórias, não existe técnica preventiva
FF09	Obstrução de componentes	OPERACIONAL	CORRETIVA	Desobstruir quando ocorrer	xx	Condomínio	Falhas aleatórias, não existe técnica preventiva
FF10	Desregulagem do relé térmico	OPERACIONAL	PREVENTIVA	Regulagem do relé térmico	a cada 3 anos	Condomínio	Eqpto sofre desgaste, taxa de falha crescente
FF11	Obstrução do ladrão	OCULTA / SEGURANÇA	INSPEÇÃO	Verificar a existência de sujeira no ladrão	a cada 6 meses	Caseiro	Risco de curto no sistema elétrico próximo da caixa

Figura 20.9

CAPÍTULO 21

A Inspeção Baseada em Risco

21.1 Introdução

Refinarias e plantas petroquímicas gastam milhões de dólares todo ano tentando melhorar a integridade mecânica dos seus equipamentos. Mas o desafio reside em determinar onde focalizar os recursos limitados da indústria para causar o maior impacto na segurança do equipamento.

Um novo programa de inspeção baseada em risco foi desenvolvido para ajudar a:
- Determinar o equipamento de maior risco.
- Projetar um programa de inspeção que não somente descubra corrosão mas também reduza o risco de falha no equipamento.

Com a ajuda deste método de inspeção baseada em risco (RBI – *Risk-Based Inspection*), pode-se, eficazmente em custo, reduzir o risco de um evento catastrófico resultante da falha de equipamento pressurizado.

Sabe-se que todo equipamento contém defeitos; num sentido prático não há equipamento fabricado perfeito. Felizmente, a maioria dos defeitos é inócua e compreende o que poderia ser apresentado como uma "acumulação fortuita" de defeitos.

O equipamento da indústria de processamento também contém muitos defeitos; a maioria é inofensiva, alguns poucos podem levar a vazamentos, e extremamente poucos podem levar a falhas catastróficas. O desafio é encontrar, eficazmente em custo, aqueles poucos defeitos críticos que podem levar às falhas principais.

21.2 A Inspeção Baseada em Risco

RBI é uma metodologia integrada que evidencia o risco na tomada de decisão de inspeção e manutenção. Ela é considerada "integrada" porque é um processo qualitativo e quantitativo de combinar sistematicamente tanto a probabilidade quanto a conseqüência da falha para estabelecer uma lista priorizada de equipamento usando o risco total como uma base. Desta lista, o usuário pode projetar um programa de inspeção que gerencia o risco das falhas de equipamento pela redução do risco ou mantendo um nível aceitável de risco.

21.2.1 Caso Hipotético

Uma análise RBI de uma planta de refinaria de fracionamento de gás pode produzir uma lista priorizada de, por exemplo, 600 equipamentos, incluindo todos os acessórios de tubulação. A lista indica que 80% do risco de falha estão associados com somente 20% do equipamento, e a análise determina quais dos itens individuais do equipamento estão neste topo de 20%. Estes resultados dizem onde focar os recursos de inspeção e teste para evitar as falhas de risco mais alto.

Como um exemplo, a análise RBI poderia revelar que a linha aérea de 12 polegadas do depropanizador está classificada em décimo oitavo na lista priorizada de risco, e que, se ela falhar, os 25.000 pés quadrados da planta estariam sob risco de destruição a partir de uma possível explosão de nuvem de vapor. Com esta informação, pode-se concentrar mais recursos em prevenir a falha desta linha aérea ou naquelas outras peças de equipamento que sejam de "alto risco", compelido pelas conseqüências potencialmente sérias.

Por melhor que um programa de inspeção existente possa ser, uma análise RBI pode revelar que seu foco tem sido principalmente em equipamento com maior probabilidade de um vazamento ao invés de sobre equipamento com um alto risco total combinado, uma vez que este é também influenciado pelo potencial de conseqüência maior.

21.2.2 Registro da Indústria

De acordo com um relatório, dos 170 principais prejuízos patrimoniais na indústria de processamento durante os últimos 30 anos, mais da metade foram causados por falhas mecânicas do equipamento (Figura 21.1). Mais de 80% daqueles prejuízos

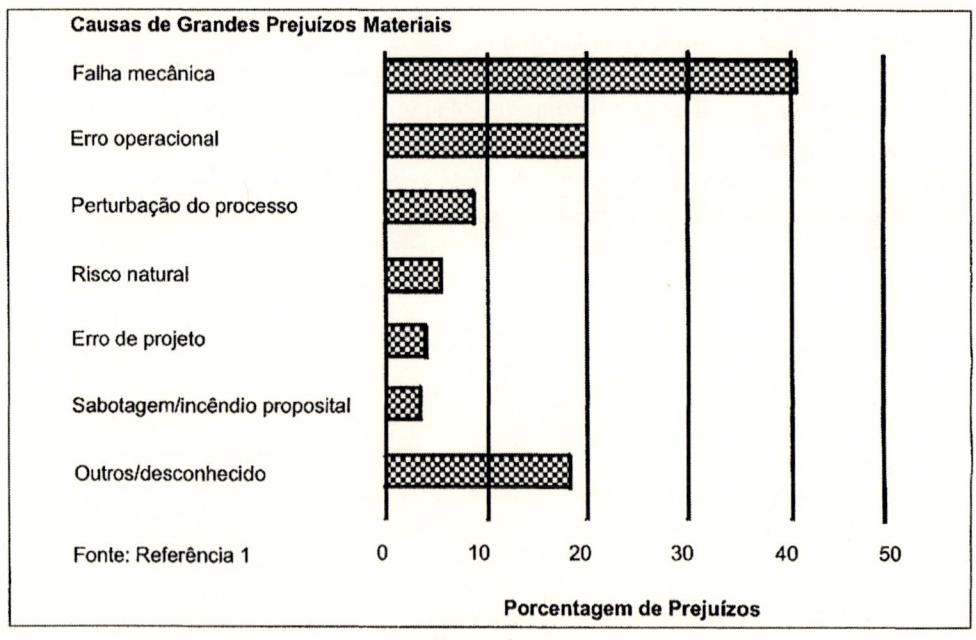

Figura 21.1

foram causados pela falha de equipamento pressurizado tal como tubulação, vasos, torres, reatores, tanques, bombas e trocadores de calor (Figura 21.2).

Equipamento Envolvido em Grandes Prejuízos

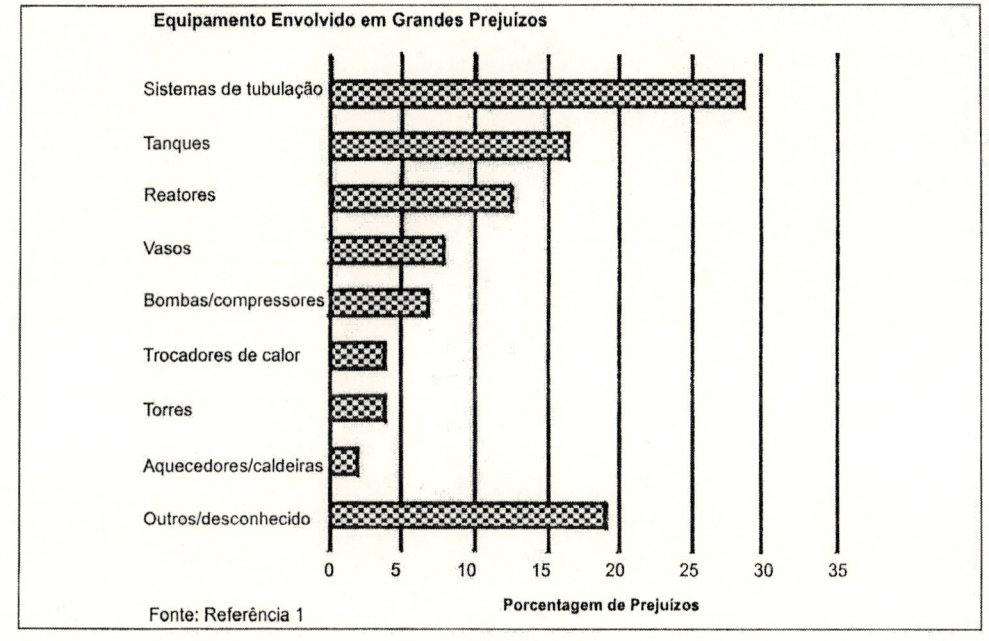

[Gráfico de barras horizontais mostrando Porcentagem de Prejuízos:
- Sistemas de tubulação: ~29
- Tanques: ~17
- Reatores: ~13
- Vasos: ~8
- Bombas/compressores: ~6
- Trocadores de calor: ~4
- Torres: ~4
- Aquecedores/caldeiras: ~2
- Outros/desconhecido: ~19]

Fonte: Referência 1

Figura 21.2

A metodologia de inspeção baseada em risco é focalizada nesses equipamentos, incluindo o potencial de falha de selos de bomba.

A freqüência e custo daqueles 170 prejuízos maiores cresceram significativamente ao longo dos últimos 30 anos (Figura 21.3). A aplicação de RBI deve reduzir estes prejuízos atribuídos à falha mecânica.

21.3 Desenvolvimento do Método

A metodologia da inspeção baseada em risco foi desenvolvida por um grupo de 16 companhias petroquímicas que conjuntamente patrocinaram o desenvolvimento através do API.

Foi desenvolvido um documento de recursos básicos denominado prática recomendada (API RP 580). A publicação da prática recomendada é de 1997, quando os detalhes do método ficaram disponíveis para a indústria em geral. A metodologia descrita neste capítulo é um resumo deste método.

21.3.1 Classificação Qualitativa

O primeiro passo na aplicação da RBI é a classificação qualitativa do risco das unidades de processo, ou segmentos delas, utilizando uma matriz de risco como

Freqüência e Custo dos Principais Prejuízos

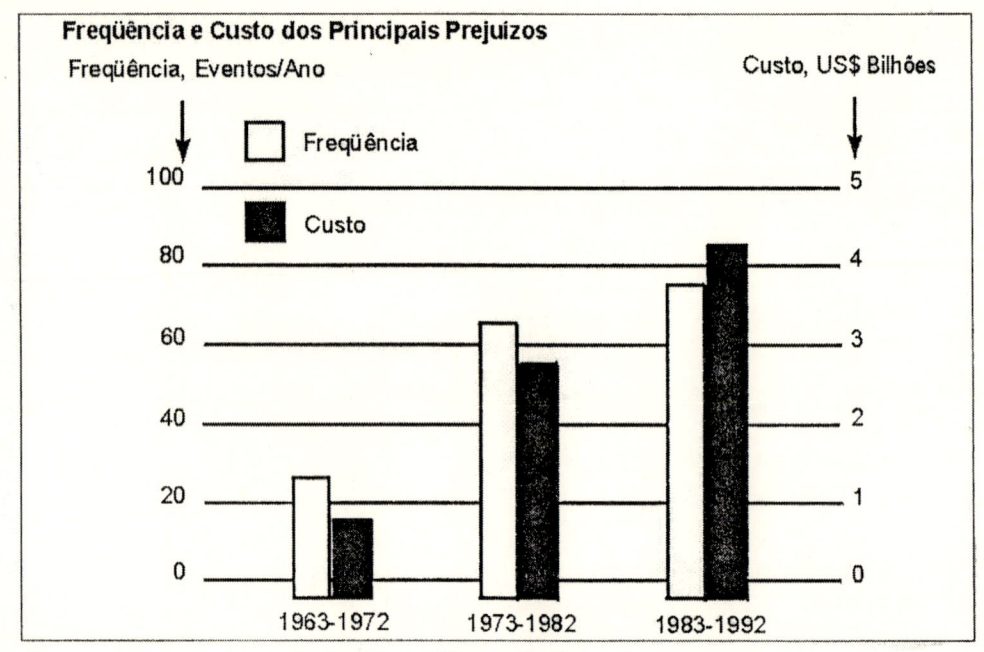

[Gráfico de barras mostrando Freqüência (Eventos/Ano) e Custo (US$ Bilhões) para os períodos 1963-1972, 1973-1982 e 1983-1992]

Figura 21.3

aquela mostrada na Figura 21.4. Um manual de 17 páginas foi desenvolvido para classificar os riscos associados com cada unidade de processo, baseado na conseqüência e na probabilidade de um evento. O manual está disponível na prática recomendada.

Cinqüenta aspectos diferentes de saúde, segurança e integridade mecânica das unidades de processo são cobertos no manual; e apenas 2 a 4 horas são exigidas para completar o manual para cada unidade de processo, dependendo da disponibilidade da informação exigida.

Na análise, a cada unidade de processo, é dada uma classificação de probabilidade potencial (1 a 5) e uma classificação de conseqüência potencial (A a E). Esta combinação de classificação coloca então a unidade em um dos 25 segmentos da matriz de risco mostrada na Figura 21.4. Depois que todas as unidades de processo ou suas seções foram classificadas, o usuário ganha uma apreciável compreensão para conduzir uma completa análise RBI quantitativa.

É interessante que, quando cada uma das companhias do grupo patrocinador do API conduziu a classificação qualitativa de duas unidades de refino selecionadas de seus locais, o grupo ficou surpreso de ver como unidades de processo semelhantes foram classificadas tão diferentemente na matriz.

Por exemplo, uma unidade de craqueamento catalítico poderia estar classificada completamente diferente de uma outra de projeto semelhante, por conta de questões tais como:

Matriz de Classificação de Risco

[Figura 21.4: Matriz de Classificação de Risco, com eixo vertical "Categoria de Probabilidade" (0 a 5) e eixo horizontal "Categoria de Conseqüência" (A a E). Regiões: Baixo Risco, Risco Médio, Risco Médio Alto, Alto Risco.]

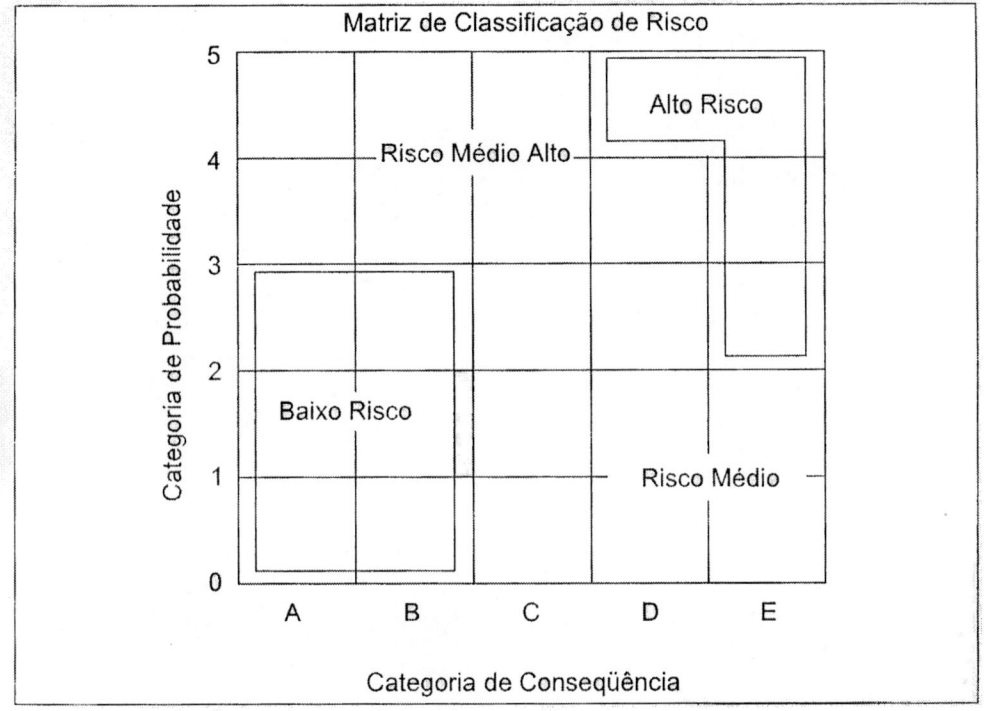

Figura 21.4

- Proximidade da comunidade.
- Registro de paradas não programadas e problemas de operação.
- A presença de sistemas de segurança e sistemas de gerência para melhorar a segurança.
- Estoque total de hidrocarbonetos inflamáveis ou H_2S.
- Existência de válvulas de bloqueio e sistemas de mitigação.
- Proximidades de outros ativos de capital de alto valor.

Tendo classificado qualitativamente todas as unidades de processo de um dado local, o usuário, então, está pronto para selecionar uma unidade de risco mais alto para uma análise quantitativa de inspeção baseada em risco.

21.3.2 Classificação Quantitativa

Um fluxograma de blocos simplificado da metodologia RBI quantitativa é mostrado na Figura 21.5. Uma olhada no diagrama, rapidamente, revela porque a RBI é apresentada como uma metodologia integrada.

A análise considera não somente a inspeção, projeto de equipamento e registros de manutenção, mas também inúmeras questões de gerência de segurança de proces-

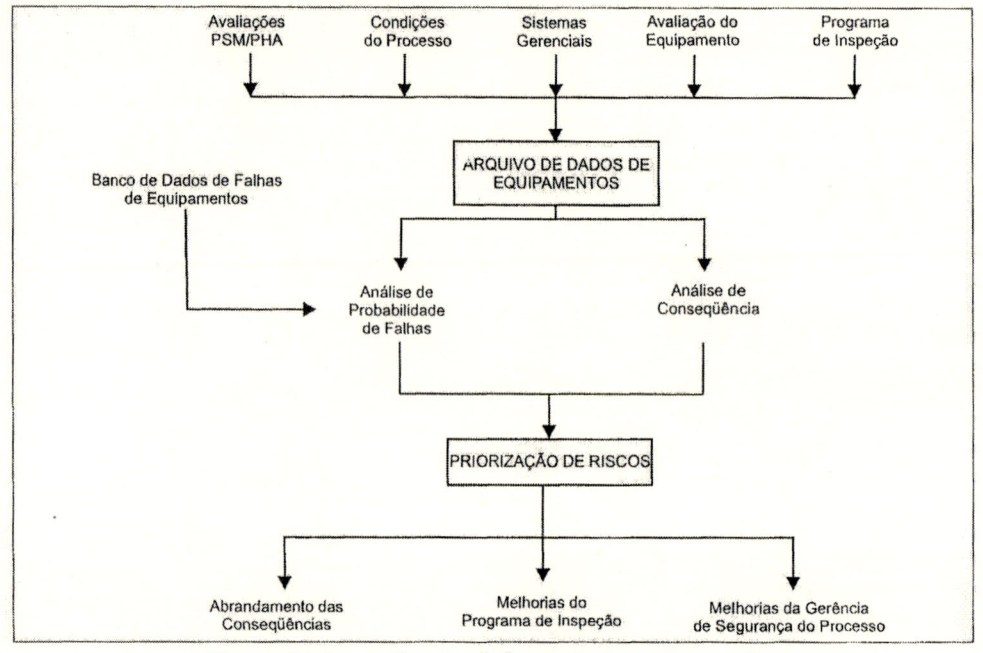

Figura 21.5 – Aplicação da inspeção baseada em risco

so e todas as outras questões significativas que possam afetar a integridade mecânica e a segurança em geral de uma unidade de processo. A análise não considera unicamente os programas de inspeção para estabelecer o risco.

A probabilidade de falha é calculada para cada componente do equipamento de pressão na unidade de processo. Começando com as freqüências de falha genérica, recolhidas de diversas fontes de dados disponíveis, uma probabilidade de falha ajustada (POF_A) é calculada modificando a freqüência de falha genérica (GFF) para produzir uma freqüência de falha específica para cada peça de um equipamento da planta.

O cálculo é representado por uma fórmula simples:

$$POF_A = GFF \cdot F_E \cdot F_M$$

Onde:
- F_E é o fator modificativo de equipamento – um ajuste calculado baseado na qualidade do programa de integridade mecânica de uma dada planta.
- F_M é o fator modificativo gerencial – um ajuste calculado baseado na qualidade do programa de gerência de riscos do processo total de uma dada planta.

O F_M é obtido usando um manual que avalia a efetividade de um programa de gerência de segurança de processo, o qual estará disponível quando a prática recomendada for publicada.

A probabilidade de falha ajustada é então combinada com a análise de conseqüência em um modelo que produz a classificação de risco para todos os componentes do equipamento sob pressão. Algumas das questões que são avaliadas (quantitativamente) para calcular os fatores modificativos de um equipamento específico incluem:

- Tipo e grau do dano esperado.
- Qualidade e escopo do programa de inspeção.
- Programa de controle de qualidade de manutenção e reparo.
- Padrões de projeto e de construção utilizados.
- Históricos de equipamento e processo.
- Programas de manutenção preventiva.

As questões que são avaliadas para calcular o fator gerencial específico vêm diretamente da API RP 750, "Gerência de Riscos de Processo".

21.3.3 Conseqüência

Um diagrama de bloco simplificado mostrando como as conseqüências de falha são avaliadas é mostrado na Figura 21.6.

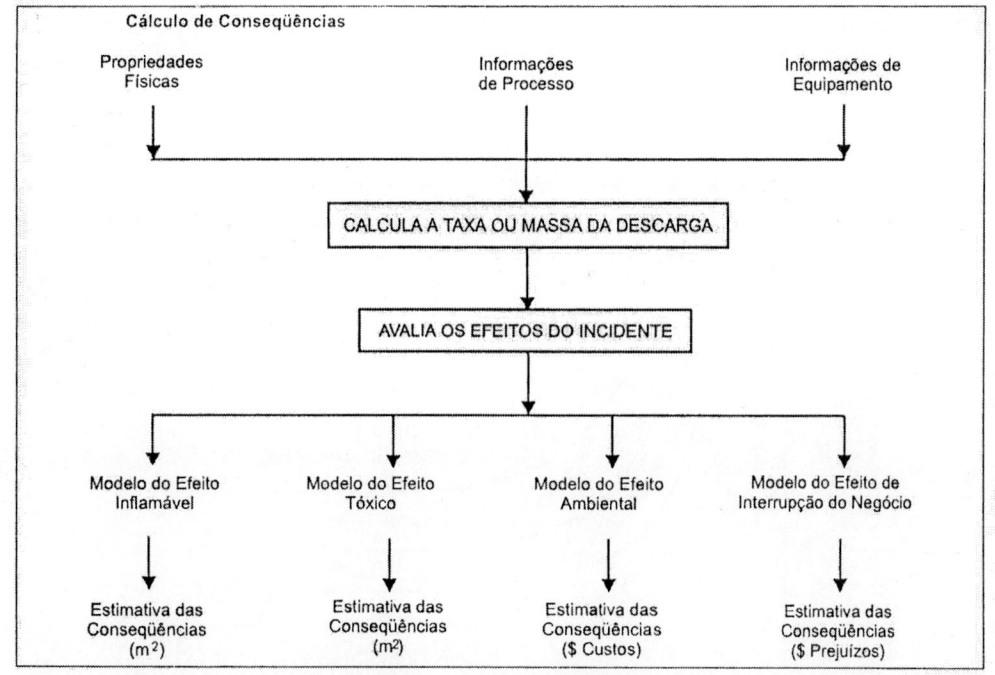

Figura 21.6 – Cálculo de conseqüência

O tamanho do equipamento e dispositivos de bloqueio instalados têm papel destacado no cálculo do estoque disponível para eventos potenciais. O tamanho do vazamento ou ruptura, e a probabilidade de uma descarga ser instantânea ou contínua, terá um grande efeito sobre o tamanho e tipo de qualquer evento potencial.

Os cálculos do tamanho do vazamento para quatro eventos são efetuados e somados, indo de um vazamento de ¼ de polegada a uma ruptura completa. Para eventos inflamáveis, são feitos cálculos para determinar se é provável que o evento seja uma explosão de nuvem de vapor, incêndio tipo relâmpago, incêndio tipo jato, incêndio tipo piscina de líquido ou dispersão segura (sem ignição).

O resultado da interrupção do processamento, em termos de prejuízo em dólares, é incluído quando ativos de capital possam ser perdidos ou desligados por um período de tempo após um evento. O custo de efeitos ambientais catastróficos pode ser incluído, especialmente quando uma descarga potencial de líquido pode extravasar do local; por exemplo, para dentro de um recurso hídrico. Os efeitos tóxicos potenciais sobre as pessoas são também avaliados.

O relatório final de cada RBI contém não somente a classificação de risco priorizado (probabilidade e conseqüência combinadas de falha), mas também uma lista priorizada de equipamento, por probabilidade de falha somente e por conseqüência de falha somente. Isto permite ao usuário focar sobre questões específicas que levam ao risco total e entender se este é pressionado principalmente pela probabilidade da falha ou pela conseqüência da falha. Esta compreensão é vital para tomar decisões sobre como reduzir os níveis de risco associados com cada peça de equipamento.

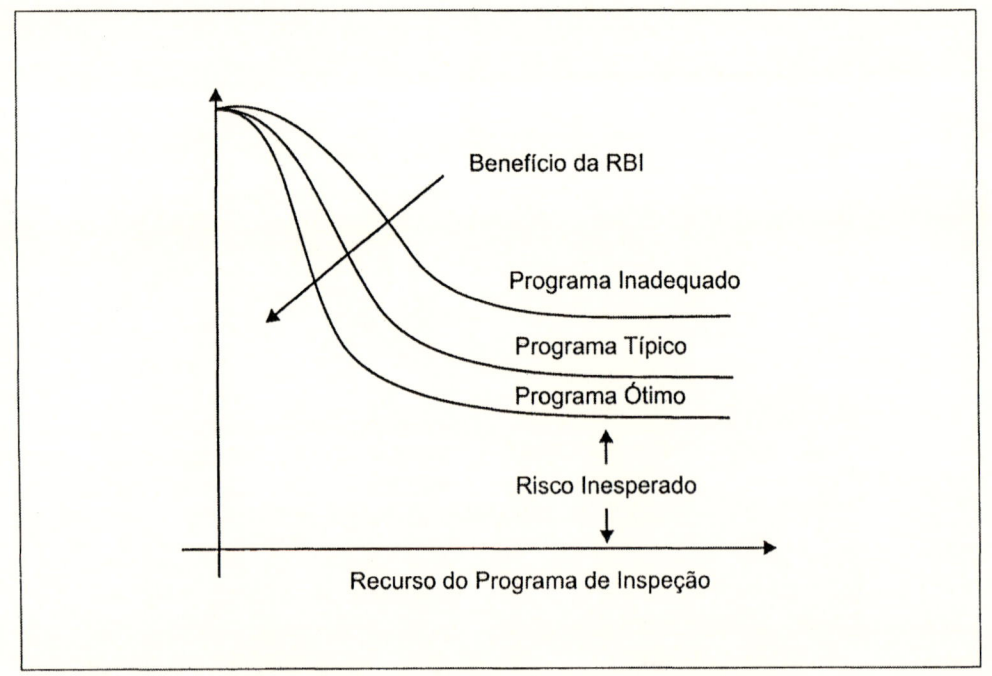

Figura 21.7 – Programa de inspeção *versus* risco

21.4 Inspeção

O relatório de RBI final sobre uma unidade de processo em particular conterá uma classificação priorizada de cada peça de equipamento para três níveis de atividade de inspeção:
- Um plano mínimo de inspeção.
- O nível atual de inspeção.
- Um nível otimizado de inspeção.

Estes relatórios dão uma compreensão de como programas de inspeção diferentes com níveis diferentes de atividade de inspeção afetam os níveis de risco total, mudando a probabilidade de uma falha.

Tendo calculado um risco total para cada peça de equipamento, o próximo passo é decidir o que fazer com a lista de equipamento priorizada por risco. Assim que a refinaria identifica o seu equipamento de pressão de mais alta prioridade, ela pode então determinar exatamente onde seus esforços de inspeção e testes deveriam ser focalizados para reduzir o risco.

Primeiro, e mais obviamente, a freqüência de inspeção pode ser ajustada. Mas, os métodos e ferramentas usados para inspeção e testes podem também ser mudados. Adicionalmente, o escopo, a qualidade e a extensão da inspeção e a coleta de dados podem ser ajustados.

Técnicas mais globais de inspeção e teste (como termografia) podem ser aplicadas quando apropriadas. Mais inspeções durante a operação podem ser utilizadas para avaliar danos que ocorram enquanto as unidades estão em serviço. E as inspeções podem ser focalizadas mais em direção às áreas de dano esperado.

Estas mudanças na atividade de inspeção são então planejadas dentro das próximas inspeções programadas – por exemplo, num planejamento cíclico.

As inspeções são conduzidas, os resultados são analisados, o equipamento é avaliado para sua contínua adaptação ao serviço, e os reparos recomendados são feitos. Então, o usuário está pronto para alimentar as informações ao programa RBI para determinar como o risco total para cada componente de equipamento foi afetado pelas mudanças na atividade de inspeção. Depois de umas poucas "voltas da manivela", aparece uma outra lista repriorizada e o usuário ganha uma apreciação quantitativa de como o risco de um evento catastrófico na unidade de processo foi mudado.

Um equipamento de risco mais baixo deve ter recebido menos recursos e atividade de inspeção sem que seu risco de falha tenha sido apreciavelmente afetado. Um equipamento de risco mais alto deve ter caído significativamente na classificação de risco como resultado de ter recebido mais atenção de inspeção e manutenção durante o ciclo.

Além de tudo, o potencial de ferimento, prejuízo de ativos de capital e perda de produção deve ter sido reduzido e deve ser possível realizar isto com menores recursos totais de inspeção (Figura 21.7).

21.5 Otimização

Um possível resultado da análise de RBI é um esforço para otimizar um programa de inspeção da planta, obtendo o menor risco razoável ao mais baixo custo. Para realizar isto, uma companhia deve perceber que ela pode deslocar os seus recursos limitados de inspeção dos equipamentos de baixo risco (os quais devem estar sendo inspecionados freqüentemente demais) para os equipamentos de risco mais alto (os quais não devem estar sendo inspecionados com a freqüência suficiente).

As mudanças no risco podem ser então avaliadas com análise RBI e comparadas às mudanças nos recursos de inspeção utilizados para determinar se a otimização de risco está ocorrendo (se o custo total de risco e inspeção está decrescendo). A Figura 21.7 mostra, conceitualmente, como a focalização de recursos de inspeção limitados nos equipamentos de risco mais alto pode atingir isto.

21.6 Outras Atividades

Por ser a RBI uma metodologia completamente integrada, o usuário tem também a oportunidade de reduzir o risco por outros meios além de mudar o programa de inspeção.

Deve haver várias oportunidades para reforçar os sistemas e procedimentos de gerência de segurança de processo. O usuário pode também baixar o risco, instalando sistemas de segurança, sistemas de detecção de vazamentos, válvulas de isolação e outros mais que podem abrandar as conseqüências uma vez tendo ocorrido uma descarga.

21.7 Padrões da Indústria

A inspeção baseada em risco se integra bem às edições atuais dos códigos e padrões de inspeção da indústria, tais como: API-510 (Código de Inspeção de Vaso de Pressão), API-570 (Código de Inspeção de Tubulação de Processo) e API-653 (Padrão de Inspeção de Tanque de Armazenagem). Todos estes padrões descrevem práticas mínimas para a freqüência de inspeção e muitas práticas recomendadas para as atividades de inspeção associadas com equipamento de pressão.

Certamente, a indústria continuará utilizando estes códigos para os propósitos para os quais eles foram projetados. No entanto, como é o caso dos aspectos de integridade mecânica das normas de gerência de segurança de processo (OSHA 29 CFR 1910.119), estes códigos oferecem ao usuário muita flexibilidade e muitas opções relativas ao escopo e extensão das atividades de inspeção a serem conduzidas.

A inspeção baseada em risco fornece um método sistemático para guiar o usuário na seleção daquelas opções de inspeção que otimiza o programa de inspeção com o propósito de reduzir o risco.

21.8 O Futuro

Uma vez esteja a RBI completamente desenvolvida e aceita pelas autoridades e seguradoras como uma base sólida para baixar o risco da instalação, haverá oportunidades adicionais para melhorar a metodologia. Algum *software* será necessário para minimizar os recursos necessários para conduzir uma análise RBI.

Há também necessidade de aproximar, e talvez integrar, esta metodologia com a manutenção centrada na confiabilidade (MCC). A MCC focaliza a funcionalidade do equipamento para determinar que manutenção preventiva deve ser necessária para melhorar a confiabilidade (disponibilidade) do equipamento de processo. Claramente, a falha do limite de pressão de equipamento de processo é o máximo impacto de confiabilidade e pode ter uma repercussão grande e de longo prazo na disponibilidade da unidade de processo.

Finalmente, a indústria precisa construir um banco de dados de falhas para os equipamentos de pressão. Um banco de dados de falhas, específico para a indústria aumentará a precisão dos cálculos de probabilidade de falhas, assim como a eficiência da análise de RBI.

CAPÍTULO 22

Avaliação de Vida Residual

22.1 Introdução

O desenvolvimento das técnicas de avaliação de vida residual surgiu da necessidade atual de estender a vida dos equipamentos industriais além da sua vida de projeto.

Além disso, as questões colocadas a seguir são bastante relevantes no ambiente industrial:

   a) Necessidade de aumento da confiabilidade das plantas.

   b) O atendimento ao cliente deve ser mantido.

Normalmente, os equipamentos industriais são projetados para um determinado número de horas de operação. Por exemplo, componentes de caldeiras sujeitos à chama são projetados para operarem por 100.000h. O projeto leva em conta as condições limites de operação, ou seja, considera os maiores valores de pressão, temperatura, esforços e ciclos. Como operacionalmente estes valores não são atingidos em 100% do tempo, o equipamento possui uma sobrevida além das 100.000h de projeto. A questão é como avaliar esta sobrevida em função das condições operacionais realmente experimentadas pelo equipamento.

A solução trivial é a substituição do equipamento quando se atinge a vida de projeto. Esta postura é muito conservativa e cara.

Outra abordagem é a avaliação da vida remanescente em função do histórico operacional real ao longo dos anos e das condições reais dos materiais. Porém, estender a vida além do projeto implica em se estudar os riscos envolvidos, que são claramente maiores que os do caso anterior.

Além disso, é pratica usual a extensão da vida além do projeto baseado no fato de que, raramente, os equipamentos falham após esgotado o limite de tempo do projeto. Entretanto, os seguintes fatores devem ser considerados:

   a) O atendimento da legislação quanto à avaliação do potencial de risco envolvido.

   b) Como evitar paradas não programadas devido ao maior desgaste natural do equipamento.

   c) Como atender objetivos estratégicos das empresas, como atendimento ao cliente, eficiência, segurança e confiabilidade.

A avaliação de vida residual (doravante referida através da abreviação AVR) leva em consideração tais fatores, pois a mesma apresenta os seguintes benefícios:

a) Permite determinar freqüências ótimas de inspeção, aumentando a segurança e a confiabilidade, mesmo com períodos de operações mais longos.
b) Evita paradas de emergência ou paradas não programadas.
c) Os grandes reparos nos equipamentos podem ser programados antecipadamente, pois trincamentos podem ser previstos com até dez anos de antecedência.

22.1.1 Considerações Técnicas

Como já discutido no item anterior, os equipamentos industriais, inevitavelmente, contêm defeitos e, com o desenvolvimento acentuado da tecnologia de inspeção, a habilidade de detecção de defeitos aumenta continuamente. Além disso, equipamentos industriais podem estar sujeitos a complexos sistemas de tensão associados a picos/ciclos de pressão e temperatura, sendo que alguns equipamentos são projetados baseados em propriedades dependentes do tempo, como a fluência. Adicionalmente, uma ampla variedade de produtos e ambientes corrosivos estão presentes nestes equipamentos que podem provocar causas específicas de danos em materiais, tais como: fadiga, fluência, corrosão, corrosão sob tensão, fragilização pelo hidrogênio em suas várias formas, etc.

O reconhecimento de que estes equipamentos não são isentos de defeitos conduz, inexoravelmente, ao estudos da interação entre as propriedades dos materiais, tensões atuantes reais (ao invés das tensões de projeto) e dos defeitos existentes, para que se possa executar uma análise de vida residual ou mesmo uma análise de adequação ao uso (*fitness for purpose*).

Os procedimentos básicos para a avaliação da integridade de equipamentos já está disponível em normas estrangeiras tais como: ASME XI (American Society of Mechanical Engineering Boiler and Pressure Vessel Code), BSI PD-6493 (British Standard Instituition) e CEGB R6 (Central Electric Generation Board).

Porém, uma metodologia para determinação da vida residual de equipamentos ainda não se encontra disponível na forma de norma, e uma avaliação dos diversos métodos aplicáveis ainda se faz necessária para que se tenha uma ferramenta útil para a determinação da vida remanescente.

O desenvolvimento de uma metodologia confiável de avaliação de vida remanescente evita que equipamentos sejam substituídos prematuramente acarretando num grande desperdício de materiais e mão-de-obra, bem como permite a determinação de níveis de segurança e confiabilidade que tornem economicamente viável a operação de instalações industriais.

22.2 AVR *Versus* Confiabilidade

A avaliação de vida residual emprega técnicas de análise de engenharia para predizer quando ocorrerá a falha de um componente estrutural. Ao longo dos anos, os analistas de falhas descobriram que a maioria das falhas podem ser expressas em termos de um processo genérico de falha. Neste processo, a quantidade de dano no componente aumenta com o tempo até atingir o nível crítico no qual o componente falha e, portanto, não é mais capaz de cumprir com as suas funções de projeto.

Para se avaliar a vida residual de um componente estrutural sujeito a acumulações de dano, três tipos de informações devem estar disponíveis:

1. O estágio atual do dano existente no componente.
2. A velocidade de desenvolvimento do dano.
3. O nível de dano que provoca a falha do componente.

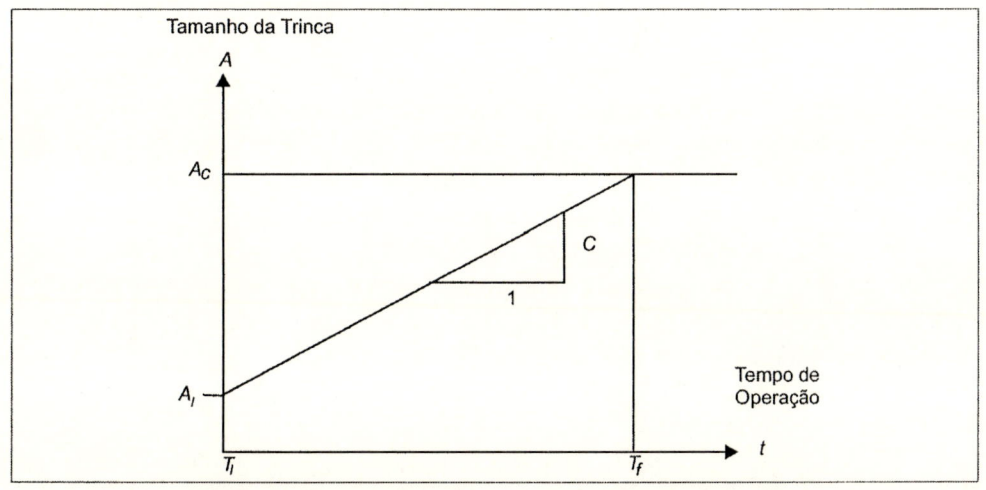

Figura 22.1– Um exemplo simples de acumulação de dano

Portanto, se existir uma estimativa do nível de dano presente no componente, conjuntamente com a maneira de como o dano progride no tempo e algum critério de falha, é possível determinar-se a vida remanescente do componente.

Com o objetivo de ilustrar de maneira simplificada o que vem a ser Avaliação de Vida Residual usaremos um exemplo simples, descrito pela Figura 22.1. Neste caso, a velocidade de desenvolvimento do dano e o critério que estabelece a falha do componente são os descritos na figura. Este modelo é algumas vezes utilizado para simular o crescimento de trincas de corrosão sob tensão em componentes de grande espessura e é assumido que o dano (representado pela trinca de CST) cresce linearmente até alcançar o valor crítico, que é determinado pela mecânica da fratura.

Outros métodos de AVR lançam mão de conceitos mais avançados de probabilidades e/ou estatística, porém, convém neste instante fazermos algumas observações sobre a utilização desses conceitos.

Primeiramente, a AVR não é uma derivação da teoria clássica de confiabilidade. Na confiabilidade clássica, o tempo para a falha é determinado através dos dados de falhas passadas do componente, que são tratados por alguma distribuição de probabilidades – do tipo Weibull, Log-normal, exponencial, etc. Se o histórico do componente não permite que se obtenha os dados de falha, o tempo para falha não poderia ser determinado. Certamente a existência de tais dados pode ser combinada com as técnicas de AVR para se avaliar com maior rigor a vida residual do componente. O fato é que o alto custo associado com a falha de componentes, como um rotor de turbina a vapor ou uma caldeira torna quase que impraticável a aquisição de um número relevante de falhas para aplicação das técnicas de confiabilidade. É precisamente este o motivo que faz com que a avaliação de vida residual seja utilizada em primeiro lugar para se estimar a vida do componente em caso de escassez de dados de falha.

Além disso, a AVR não é simplesmente uma técnica estatística, onde o objetivo principal é a determinação dos parâmetros que descrevem uma distribuição de probabilidades e seus intervalos de confiança. A AVR lança mão também do conceito de análise de regressão linear, os métodos de simulação de Monte Carlo e Markov. Por essa intensa utilização da estatística, é que se pode supor que a AVR é simplesmente uma metodologia estatística. Entretanto, o objetivo principal da AVR é se estimar probabilidades de falha e não simplesmente parâmetros estatísticos de distribuições, regressões e simulações. Portanto, a AVR aborda estes assuntos de estatística na profundidade necessária que permita a manipulação das variáveis que lhe são úteis, porém sem o rigor que certamente seria utilizado por uma abordagem puramente estatística.

22.3 Por Que Avaliação Probabilística?

A AVR não fornece um resultado determinístico. As velocidades de desenvolvimento e o nível crítico do dano podem ser obtidos com certa precisão a partir do processo de dano envolvido. Este processo de dano pode ser, por exemplo, a progressão de trincas de fadiga, vazios de fluência, trincas de corrosão sob tensão, perda de espessura por ataque corrosivo a altas ou baixas temperaturas. As variáveis que governam o desenvolvimento de tais fenômenos não são sempre precisamente determináveis. Por outro lado, numa avaliação determinística, como mostrado no exemplo da Figura 22.1, os valores A_i, C_c e A_c são únicos e perfeitamente determinados. O cálculo da vida residual utilizando somente um valor para os dados do problema pode ser tratado considerando-se o valor mais desfavorável possível, como ilustrado na Figura 22.2. Porém, a razão da vida calculada pelo pior ou melhor caso pode ser da ordem de até dez.

A alternativa para o método determinístico, normalmente baseado nas estimativas mais pessimistas dos dados do problema, é o método probabilístico. Este método considera automaticamente as incertezas inerentes aos dados do problema, embora este método seja consideravelmente mais complicado que o método determinístico.

22.4 Um Exemplo Simples

A Figura 22.2 representa o traçado hipotético dos valores mais pessimistas e otimistas para o modelo de dano descrito na Figura 22.1, onde a velocidade de crescimento da trinca, C, é supostamente conhecida. Notar que a vida aumenta com o aumento de A_c e decresce com a diminuição de A_i.

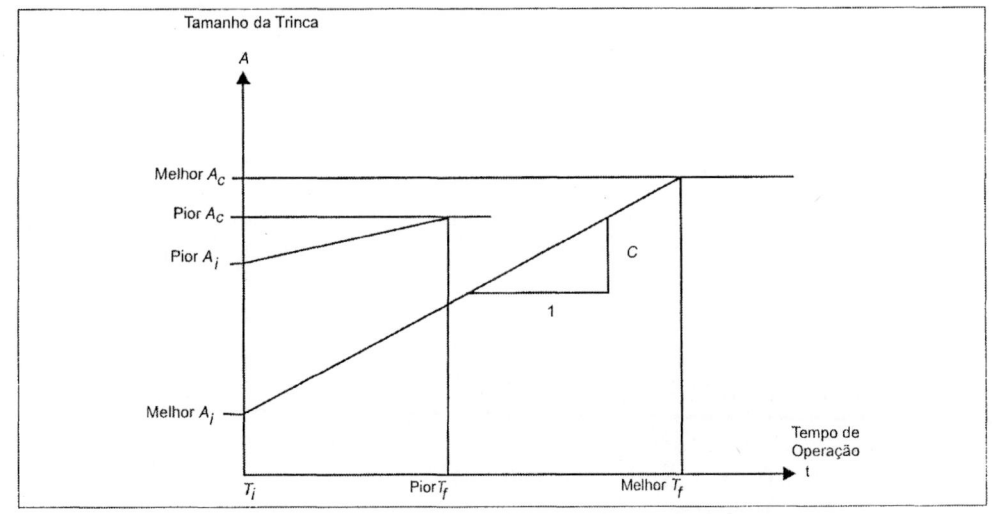

Figura 22.2 – Análise com o pior caso/melhor caso

Um problema clássico surge como resultado do método determinístico. Existe pouca possibilidade de que o componente falhe antes que o caso mais pessimista seja atingido, porém, uma substituição prematura do componente acarretará em elevados prejuízos financeiros. Por outro lado, a substituição do componente na vida mais otimista é mais vantajosa sob o ponto de vista econômico embora acarretando num maior risco de falha prematura. Portanto, o conhecimento da probabilidade (ou risco) do componente falhar em um dos dois casos é de crucial importância para a tomada de decisão sobre a substituição do componente.

A outra maneira de tratar o problema é a utilização da análise probabilística. A Figura 22.3 ilustra como esta análise pode ser feita utilizando-se o método de simulação de Monte Carlo. O método pode ser descrito de maneira simples através da Figura 22.3: bolas com os valores possíveis dos dados do problema são colocadas em cestos apropriados; por exemplo, muitas bolas com os valores mais prováveis de A_i e poucas com os valores menos prováveis são colocadas no cesto apropriado. O mes-

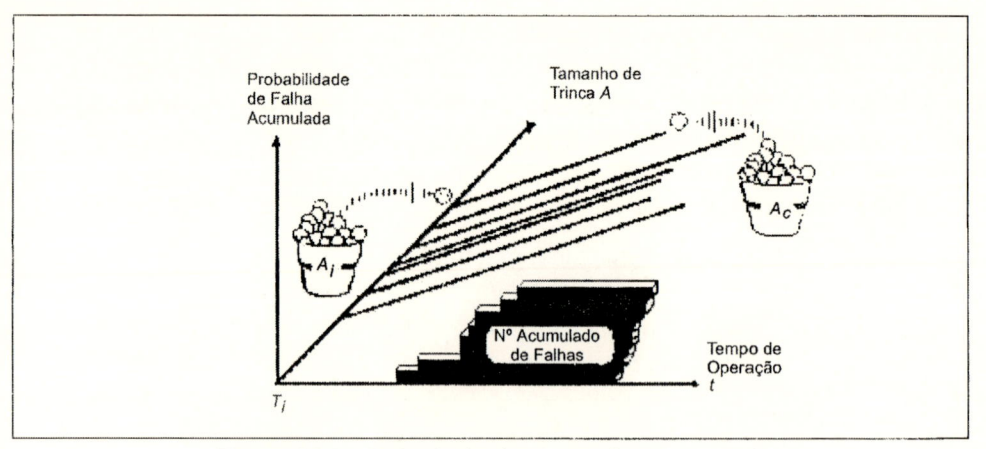

Figura 22.3 – Método de simulação de Monte Carlo

mo é feito com A_c. A seguir, um conjunto de bolas é escolhido dos dois cestos e utilizado para calcular o tempo para a falha, T_f.

Este processo é repetido inúmeras vezes e os resultados dos tempos para a falha colocados num histograma de freqüências acumuladas, de onde se pode obter a probabilidade de ocorrência de cada tempo de falha. Quanto maior o número de repetição deste processo, mais preciso é o risco estimado da falha.

22.5 Os Dois Métodos Probabilísticos

Avaliação de vida residual, seja probabilística ou determinística, inicia-se com a escolha do modelo de dano mais adequado. Existem inúmeros modelos disponíveis na literatura que descrevem mecanismos como fadiga, fluência, corrosão sob tensão, corrosão-fadiga, fadiga térmica, etc.

Embora cada mecanismo de dano seja específico para cada tipo de deterioração, eles têm todos algo em comum – a velocidade do dano é expresso em função de um ou mais variáveis que influenciam o processo. Por exemplo, na Figura 22.1 a velocidade de propagação da trinca é dada por:

$$\frac{dA}{dT} = C \tag{1}$$

Onde C é uma constante. A velocidade de propagação da trinca, C, é, em geral, função do nível de tensões, temperatura e concentração de contaminantes.

É fácil de ver que (1) e a velocidade de propagação apresentada na Figura 22.1 são versões diferentes da mesma equação; a fórmula 1 é a versão diferencial da Figura 22.1. Portanto, o problema pode ser resolvido de duas maneiras: através de soluções incrementais ou através da integração de (1) que fornecerá a vida total diretamente. Estas duas maneiras de resolver o problema serão discutidas na seqüência.

22.5.1 Dano Total

Este método de AVR utiliza uma expressão que relaciona as variáveis que afetam a velocidade de propagação do dano e o tempo total para a falha. Estas expressões são encontradas para processos de deterioração por fadiga, fluência, corrosão sob tensão, etc.

Após a determinação da expressão matemática do dano, o próximo passo é a definição do evento que caracteriza a falha. Por exemplo, a falha ocorrerá se o evento E1 (tempo de operação > tempo para a falha) ou se o evento E2 (tamanho atual de trinca > tamanho crítico) se verificar. Com a expressão do dano e o evento que ocasiona a falha, calcula-se a probabilidade de falha como função do tempo. Normalmente, as expressões de dano relacionam tamanho de trinca e tempo, fazendo com que os eventos E1 e E2 sejam equivalentes a menos do cálculo da relação inversa.

Para se calcular a probabilidade de falha, as incertezas relacionadas com os valores das variáveis que influenciam o dano devem ser quantificadas. Normalmente, estas incertezas serão consideradas nas funções de densidade de probabilidade escolhidas para representarem a variabilidade das variáveis de influência. As funções de probabilidade serão resumidamente discutidas no próximo capítulo.

A etapa final é a determinação da probabilidade de falha, que é feita utilizando-se a técnica de simulação de Monte Carlo.

22.5.2 Dano Incremental

Nesta abordagem, utiliza-se uma forma incremental para a expressão matemática do dano, que pode ser obtida através da evolução real do dano. Em outras palavras, a expressão matemática que relaciona o evento crítico e o tempo não é conhecida antes da observação de como o dano evolui no tempo.

Os autores Bagdanoff e Kozin introduziram uma abordagem que permite o tratamento do dano incremental utilizando-se a teoria das Cadeias de Markov. O método é facilmente adaptável à modelos matriciais, o que torna fácil a confecção de programas de computador. A solução por Markov é menos intuitiva e complicada do que por Monte Carlo, porém mais rápida e eficiente. A utilização de um ou de outro método depende do conhecimento sobre as teorias de simulação e da disponibilidade em se utilizar CPU de computadores para os cálculos.

Um método alternativo ao de Markov é a resolução do problema através da extrapolação de regressões. A utilização de dados de extrapolações depende muito do conhecimento da natureza do dano, que afetará em muito a vida final. Este método tem sido usado para a determinação de vida de equipamentos sujeitos à corrosão. Esta alternativa requer conhecimentos muito menos elaborados sobre estatística e é facilmente adaptável aos conceitos usuais de engenharia.

22.6 Outros Assuntos da AVR

Para que seja possível o estabelecimento de valores numéricos, representativos da real possibilidade de falha de um equipamento, a avaliação de vários aspectos do problema se faz necessária. Isto faz com que a avaliação do risco de falha seja multidisciplinar. Discorreremos a seguir, brevemente, sobre os aspectos mais importantes das partes.

22.6.1 Ensaios Não-Destrutivos (END's)

Para uma análise quantitativa do problema, há a necessidade de uma caracterização geométrica precisa do defeito. Quanto maior for a precisão das dimensões, maior será a precisão dos resultados obtidos. A seleção do END deve ser apropriada ao problema em questão. Por exemplo, danos por fluência têm sido normalmente detectados através de réplica metalográfica. Trincas por corrosão sob tensão (CST) podem ser reveladas com partículas magnéticas via úmida fluorescentes (se superficiais ou subsuperficiais) e dimensionadas por ultra-som. Ultra-som também está sendo usado para a detecção de fissuração induzida por hidrogênio. Em todos estes casos, deve-se ter em mente a necessidade de se utilizar métodos e operadores qualificados para a inspeção a ser executada, pois os resultados obtidos dependerão, sobremaneira, da precisão dos resultados fornecidos pelos END's.

22.6.2 Ensaios Destrutivos

Após a análise da geometria do defeito, necessita-se de dados a respeito do comportamento do material em que o mesmo foi encontrado. Se o defeito envolve vazios de fluência, o valor da resistência à fluência do material se faz necessário. Se os defeitos são provenientes de fadiga, dados sobre a taxa de crescimento e o mecanismo de crescimento são relevantes. Fenômenos como a CST ainda não possuem dados conclusivos sobre taxa de crescimento. Além disso, ainda existem muitas dúvidas sobre o mecanismo de geração dos defeitos. Quando se tratar de corrosão, seja à baixa ou elevada temperatura, os valores das taxas de corrosão devem ser levantados. Normalmente, em todos estes exemplos deve-se recorrer a testes com materiais extraídos do equipamento problemático para que a representatividade dos dados seja elevada.

22.6.3 Análise de Tensões

A presença de trincas ou vazios de fluência estão sempre associados a um determinado nível de tensões. Para uma caracterização precisa de danos por fluência, fadiga, corrosão sob tensão e fratura frágil, o estado de tensões deve ser estabelecido, senão encorre-se no risco de se sub ou superestimar os efeitos destes danos. O levantamento do estado de tensões pode ser feito de diversas maneiras. A primeira, é a utilização de formulação teórica, normalmente trabalhosa para geometrias complicadas.

A segunda ferramenta é a utilização de métodos aproximados, como por exemplo programas comerciais de elementos finitos, que são, normalmente, simples de serem aplicados. Os resultados, entretanto, devem ser interpretados com cuidado, se não se tem profundo conhecimento das limitações desta técnica. A terceira ferramenta disponível é a análise experimental de tensões, que, normalmente, é utilizada para se aferir os resultados obtidos através dos outros métodos. Estensometria (*Strain-gauges*) e fotoelasticidade são métodos razoavelmente difundidos.

22.6.4 Mecânica da Fratura

A Mecânica da Fratura (MF) associa os dados gerados pelas três áreas anteriores, ou seja:

1. Geometria do defeito.
2. Tensões atuantes.
3. Propriedades do material.

É através do emprego da Mecânica da Fratura que se pode avaliar se um defeito apresenta algum risco para o equipamento, tanto a baixas como a altas temperaturas. Isto é evidente no caso de fluência, fadiga e corrosão sob tensão. Porém, a MF também pode ser aplicada para se avaliar a integridade de equipamentos com pites ou alvéolos de corrosão, através do uso de fórmulas de elastoplasticidade, ao invés de simplesmente se avaliar se o pite ou alvéolo já atingiram a sobreespessura de corrosão.

22.7 Etapas da Avaliação de Vida Residual (AVR)

Como a avaliação de vida residual envolve um grupo de disciplinas muito diversas, é importante que se divida as fases de avaliação de maneira progressiva, com vistas à economia de recursos. Ou seja, quando se tem um problema de AVR, deve-se, primeiramente, fazer uma avaliação preliminar para se determinar em que fase de deterioração se encontra o equipamento. Esta análise inicial dará uma razoável idéia do grau de deterioração do equipamento e servirá de balizamento para futuras obtenções de dados.

Desta forma, autores que discutem o tema, convencionalmente, dividem o estudo em três fases.

22.7.1 Fase 1

Nesta fase, procura-se abordar o problema de maneira mais simplificada, com o intuito de se obter um panorama mais geral sobre o problema. Normalmente, para se fazer a análise de tensões se recorre às fórmulas tradicionais da Resistência dos Materiais, utilizando-se os dados de temperatura, pressão e meio ambiente fornecidos pelo projeto do equipamento. Os valores das propriedades mecânicas/metalúrgicas são, normalmente, obtidos de manuais e da literatura. Podemos citar, como exemplo, a utilização de tensões obtidas por fórmulas de códigos de projeto como o ASME VIII, no caso de tensões em cascos de vasos de pressão. Fórmulas do WRC-107 para se obter tensões em bocais de vasos de pressão. Valores de tenacidade obtidos a partir de correlações com valores de ensaios de impacto Charpy, como existente no PD-6493. Valores de resistência à fluência obtidas através de curvas contidas em códigos mundialmente aceitos, como o API-RP-530, e assim por diante.

22.7.2 Fase 2

Nesta fase, já se procura fazer uma análise de tensões mais apurada. Pode-se utilizar, então, métodos aproximados, como o método dos elementos finitos. Normalmente, este método é muito prático quando se tem uma geometria muito complexa, o que traria um solução analítica muito trabalhosa. No que diz respeito às condições dos materiais, deve-se, nesta fase, fazer ensaios não-destrutivos em peças do próprio equipamento. Por exemplo, em equipamentos sujeitos à fluência, a aplicação de réplica metalográfica de campo para a avaliação do estágio de fluência é muito difundida. Também existe a possibilidade da obtenção de dados a partir de ensaios em laboratório com materiais que tentem simular as condições de operação realmente existentes. Nesta fase, é importante fazer-se um levantamento sobre as reais condições operacionais a que o equipamento esteja sujeito. A partir destes dados, já é possível ter-se uma idéia muito mais precisa sobre o estado real do equipamento. Testes mais elaborados só se justificariam se os resultados obtidos na fase 2 indicassem que o equipamento encontra-se no final da sua vida.

22.7.3 Fase 3

Agora, já se parte de dados obtidos em ensaios, muitas vezes destrutivos, em partes do próprio equipamento. Por exemplo, a retirada de amostras de juntas soldadas para a determinação de tenacidade ou resistência à fluência. No caso de fluência, o emprego de ensaios acelerados com aumento de tensões é muito utilizado. No que se refere à análise de tensões, deve-se partir para a análise experimental de campo que permita um refinamento ainda maior dos valores encontrados pelos métodos dos elementos finitos, por exemplo. É comum o emprego de estensometria de campo, e mesmo fotoelasticidade, para levantamento do estado de tensões das peças. Esta fase apresenta um custo relativamente elevado e só se justifica quando o equipamento já está num estado avançado de deterioração. Outro motivo para aplicação desta fase é quando se deseja adquirir segurança a respeito dos dados obtidos nas outras fases, que poderão ser utilizados para o estudo de diversos outros equipamentos em situações similares.

22.8 Sumário das Vantagens da Avaliação de Vida Residual

Duas vantagens são evidenciadas através da utilização do método probabilístico. Primeiro, as incertezas sobre os valores dos dados podem ser computadas, o que permite uma avaliação mais objetiva do problema e a eliminação de considerações arbitrárias sobre os casos mais pessimistas e/ou otimistas. Segundo, a probabilidade de falha (risco) é determinada em função do tempo, permitindo avaliações quantitativas sobre a data mais favorável para a substituição de um componente. Através da experiência é possível se determinar um valor de risco aceitável para cada componente e assim fica estabelecida a vida aceitável do mesmo.

A primeira vantagem aparente da metodologia de avaliação da vida residual é que a mesma apresenta uma resposta quantitativa, com todos as vantagens que este tipo de informação pode trazer. Esta postura difere da postura tradicional de se graduar o problema de maneira qualitativa, o que sempre dá margens a interpretações mais ou menos favoráveis.

Além disso, a avaliação de vida está mais próxima de uma metodologia preditiva do que corretiva. Isto é, a avaliação de um problema utilizando-se a primeira fase de análise permite se ter uma idéia da sobrevida de um equipamento, o que permitirá que as inspeções sejam feitas com uma idéia do grau de deterioração em que se encontra o equipamento.

Um fator que poderia ser considerado como desvantajoso seria o maior risco que deve ser assumido, haja vista que o conservativismo na abordagem do problema é muito menor. Isto equivale a dizer que se passará a utilizar um equipamento com uma confiabilidade menor que 100%, que é o que sempre se busca nas posturas mais tradicionais.

Em contrapartida, a convivência com um nível de risco maior representa uma significativa redução nos custos, conforme apresentado no item introdutório do presente trabalho.

Apesar de todas as vantagens, há que se ressaltar que esta é uma metodologia ainda em consolidação, o que significa dizer que ainda não existem normas que possam ser consultadas e que cubram todas as dúvidas. Assim sendo, cada caso dever ser abordado de maneira diferente, exigindo um estudo específico, o que pode ser trabalhoso e de custo absoluto elevado.

CAPÍTULO 23

Mecânica da Fratura Probabilística

23.1. Introdução

A Mecânica da Fratura é o ramo da Mecânica dos Sólidos voltada para análise, explicação e previsão do comportamento de trincas em sólidos. As aplicações convencionais da mecânica da fratura são de natureza determinística. Isto é, todos os dados iniciais para a análise são determinados com certeza. Entretanto, em determinados casos nem todos os dados iniciais são determináveis com absoluto grau de precisão, como já se colocou em diversas oportunidades neste trabalho. Nestes casos, se faz uma estimativa conservativa dos valores dos dados incertos. Isso pode levar a resultados extremamente pessimistas, que podem ser re-analisados sob a ótica da Mecânica da Fratura Probabilística (MFP), que é objeto de revisão deste capítulo.

A MFP é baseada na mecânica da fratura convencional ou determinística, porém, ela trata certos dados iniciais com sendo aleatórios ao invés de determinísticos. Um dos dados que não é conhecido com certeza, no início da vida, de um componente é o tamanho inicial dos defeitos do tipo trinca. Em muitos casos, o tamanho inicial dos defeitos pode ser considerado com determinístico, mas em outros esta variável é claramente aleatória. A mecânica da fratura convencional pode ser utilizada para o estabelecimento da velocidade de crescimento das trincas iniciais ao longo do tempo, bem como para a determinação do tamanho crítico das trincas. A probabilidade de falha do sistema (ou a sua confiabilidade), em qualquer instante, é simplesmente a probabilidade de existir naquele instante uma trinca de tamanho superior ao crítico.

Em situações mais complexas, todos os dados iniciais do problema podem ser encarados como sendo variáveis aleatórias. Entretanto, as bases teóricas para a análise são ainda provenientes da MF convencional. Os dados iniciais necessários para a análise convencional envolvem as seguintes áreas:

   a) O histórico das tensões (cargas) atuantes no componente, como por exemplo o número de ciclos e suas respectivas amplitudes numa análise de fadiga.
   b) Os parâmetros que determinam a falha, como por exemplo o valor da tenacidade à fratura (K_{Ic}).
   c) A velocidade de crescimento da trinca para o material e o meio presentes, como, por exemplo, a taxa de crescimento de trincas por fadiga, corrosão sob tensão e fluência.
   d) O tamanho das trincas.

e) A solução para o fator de intensificação de tensões específico para a geometria considerada.

Quaisquer destas variáveis, com exceção do valor do fator de intensificação de tensões, podem ser consideradas como aleatórias. A valor da probabilidade de falha (confiabilidade) para um instante qualquer pode ser calculado através da mecânica da fratura determinística e uma abordagem estatística apropriada. Com o valor das probabilidades de falha pode-se avaliar a adequação do componente ao serviço que o mesmo desempenha. Tais probabilidades não impõem fatores de segurança umas nas outras e são mais representações tão fiéis quanto possível da situação real. São, além disso, muito úteis para a tomada de decisões que as considerações puramente pessimistas sobre os dados iniciais.

23.2 Uma Breve Revisão do Modelo

Os modelos da abordagem da MFP são inteiramente baseados na Mecânica da Fratura Convencional (MFC), conforme já discutido na introdução deste capítulo. Como conseqüência direta desta assertiva advém o fato de que os modelos probabilísticos serão tão precisos quanto o forem os modelos determinísticos usados como base. Em outras palavras, é necessário um modelo adequado de mecânica da fratura convencional e, se o mesmo não for disponível, o modelo probabilístico não será de muita valia. A Figura 23.1 mostra os componentes básicos da mecânica da fratura convencional para a análise de corpos sólidos com trincas. Muitos destes componentes podem ter valores aleatórios e podem ser tratados como variáveis aleatórias, passando o modelo a ter uma natureza probabilística.

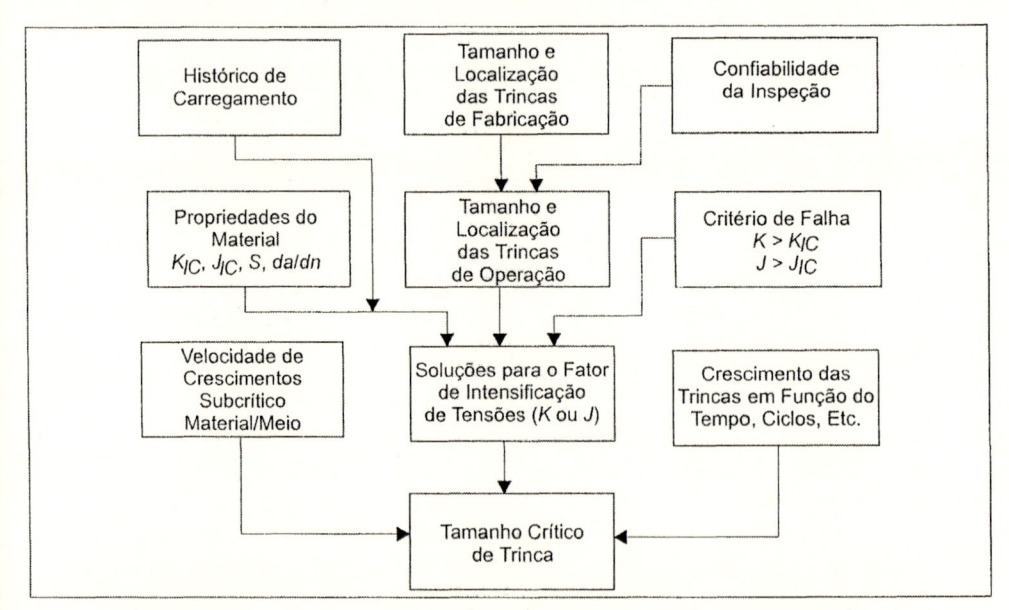

Figura 23.1 – Componentes básicos da mecânica de fatura convencional

Os princípios básicos da MFC estão certamente embutidos na modelo da MFP. Considerações adicionais devem ser feitas para a construção do modelo probabilístico de uma aplicação específica, como, por exemplo, admitir que somente ocorreram trincas em soldas do componente. Outro exemplo de adicional é admitir que durante as inspeções todas as trincas encontradas são reparadas e que os reparos não induzem problemas posteriores no componente, embora tal consideração muitas vezes não possa ser encarada como sendo realistas em todas as situações. Sob o ponto de vista puramente estatístico, considerações (explícitas ou não) devem ser feitas para o desenvolvimento da análise, como tratar todas as variáveis iniciais como sendo mutuamente independentes. Por exemplo, admitir que a velocidade de crescimento de trincas de fadiga é independente da tenacidade que, por sua vez, é independente da carga aplicada e esta independente do tamanho das trincas inicialmente presentes.

Uma vez feito estas observações, o tratamento estatístico de cada componente relevante da Figura 23.1 será brevemente descrito na seqüência.

23.2.1 A Distribuição Inicial das Trincas

A distribuição inicial das trincas é uma das considerações primordiais para a abordagem pela MFP. De fato, a incerteza quanto ao tamanho de trinca inicial é um dos principais motivos para ser recorrer à modelos estatísticos/probabilísticos. São dois os aspectos mais importantes para a descrição da natureza aleatória das trincas iniciais: a probabilidade de que existam trincas, e a função de distribuição destas trincas dado que as mesmas realmente existam.

A probabilidade de existência das trincas é freqüentemente admitida como sendo um, o que é de certa forma conservativo e uma simplificação da análise. Entretanto, a natureza aleatória da distribuição das trincas pode ser tratado por uma das f.d.p.'s discutidas no Capítulo 3.

A função de distribuição de tamanho de trincas permite estabelecer qual a probabilidade de uma trinca de determinada dimensão existir. As complicações que podem surgir se referem ao espaço dimensional que se deseja tratar o problema. Por exemplo, uma trinca pode ser geometricamente determinável conhecendo-se a sua largura, comprimento e profundidade. Cada uma destas dimensões pode ser tratada como possuindo uma distribuição de freqüências. Simplificações podem ser feitas admitindo-se que somente existem trincas superficiais, reduzindo os dados geométricos relevantes a para largura e comprimento.

Como a precisão da MFD está diretamente relacionado com a geometria do defeito, todos os esforços devem ser feitos no sentido de se obter distribuições mais representativas possíveis da realidade.

Muitos estudiosos da MFP empregam a função de distribuição exponencial para representar as profundidades de trincas superficiais originárias de defeitos de fabricação. A equação abaixo é a FDP exponencial de profundidade de trincas com média de 0,246 in.

$$f(a) = \frac{1}{\mu} e^{-a/\mu}$$

onde $\mu = 0,246$ in.

Esta distribuição de profundidade de trincas, ou distribuições muito similares, tem sido largamente empregada para análises de vasos de pressão e tubulações. Porém, as distribuições de cada caso devem ser criteriosamente analisadas, pois o resultado da análise depende essencialmente das considerações feitas sobre essa variável.

23.2.2 Ensaios Não-Destrutivos

A influência dos ensaios não-destrutivos é apreciada através da probabilidade de detecção de uma trinca de um determinado tamanho. A probabilidade de detecção pode ser considerada como uma função do tamanho da trinca. Alternativamente, pode-se considerar que todos os defeitos são detectados, porém nem todos os defeitos detectados são indicados com o seu tamanho real.

A probabilidade de detecção de um defeito é extremamente afetado pelo tipo de ensaio utilizado, bem como pelos procedimentos que o regeram. O material sendo inspecionado também é uma variável importante. A equação a seguir fornece a probabilidade de não se detectar uma trinca superficial de profundidade *a*, utilizando-se ultra-som:

$$P_{ND}(a) = \varepsilon + \frac{1}{2}(1-\varepsilon) erfc(\upsilon \ln a/a^*)$$

onde ε é a probabilidade mínima de não detecção de *a*, a^* é a profundidade de trinca com possibilidade de 50% de detecção. O parâmetro *u* descreve como é a relação a/a^* e varia de 1,33 a 3. O valor de *e* é cerca de 0,005 e a^* é 0,25 in para materiais ferríticos e austeníticos de vasos de pressão. Em contrapartida, o valor de a^* é aproximadamente metade da espessura de parede de componentes de aço austenítico fundido onde o tamanho de grão grande dificulta a inspeção.

23.2.3 A Velocidade de Crescimento das Trincas

A distribuição inicial e a probabilidade de detecção das trincas são combinadas com a velocidade de crescimento das trincas para fornecer uma distribuição de trincas no futuro. A velocidade de crescimento subcrítico de trincas, seja por fadiga, corrosão sob tensão ou fluência, está normalmente associada a uma grande dispersão nos dados. Portanto, a velocidade de crescimento subcrítico pode ser considerada também como uma variável aleatória.

As velocidades de crescimento de trincas por fadiga ou corrosão fadiga serão ilustradas na seqüência. O crescimento das trincas por ciclo de carga da/dN é função da variação do fator de intensificação de tensões (ΔK) e, em alguns casos, também do valor $R = K_{min}/K_{máx}$. Pode-se verificar experimentalmente que da/dN é uma variável aleatória com média e desvio padrão dependentes de um dado valor de ΔK, através da conhecida Lei de Paris:

$$\frac{da}{dN} = C\Delta K_{eff}^{m} \qquad \text{onde } \Delta K_{eff} = \frac{\Delta K}{(1-R)^{1/2}}$$

O valor de m é assumido como sendo constante. A dispersão no valor de da/dN é função da dispersão do valor de C. A Figura 23.2 mostra os dados experimentais de da/dN onde fica claro o espalhamento desse valor, que é normalmente bem representado por uma função distribuição log-normal.

O uso da Lei de Paris em conjunto com uma distribuição empírica de C permite caracterizar a dispersão nos valores velocidade de crescimento de trincas por fadiga, além de permitir a aplicação direta destes valores na MFP.

De maneira muito similar, o mesmo conceito poderia ser aplicado ao crescimento de trincas por fluência. A equação seguinte mostra como as trincas crescem em função do parâmetro C_t (o análogo da integral J, com a diferença de que a densidade de energia de deformação é substituída pela densidade de energia da taxa de deformação, ou mais simplificadamente, um parâmetro da MFC que correlaciona as tensões, materiais e trincas em altas temperaturas)

$$\frac{da}{dt} = bC_t^m$$

Os valores de b podem ser considerados aleatórios e estão ilustrados na Figura 23.3.

23.2.4 Propriedades de Tenacidade à Fratura

As propriedades dos materiais que são utilizadas para o estabelecimento dos critérios de falhas também são sujeitos à variações aleatórias. O espalhamento destas propriedades resulta numa distribuição de tamanhos críticos de trincas, até mesmo quando as cargas aplicadas são assumidas como sendo determinísticas. A distribuição dos tamanhos críticos de trincas terá influência sobre a probabilidade de falha, que é, simplificadamente, a probabilidade de que exista um trinca qualquer com tamanho superior ao tamanho crítico. Em situações onde o crescimento da trinca é predominante, as variações nas das propriedades de tenacidade são de menor importância. Por outro lado, nos casos em que crescimentos muito pequenos de trincas podem ocasionar a falha, as variações nas propriedades de tenacidade são de primordial importância.

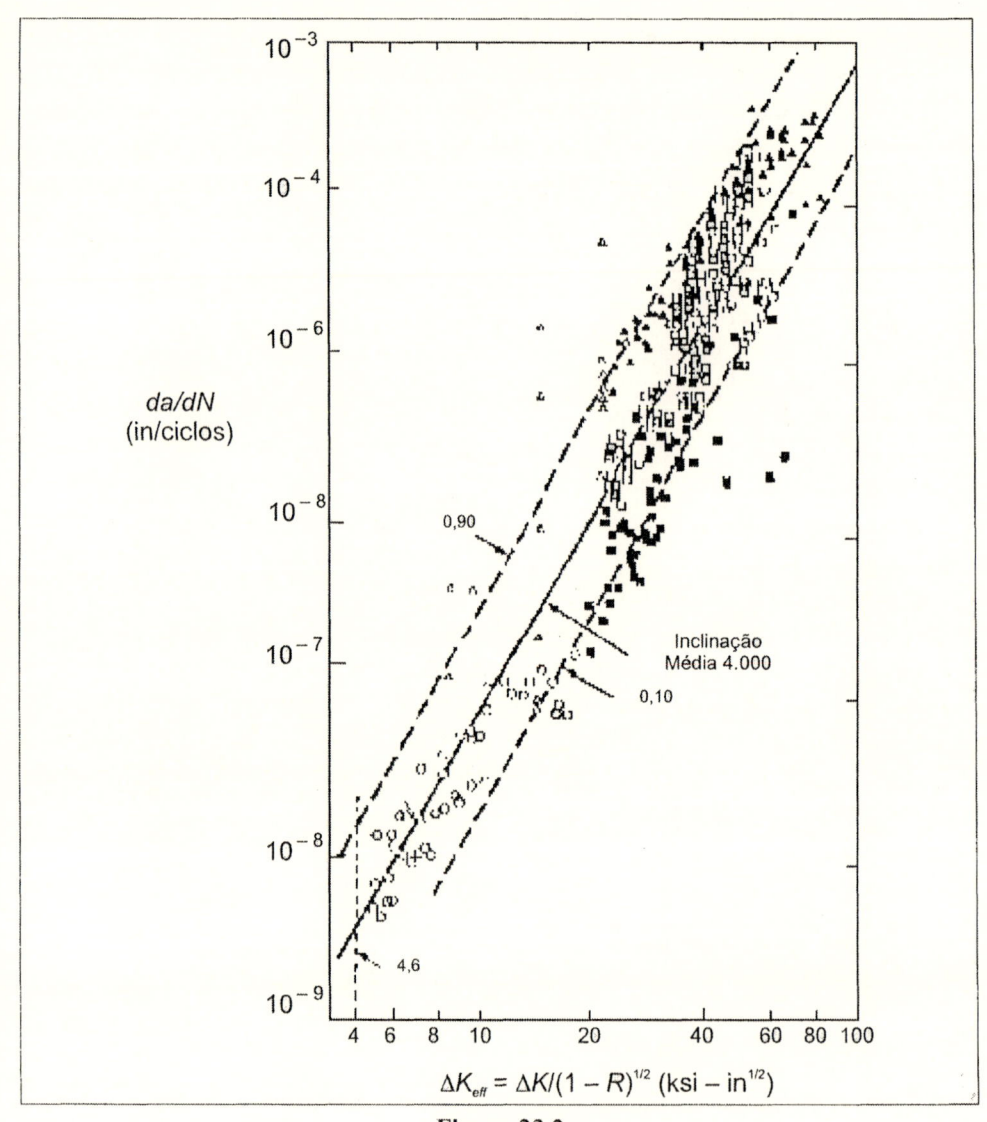

Figura 23.2

As propriedades dos materiais que são utilizadas no critério final de falhas da MFC são o K_{Ic} (mecânica da fratura linear elástica) e o J_{Ic} (mecânica da fratura elastoplástica). Admite-se freqüentemente que estas propriedades assumem uma distribuição de probabilidades do tipo normal ou Weibull, com os parâmetros sendo determinados a partir de resultados de ensaios. Existem situações em que estas propriedades variam com o tempo, que é o casos de aços que trabalham em meios contendo hidrogênio ou estão expostos à radiação.

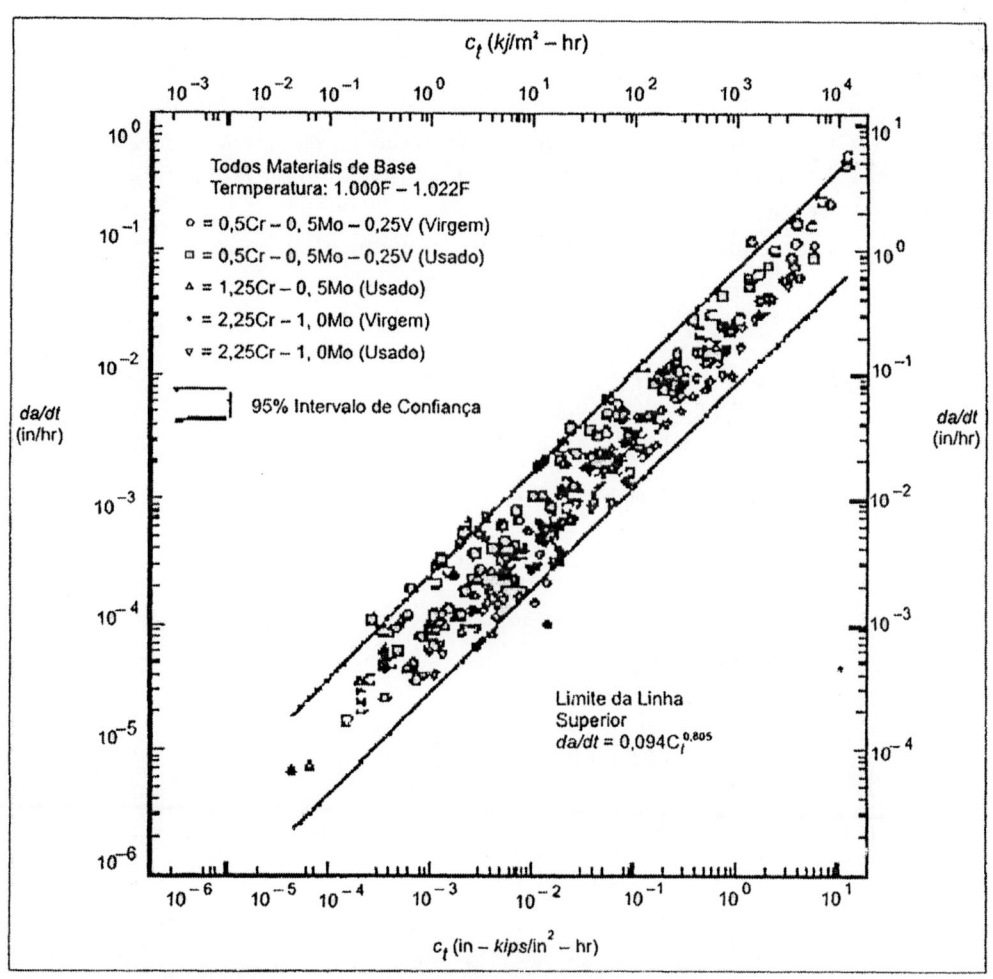

Figura 23.3 – Velocidade de crescimento de trincas por fluência

23.2.5 Histórico de Aplicação de Cargas

O último dado necessário para a análise pela mecânica da fratura é o histórico do carregamento, que também pode ser de natureza aleatória. No caso do crescimento de trincas de fadiga, o número de ciclos e a amplitude das cargas podem ser ambos aleatórios. No caso de componentes sujeitos à fluência, a temperatura, o tempo e a seção resistente podem ser todos aleatórios. No casos de vasos de pressão e tubulações, a natureza aleatória das cargas pode ser ocasionada pelas variações também aleatórias da pressão interna.

Este subitem conclui a discussão sobre os princípios básicos do modelo de mecânica da fratura probabilística. Nesta discussão não se abordou detalhes mais profundos do modelo de mecânica da fratura determinística, que é a base para a análise probabilística. Ao invés disso, centrou-se a discussão sobre os aspectos estatísticos que influenciam a análise probabilística. É evidente que os resultados e a precisão da análise dependem fundamentalmente das distribuições estatísticas escolhidas. Entretanto, convém deixar claro que mesmo que as distribuições representem fielmente o processo real, o resultado final ainda depende fundamentalmente da teoria de mecânica da fratura adotada.

A Figura 23.4 mostra a interação básica dos componentes da *MFP*.

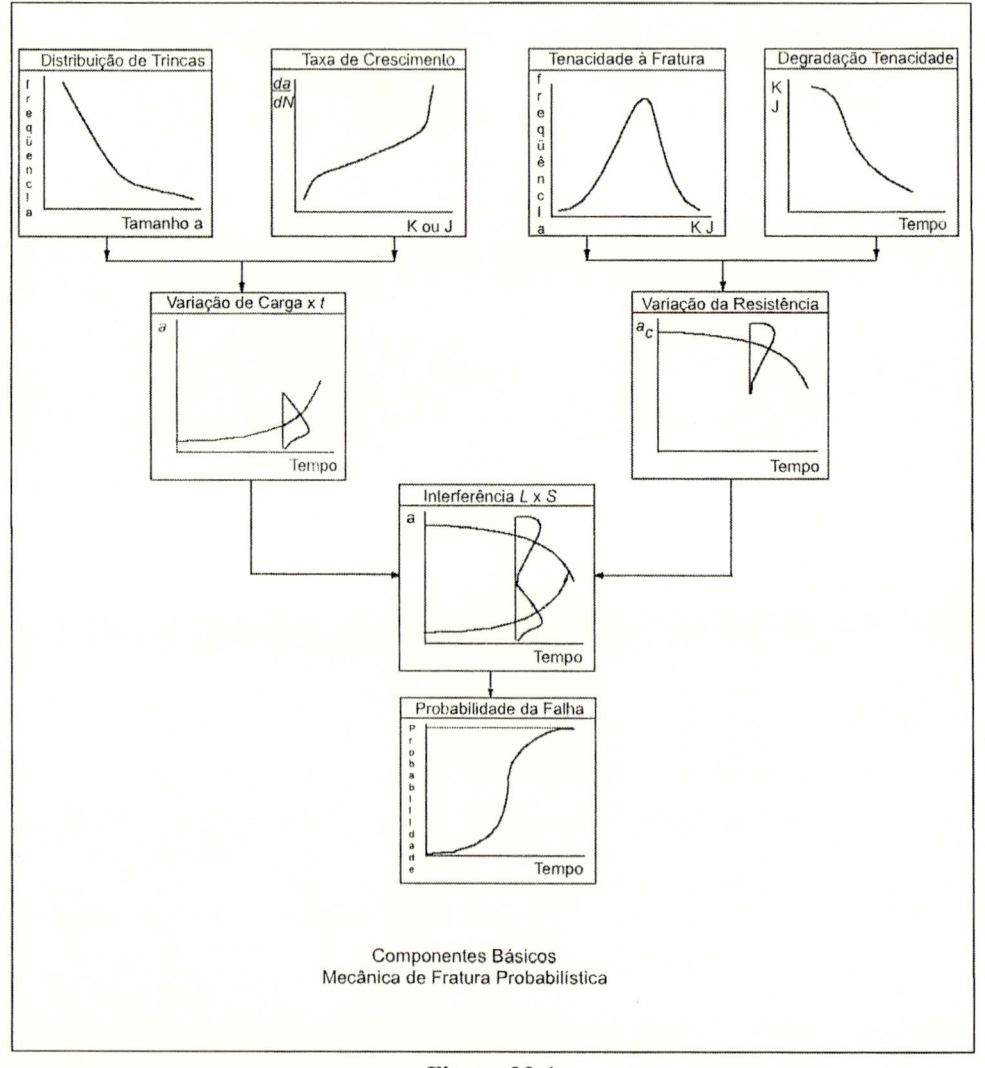

Figura 23.4

23.3 Avaliação da Probabilidade de Falha

A escolha do método de mecânica da fratura determinística a ser adotado para a análise é a base da análise probabilística. Após esta fase, é de fundamental importância a escolha das funções de distribuição de probabilidades que irão representar a aleatoriedade dos dados de entrada. Após o cumprimento destas duas fases, os resultados começam a ser gerados. Nesta etapa o problema pode parecer extremamente complicado. O objetivo agora é dar um exemplo de como a solução do problema pode ser obtida através da conjugação de todos os princípios numerados até aqui. A solução, mais uma vez, pode ser baseada em métodos puramente numéricos ou através da resolução analítica das equações geradas. É importante estar ciente de que somente nos casos extremamente simples é possível descartar os métodos numéricos.

23.3.1 Soluções Analíticas

Considerando-se um caso onde o tamanho inicial das trincas é uma variável aleatória. Considere-se uma trinca passante de comprimento $2a$ numa placa infinita submetida a uma tensão cíclica entre 0 e S. Neste caso

$$K = \Delta K = S\,(\pi a)^{1/2}$$

Considerando-se que a falha ocorre quando $K=K_{Ic}$ e que o crescimento das trincas é dado pela equação:

$$\frac{da}{dN} = C\Delta K^4$$

Considerando-se, ainda, a existência de trincas de fabricação com tamanho (comprimento) modelado por uma função exponencial do tipo:

$$p_0(a) = \frac{1}{\mu} e^{-a/\mu}$$

Combinando as duas primeiras equações acima, vem:

$$\frac{1}{a_i} - \frac{1}{a_f} = CS^4 \pi^2 N$$

Onde a_i é o tamanho inicial de trinca e a_f é o tamanho da trinca após N ciclos de carregamento. Esta fórmula pode ser usada para definir a distribuição de trincas em função do número de ciclos N. Portanto, após N ciclos, a probabilidade de haver uma trinca maior que a_f é igual à probabilidade de existir uma trinca em $N=0$ com tamanho superior a a_i, donde

$$P_N(a>a_f) = P_o(a>a_i) = e^{-a_i/\mu} = \exp\left\{-\frac{a_f}{\mu}\frac{1}{1+CS^4\pi^2 Na_f}\right\}$$

A probabilidade de falha em ou antes de N ciclos é igual à probabilidade de que a seja superior ao tamanho crítico, $a_c = (K_{Ic}/S)^2/\pi$. Isto fornece:

$$P_f(N) = P_N(a>a_c) = \exp\left\{-\frac{1}{\pi\mu}\left(\frac{K_{Ic}}{S}\right)^2 \frac{1}{1+CS^2\pi NK_{Ic}}\right\}$$

Neste exemplo simples, foi possível se obter facilmente a expressão para a probabilidade de falhas. Entretanto, quando se começa a tratar de problemas mais reais, onde as trincas possuem geometrias mais complexas, a solução para o tamanho crítico passa também a ser mais complicada, bem como a equação que prescreve a velocidade de crescimento. Todos estes fatores somados tornam muito difícil deduzir a expressão da probabilidade de falha. Conseqüentemente, a solução numérica passa a ser a única alternativa viável.

Complexidades adicionais surgem quando se considera que outros dados do problema também são de natureza aleatória. Por exemplo, a equação da probabilidade de falhas acima pode ser modificada quando se considera que S, C e K_{Ic} são de natureza aleatória. Então, para se calcular a probabilidade de falhas a equação passa a ter a seguinte forma:

$$P_f(N) = \int_0^\infty \int_0^\infty \int_0^\infty \exp\left\{-\frac{1}{\pi\mu}\left(\frac{K_{Ic}}{S}\right)^2 \frac{1}{1+CS^2\pi NK_{Ic}}\right\} \cdot p_k(K_{Ic}) p_c(C) p_s(S) dK_{Ic} dC dS$$

Obviamente, a integração da equação acima só pode ser realizada numericamente, mesmo que as distribuições de S, C e K_{Ic} seja simples. O algoritmo de integração numérica desta equação é simples, embora o programa de computador e o tempo de solução possam ser complicantes. Adicionalmente, quando a solução da mecânica da fratura passa a ser mais complexa a solução numérica passa a ser complicada e passa a ser vantajosa a solução do problema por meio de técnica de simulação, como o método de Monte Carlo.

23.3.2 Técnicas Numéricas

Técnicas numéricas são idéias para a determinação de probabilidades de falhas (ou da confiabilidade) de componentes modelados pela mecânica da fratura probabilística que se baseiam em modelos complexos da MFD e da teoria estatística. Duas são as técnicas usualmente empregadas: simulação de Monte Carlo e as cadeias de Markov.

A técnica de Monte Carlo é muito boa para a geração de resultados numéricos, porque é uma técnica muito geral e capaz de tratar as possíveis dependências entre variáveis aleatórias. A principal desvantagem deste método é o elevado número de interações para se chegar a um resultado preciso. Este fato implica em se ter disponível uma grande capacidade de processamento, o que atualmente não é muito problemático com o advento de potentes computadores pessoais.

Conceitualmente, a técnica de Monte Carlo é muito fácil de se compreender. O valor de cada variável aleatória do problema é selecionado aleatoriamente da distribuição que o representa. Os valores amostrados são utilizados para o cálculo da variável dependente. Este processo é repetido inúmeras vezes, o que permite se traçar um histograma de freqüência da variável dependente.

No exemplo do item anterior, os valores de a_i, S, C são amostrados aleatoriamente das distribuições que os modelam e são aplicados no modelo de mecânica da fratura determinístico adequado para o cálculo de $a(N)$ após um número de ciclos N. De maneira similar, o valor de K_{Ic} é amostrado e usado para calcular o valor de a_c. Cada amostragem feita desta maneira é chamada de interação e um número elevado de interações deve ser realizado para obter a solução do problema. A proporção das interações nas quais $a(N)$ excedem a_c é igual à probabilidade de falha no ciclo N. Uma interação qualquer da simulação de Monte Carlo equivale, portanto, à uma análise completa utilizando-se as teorias da MF determinística.

Em muitos casos a probabilidade de falha será muito baixa. Portanto, serão necessárias muitas interações para a determinação deste valor. O número de interações pode ser reduzido por uma amostragem seletiva das distribuições que representam as variáveis do problema. Desta forma, os valores amostrados são propositadamente extraídos das extremidades das distribuições, pois estes são os valores que controlam a probabilidade de falha. Esta amostragem seletiva é então compensada no resultado numérico das análises. Por exemplo, sabendo-se que grandes tamanhos de trincas iniciais (que são pouco prováveis) são necessários para que ocorra falha, é perda de tempo amostrar aleatoriamente de toda a distribuição, pois a maioria das dimensões obtidas seriam pequenas. A amostragem seletiva envolve a amostragem somente de valores extremos das distribuições e os resultados são compensados por um fator que relacione a probabilidade de se obter tais valores em toda a população.

CAPÍTULO 24

Exemplo de Cálculo de Vida Residual de um Vaso de Pressão Esférico

24.1 Introdução

Um vaso de pressão esférico para armazenamento de gás liquefeito de petróleo será usado como um exemplo típico de onde foi necessário a aplicação de um estudo de avaliação de vida residual. Após inspeção foram encontradas aproximadamente 70 trincas internas, inaceitáveis pelo código de construção do equipamento.

Por esta norma, código ASME VIII div 2, todos estes defeitos deveriam ser eliminados. O custo desta eliminação seria bastante elevado. Além disso, haveria a necessidade de se fazer tratamento térmico de alívio de tensões, cujos efeitos sobre a tenacidade do material deveriam ser analisados. Isto porque os dados levantados durante a montagem demostram que há uma sensível redução nos valores de ensaio de impacto com a repetição de tratamentos térmicos, como será demonstrado a seguir.

24.2 Dados Gerais Sobre o Equipamento

Características	*Vaso de Pressão Esférico*
SERVIÇO	PROPANO
CAPACIDADE	3.180m^3
DIÂMETRO	18.348mm
PRESSÃO DE PROJETO	1,77 MPa
TEMPERATURA DE PROJETO	−20 C 58 C
MATERIAL DAS CHAPAS	ASTM A-516 Gr 70
ESPESSURA DAS CHAPAS	51,44(mín.) / 53,98(máx.) mm
TRATAMENTO TÉRMICO	SIM
RADIOGRAFIA	TOTAL
CÓDIGO DE CONSTRUÇÃO	ASME-Sec VIII Div. 2

Propriedades das Chapas ASTM A-516 Gr 70

Composição Química % das Chapas da Esfera							
C	Si	Mn	P	S	Cu	Ni	Cr
0,23	0,22	1,01	0,015	0,022	0,25	0,10	0,21

Propriedades Mecânicas das Chapas da Esfera					
LIMITE RESISTÊN-CIA (MPa)	LIMITE ESCOA-MENTO (MPa)	ALONGA-MENTO (%)	CHARPY –20 C 1 TTAT (J)	CHARPY –20 C 2 TTAT (J)	CTOD(1) –20 C 1 TTAT CP 50mm (mm)
545,85	325,6	29,0	44,8	29,1	0,07

24.3 Resultado da Inspeção

Todos os defeitos foram dimensionados através de ultra-som, com procedimento e operadores qualificados.

24.4 Ensaios Destrutivos

Para a avaliação dos defeitos necessita-se dos dados de propriedades mecânicas das chapas da esfera. A tabela do item anterior trás o resultado dos ensaios realizados. É de interesse observar que os valores de resistência foram obtidos através de ensaios realizados em chapas da época de montagem da esfera. Os valores de ensaio de impacto Charpy foram obtidos durante a época da montagem da esfera, quando se estudava a influência dos tratamentos térmicos nos valores de tenacidade. O valor CTOD (*Crack Tip Opening Displacement*) foi obtido através de ensaios em chapas de mesmo material retiradas de uma esfera que foi reparada.

24.5 Análise de Tensões

Para uma primeira análise utiliza-se os valores máximos de tensões permitidos pelo código ASME VIII div. 2 para a condição de teste hidrostático. Neste caso, a soma das tensões primárias de membrana local e flexão não deverão ser maiores do que

$$1,5.k.Sm$$

Onde:

$k = 1,25$; na condição de teste hidrostático.

$Sm = 125,2$ MPa (fator de intensificação de tensões de projeto).

Portanto, a tensão máxima atuante em qualquer ponto da esfera não deve exceder a 234,75 MPa. Esta será a tensão utilizada para a avaliação inicial dos defeitos.

A título de verificação, calculamos as tensões numa boca de visita seguindo o procedimento estabelecido no WRC 107 do ASME. Pode-se comprovar que as tensões radiais no bocal (σr = 115,47 MPa) e circunferencial (σy = 178,61 MPa) são bem menores que a tensão máxima permitida (σmáx = 234,75 MPa) permitida pelo ASME, mostrando o conservativismo dos cálculos desta primeira fase.

24.6 Mecânica da Fratura

A metodologia usada para a análise da significância dos defeitos é a do PD6493 da British Standard Institution. O cálculo do tamanho crítico é baseado na "curva de projeto" levantada pelo "Welding Institute".

Resumidamente, através desta curva determina-se qual o valor tamanho máximo do defeito permitido (geometria de trinca) para um determinado nível de tensões e tenacidade de material. Compara-se o valor obtido com o tamanho das trincas encontradas durante a inspeção. Se estas forem menores que o tamanho crítico os mesmos não propagarão de maneira instável (frágil).

Com os dados de análise de tensões simplificada, com o limite de escoamento mínimo (260 MPa) exigido pelo do ASME VIII div. 2 e valores de tenacidade (CTOD) obtidos da literatura (= 0,075mm), obtém-se um tamanho crítico de trinca de 14,57mm. Ressalte-se que esta é a metade da dimensão de um defeito crítico passante máximo.

Para comparar-se com os defeitos encontrados pelo ultra-som, deve-se achar um defeito passante equivalente àqueles obtidos no equipamento. Isto se faz através de fatores de correção contidos no PD6394, através da fórmula a seguir. O resultado deste procedimento se encontra nas tabelas do anexo.

$$\bar{a} = \left(\frac{M_p . M_s . M_t}{\Phi_o} \right)^2 . a$$

Onde:

M_p = fator de correção de plasticidade.

M_s = fator de correção de superfície livre.

M_t = fator de correção de espessura finita.

Φ_o = integral elíptica.

Pode-se verificar que todos os valores são menores que o tamanho crítico calculado, portanto imunes à fratura frágil, se todas as premissas adotadas forem atendidas.

24.7 Determinação da Probabilidade de Falha (Integridade Estrutural)

Embora os resultados da análise pela mecânica da fratura demonstrem que os defeitos são estáveis, ainda assim surge a dúvida de como quantificar o grau de segurança desta afirmativa. Isto pode ser feito recorrendo-se a recursos de estatística aplicados à confiabilidade.

O primeiro passo é o estabelecimento de uma função de distribuição de probabilidades que represente a população (neste caso as dimensões das trincas). Vários autores têm usado a distribuição de Weibull para este tipo de problema. Esta função tem a vantagem de poder representar vários tipos de distribuições. Por exemplo, tanto uma distribuição exponencial como uma distribuição normal podem ser representadas pela distribuição de Weibull. Esta distribuição foi desenvolvida para se determinar qual o valor mínimo de uma propriedade mecânica, estabelecida através de um número finito de ensaios. Ou seja, a distribuição é capaz de determinar qual o valor do menor tamanho de trinca teoricamente existente no equipamento. Além disso, como a distribuição de Weibull é contínua, pode-se determinar qual a probabilidade de termos uma trinca com tamanho igual à trinca crítica. Neste caso estaremos determinando a probabilidade de falha do equipamento.

A Figura 24.1 mostra um histograma de freqüência das trincas encontradas na esfera e a curva de Weibull que represente esta distribuição.

Para calcular a probabilidade de falha deve-se determinar qual o valor da área abaixo da curva à direita do valor de 14,57mm. Um menos o valor desta área fornece a confiabilidade.

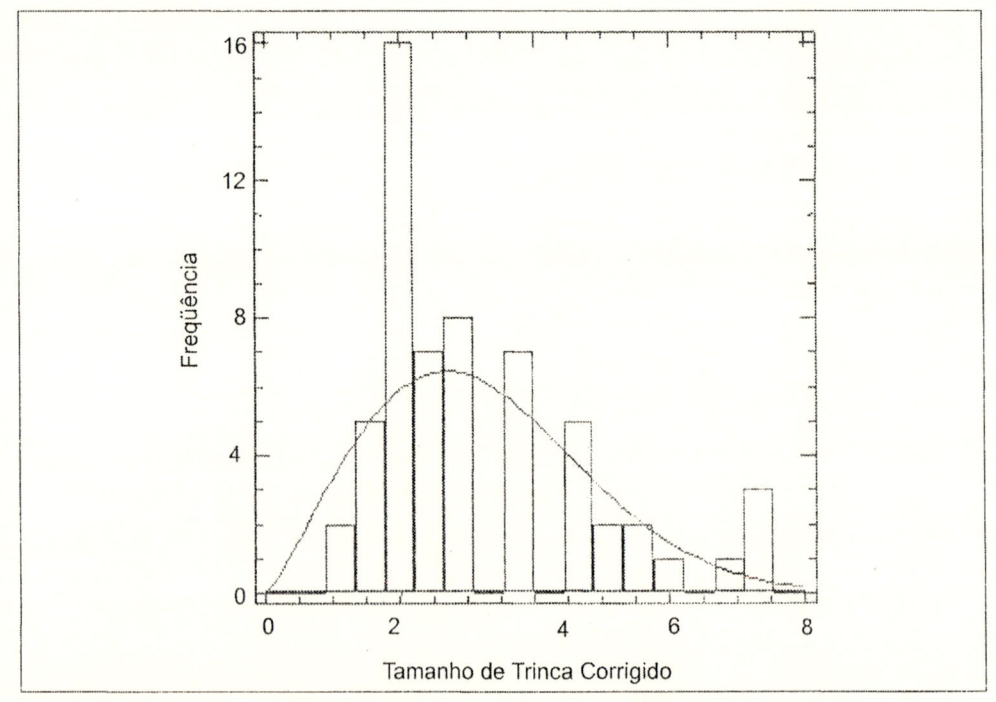

Figura 24.1 – Histograma de freqüência

Neste caso,

Área à Direita de 14,47mm = 0,001157

Ou seja, a probabilidade de falha é de 0,1157%.

Poderia-se, também, fazer uma análise de sensibilidade deste valor. Seria interessante, por exemplo, calcular a probabilidade de falha em outras condições. Isso é feito calculando-se o valor do tamanho crítico em diversas condições de operação. Por exemplo, pressão de operação, pressão de projeto e pressão de teste hidrostático. A Figura 24.2 mostra um gráfico com a variação da probabilidade de falha com a variação da pressão (diretamente proporcional à variação de tensão atuante).

24.8 Avaliação da Vida Residual

A probabilidade de falha foi calculada com base nos tamanhos de defeitos determinados pela inspeção com ultra-som. Sabendo-se qual a lei de crescimento das trincas com o tempo, pode-se determinar a vida residual do equipamento. A determinação da vida residual é feita de maneira global, isto é, avaliando-se a taxa de crescimento dos defeitos como um todo. Para isto, calcula-se o valor do tamanho de cada uma das trincas ao longo do tempo; aplica-se uma distribuição estatística; e determina-se a probabilidade de falha.

No caso, o mais difícil é se obter uma lei que descreva, com exatidão, a taxa de crescimento dos defeitos. Alguns tipos de deterioração já apresentam valores bastan-

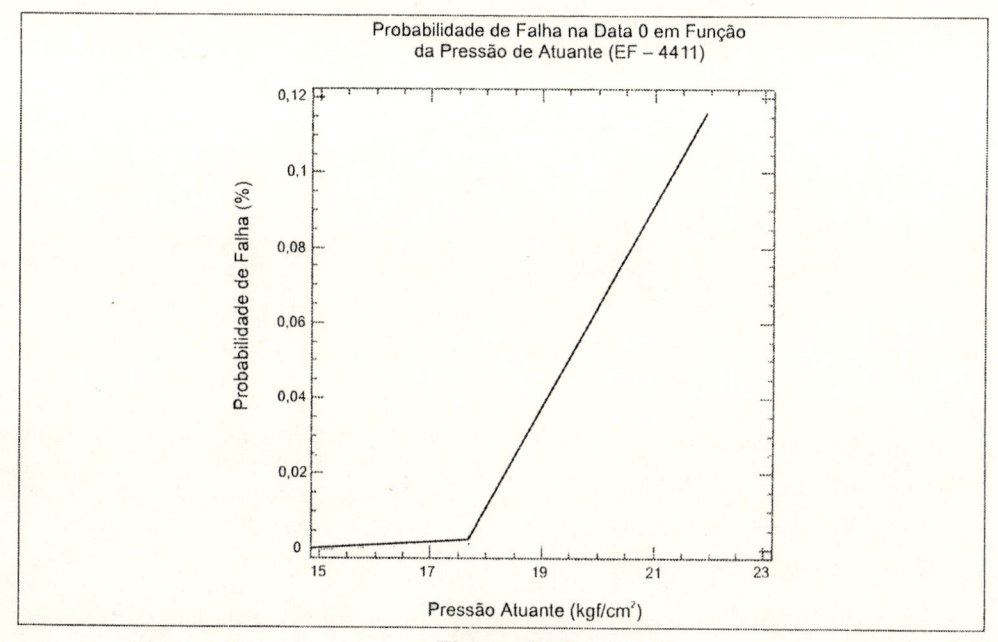

Figura. 24.2

te confiáveis, como no caso de fadiga em algumas atmosferas industriais. Em contrapartida, valores de crescimento de trincas por corrosão sob tensão são escassos, e, os que podem ser encontrados, nem sempre são confiáveis. Desta forma, pode-se concluir que o grau de precisão da avaliação de vida residual depende, primordialmente, destes valores de crescimento.

No presente exemple, não se procurou levantar as variabilidades das constantes que regem os mecanismos de crescimentos das trincas, as variabilidades na tenacidade, cargas aplicadas e precisão dos ensaios não-destrutivos utilizados. Mesmo assim os resultados dão uma excelente idéia da ordem de grandeza dos riscos envolvidos.

24.8.1 Avaliação da Vida Residual à Fadiga

Para o cálculo da taxa de crescimento dos defeitos utiliza-se a conhecida Lei de Paris para o crescimento das trincas. A fórmula na seqüência, expressa matematicamente esta lei.

$$\frac{da}{dN} = C.\Delta K^m$$

Onde:

$C = 4,3 \times 10^{-14}$.
$m = 3,7$.
$a_c = 14,5$.

Para calcular a vida pode-se integrar a fórmula acima, cujo resultado é a fórmula seguinte. Aplicando-se esta fórmula a cada defeito encontrado, determinamos o tempo para que cada defeito atinja o tamanho crítico.

$$L = \frac{\left(\frac{1}{a_o}\right)^{\frac{m-2}{2}} - \left(\frac{1}{a_c}\right)^{\frac{m-2}{2}}}{\frac{m-2}{2}.C.S^m \pi^{\frac{m}{2}}}$$

Onde:
 L = vida a fadiga em anos.
 n = número de ciclos por ano.
 S = amplitude de tensões.
 a_o = tamanho corrigido inicial.

A Figura 24.3 mostra a variação da probabilidade de falha do equipamento com o decorrer dos anos considerando-se que:

1. O equipamento trabalhe com um ciclo de pressão que varie da pressão de projeto até a pressão de teste hidrostático.
2. Que o número de ciclos à fadiga seja igual ao de projeto, ou seja, 52 ciclos por ano.
3. Que os valores das constantes da Lei de Paris, fossem válidas para o equipamento em questão. Estes valores são para um equipamento trabalhando em água do mar com proteção catódica.

Para elaborar a Figura 24.3 determinou-se qual seria o tamanho das trincas em cada um dos pontos de tempo marcados na figura, utilizando-se a última fórmula anterior. Nestes pontos, é possível determinar-se a probabilidade de falha. Com estas probabilidades pode-se interpolar uma curva que dará o valor das probabilidades com o decorrer dos anos, como mostrado na Figura 24.3.

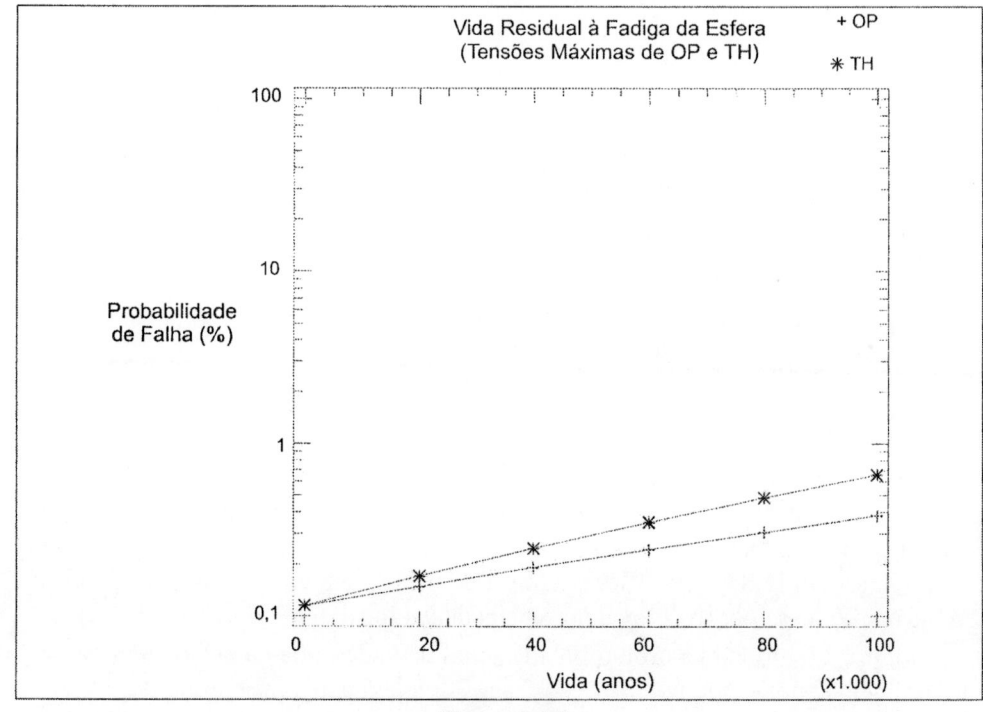

Figura 24.3

Deve-se ressaltar que a vida calculada neste item é uma abstração para mostrar como funciona um cálculo de vida residual muito simplificado. Para se ter um resultado preciso, deve-se considerar a taxa de crescimento das trincas devido à corrosão sob tensão. Este tipo de dado não é facilmente encontrado na literatura, e testes de laboratório devem ser feitos. Além disso, seria difícil simular-se em laboratório a atmosfera (teores, pressões e temperaturas) de operação. Deste modo, o levantamento deste parâmetro só seria justificável na Fase 3 de avaliação. Mesmo assim, pode-se ter uma idéia da ordem de grandeza da probabilidade de falha do equipamento com o decorrer do tempo.

24.8.2 Vida Residual à Corrosão sob Tensão

O tratamento analítico do crescimento de trincas por corrosão sob tensão pelo H_2S (CSTH) é complexo. O problema só pode ser resolvido com uma série de simplificações, quando se procura adotar premissas mais pessimistas para aumentar a segurança da análise.

A taxa de crescimento pode ser representado por uma equação da forma:

$$\frac{da}{dt} = f_1(A)$$

onde $A = F(a)$ é uma função de distribuição de trincas já determinada no item anterior.

O tempo para alcançar o tamanho crítico é dado por:

$$t = \int_{a_o}^{a_c} \frac{da}{f_1(A)}$$

Neste caso assumimos que f_1 é dada por:

$$f_1(A) = CK(a)^m$$

Onde:

$C = 2,4.10^{-24}$; $m = 11,7$.

Estes valores foram obtidos da literatura e são para aços carbono de baixa liga, que devem ser mais suscetíveis à CSTH. Portanto, a análise está sendo conservativa. Para maior precisão seria necessário a obtenção do comportamento do ASTM-516 gr 70 em relação ao H_2S. Estes valores são difíceis de serem encontrados e a precisão seria maior se fosse possível levantar-se tais dados localmente.

A Figura 24.4 mostra a probabilidade acumulada de falha da esfera ao longo do tempo. Pode-se notar que por volta de 5 anos de operação a probabilidade de falha cresce rapidamente. Embora esta estimativa seja bastante conservativa, 5 anos parece ser um prazo razoável para o acompanhamento dos defeitos – por exemplo, através de ultra-som.

Neste exemplo descreveu-se um procedimento muito simplificado para o cálculo da vida residual e avaliação de integridade de uma esfera de gás liquefeito de petróleo. Os cálculos relativamente grosseiros usados nesta avaliação possuem grande coeficiente de segurança, e mostram a baixa probabilidade de falha do equipamento, enquanto os defeitos não crescerem. Para se ter uma idéia da ordem de grandeza da vida remanescente do equipamento simulou-se um crescimento de trinca por

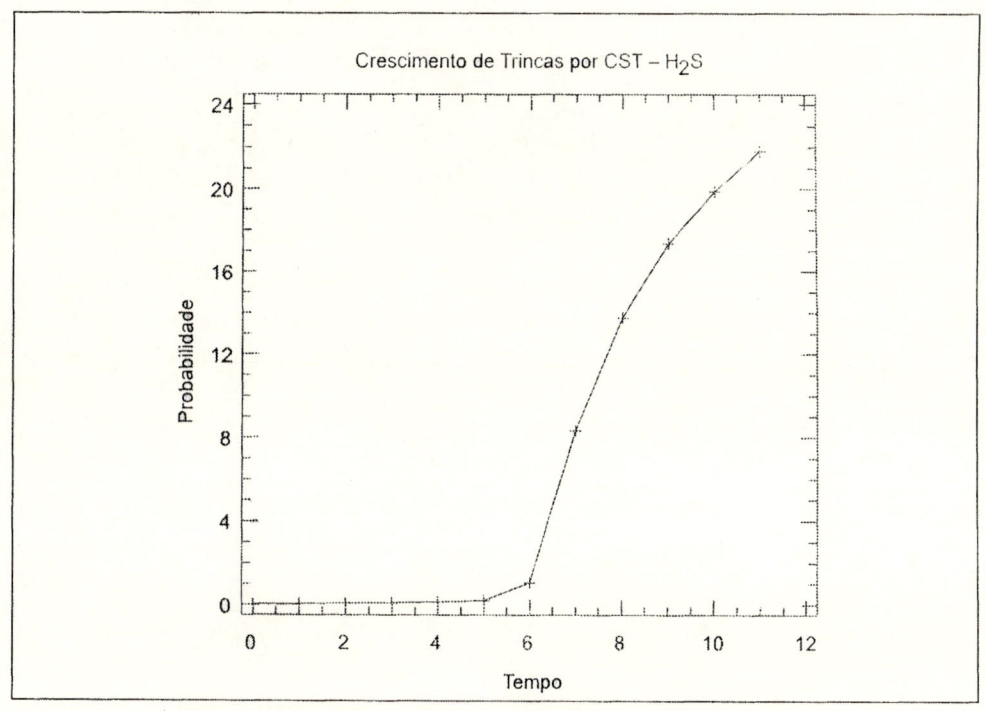

Figura 24.4 – Probabilidade acumulada de falhas (EF-4411)

fadiga e corrosão sob tensão e pode-se atestar a baixa ordem de grandeza da probabilidade de falha. É certo que a vida residual calculada neste exemplo é uma aproximação grosseira, que poderia ser significativamente melhorada através da utilização dos métodos de simulação descritos no Capítulo 22. Porém, o número é suficientemente baixo para adiar os reparos no equipamento, enquanto se faz avaliação mais elaborada.

CAPÍTULO 25

Exemplo de Cálculo de Vida Residual de Tubulações

25.1 Introdução

A determinação da vida remanescente de equipamentos de plantas de processo sujeitos a corrosão é normalmente feita através de medições de espessura em paradas para inspeção. Uma sistemática de medições possui diversos pontos de medidas em locais e equipamentos específicos da planta. A vida remanescente de equipamentos como torres, vasos, costado e tubos de permutadores, tubos internos de caldeiras e tubulações pode ser estimada através das máximas taxas de corrosão encontradas e da sobre-espessura de corrosão existente. Em situações em que a taxa de corrosão varia de modo aleatório, podemos empregar a análise estatística para estimar as máximas taxas e as mínimas espessuras existentes. Esta abordagem fornece uma metodologia racional para estimar a vida remanescente dos equipamentos utilizando os numerosos dados de medições de espessura normalmente obtidos em paradas.

Convém ressaltar que a análise estatística trata as medições de forma global, ao invés da tradicional postura de calcular-se as taxas ponto a ponto. A experiência mostra que na grande maioria de casos as taxas de corrosão variam aleatoriamente, fazendo com que o ponto de maior taxa numa medição não seja necessariamente o mesmo em outra. Além do mais, é patente que a análise ponto a ponto é conservativa e só se justifica nos estágios iniciais do processo corrosivo; em estágios de vida mais avançados a abordagem estatística global é menos conservativa e permite fazer análises mais precisas. Menor conservadorismo, maior precisão e, principalmente, a possibilidade de cálculo de riscos são as vantagens da aplicação da análise estatística no cálculo da vida remanescente de equipamentos sujeitos a corrosão.

25.2 Análise dos Dados

Uma vez levantados os dados de espessura, seja por meio de ultra-som ou através de aparelhos de medição convencionais, é necessário encontrar uma função de distribuição de probabilidades que represente estocasticamente o fenômeno físico. Este procedimento é empregado para podermos fazer uma análise de engenharia de um fenômeno físico-químico tão complexo como a corrosão. Os tipos de distribuições e suas aplicações estão resumidas na Tabela 25.1.

Como podemos observar na Tabela 25.1 as funções de extremo valor permitem modelar formas de corrosão do tipo localizadas, a partir dos valores mínimos de medição encontrados. Isso é o que normalmente ocorre durante medições de espessura nas paradas dos equipamentos, quando se procura determinar qual é a mínima espessura presente através de medições por amostragem.

Tabela 25.1

Distribuição de Probabilidade	Tipo de Medição	Tipo de Corrosão Aplicável
1. NORMAL Normal Poisson Exponencial Log-normal	Todos os pontos	Uniforme Localizada por pites alveolar
2. EXTREMOS Gumbel (tipo 1) Exponencial (tipo 2) Weibull (tipo 3)	Apenas os pontos de máximas/mínimas espessuras	Localizada por pites alveolar

25.2.1 Distribuição de Gumbel

A função de probabilidade de mínimo valor, conhecida como distribuição de extremo valor tipo 1, ou distribuição de Gumbel é dada pela fórmula.

$$f(y) = \left(\frac{1}{\delta}\right) \exp\left[\frac{y-\lambda}{\delta}\right] . \exp\left\{-\exp\left[\frac{y-\delta}{\delta}\right]\right\}$$

O parâmetro λ é denominado de parâmetro de posição e pode ter qualquer valor. É similar ao valor da média da distribuição normal.

O parâmetro δ é denominado de parâmetro de escala e deve ser positivo. É similar ao valor do desvio padrão da distribuição normal. A função distribuição acumulada de probabilidade de mínimo valor é dada pela fórmula:

$$F(y) = 1 - \exp\left\{-\exp\left[\frac{(y-\lambda)}{\delta}\right]\right\}$$

$$p / -\infty < y < \infty$$

Como a função de Gumbel é uma exponencial dupla, pode ser empregada para representar um grande número de distribuições devido à sua facilidade de ajuste matemático. A vantagem dessa função reside no ponto de necessitar relativamente poucas medidas para se determinar o valor mínimo presente com razoável precisão.

25.2.2 Distribuição de Weibull

A segunda função de extremo valor mínimo é a função de Weibull, ou função de extremo valor tipo 3. A função distribuição de probabilidades é dada pela fórmula:

$$f(y) = \left(\frac{\beta}{\alpha^\beta}\right) y^{(\beta-1)} \exp\left[-\left(\frac{y}{\alpha}\right)^\beta\right]$$

O parâmetro β é chamado de parâmetro de forma e é positivo. O parâmetro α é chamado de parâmetro de escala e também é positivo. Na função de Weibull, β### determina a forma da curva de distribuição e α determina o espalhamento da curva. Para fatores de forma no intervalo de $3 < \beta < 4$, a distribuição de Weibull tem aproximadamente a forma da distribuição normal.

A função de distribuição acumulada de probabilidades é dada pela fórmula:.

$$F(y) = 1 - \exp\left[-\left(\frac{y}{\alpha}\right)^\beta\right] \quad y > 0$$

25.3 Exemplo de Tratamento Estatístico

O exemplo mostrado neste trabalho consiste de um sistema de tubulação. A tubulação em questão opera à temperatura de aproximadamente 300°C, e é de aço carbono com diâmetro de 6", e interliga o fundo da torre de vácuo ao forno do sistema de vácuo de uma Unidade de Destilação qualquer.

Ao longo da vida, foram efetuadas cinco medições de espessura por ultra-som na tubulação. A Tabela 25.2 mostra um resumo de cada medição.

O problema é determinar qual a vida residual da tubulação. Se o sistema fosse pequeno o emprego da análise estatística não seria tão necessária, mas a extensão da linha e dificuldade de se realizar a substituição no exíguo prazo de uma parada de manutenção demanda um estudo mais aprofundado.

Tabela 25.2

Medição	Número de Pontos	Horas de Operação
Medição 1	25	17.000
Medição 2	47	51.150
Medição 3	22	72.000
Medição 4	89	91.500
Medição 5	198	132.000

25.3.1 Escolha da Função Distribuição de Espessuras

O primeiro passo no tratamento deste problema via estatística é a escolha da função distribuição de probabilidades. Nesta etapa devem ser empregadas as funções de acordo com o seu campo de aplicação, conforme Tabela 25.1. Neste caso utilizamos uma função de extremo valor, pois as medições foram feitas por amostragem e em cada ponto medido sempre se pesquisou os valores de espessuras mínimas.

A escolha entre a função de Gumbel ou Weibull é feita verificando-se qual das duas melhor aproxima a distribuição real. Isto normalmente é feito através do teste de X^2. Os resultados dos testes indicaram que a função de Gumbel se ajustou melhor a este problema específico. Além disso, teoricamente a função de Gumbel tem maior facilidade em se ajustar a fenômenos onde existam raros valores extremos, quando comparada à função de Weibull.

A Figura 25.1 mostra a função distribuição acumulada de espessura num gráfico onde a escala das ordenadas é log-log e das abscissas linear. Os pontos representam a distribuição real e as retas a distribuição de Gumbel ajustada. Quanto melhor for o ajuste da reta, mais precisa é a representação do fenômeno real.

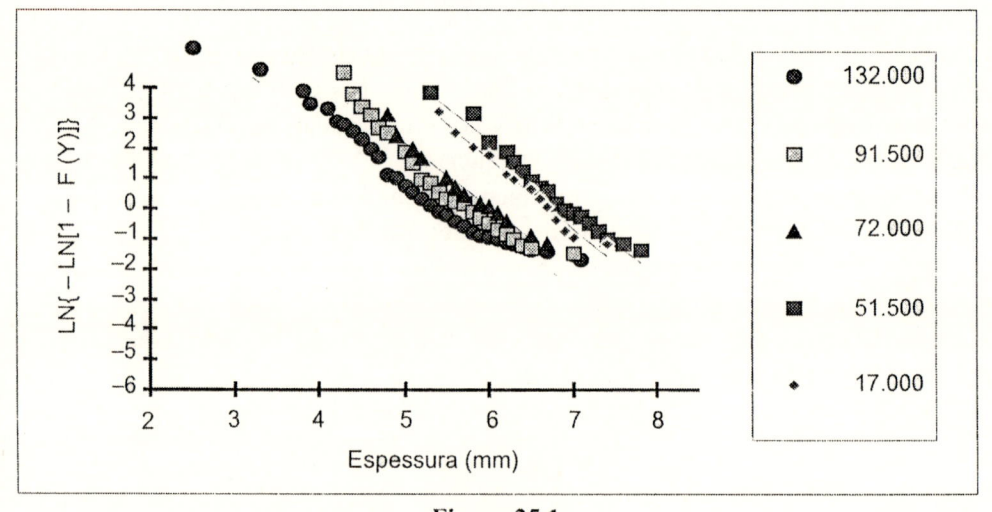

Figura 25.1

A Figura 25.3 contém as curvas de distribuição de freqüência da função de Gumbel ajustada. É interessante observar o deslocamento da curva para a esquerda com o decorrer do tempo, indicando que o parâmetro de posição diminuiu, ou seja, a espessura característica diminuiu. A taxa de variação deste parâmetro no tempo é a taxa de corrosão do sistema.

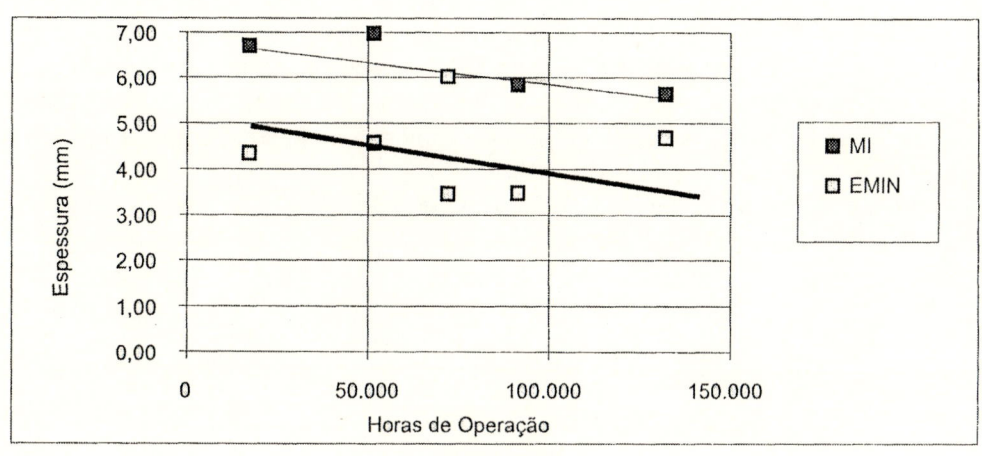

Figura 25.2

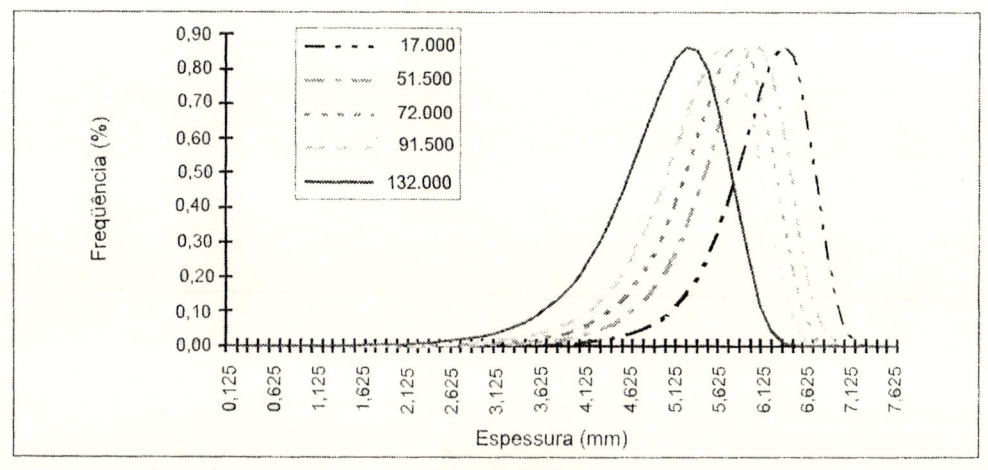

Figura 25.3

A Figura 25.2 mostra a variação do parâmetro de posição λ com tempo. Na mesma figura encontra-se traçado o valor da espessura mínima estimada em cada medição. O valor da vida residual do sistema pode ser determinada calculando-se o tempo no qual o valor da espessura mínima estimada é igual ao valor da espessura mínima de projeto da linha.

A espessura mínima estimada da tubulação é obtida através do conceito da taxa de retorno, introduzida por Gumbel. Esse valor é calculado fazendo-se o valor de $F(y)$ na fórmula 2 igual a T, dado pela fórmula:

$$T = \frac{\text{Número de pontos medidos}}{\text{Número total de pontos existentes}}$$

Outra informação útil nesta metodologia é a variação do parâmetro de forma. Se houver uma variação crescente deste parâmetro isto pode indicar que o processo corrosivo é do tipo localizado. Se este parâmetro permanecer constante estamos nos defrontando com um processo mais uniforme. A Figura 25.5 ilustra como variou este parâmetro de forma no presente caso.

A Figura 25.4 mostra como a análise estatística de medições de espessura trata o risco, dado pela probabilidade de falha do sistema no tempo. Com este gráfico é pos-

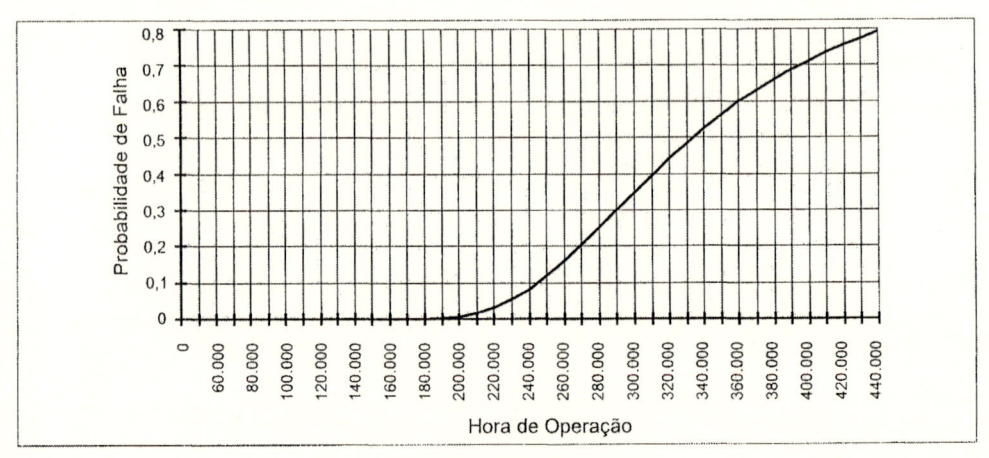

Figura 25.4

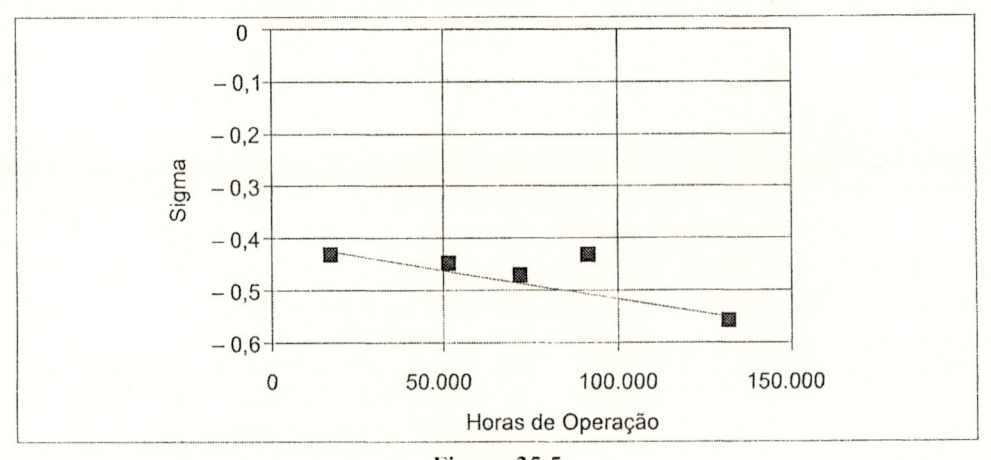

Figura 25.5

sível se calcular a vida remanescente do sistema em função de um nível aceitável de risco. Por exemplo, se o risco máximo aceitável para o sistema fosse de 10%, então a vida do sistema seria de no máximo 160.000h. De posse deste dado é possível fazer-se análises de custos de maneira muito mais precisa. Além disso, as decisões sobre o que fazer no sistema serão baseadas em dados quantitativos.

25.4 Conclusão

A análise estatística de medições de espessura é uma metodologia que permite o tratamento de grande número de dados de maneira objetiva e precisa.

Fornece informações sobre a probabilidade de falha (ou a confiabilidade) dos equipamentos, no que diz respeito ao processo de deterioração, permitindo a determinação da vida remanescente dos equipamentos com base em níveis de risco aceitáveis.

Pode ser utilizado para um grande número de equipamentos de processo, já tendo sido desenvolvida uma metodologia para aplicação em permutadores de calor, com especial ênfase ao feixe tubular.

O desenvolvimento de programa de computador para automatizar os numerosos cálculos envolvidos tornará possível a aplicação mais freqüente desta técnica.

CAPÍTULO 26

Aspectos Gerenciais da Confiabilidade

26.1 Introdução

A **Confiabilidade** operacional é um fator de importância central para a gestão de empresas. Torna-se ainda mais relevante no cenário atual face às seguintes questões:

a) Segurança – integridade de homens e equipamentos associada à imagem das empresas e sua relação com a sociedade – poder público, sindicatos, etc.

b) Aumento da demanda de mercado exigindo crescente aumento do nível de produção, tornando as perdas de produção extremamente críticas.

c) Mercado competitivo exigindo que as empresas entreguem produtos com qualidade e baixos custos.

d) Pressão dos acionistas no sentido de exigir melhor remuneração do capital investido.

e) Automação – a implantação da automação industrial com todos os resultados benéficos que daí resultem exigem condições mínimas de confiabilidade das instalações físicas para que os sistemas de controle avançado operem adequadamente.

26.2 A Influência dos Problemas Crônicos na Confiabilidade

Um número significativo de problemas repetitivos, em sua maioria de natureza crônica, gera uma intensa demanda da operação. O convívio com estes problemas, exige inúmeras intervenções dos operadores.

Elevado número de intervenções (para modificações ou para serviços de manutenção) com a unidade em operação introduz riscos.

As constantes modificações também podem alterar os sistemas em si exigindo novas atualizações de procedimentos e treinamento dos operadores.

A sobrecarga de trabalho dos operadores nos casos de unidades com muitos problemas crônicos e reduzido número de operadores, pode dificultar a liberação destes para treinamento ou, reduzir o período de treinamento face à necessidade de se ter em prazo reduzido operadores "prontos" para completar a equipe.

Excessos de demanda, além disso, geram intervenções com planejamento superficial ou incompleto, o que aumenta mais os riscos operacionais.

É evidente também que um número excessivo de intervenções nas unidades eleva os custos operacionais necessários para a produção de uma mesma quantidade de derivados. Desta forma as margens líquidas e a rentabilidade são reduzidas.

26.3 A Natureza dos Problemas

26.3.1 A Engenharia Seqüencial

Seguindo a tendência global, as empresas foram atingidas pelas mudanças tecnológicas e demandas sociais, a saber:

- Necessidade em atender a demanda crescente do mercado.
- Maior exigência de qualidade nos produtos finais.
- Necessidade de otimização de recursos através de:
- Redução de estoque de matéria-prima, produtos intermediários e finais.
- Redução de estoque de sobressalentes.
- Racionalização da mão-de-obra.
- Automatização de procedimentos.
- Maior preocupação com o meio ambiente (resíduos sólidos, líquidos e gasosos).
- Maior preocupação com o bem-estar dos funcionários (redução de doenças ocupacionais).
- Maior eficiência empresarial.
- Necessidade de atualização tecnológica de alguns processos e equipamentos.

Estas demandas ocorreram muitas vezes simultaneamente e adicionaram-se naturalmente à rotina operacional das empresas. A estrutura foi obrigada a responder aos desafios que se lhe empunham.

O método tradicional (Engenharia Seqüencial – *Over the Wall Engineering* – a Figura 26.1 é explicativa) não conseguiu responder a todas as demandas, pois:

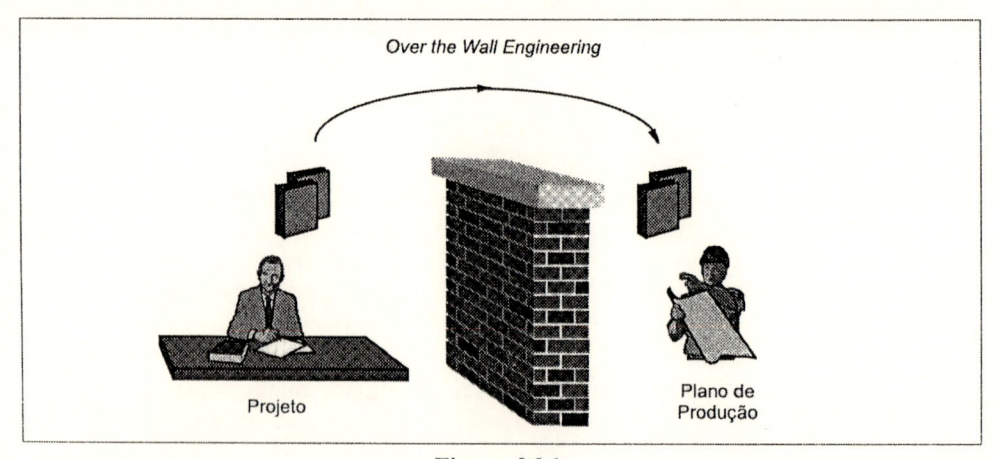

Figura 26.1

- Com o mesmo nível de recursos (ou até menos), houve a necessidade de se atender as demandas do dia-a-dia e às melhorias externas.
- As folgas de tempo e recursos que existiam e eram aceitáveis, passaram a ser críticas.
- A engenharia seqüencial fez com os pedidos se acumulassem entre as funções/setores devido à diferente capacidade em atender a demanda, gerando diversas prioridades, que nem sempre correspondiam ao pedido inicial.
- O grande volume de adaptações necessárias pressionou a uma redução no tempo de projeto, gerando especificações menos completas. No método tradicional, esta diminuição no detalhamento, ocasiona atrasos constantes na fabricação devido à necessidade de mudanças e improvisações de última hora.

Os elevados tempos de realizações das melhorias/projetos levaram à:
- Muitas melhorias propostas foram esquecidas, acarretando em um acúmulo de demanda.
- Perdas econômicas pela não realização das melhorias propostas.
- Perdas econômicas pela demora em empenhar os recursos imobilizados.
- Aumento do número de intervenções nas unidades (os problemas se acumularam).
- O aumento da demanda ocasionou uma série de restrições operacionais:
  - Equipamentos reserva operando em paralelo.
  - Válvulas de controle operando pelo *by-pass*.
  - Equipamentos não confiáveis operando com necessidade de intervenção constante seja pela operação como pela manutenção.
  - Elevado tempo para ajuste da unidade para diferentes cargas e campanhas devido ao aumento de complexidade e restrições dos equipamentos.
- Com o aumento do número de intervenções, a redução de efetivo de operação no campo ficou prejudicada. Com isso, os operadores passaram a ter pouco tempo para identificar a real causa dos problemas das unidades. Este pouco tempo leva, muitas vezes, à proposição de soluções inadequadas. Com a engenharia seqüencial, as fases seguintes também têm dificuldade em auxiliar na detecção da melhor solução.

Os problemas causados por este método levaram ao acúmulo de pendências nas unidades de processo. Se estes problemas não são adequadamente solucionados, pode-se antever, num futuro próximo:
- Dificuldade em atender rapidamente aos pedidos dos clientes com relação à melhoria dos produtos. Em um mercado competitivo e aberto, isto pode significar perda de fatias de mercado (*market share*).
- Dificuldade em diversificar rapidamente a área de atuação da empresa, se e quando o mercado assim o exigir.

- Dificuldade de implementar a melhoria contínua dos processos. Se não há tempo para atitudes preventivas, as ações de correção aumentam, aumentando as intervenções na unidade (podendo baixar a confiabilidade). As ações preventivas são primordiais para diminuir os custos de produção através da prevenção de perdas. Baixos custos de produção, podem significar maior fatia de mercado.
- Demora no retorno de investimentos devido à dificuldade de manter as premissas de projeto, mantendo o processo estável.

Em resumo, as muitas deficiências na abordagem seqüencial (*over the wall engineering*) incluem:
- Alto número de mudanças no projeto (não previsão dos processos de fabricação, montagem, operação e manutenção).
- Atrasos na entrega da obra/produto.
- Especificações não englobam todas as fases (necessidade de improvisações e mudanças de última hora).
- Alto custo do projeto devido a mudanças/retrabalho em fases avançadas.
- Grande possibilidade de não atendimento das necessidades dos clientes (ou da operação).
- Baixo moral gerado por mal-estar e conflitos.
- Elevado número de alterações de projetos com a unidade em operação, criando demanda operacional e muitas vezes introduzindo riscos.

26.3.2 Elevado Número de Serviços de Manutenção com a Unidade em Operação ou em Paradas

A filosofia é "fazer manutenção" em vez de "não fazer manutenção". Uma análise de confiabilidade abrangente, acompanhada por um programa solidamente estruturado de melhoria de confiabilidade é a base para eliminação de muito trabalho desnecessário, ver discussão no Item 17.2.

26.3.3 Operação das Unidades Fora das Condições de Projeto

Durante o aumento de capacidades de linhas/unidades, os sistemas são estudados parcialmente, deixando gargalos que acarretam maiores custos operacionais e desgaste dos equipamentos. Este desgaste exige maior manutenção e, conseqüentemente, maior intervenção nas unidades. Estas intervenções para manutenção, porém são muitas vezes inócuas, haja vista que a manutenção só pode garantir o desempenho desejado quando este é menor que o desempenho possível (ver Item 17.1).

26.3.4 Operação das Linhas/Unidades em Condições Inadequadas

A utilização de certos tipos de matéria-prima (mp) e determinados modos de operação, indicados pelos sistemas de planejamento de produção como conseqüência de operações comerciais aparentemente vantajosas, muitas vezes violam as restrições físicas das unidades, introduzindo riscos e condições de operação inaceitáveis.

Estes modos operacionais muitas vezes são realizados em função de análises baseadas simplesmente na vantagem econômica de parte do sistema, não levantando a economicidade da operação como um todo. Por exemplo, efetuar-se a compra de mp baseado no seu menor preço. Entretanto a unidade não esta preparada para processar esta mp, gerando: inúmeras manobras operacionais, resíduos, consumo anormal de produtos químicos e, por vezes, desgaste dos equipamentos.

26.3.5 Falta de Análise da Causa Básica do Problema

Muitas vezes a manutenção, o projeto ou mesmo a operação resolvem intervir na unidade sem que a causa raiz (causa básica) do problema tenha sido levantada. Medidas paliativas (disposição) são tomadas para eliminar o sintoma ou mesmo os efeitos dos problemas. Como a real natureza da causa ainda não foi detectada, o problema volta a ocorrer, gerando resserviços, intervenções, consumindo recursos e aumento o risco da unidade.

Uma das origens de não se atuar na causa básica é a dificuldade humana em estabelecer relações entre causa-efeito distantes no tempo. A ausência de raciocínio sistêmico também corrobora para aumentar a dificuldade no estabelecimento da causa básica. A cultura ocidental ao longo dos últimos anos tem dado excessiva ênfase nas partes em detrimento das relações sistêmicas e atemporais.

As empresas que não dão atenção suficiente para os relatórios de falhas e análise da causa básica (análise sistêmica) geram programas de manutenção que trabalham com a síndrome "operação/falha/conserto". A ênfase deve ser na solução de problemas, e não em "somente reparar".

26.3.6 Falta de Planejamento

É uma herança da abordagem mecanicista e tecnicista. Quem planeja é a cúpula!

O gerente controla! Além dessa herança, tem-se dois grandes preconceitos contra o planejamento:
- O dia-a-dia é tão intenso e tão variado que não há tempo para planejar.
- No Brasil, com suas mudanças tão constantes, o planejamento não dá certo.

Esses dois preconceitos precisam ser combatidos. Para argumentar contra os que usam esses chavões, preste atenção a este provérbio americano:

Quando você tem um jacaré a lhe morder as pernas, a tendência é esquecer que o objetivo original era drenar o pântano.

Agora a historinha:

Walter é um profissional que recebe a missão de drenar um pântano. Ele tem recursos financeiros, além de equipamentos tais como bombas, canos, tanques, etc. e pessoal dentro das suas necessidades. Típico profissional do "deixa comigo", ele vai indo pântano adentro segurando os tubos que darão início à drenagem. Nesse instante, um jacaré morde a perna de Walter!

Pense no que Walter fará com os tubos que ele carrega. Claro! Ele baterá com os tubos na cabeça do jacaré e fará todo o possível para se mandar e sobreviver. A partir desse momento, o problema dele é matar o jacaré. Não só aquele, como outros que foram atraídos pelo barulho.

Seis meses mais tarde, o chefe de Walter visita a obra e pergunta:

"Walter, você drenou o pântano?"

"Drenar ainda não deu, mas veja quantos jacarés nós já matamos!"

A missão de Walter não era caçar jacarés, era drenar o pântano! Ele, por trabalhar com um mínimo grau de planejamento, transformou seus objetivos. Virou um bom caçador de jacarés, mas perdeu o emprego, pois não drenou o pântano.

Nas empresas existem as tarefas prioritárias, os pântanos a serem drenados, mas o jacaré, que representa o dia-a-dia, está lá para atrapalhar, se não for evitado, irá transformar as pessoas em bons matadores de jacarés, mas, ao mesmo tempo, em péssimos profissionais.

Se o trabalho for feito de forma planejada, exercitando o comportamento das variáveis com as quais se lidará, saber-se-á evitar o jacaré (talvez nem precise matá-lo) e conseguir-se-á drenar o pântano.

Agora, se ao chegar pela manhã as pessoas forem pegas por um jacaré que pergunta sobre uma tarefa que não é prioritária, pronto: ficarão matando jacarés o dia todo e não drenarão o pântano.

26.4 Tendências dos Custos de Manutenção

Diferenças similares de desempenho podem ser encontradas pelo exame dos dados de manutenção de refinarias de petróleo ao redor do mundo.

A Figura 26.2 mostra dados de tendência de 6 anos dos custos de manutenção para o mesmo grupo constante de 68 refinarias.

Os dados representam o custo de manutenção total anual da refinaria por unidade de capacidade e complexidade da refinaria, um termo que a Solomon Associates chama de Capacidade Equivalente de Destilação (CED). A curva média da indústria revela um aumento nos dispêndios de cerca de 6% ao ano no período considerado de 6 anos.

Este aumento não é surpreendente, uma vez que parece ser característico de pressões inflacionárias e do incremento na ênfase sobre o controle de emissões das refinarias. Mas, quando os dados são vistos em termos de espectro de desempenho, se descobrem diferentes correlações.

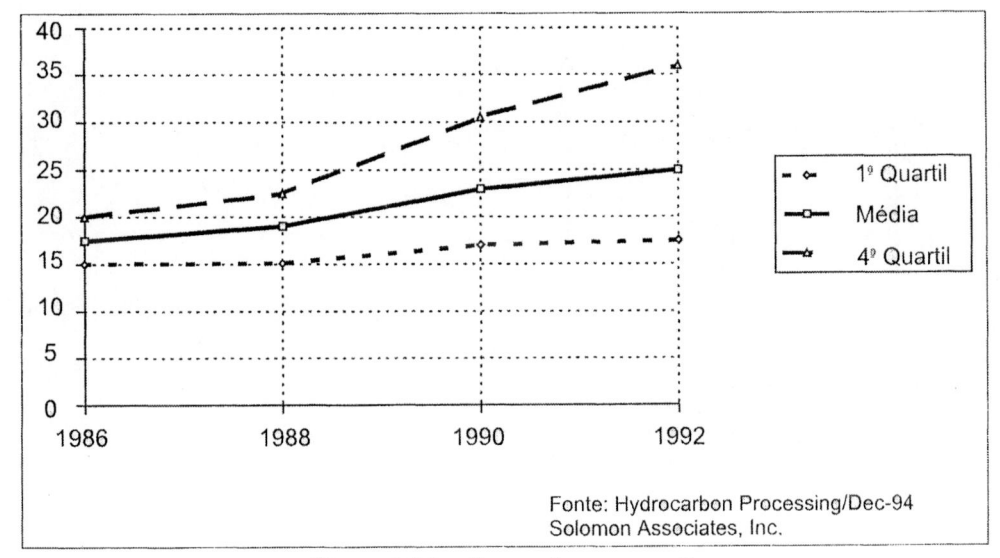

[Figura 26.2 – Gráfico de gastos de manutenção mostrando 1º Quartil, Média e 4º Quartil entre 1986 e 1992. Fonte: Hydrocarbon Processing/Dec-94, Solomon Associates, Inc.]

Figura 26.2 – Gastos de manutenção

Aquelas refinarias representadas pelo quartil de menor custo indicaram incrementos de menos de 1% ao ano. Por outro lado, os gastos do quartil de maior custo dobraram no período.

A mensagem nestes dados é que as práticas gerenciais na indústria divergem amplamente e representam algumas diferenças de abordagem no gerenciamento do consumo de recursos em um ambiente competitivo. De fato, aquelas que se situam no grupo de custos elevados podem experimentar dificuldades em se manter viáveis.

26.5 Disponibilidade de Equipamentos

Uma preocupação estreitamente relacionada aos custos de manutenção é o impacto das atividades de manutenção na disponibilidade das instalações de processo. A Figura 26.3 proporciona uma perspectiva sobre este assunto.

O gráfico traça o desempenho de 11 refinarias americanas com os maiores incrementos registrados nos custos de manutenção, entre os anos de 1986 e 1992. Nota-se que acompanhando o maior incremento de custo houve um declínio significativo na disponibilidade mecânica.

Os dados para 9 refinarias americanas que experimentaram os maiores aperfeiçoamentos na disponibilidade mecânica são apresentados na Figura 26.4.

Durante o período, estas refinarias escalaram dramaticamente da faixa intermediária para o melhor quartil, em termos de disponibilidade mecânica.

Esta ilustração indica que, ao menos no refino, a confiabilidade aperfeiçoada não é relacionada com gastos de manutenção.

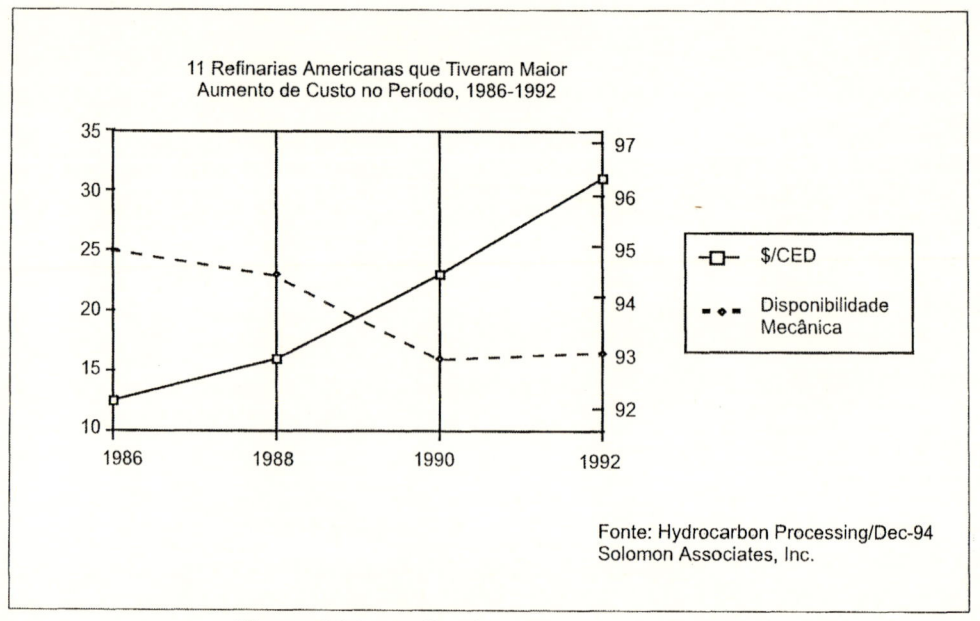

Figura 26.3 – Refinarias de custo mais elevado

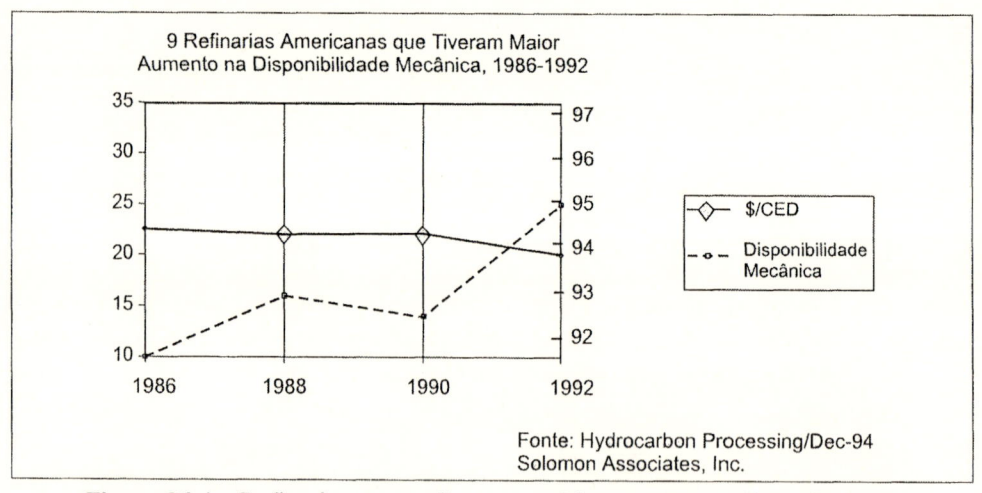

Figura 26.4 – Refinarias com melhores aperfeiçoamentos na disponibilidade

26.6 Análise dos Custos de Manutenção e Disponibilidade Mecânica

O exame dos segmentos de alto e baixo custo da indústria revelam uma ampla variação no desempenho e os dados de tendência mostram que o intervalo de desempenho está se ampliando.

Estas diferenças não são relacionadas à idade, tamanho, ou localização, como seria tentador acreditar.

Além disso, a Solomon Associates não tem observado diferenças na competência do pessoal de manutenção, entre os refinadores de alto e baixo custo.

A razão para esta ampla diferença é simplesmente que as refinarias do quartil de menores custos tem menos demanda para reparos de manutenção e assim fazem menos trabalho nesta área.

Aqueles no quartil de maior custo são mantidos ocupados reparando falhas. Estes oficiais não tem oportunidade para parar e examinar as causas de falhas e formular ações para fazer reparos permanentes, ou idealizar remédios preventivos ou preditivos quando os reparos não podem ser prevenidos.

26.7 Práticas para Alta Confiabilidade e Baixo Custo

Várias práticas e políticas tem sido observadas estarem associadas com o desempenho de alta confiabilidade e baixo custo.

26.7.1 Coleta de Dados de Falhas

Ao longo de todos os dias, as empresas geram grandes quantidades de informação que descrevem, os aspectos físicos dos equipamentos e da natureza das operações. O histórico de reparos dos equipamentos, os requerimentos de mão-de-obra para tarefas, custos e desempenho operacional dos equipamentos são exemplos familiares.

Os melhores executores reconhecem que as suas *informações operacionais são um "ativo da empresa"* para o qual se pagou e que podem ser recuperados para utilização. Eles também compreendem que a análise destes dados proporciona uma riqueza de informações que ajudam na tomada de decisão.

Se estas empresas usam sistemas, seja um papel, seja via eletrônica, elas não aceitam desculpas para não registrar os dados nem deixar de empregá-los no planejamento do trabalho futuro e nas análises para solução de problemas crônicos, sejam de manutenção ou operação.

A análise sistemática das falhas de equipamentos e das Ocorrências Operacionais bem com o intercâmbio e divulgação das informações entre unidades são práticas imprescindíveis.

26.7.2 Análise da Causa Básica

Um fator primário que distingue as organizações de melhor confiabilidade, é que elas reconhecem que a confiabilidade da planta não é simplesmente um resultado do esforço de reparo. Elas também estão convencidas que a *eliminação das falhas* é sua missão primária.

Conseqüentemente, elas são projetadas especificamente para atingir resultados. É dada pouca importância à facilidade de gerenciamento por alocação do serviço de manutenção e/ou operação.

26.7.3 Avaliação Crítica dos Processos

A maioria das empresas relatam a condução de algumas atividades de aperfeiçoamento da confiabilidade em áreas organizacionais que têm disciplinas distintas de engenharia, tais como, sistemas de controle e engenharia de processo.

Mas, ao mesmo tempo, elas reconhecem que estes grupos especiais atuam de maneira isolada, sem uma avaliação crítica estruturada da agregação dos seus esforços para o gerenciamento. As prioridades, despesas e resultados não são avaliados do ponto de vista do que é melhor para empresa como um todo.

Os melhores executores não permitem que isto aconteça. Eles tipicamente sustentam um *programa formal de confiabilidade*, conduzido tanto pelas equipes gerenciais como por componentes da organização designados para atividades de confiabilidade.

26.7.4 Metas para a Confiabilidade

As empresas que tem alcançado o controle do desempenho de suas instalações tem alocado pessoas com responsabilidade em confiabilidade para o sucesso das plantas operacionais. Esta responsabilidade é alocada por escrito, e tipicamente pode ser incluída em planos de 3 a 5 anos.

Estes planos incluem *metas de desempenho em confiabilidade e em custo de manutenção, objetivos, orçamentos, despesas com aperfeiçoamento de confiabilidade* por problemas em equipamentos e expectativas de desempenho de tarefas para cada posição na organização.

Aonde a responsabilidade está ausente, a efetividade de custo, a solução organizada de problemas e os resultados são raramente observados.

26.7.5 Estilo Organizacional

Para colocar esta matéria em termos mais gerais, há duas abordagens organizacionais básicas para a manutenção:

Organização Focalizada no Reparo

Este estilo organizacional abrange a filosofia que o equipamento irá falhar e a missão da força de manutenção é responder rapidamente em socorro ao equipamento.

As falhas são esperadas porque é a norma. A gerência e os executantes permanecem ocupados com atividade de reparo e não tem oportunidade para examinar as causas das falhas.

Os quadros de pessoal são projetados para acomodar reparos rápidos incluindo grupos de manutenção dimensionáveis e rumos deslocados. Quando as falhas não ocupam totalmente a força de trabalho, a organização se focaliza sobre prioridades menores, freqüentemente desnecessárias, projetos menores para "estar ocupado".

Organização Focalizada na Confiabilidade

Os reparos de manutenção são vistos diferentemente neste estilo. Eles não são esperados acontecer mas visto preferentemente como excepcionais e resultantes de alguma deficiência na política de manutenção e do foco de gerenciamento.

A organização é dimensionada para gerenciar um sistema de monitoramento baseado na condição e fixa alta prioridade para eliminar falhas. Serviços desnecessários não são executados, independentemente da carga de trabalho.

A Solomon Associates tem identificado oito modelos estruturais que classificam a maioria das organizações existentes. Estes modelos são baseados em como o grupo de manutenção é departamentalizado e como o consumo de recursos é priorizado (centralizadamente ou distribuído pelas subdivisões da empresa).

O modelo de "gerenciamento por tarefa" é característico dos melhores executores. Em oposição à organização por linhas de especialidades ou tipo de tarefa de manutenção (mecânica, civil, elétrica), o modelo de gerenciamento por tarefa proporcionam planejamento e sistemas, oficinas centrais e almoxarifados e departamentos de engenharia de manutenção para suportar um grupo de execução.

Os melhores executores são representados igualmente por abordagens de alocação tanto centralizadas quanto por área, para controlar a força de trabalho, mas, todos empregam *política de manutenção de controle centralizado* e determinação de prioridade de trabalho.

Nenhuma organização, empregando uma abordagem de equipe operacional ou "unidade de negócios" com manutenção distribuída está incluída no grupo dos melhores executores.

26.7.6 Reparos Permanentes

Tem sido experimentado sucessos no aperfeiçoamento da confiabilidade através de ações corretivas propostas em bases regulares como parte do trabalho de manutenção de rotina. O mecanismo depende de sólido conhecimento técnico dos executantes e supervisores de manutenção e de um grupo de engenharia de manutenção prontamente disponível para suporte, como requerido.

A pretensão é fazer reparos mais permanentes, se praticáveis. Em uma empresa particularmente bem-sucedida este processo tem eliminado falhas recorrentes na medida em que são requeridos menos reparos de manutenção do que na maioria das empresas, e os custos de manutenção de rotina estão entre os menores do mundo.

26.7.7 Operação Proprietária dos Ativos

O processamento é a razão da empresa por ser – o centro do negócio. O processamento deve ter o suporte de todos os outros departamentos para conduzir os planos formulados pela gerência da empresa.

Neste sentido, não é difícil prever *"as operações de processo" como os guardiões ou "proprietários" dos equipamentos ou máquinas de processo*, adicionados às correntes de hidrocarbonetos que eles controlam e dirigem.

Além disso, em decorrência dos ativos operacionais serem a única fonte de geração de receitas, é similarmente plausível considerar as operações de *processo responsáveis pela integridade dos equipamentos*, com a manutenção e a engenharia desempenhando papéis subsidiários.

Este conceito está obtendo aceitação e tem sido visto como uma revisão incremental, para o trabalho de manutenção específico. Tem-se observado também como estímulo ao pessoal operacional, numa tomada de consciência de seus papéis como "olhos e ouvidos" dos equipamentos operacionais.

A Foster-Wheeler cita que nas organizações mais eficientes os custos da manutenção estão alocados na operação, que é a responsável em última análise pelas condições dos equipamentos e pelas demandas de manutenção. Esta filosofia baseia-se no conceito de *Activity Based Costing* (ABC) que preconiza que os custos devem ser gravados no gerador da atividade.

A única maneira efetiva de se reduzir custos é reduzir-se atividades. Tentar reduzir os custos é raramente efetivo. Qual o objetivo em se tentar reduzir os custos de atividades que nem deveriam estar sendo feitas? (Peter F. Drucker.)

26.7.8 Habilidades Multidisciplinares

Várias empresas tem utilizado a disponibilidade dos seus operadores de processo para contribuir com o aperfeiçoamento da confiabilidade e manutenção.

Reconhecendo-se que as forças operacionais sempre presentes podem ser a primeira linha de defesa contra as falhas de equipamentos, estas empresas tem proporcionado treinamento e motivação para aumentar a tomada de consciência dos operadores sobre as dificuldades dos equipamentos e fazer pequenas tarefas de manutenção. Esta abordagem reduz tanto o consumo de homens-hora de manutenção e o fardo administrativo de processar ordens de trabalho associadas.

Os estudos recentes da Solomon Associates revelam que cerca de um terço do tempo em rumo dos operadores de processo em campo é desestruturado e disponível para tarefas outras que não o atendimento ao processo.

No mundo, várias empresas decidiram prover as suas instalações com pessoal com um núcleo de trabalhadores capazes de tanto operar como manter os equipamentos.

Este tipo de operador oficial tem sido desenvolvido tipicamente pela contratação de pessoal com habilidades técnicas ou de manutenção e treinando-os para operar unidades de processo.

A capacitação em manutenção e operação é estabelecida e mantida por um sistema de rotação e o desenvolvimento de habilidades multidisciplinares é realçada.

Estas empresas estão decididas em investir significativamente nestas pessoas. Uma destas empresas tem dimensionado uma média de mais de dois níveis de habilidade de manutenção por pessoa, adicionalmente às habilidades operacionais.

As equipes conduzem toda a manutenção preventiva e os programas de monitoramento da condição, enquanto estão alocados aos turnos operacionais. E ao invés de duas pessoas sendo alocadas ao trabalho de manutenção, aqueles alocados às operações de processo do rumo no dia, proporcionam assistência de curto prazo.

Em adição, a equipe em turno operacional proporciona todos os preparativos para a parada do equipamento para manutenção, incluindo purga e drenagem, desconexão, desligamento elétrico e desmontagem. Para aquelas empresas que utilizam o conceito de equipes duais, são satisfeitos pelos membros da equipe enquanto alocados na operação, um tanto como 12% da demanda total de manutenção e do aperfeiçoamento da confiabilidade A Solomon reconhece que esta abordagem não pode ser universal. As atitudes tanto da força de trabalho como da gerência deveriam ser sincronizadas aos mesmos padrões de expectativa, desempenho e satisfação no trabalho. Mas é possível para mais empresas abordarem estes benefícios se as demarcações existentes podem ser relaxadas ou modificadas.

Os trabalhadores mais jovens parecem ser mais decididos a aceitar tais aperfeiçoamentos de eficiência. Eles parecem inclinados a aprender mais de uma habilidade, mas podem ser confundidos pelos seus supervisores de primeira linha que amadureceram na era da habilidade única e podem estar inconscientemente apoiados em conceitos que não suportam o desenvolvimento da versatilidade.

26.7.9 Engenharia Simultânea

Existem várias tentativas em se definir a Engenharia Simultânea, porém sem sucesso. A definição mais comumente aceita é:

"A Engenharia Simultânea (ES) é uma metodologia sistemática para integrar, de maneira simultânea, os processos de desenvolvimento de um produto/sistema, incluindo fabricação e assistência técnica. Esta abordagem tem a intenção de fazer com que os projetistas considerem, desde a etapa conceitual, todos os elementos do ciclo de vida do produto/sistema, incluindo disposição no final de vida, qualidade, custo, prazos e requisitos dos clientes."

A ES fornece uma abordagem sistemática e integrada para desenvolver e/ou melhorar produtos ou sistemas. Alguns elementos da ES podem ser citados: projeto para fabricação, projeto para montagem, projeto para mantenabilidade e confiabilidade, etc. Funções como projeto e fabricação são integrados em termos de fluxo de informações. Como o início de uma fase não depende do término completo da fase imediatamente anterior, é possível a sobreposição de atividades, de maneira que há simultaneidade entre as fases de desenvolvimento.

A adoção da ES em empresas levaria a:

- Criação de grupos multidisciplinares responsáveis pela elaboração de projetos, do estudo do problema até a instalação e teste no campo. Estes grupos teriam representantes fixos da operação, manutenção e engenharia.
- Este grupo seria responsável pelas atividades de: engenharia básica de processo, engenharia de detalhamento de processo e equipamento, contratação, fabricação, montagem, inspeção e testes dos projetos.
- A prioridade dos projetos seria levantada e determinada na fonte dos problemas, ou seja, nos órgãos operacionais.
- O grupo multidisciplinar seria responsável pela solução e/ou encaminhamento de todos os problemas surgidos durante o projeto.
- Os membros do grupo seriam reciclados para aumentar a sobreposição de especializações, de forma a implementar e encorajar atividades paralelas.
- Os grupos ficariam localizados em uma mesmo ambiente físico para facilitar e encorajar a comunicação e a troca de informações.
- O estado da arte da tecnologia deve ser buscada nos centros de excelência da empresa ou nos fabricantes nacionais ou internacionais.
- Os grupos devem considerar no projeto todas as fases, do projeto básico à pré-operação, de forma a *"fazer sempre certo na primeira vez"*.
- As ferramentas técnicas e tecnológicas devem ser aplicadas nos projetos compatíveis com os custos de sua aplicação.
- Barreiras e interfaces artificiais, burocráticas, organizacionais ou gerenciais devem ser minimizadas.
- A depender do escopo do projeto, os participantes do grupo multidisciplinar podem aumentar e/ou diminuir durante as fases do empreendimento.
- Fabricantes de equipamentos seriam envolvidos na solução de projetos envolvendo o estado da arte da tecnologia.

26.7.10 O Mito do Planejamento

O planejamento não dá certo. Em primeiro lugar, o planejamento não é feito para dar certo. É um exercício de previsão do comportamento das variáveis que estarão (ou não) sob controle.

Planejamento é um exercício, não é loteca, sena ou loteria. Quando se fala em planejar, não se fala em planejar, não se fala necessariamente em prazos longos! Planeja-se para um dia, uma semana, um mês.

Planejar é exercitar possibilidades para que não sejamos surpreendidos por variáveis que não se conhece. Não é um exercício para dar certo. Seu objetivo é mostrar os caminhos, as alternativas, as dúvidas e as possibilidades.

Num cenário conturbado como é (e será) o brasileiro, o planejamento é vital para a eficácia porque exercita o impacto das variáveis estratégicas sobre o negócio e permite o conhecimento da área atuação específica.

26.8 Gerenciando a Confiabilidade

A Solomon Associates tem afirmado que para alcançar alta confiabilidade mecânica não se requer simplesmente aumentar os gastos de manutenção e mais previsões e outros reparos. De fato, os melhores refinadores requerem bem menos dispêndios para alta confiabilidade mecânica.

O que se requer é uma abordagem gerencial refletida nas seguintes práticas (seguidas pelas melhores empresas):

- Gerenciamento decisivo da confiabilidade para resultados.
- Execução de reparos definitivos quando necessários.
- Perseguição religiosa da avaliação da condição do equipamento.
- Análise continuada dos dados da planta.

Para avaliar a implantação de um programa de confiabilidade deve-se atentar para a existência dos seguintes itens nas unidades operacionais:

a) *Instalações físicas:*
   — estado dos sistemas de intertravamento de fornos, caldeiras e compressores;
   — problemas crônicos de equipamentos;
   — disponibilidade do controle avançado;
   — pendências do programa de manutenção/inspeção.

b) *Nível de interferências "a quente" na unidade:*
   — número de permissões de trabalho emitidas;
   — número de resserviços;
   — solicitações de manutenção;
   — participação nas solicitações de projeto (com execução em operação e em parada);
   — auditorias nas permissões de trabalho;
   — acompanhamento dos custos de manutenção e dos investimentos;
   — planejamento das intervenções.

c) *Procedimentos operacionais:*
   — existência de procedimentos de partida e parada;
   — auditorias para verificar o atendimento dos padrões;
   — grau de atualização dos procedimentos;
   — existência de manuais de operação.

d) *Capacitação e treinamento dos operadores:*
   — análise de índices de treinamento da operação;
   — nível de habilidade multidisciplinares;
   — existência de um programa de certificação dos operadores.

e) *Relatórios de ocorrências anormais:*
   — listagem;
   — procedimento para análise da causa básica;
   — atendimento às recomendações das análises de ocorrências anormais anteriores;
   — atendimento às recomendações das auditorias de segurança já realizadas.

f) *Existência de seminários de operação:*
   — os tipos de emergência mais comuns para aquela unidade;
   — discussão/análise dos procedimentos de parada/partida e operação da unidade;
   — simulação das emergências mais prováveis e discussão da sua correção;
   — discussão dos problemas ocorridos em outras unidades.

g) *Análise de risco:*
   — análise das intervenções mais complexas;
   — análise dos procedimentos críticos;
   — análise dos sistemas críticos.

h) *Análise do desempenho operacional das operações:*
   — análise do plano de produção;
   — nível de perdas das unidades;
   — rentabilidade econômica das unidades;
   — indicadores de conservação de energia.

26.9 Conclusões

O trabalho da Solomon Associates revela que nem o tamanho, a localização, a atividade sindical, nem a magnitude do orçamento de despesas da empresa determinam o sucesso operacional.

Ao invés disso, é a gerência para resultados, a insistência na confiabilidade, utilização de abordagem organizacional que se aproxima do negócio e preocupações compartilhadas entre as operações de processo e manutenção que caracterizam aquelas empresas que fixam padrões de desempenho.

CAPÍTULO 27

Exercícios

Matemática da Confiabilidade (Capítulo 2)

1. Considerando-se que os dados de falhas dos veículos na Tabela 27.1 são independentes e da mesma população, responda as perguntas sobre a curva da banheira.

Tabela 27.1
Identificação do Veículo

Horas para a Falha	A	B	C	D	E
	25	50	5	100	25
	100	125	10	150	175
	150	300	15	300	350
	600	350	25	475	
			25	750	
			75		

A) Qual dos veículos apresenta mortalidade infantil?

B) Qual dos veículos apresenta o maior MTBF?

C) Qual dos veículos apresenta falha por desgaste?

Distribuições Aplicadas à Confiabilidade (Capítulo 3)

2. Em quatro jogadas de uma moeda, qual é a probabilidade de duas caras e duas coroas (em qualquer ordem)?

Solução:

Este problema pode ser analisado usando a distribuição binomial. Este é o caso em muitas situações onde um evento só tem dois resultados. Usando-se a expressão da binomial, para n = 4; x = 2, e p = 0,5. A probabilidade de dois sucessos é, então:

$$f(2) = \frac{4!}{2!(4-2)!} 0{,}5^2 \, 0{,}5^{(4-2)} = 0{,}375$$

3. Um componente elétrico tem a probabilidade de 0,98 de funcionar satisfatoriamente. Qual é a probabilidade de se conseguir 2 ou mais componentes defeituosos em um lote de 5?

Solução:

O número de componentes defeituosos é uma amostragem de uma variável aleatória binomial com p = 0,02, n = 5 de forma que:

Probabilidade de 0 defeito: $f(0) = \dfrac{5!}{0!(5-0)!} \, 0,02^0 \, 0,98^{(5-0)} = 0,904$

Probabilidade de 1 defeito: $f(1) = \dfrac{5!}{1!(5-1)!} \, 0,02^1 \, 0,98^{(5-1)} = 0,092$

Isto significa que a probabilidade de obter 2 ou mais defeituosos em um lote de 5 é:

$$1 - 0,904 - 0,092 = 0,004$$

o que é realmente muito pequeno e se 2 ou mais defeitos forem detectados, na prática, isto pode significar algum problema com o processo de fabricação.

4. Suponha-se que a probabilidade de achar um defeito em uma milha de um arame de aço é de 0,01. Um cabo de aço é composto de 100 arames e suportará a carga de projeto com 99 arames bons. Qual é a probabilidade de que um cabo de uma milha suporte a carga de projeto?

Solução:

Considere x como uma variável aleatória do número de arames com defeito num cabo de aço de uma milha. A distribuição exponencial correspondente terá os seguintes parâmetros: n = 100 (número de arames); p = 0,01 (probabilidade de um arame defeituoso).

Então, a probabilidade de que o cabo não tenha defeitos é:

$$f(0) = \dfrac{(100.0,01)^0}{0!} \, \exp(-100.0,01) = 0,368$$

A probabilidade de que o cabo tenha um defeito é:

$$f(1) = \dfrac{(100.0,01)^1}{1!} \, \exp(-100.0,01) = 0,368$$

Portanto, a probabilidade de que o cabo suporte a carga de projeto é 0,368 + 0,368 = 0,736.

Note-se neste caso que o uso da distribuição de Poisson é uma aproximação já que n=100 é muito menor que infinito. Entretanto, a solução exata utilizando-se a distribuição binomial é exatamente a mesma.

5. Um determinado equipamento tem MTBF de 400h. Assumindo distribuição exponencial para os tempos de falha, calcule o tempo máximo admissível de operação para uma confiabilidade requerida de 0,996.

Análise de Falhas (Capítulo 4)

6. Os dados de falha do rotor de um turbina foram levantados. Cada rotor foi inspecionado para verificar o início de trincas. Alguns dados são mostrados na Tabela 27.2 onde os tempos de inspeção foram anotados, onde o sinal "–" indica existência de trinca e o sinal "+", indica ausência de trincas.

Tabela 27.2

3.322 +	4.009 +	1.975 –	1.967 –	1.892 –	2.155 +	2.059 +
4.144 +	1.992 +	1.676 +	4.079 +	2.278 –	1.366 +	etc.

A Tabela 27.3 mostra os dados arranjados em uma tabela em que cada intervalo contém pelo menos 10 unidades. A experiência mostra que a análise fica prejudicada para amostra muito menores que 100 unidades, devido à dificuldade de se estabelecer um intervalo com 10 unidades. A escolha do intervalo também deve evitar a presença de valores de percentuais de falhas iguais a 0% ou 100%.

Tabela 27.3 Falhas

Horas	Nº Inspecionados	% Falhas
4.400 +	21/36	58,4
4.000 – 4.400	21/40	52,5
3.600 – 4.000	22/34	64,8
3.200 – 3.600	6/13	46,2
2.800 – 3.200	9/42	21,4
2.400 – 2.800	9/39	23,1
2.000 – 2.400	5/30	16,7
1.600 – 2.000	7/73	9,59
1.200 – 1.600	2/33	6,06
800 – 1.200	4/53	7,55
0 – 800	0/39	0

a) Traçar os pontos no papel de Weibull e determinar os parâmetros.
b) Determinar a distribuição de tempos para trincar.
c) Determinar o comportamento da taxa de falhas.
d) Determinar o prazo de inspeção.

7. Os dados de inspeção de 167 peças idênticas de um equipamento foram anotados na Tabela 27.1. Em certas datas as peças foram inspecionadas para determinar se surgiram trincas desde a inspeção passada. Os dados da tabela indicam os meses de operação na data de início e término de cada período de inspeção e o número de partes trincadas em cada período. Por exemplo, entre 19,92 e 29,64 meses, 12 peças trincaram. 73 peças sobreviveram além da última inspeção, que ocorreu a 63,48 meses. Os dados são simplificados já que todas as partes foram inspecionadas ao mesmo tempo.
a) Determine os parâmetros de forma e escala, usando o método gráfico.
b) Determine se a taxa de falhas é crescente ou decrescente com o tempo.
c) Determine o período ideal para manutenção para as peças.

8. Uma amostra de 43 motores elétricos foram inspecionados para determinar se algum defeito ocorreu. As inspeções foram realizadas nas horas indicadas na Tabela 27.4. O sinal "+" indica que nenhum defeito foi encontrado durante a inspeção e o sinal "−" indica a presença de algum tipo de defeito.

Tabela 27.4

7.072 +	1.503 −	2.630 −	1.000 +	4.677 +	5.517 +
3.300 −	800 +	5.700 −	4.000 +	4.786 +	5.948 +
3.329 −	1.100 +	3.300 +	1.400 +	3.038 +	6.563 +
3.200 +	600 +	3.750 −	1.400 +	1.000 +	913 +
1.228 +	3.397 −	5.200 −	2.000 −	7.199 −	1914 +
2.328 +	2.981 +	3.108 −	1.203 +	6.000 +	683 +
2.333 +	3.000 −	4.000 +	2.400 −	6.000 +	7.000 +
					1.171 +

Determine o parâmetro de forma (β) e de escala (η) de maneira gráfica e responda às perguntas abaixo:
a) O parâmetro de forma sugere que o motor está mais ou menos sujeito a apresentar defeitos com a idade?
b) O intervalo de confiança para o parâmetro de forma indica que a conclusão da pergunta (a) é ou não conclusiva? (Calcule esse item usando o método da máxima verossimilhança.)
c) Trace a distribuição ajustada e os limites de confiaça no papel de Weibull. Os resultados obtidos fornecem valores precisos para aplicações práticas?
d) É possível que algum motor tenha defeitos logo que entre em operação, baseado no resultado de (c)?

9. A Tabela 27.5 mostra os dados censurados por tempo de 96 controles de locomotivas. A gerência quer estimar a fração de controles que falharão com 80.000 milhas (período de garantia do controle).

Tabela 27.5
Mil Milhas para a Falha de Controles de Locomotivas

22,5	57,5	78,5	91,5	113,5	122,5
37,5	66,5	80,0	93,5	116,0	123,0
46,0	68,0	81,5	102,5	117,0	127,5
48,5	69,5	82,0	107,0	118,5	131,0
51,5	76,5	83,0	108,5	119,0	132,5
53,0	77,0	84,0	112,5	120,0	134,0
54,5					

59 Controles operaram 135.000,00 milhões sem falhas

10. A Tabela 27.6 mostra os tempos de falha de um fluido isolante de transformador para diversas tensões. Os valores assinalados com "+" indicam que o teste terminou sem que o fluido falhasse. Os valores com "–" indicam que o fluido encontrava-se deteriorado antes daquele tempo. Determinar o comportamento, a falha do fluido, para as diversas condições de tensão, indicando as políticas de manutenção mais adequadas.

Tabela 27.6
Tempo em Segundos para a Falha do Fluido de Transformador

25 kV	30 kV	35 kV	40 kV	45 kV
521	50	30	1	1 –
2.520	134	33	1	1 –
4.060	187	41	2	1 –
12.600	882	87	3	2
40.300	1.450	93	12	2
50.600 +	1.470	98	25	3
52.900 +	2.290	116	46	9
67.300 +	2.930	258	56	13
84.000	4.180	461	68	47
85.500 +	15.800	1.180	109	50
85.700 +	29.200 +	1.350	323	55
86.400 +	86.100 +	1.500	417	51

11. Cinco motores de veículos foram testados quanto a um modo particular de falha. A seguir são apresentados os resultados do teste:

Motor 1: Operou até 22.000km sem falhas.

Motor 2: Falhou aos 40.000km e foi removido do teste.

Motor 3: Falhou aos 5.100km e foi removido do teste.

Motor 4: Destruído aos 9.500km em acidente e removido do teste.
Motor 5: Falhou aos 15.000km e foi removido do teste.

Avalie os dados quanto ao comportamento das falhas em relação à distância percorrida pelos motores

12. Três sistemas reparáveis são acompanhados quanto às falhas de um de seus componentes em particular (sendo que dois deste por sistema). Os tempos de falha que foram observados são os seguintes:

Sistema 1
Componente A – Falhou e foi substituído em 3.780 e 6.362 horas.
Componente B – Falhou e foi substituído em 4.885 horas.
O sistema atualmente está com 8.000h de operação.

Sistema 2
Componente A – Falhou e foi substituído em 1.040 horas.
Componente B – Não teve falhas.
Ambos os componentes foram substituídos preventivamente em 5.000 horas. O sistema atualmente está com 6.500 horas de operação.

Sistema 3
Componente A – Falhou e foi substituído em 2.180 horas.
Componente B – Falhou e foi substituído em 2.777 e 5.082 horas.
O sistema atualmente está com 6.950 horas de operação.
Calcule os parâmetros de confiabilidade dos componentes usando a curva de Weibull.

13. A Tabela 27.7 mostra a distância percorrida até a falha para amortecedores de veículos.

Os valores assinalados com "+" indicam que o teste terminou sem que o amortecedor falhasse. Calcule os parâmetros da função de Weibull e analise os resultados.

		Tabela 27.7		
6.700	6.950 +	7.820 +	8.790 +	9.120
9.660 +	9.820 +	11.310 +	11.690 +	11.850 +
11.880 +	12.140 +	12.200	12.870 +	13.150
13.330 +	13.470 +	14.040 +	14.300	17.520

Análise da Interferência (Capítulo 5)

14. Um sistema tem distribuição de resistência com média de 7.000 psi e desvio padrão de 800 psi. Será submetido a uma tensão de 5.000 psi com desvio padrão de 700 psi. Assumindo ambas distribuições como normal, calcule a confiabilidade do sistema.

Análise de Sistemas (Capítulo 7)

Sistema em Série

15. Os elementos 1, 2 e 3 da figura são componentes eletrônicos idênticos, cada um apresentando um tempo médio entre falhas (TMEF) igual a 105 horas. Todos os componentes devem estar operando para que o sistema possa executar a sua função. Calcule:

a) O tempo médio entre falhas para o sistema.
b) A confiabilidade do sistema para 103 horas.

16. A inspeção visual 100% de componentes, normalmente resulta em 1% a 2% de peças falhas passando sem serem percebidas pelo controle de qualidade. Qual a confiabilidade que se pode esperar de um sistema que consiste de 25 componentes, onde a falha de qualquer um deles resulta na falha do sistema e no qual seus componentes são inspecionados visualmente em 100%?

Sistema em Paralelo

17. Um sistema de emergência é composto de três alarmes idênticos, que normalmente estão operando. No entanto, basta que um destes alarmes opere para que a função do sistema seja satisfatória. Alarmes deste tipo apresentam uma taxa de falha igual a 10^{-5}/horas. Calcule a confiabilidade do sistema para 10^4 horas.

18. Um avião tem quatro motores idênticos e completamente independentes, sendo que pode voar de forma segura mesmo que dois de seus motores tenham falhado simultaneamente. A taxa de falha observada por motor é de 10^{-2}/horas. Dado que o avião tenha decolado com sucesso, qual a probabilidade de falha em 10 horas de vôo (considerar que as demais falhas são negligenciáveis)?

Sistema em Série-Paralelo

19. Um sistema em série é composto dos componentes indicados na Tabela 27.8 independentes (unidades de tempo em horas)

Tabela 27.8		
Componente	Nº de Componentes	Informação de Falha
A	3	$\lambda = 3 \times 10^{-6}$
B	2	MTBF $= 5 \times 10^5$
C	8	$\lambda = 5 \times 10^{-7}$
D	1	$\lambda = 2 \times 10^{-5}$
E	1	MTBF $= 1 \times 10^5$
F	3	$\lambda = 4 \times 10^{-6}$

Calcule a confiabilidade do sistema após 1.000 horas de operação (considerar distribuição exponencial).

Sistema em *Stand-by*

20. Três componentes idênticos estão arranjados como na figura a seguir, sendo que a taxa de falha de cada componente é de 5×10^{-5}/horas. Assumindo o chaveamento entre componentes como sendo perfeito e que as suas falhas não são reparadas, calcule a confiabilidade do sistema para um período de 2×10^3 horas.

21. Um sistema consiste de quatro bombas idênticas que normalmente devem estar operando e duas outras em *stand-by*. Cada uma dessas em *stand-by* pode substituir imediatamente as bombas que estão em operação (quando das suas falhas). A taxa de falha para cada bomba é de 2×10^{-4} /horas. Se o sistema deve operar por 103 horas, qual a confiabilidade para este período?

22. Faça uma FMEA do sistema na Figura 27.1:

23. Faça uma análise de árvore de falhas no sistema abaixo para determinar as causas básicas da falha.

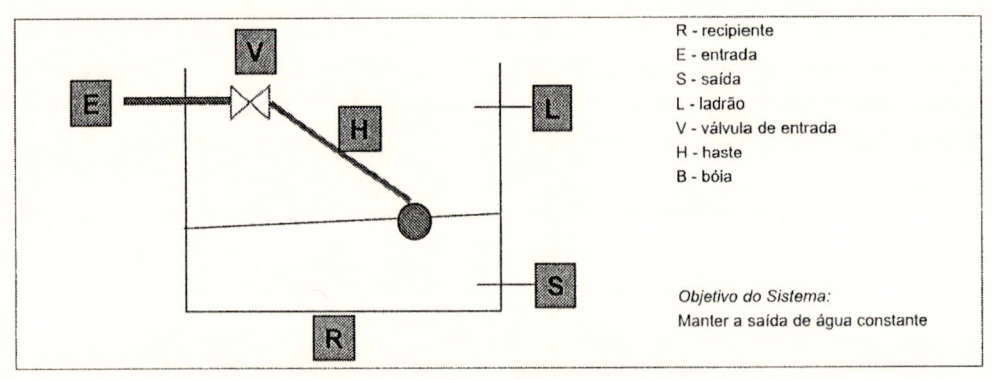

Figura 27.1

R - recipiente
E - entrada
S - saída
L - ladrão
V - válvula de entrada
H - haste
B - bóia

Objetivo do Sistema:
Manter a saída de água constante

Erro Humano (Capítulo 10)

24. Estudo de Caso – PIPER ALPHA

24.1. Histórico

A plataforma de petróleo *Piper-Alpha* foi destruída em um acidente ocorrido na noite de quarta-feira, 6 julho de 1988.

Piper-Alpha operava nos campos de petróleo no Mar do Norte, junto com outras três plataformas, distante 180km a leste da cidade de Flotta, na Escócia. Estas plataformas eram ligadas através de uma rede de tubulações para permitir a otimização da produção dos campos de petróleo.

Similarmente a outras plataformas, *Piper-Alpha* possuía módulos especializados para perfuração, produção, separação de gás do óleo, e injeção de gás e óleo nas tubulações de transporte. *Piper-Alpha* iniciou a produção de óleo em dezembro de 1976 e gás em dezembro de 1978.

A mistura de óleo, gás e água extraída dos campos de petróleo era processada na plataforma através de dois métodos diferentes para separação destes elementos.

Normalmente, o modo nº 2 de operação era usado, pois permitia a produção de gás com qualidade suficiente para exportação ao invés de consumi-lo no flare da plataforma. Neste método, a água, o óleo e o gás eram separados. O óleo era exportado diretamente, e o gás seguia para um tratamento para retirada dos elementos mais voláteis na própria plataforma. O gás tratado era seco e então exportado. O resíduo menos volátil, formado por uma mistura de hidrocarbonetos leves chamado de condensado, era reinjetado no oleoduto.

Quando a unidade de separação, que utilizava a tecnologia de peneira molecular, não estava operacionando o gás não podia ser exportado – chamado modo nº 1 de operação. O gás era, então, utilizado para auxiliar na produção de petróleo ou utilizado para geração própria de energia ou, simplesmente, queimado no flare da plataforma. Nestas situações, o condensado resultante do processamento do gás era sempre exportado.

O sistema de injeção de condensado era composto por um par de bombas redundantes: a bomba A e a bomba B. Uma bomba servia como reserva permitindo a manutenção ou o reparo da outra, pois, se a injeção parasse por mais de quinze minutos, toda produção deveria parar. A partida do sistema de extração duraria entre 6 e 7 horas.

24.2. Cronologia

3 de Julho, 6:00h AM

O sistema de processamento de gás é parado para isolar a unidade de peneira molecular para sua manutenção.

3:30h PM

A produção passa para o modo nº 1 de operação.

6 de Julho

Durante o dia, a bomba A que estava operando começa a cavitar/bater. Ela poderia continuar operando, entretanto, o chefe da operação decide retirá-la para manutenção. Ele alinha o condensado para a bomba B.

Uma permissão de trabalho para a manutenção da bomba A é emitida, seguindo os procedimentos vigentes. Esta permissão é assinada pelo supervisor da produção, pelo departamento de segurança e pelo chefe da operação. Uma cópia da permissão permanece na sala de controle. A bomba A é desconectada da rede de eletricidade, porém o reparo ainda não está programado.

Dois técnicos contratados aproveitam a oportunidade para fazer uma manutenção preventiva de rotina na válvula de segurança da bomba A. Uma segunda permissão de trabalho é emitida, seguindo os procedimentos vigentes.

A válvula de segurança é isolada do sistema de produção por um operador. Os dois técnicos desmontam a válvula e colocam flanges cegos nos dois flanges abertos deixados na tubulação. O teste de pressão nestes flanges cegos não é obrigatório.

A válvula de segurança é enviada para a oficina de manutenção onde a manutenção preventiva é efetuada.

Quando os técnicos estão prontos para instalar as válvulas, pouco antes das 6:00h PM, o guindaste necessário para posicioná-las no seu local, não está disponível. A instalação das válvulas é, então, postergado para o próximo dia.

O procedimento aplicável para o caso de permissão de trabalho interrompido é aplicado. A permissão é devolvida para a sala de controle e colocada junto com a permissão assinada pela produção e, então, "suspensa" pelo departamento de segurança que a retém até o próximo dia.

Estes eventos deveriam estar anotados no livro de registro da sala de controle.

6:00h PM. Troca do turno.

9:50h PM. Bomba B pára de operar.

9:53h PM. O nível de líquido sobe até a válvula Joule-Thomson. Um alarme é acionado.

9:54h PM. A sala de controle é informada que a bomba B não voltará a operar.

9:56h PM. Um alarme de alerta de vazamento de gás é acionado no setor dos compressores centrífugos no módulo C. Dois dos três compressores centrífugos param.

9:57h PM. O alarme de grande vazamento de gás no setor dos compressores é acionado.

9:58h PM. Primeira explosão. O sistema de parada de emergência da plataforma é acionado na sala de controle.

Uma nuvem de fumaça é vista no topo do piso 68 da plataforma, 10 a 30 segundos depois as chamas são vistas e ocorre uma segunda explosão.

9:59h PM. Petróleo oriundo da tubulação do poço principal espalha-se na área de produção.

Os escritórios da área de produção, a sala de controle e a oficina de manutenção são afetadas pela chama.

As luzes de emergência na plataforma são acionadas.

10:00h PM. O terminal de Flotta nota uma grande queda no fluxo de óleo vindo da plataforma.

Nenhum sistema de combate à incêndio funciona na plataforma.

10:07h PM. O operador de comunicação abandona seu posto de trabalho porque o calor na região é muito intenso.

10:22h PM. Ocorre uma explosão gigante. A plataforma é tomada por uma bola de fogo. A plataforma, com o tremor da explosão, fica inclinada a 45°.

11:00h PM. O fogo começa a tomar a superfície da água em torno da plataforma.

7 de julho, 1:00h AM. Um bolsão de gás aflora na superfície da água e queima. A estrutura da *Piper-Alpha* sofre colapso catastrófico.

24.3. Erros

No verão, a equipe de supervisores era formada na maior parte de operadores promovidos temporariamente ao posto para preencher a falta do pessoal qualificado.

Além disso, a equipe de supervisores era formada por cinco pessoas naquela tarde (o número mínimo requerido pelas normas da plataforma).

Na ocasião do acidente, o turno era então supervisionado por uma equipe com menor qualificação e com menor número (um erro creditado para as pessoas responsáveis pela organização da plataforma).

Lembra-se que o método de operação era o nº 1, no lugar do método de operação nº 2 mais comum. O método nº 1 tinha sido usado apenas algumas raras vezes durante a vida da plataforma. A principal diferença entre os dois métodos é a pressão do sistema de gás que é duas vezes e meia maior no modo nº 1 em relação ao modo nº 2.

Esta situação acentuou a discrepância entre as capacidades necessárias para operar a plataforma e a qualificação do pessoal disponível no momento da ocorrência.

Foi nessa situação que a bomba A parou de funcionar. A sua válvula de segurança foi desmontada, porém não foi reinstalada.

Quando houve a quebra da bomba B, a ausência da válvula de segurança da bomba A não pode ser detectada visualmente, pois as válvulas ficavam em um piso diferente daquele onde as bombas estavam instaladas.

Evidentemente, os supervisores que estavam em serviço quando a bomba B quebrou não tinham conhecimento da situação da válvula de segurança da bomba A (falha na transmissão da informação na troca de turno que ocorreu as 6:00 PM, bem como falha em atualizar as informações no livro de registro da sala de controle).

Quando as duas bombas pararam, os supervisores teriam cerca de 20 minutos para reiniciar a injeção de gás na tubulação. Após este tempo, toda a produção deveria parar. Se houvesse parada total da produção, seriam necessárias 6 ou 7 horas para reinicializar a produção total. Havia, portanto, uma tendência muito grande para reiniciar a injeção de gás rapidamente.

O fato da bomba A poder ser operada com a ausência da respectiva válvula de segurança, revela um erro sistêmico nos procedimentos de manutenção. Na verdade, deveria haver um registro da ausência de um equipamento tão importante à jusante da bomba.

O reinício da operação da bomba A nestas condições é determinante na seqüência de eventos que levaram ao acidente.

É bem provável que ocorreu vazamento no flange cego instalado pela manutenção no lugar das válvulas de segurança. Estes flanges não foram testados quanto a pressão. A pressão de operação maior no modo nº 2 também contribuiu para a ocorrência do vazamento.

O vazamento não pode ser ouvido no seu início porque o nível de ruído neste tipo de instalação é comumente alto e o pessoal deve usar protetor auricular.

A primeira explosão ocorreu no módulo C devido ao vazamento de gás nos flanges cegos da válvula de segurança da bomba A.

A ignição iniciou quando a nuvem de gás encontrou uma fonte de ignição ou uma faísca devido à eletricidade estática (que é sempre provável na presença de bombas e equipamentos dinâmicos).

Essa explosão poderia ter conseqüências menores; as plataformas são geralmente projetadas para estes eventos. Entretanto uma seqüência de eventos transformaram-na em um acidente catastrófico.

Após a primeira explosão, o sistema automático de proteção de incêndio não funcionou. A explosão destruiu uma parede da sala de controle, cortando vários cabos elétricos do painel de controle do sistema de segurança. Uma falha que deveria ter sido detectada no projeto por uma análise de modo de falhas comuns.

Mais uma vez, notou-se a incapacidade do pessoal de operação em tomar decisões na situação de emergência, haja vista que 20 minutos se passaram entre a explosão inicial e a enorme explosão que transformou a plataforma em um enorme bola de fogo. Entre estes dois eventos, nenhuma decisão importante foi tomada pelo pessoal de operação.

Finalmente, alguns barcos salva-vidas estavam inoperantes, acentuando a gravidade do desastre. Provavelmente estes equipamentos não foram corretamente mantidos e os exercícios e evacuação não foram conduzidos como planejado.

A ruptura das tubulações e o vazamento de óleo e gás compõe a série de eventos que conduziram a este terrível desastre.

24.4. Conseqüências

167 pessoas morreram no desastre, incluindo duas pessoas da equipe de resgate.
— A plataforma foi totalmente destruída.
— A produção permaneceu parada por vários meses.
— Houve vazamento de óleo no Mar do Norte durante vários meses.
— A produção em outras plataformas foi afetada.

25. Dois Milhões Para Um

À medida que cresceu o número de pessoas que viajam de avião, a probabilidade de sofrerem um acidente fatal caiu significativamente. Acidentes aéreos ainda ocorrem, entretanto. A razão predominante para isso não é falha mecânica, mas falha humana, como fadiga do piloto. A Boeing, que domina os negócios de linhas aéreas comerciais, calculou que mais de 60% de todos os acidentes que ocorreram nos últimos dez anos tiveram comportamento da tripulação como sua "causa dominante". Em outras palavras, os acidentes provavelmente não teriam acontecido se não tivesse havido algum erro da tripulação do avião.

A probabilidade de um acidente, entretanto, ainda é muito pequena. Um tipo de acidente conhecido como "vôo controlado para o chão", no qual parece que o avião está sob controle e, no entanto, está voando para o solo, tem a probabilidade de acontecer somente uma vez em 2 milhões de vôos. Para que este tipo de falha ocorra, uma cadeia inteira de falhas menores deve acontecer. Primeiro, o piloto nos controles deveria estar voando na altitude errada – há uma única chance em mil.

Segundo, o co-piloto deveria errar na verificação da altitude – somente uma chance em cem. Os controladores de tráfego aéreo deveriam não perceber o fato de que o avião estava na altitude errada (o que não é estritamente parte de seu trabalho) – uma probabilidade de um em dez. Finalmente, o piloto teria que ignorar o alarme, dentro do avião, de aviso de proximidade do solo (que pode ser propenso a dar alarmes falsos) – uma probabilidade de um em dois.

Embora sejam pequenas as probabilidades de falhas, os fabricantes de aviões e companhias aéreas estão ocupados trabalhando em procedimentos que podem tornar difícil a tripulação cometer erros que contribuam para acidentes fatais. Por exemplo, se a probabilidade de o co-piloto falhar na verificação da altitude for reduzida para 1 em 200 e a probabilidade de o piloto ignorar o alarme de proximidade do solo for reduzida para um em cinco, então a probabilidade de ocorrer este tipo de acidente cairia drasticamente para 1 em 10 milhões.

26. Estudo de Caso – O Acidente de Chernobyl

26.1. *Histórico*

À 1h24 min do dia 26 de abril de 1986, um sábado de manhã, ocorreu o pior acidente na história da geração industrial de energia nuclear. Duas explosões, uma após a outra, lançaram ao ar as 1.000 toneladas de concreto da tampa de selagem do reator nuclear número 4 de Chernobyl. Fragmentos fundidos do núcleo "choveram" na região vizinha e produtos da fissão foram liberados na atmosfera. O acidente provavelmente custou centenas de vidas e contaminou vastas áreas de terra na Ucrânia.

Diversas razões provavelmente contribuíram para o desastre. Certamente, o projeto do reator não era novo – cerca de 30 anos de idade na época do acidente – e havia sido concebido antes da época dos sofisticados sistemas de segurança controlados por computador. Por esta razão, os procedimentos para lidar com emergências do reator dependiam fortemente da habilidade dos operadores. Este tipo de reator também tinha uma tendência para "sair de controle" quando operado a baixa capacidade. Por esta razão os procedimentos operacionais para o reator proibiam estritamente que fosse operado abaixo de 20% de sua capacidade máxima. Foi principalmente uma combinação de circunstâncias e erros humanos que causaram o acidente. Ironicamente, os eventos que levaram ao desastre foram projetados para tornar o reator mais seguro. Os testes, planejados por uma equipe especialista de engenheiros, foram realizados para avaliar se o sistema de emergência para refrigeração do núcleo podia ser operado durante o giro inercial de uma possível redução de produção do turbogerador no caso de ocorrer uma interrupção de energia externa. Embora este dispositivo de segurança tivesse sido testado antes, não havia funcionado satisfatoriamente e novos testes do dispositivo modificado foram realizados com o reator operando com capacidade reduzida durante o período de teste. Os testes foram programados para a tarde de sexta-feira, 25 de abril de 1986, e a redução da produção da planta começou às 13h00. Logo após as 14h00, entretanto, quando o reator estava operando com cerca de metade de sua capacidade total, o controlador de Kiev solicitou que o reator continuasse fornecendo eletricidade para a rede local. Na realidade, continuaram ligados à rede até as 23h10. O reator devia ser parado para sua manutenção anual na terça-feira seguinte e a solicitação do controlador de Kiev na realidade reduziu a "janela de oportunidade" disponível para os testes.

26.2 *Cronologia*

A seguir há um relatório cronológico das últimas horas antes do desastre, junto com uma análise de James Reason, que foi publicada no *Bulletin of the British Psychological Society* no ano seguinte. Ações significativas dos operadores estão em itálico. São de dois tipos: erros (indicados por um "E") e violações de procedimentos (marcadas por um "V").

25 de abril de 1986

13h00. A redução de capacidade começou com a intenção de conseguir 25% de capacidade para as condições de teste.

14h00. O sistema de emergência para resfriamento do núcleo (ECCS – *Emergency Care Cooling System*) foi desconectado do circuito principal. (Isto era parte do plano de teste.)

14h05. O controlador de Kiev solicitou que a unidade continuasse a suprir a rede. *O ECCS não foi reconectado* (V). (Não se considera que esta violação específica tenha contribuído materialmente para o desastre; mas é indicativa de uma atitude de descuido por parte dos operadores com relação à observância dos procedimentos de segurança.)

23h10. A unidade foi desligada da rede e a redução de capacidade foi continuada para conseguir o nível de capacidade de 25%, planejado para o programa de teste.

26 de abril de 1986

00h28. *Um operador ultrapassou para baixo o ponto de ajuste para a produção pretendida* (E). A produção caiu para um perigoso 1%. (O operador havia desligado o "piloto automático" e havia tentado conseguir o nível desejado através de controle manual.)

1h00. Após um longo e intenso esforço, a produção do reator finalmente foi estabilizada em 7% – bem abaixo do nível pretendido e bem na zona de perigo de baixa capacidade. Neste momento, o experimento deveria ter sido abandonado, mas não o foi (E). Este foi o mais sério erro (como o oposto de violação): significou que todas as atividades subseqüentes seriam conduzidas na zona de máxima instabilidade do reator. Isto aparentemente não foi percebido pelos operadores.

1h03. Todas as oito bombas foram acionadas (V). Os regulamentos de segurança limitavam a seis o número máximo de bombas simultaneamente em uso. Isto mostrava uma profunda má compreensão da física do reator. A conseqüência foi que o aumento do fluxo de água (e redução da fração de vapor) absorveu mais nêutrons, exigindo que mais elementos de controle fossem retirados para sustentar este nível baixo de produção.

1h19. O fluxo de água de alimentação foi aumentado três vezes (V). Parece que os operadores estavam tentando lidar com uma pressão do vapor e nível de água decrescentes. O resultado de suas ações, entretanto, foi reduzir ainda mais a quantidade de vapor passando através do núcleo, exigindo que ainda mais elementos de controle precisassem ser retirados. Também suprimiram a parada automática do coletor de vapor (V). O efeito disto foi desprover o reator de um de seus sistemas automáticos de segurança.

1h22. O supervisor de turno solicitou relatório impresso para estabelecer quantos elementos de controle estavam realmente no núcleo. O relatório indicou somente de seis a oito elementos remanescentes. Era estritamente proibido operar o reator com menos do que 12 elementos. Apesar disso, o supervisor de turno decidiu continuar com os testes (V). Esta foi uma decisão fatal: por isso o reator ficou sem "freios".

1h23. As válvulas da linha de vapor para o turbogerador número 8 estavam fechadas (V). O objetivo disto era estabelecer as condições necessárias para testes repetidos, mas sua conseqüência foi desconectar os desengates automáticos de segurança. Esta talvez tenha sido a mais séria violação de todas.

1h24. Foi feita uma tentativa para desligar repentinamente o reator atuando nos elementos de parada de emergência, mas estes emperraram nos tubos já deformados.

1h24. Duas explosões ocorreram uma logo após a outra. O teto do reator foi lançado para o ar provocando 30 incêndios na vizinhança.

1h30. Os bombeiros em serviço foram chamados. Outras unidades foram chamadas de Pripyat e Chernobyl.

5h00. Os incêndios externos foram extintos, mas o incêndio do grafite do núcleo continuou por diversos dias.

26.3 *Erros*

A investigação posterior do desastre esclareceu diversos pontos significativos que contribuíram para sua ocorrência:

- O programa de testes foi mal planejado e a seção de medidas de segurança era inadequada. Pelo fato de o sistema de emergência para resfriamento do reator (ECCS) ter sido fechado durante o período de testes, a segurança do reator estava na realidade substancialmente reduzida.
- O planejamento dos testes foi colocado em prática antes de ser aprovado pelo grupo de projeto, que era responsável pelo reator.
- Os operadores e os técnicos que estavam conduzindo o experimento tinham habilidades diferentes e não sobrepostas.
- Os operadores, embora altamente habilitados, provavelmente tinham ouvido que completar o teste antes da parada melhoraria sua reputação. Estavam orgulhosos de sua habilidade para lidar com o reator mesmo em condições incomuns e estavam conscientes da rápida redução da janela de oportunidades dentro da qual deveriam completar o teste. Provavelmente, tinham "perdido qualquer sensibilidade para os perigos envolvidos" na produção do reator.
- Os técnicos que haviam planejado o teste eram engenheiros elétricos de Moscou. Seu objetivo era resolver um problema técnico complexo. Apesar de haverem planejado os procedimentos de teste, provavelmente não sabiam muito sobre a produção da usina nuclear em si.
- Novamente, nas palavras de James Reason:

"Juntos, fizeram uma mistura perigosa: um grupo de engenheiros de uma modalidade, mas não engenheiros nucleares dirigindo uma equipe de operadores dedicados, porém demasiado confiantes. Cada grupo provavelmente assumiu que o outro sabia o que estava fazendo. E as duas partes tinham pouca ou nenhuma compreensão dos perigos que estavam gerando ou do sistema do qual estavam abusando."

Disponibilidade e Mantenabilidade (Capítulo 14)

27. O Jogo do Submarino

O oficial de navegação a bordo de um submarino tem como sua responsabilidade principal o Sistema Eletrônico de Navegação (SEN). Esta responsabilidade inclui a previsão de sobressalentes, inspeções periódicas, os programas de manutenção para o SEN. Quando em uma missão, se o SEN se tornar inoperante, por qualquer razão, a missão é abordada, e o submarino deve voltar à sua base antes do fim do cruzeiro designado. Para você, o oficial de navegação, tal interrupção seria calamitosa, e afetaria qualquer possibilidade que você atualmente tem de adicionar outra faixa em seu ombro.

O SEN deve estar em operação em todos os tempos durante o cruzeiro. Então, qualquer item funcionando mal no sistema deve ser trocado por um sobressalente. Se há sobressalentes insuficientes para um item, o subsistema se torna inoperante e pode dar um fim ao cruzeiro. Então tudo que é necessário é levar um número suficiente de sobressalentes de tal forma que qualquer item que falhe possa ser trocado. Contudo,

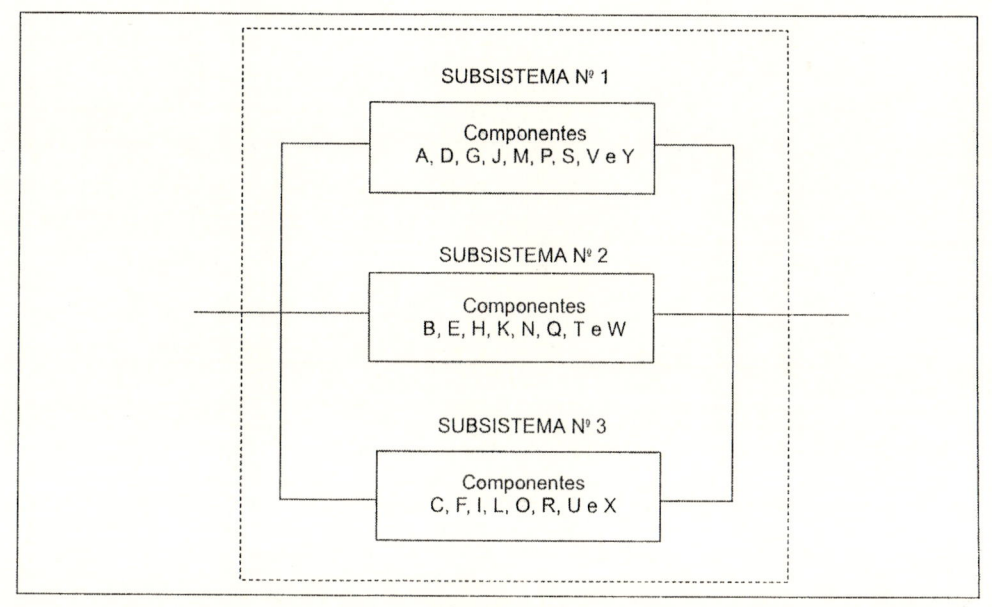

```
┌─────────────────────────────────────────────────────┐
│     ┌───────────────────────────────────────┐       │
│     │          SUBSISTEMA Nº 1              │       │
│     │      ┌─────────────────────────┐      │       │
│     │      │      Componentes        │      │       │
│     │      │   A, D, G, J, M, P, S, V e Y   │      │       │
│     │      └─────────────────────────┘      │       │
│     │                                       │       │
│     │          SUBSISTEMA Nº 2              │       │
│     │      ┌─────────────────────────┐      │       │
────────────│      Componentes        │────────────
│     │      │   B, E, H, K, N, Q, T e W      │      │       │
│     │      └─────────────────────────┘      │       │
│     │                                       │       │
│     │          SUBSISTEMA Nº 3              │       │
│     │      ┌─────────────────────────┐      │       │
│     │      │      Componentes        │      │       │
│     │      │   C, F, I, L, O, R, U e X      │      │       │
│     │      └─────────────────────────┘      │       │
│     └───────────────────────────────────────┘       │
└─────────────────────────────────────────────────────┘
```

Figura 27.2

um submarino tem um espaço muito limitado e estão designados para sobressalentes apenas 205 ft^3.

1. O SEN consiste de três sistemas. Cada subsistema consiste de itens que falham aleatoriamente.
2. O sistema deve operar 24 horas por dia para o cruzeiro escolhido de 60 dias ou 1.440 horas.
3. A Tabela 27.9 mostra o Tempo Médio Antes da Falha para cada item, e a probabilidade de se usar mais do que o número indicado de peças durante o cruzeiro.
4. Os dados da Tabela 27.9 indicam que os itens com baixo TMAF são mais propensos a falhar do que os com alto TMAF. A partir destes dados, é selecionada a quantidade de sobressalentes de cada item para a Tabela 27.10. Esta tabela lista os itens e seus volumes em pés cúbicos. Multiplicando a quantidade de itens pelo volume por item leva ao espaço necessário. A soma dos espaços necessários não deve exceder 205 ft^3.
5. Depois de transpor as quantidades escolhidas de sobressalentes para a Tabela 27.11, o cruzeiro está começando. A cada dois dias o sistema é verificado por seus homens para detectar falhas e assegurar a eficiência do sistema.
6. Se um item falhar, você deve ser capaz de trocá-lo com um sobressalente de seus depósitos. O subsistema se torna inoperante se você não for capaz de trocar um item que falhou.
7. Itens que falhem não poderão ser reparados a bordo, apenas trocados.
8. Nenhum destes itens é intercambiável com qualquer dos outros.

Tabela 27.9
Número de Sobressalentes *versus* Probabilidade de Haver Falha

Item	TMAF	Nº Esperado de Falhas/ Viagens	Sobressalentes					
			1	2	3	4	5	6
A	686	2,1	60%	35%	16%	6%	2%	0,5%
B	"	"	"	"	"	"	"	"
C	800	1,8	52%	27%	11%	4%	1%	–
D	"	"	"	"	"	"	"	"
E	960	1,5	44%	20%	6%	2%	0,5%	–
F	"	"	"	"	"	"	"	–
G	1.200	1,2	35%	12%	4%	1%	–	–
H	"	"	"	"	"	"	–	–
I	"	"	"	"	"	"	–	–
J	"	"	"	"	"	"	–	–
K	"	"	"	"	"	"	–	–
L	"	"	"	"	"	"	–	–
M	1.600	0,9	22%	6%	2%	0,2%	–	–
N	"	"	"	"	"	"	–	–
O	"	"	"	"	"	"	–	–
P	"	"	"	"	"	"	–	–
Q	"	"	"	"	"	"	–	–
R	2.400	0,6	12%	1%	0,3%	0,1%	–	–
S	"	"	"	"	"	"	–	–
T	"	"	"	"	"	"	–	–
U	4.800	0,3	3%	0,3%	–	–	–	–
V	"	"	"	"	–	–	–	–
W	"	"	"	"	–	–	–	–
X	"	"	"	"	–	–	–	–
Y	"	"	"	"	–	–	–	–

Tabela 27.10
Folha de Trabalho

Item	TMAF	FT³/ITEM	Quantidade	FT³	Quantidade	FT³	Quantidade	FT³
A	686	8						
B	"	6						
C	800	3						
D	"	6						
E	960	9						
F	"	4						
G	1.200	3						
H	"	3						
I	"	5						
J	"	2						
K	"	4						
L	"	6						
M	1.600	1						
N	"	3						
O	"	3						
P	"	2						
Q	"	5						
R	2.400	7						
S	"	6						
T	"	3						
U	4.800	2						
V	"	4						
W	"	1						
X	"	2						
Y	"	3						
TOTAIS		101						

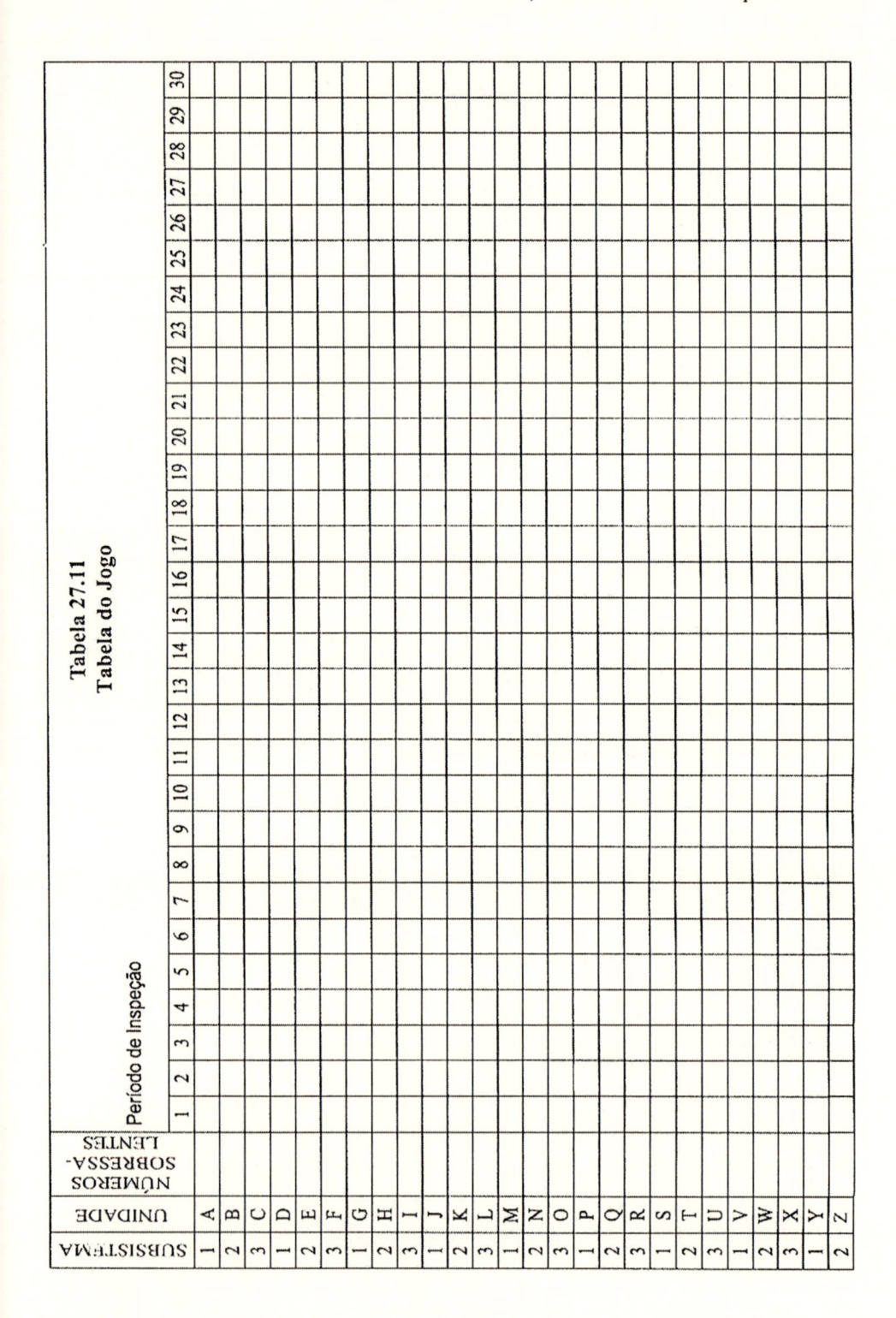

Tabela 27.11
Tabela do Jogo

SUBSISTEMA	UNIDADE	NÚMEROS SOBRESSA-LENTES	Período de Inspeção																											
			1	2	3	4	5	6	7	8	9	10	11	12	13	14	15	16	17	18	19	20	21	22	23	24	25	26	27	28	29	30
1	A																															
2	B																															
3	C																															
1	D																															
2	E																															
3	F																															
1	G																															
2	H																															
3	I																															
1	J																															
2	K																															
3	L																															
1	M																															
2	N																															
3	O																															
1	P																															
2	Q																															
3	R																															
1	S																															
2	T																															
3	U																															
1	V																															
2	W																															
3	X																															
1	Y																															
2	Z																															

Manutenção Centrada na Confiabilidade

28 Fazer a MCC do Sistema Abaixo

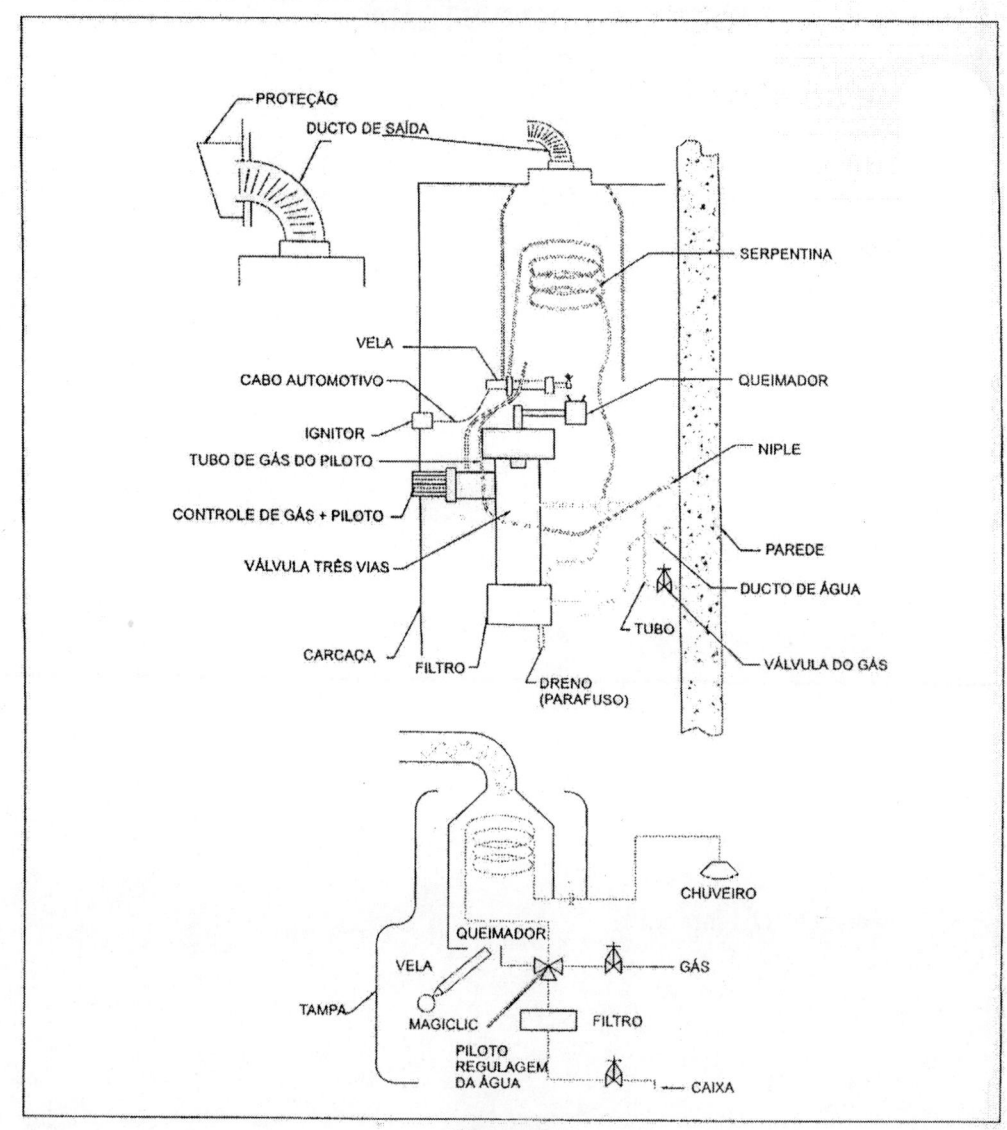

Figura 27.3

Para o preenchimento das tabelas a seguir, utilize os exemplos citados no texto.

Tabela 27.12 (Ver Capítulo 18, Páginas 249 e 250)

DEFINIÇÃO DO SISTEMA
NOME DO SISTEMA:
EQUIPE: DATA:
1. Principais equipamentos:
2. Fronteiras físicas do sistema:
3. Considerações necessárias:

Tabela 27.13 (Ver Capítulo 18, Figuras 18.2 e 18.5)

DIAGRAMA DE BLOCOS
NOME DO SISTEMA:
EQUIPE: DATA:
1. Funções e seus parâmetros:
2. Redundâncias:
3. Dispositivo de proteção:
4. Instrumentação/Controle

Tabela 27.14 (Ver Figura 18.5)

DIAGRAMA DE BLOCOS
NOME DO SISTEMA:
EQUIPE: DATA:
1. Diagrama funcional: 2. *Inputs:* 3. *Outputs:* 4. *Inputs/Outputs* internos

Tabela 27.13 (Ver Capítulo 18, Figuras 18.2 e 18.5)

DIAGRAMA DE BLOCOS	
NOME DO SISTEMA:	
EQUIPE:	DATA:
1. Funções e seus parâmetros:	
2. Redundâncias:	
3. Dispositivo de proteção:	
4. Instrumentação/Controle	

Tabela 27.14 (Ver Figura 18.5)

DIAGRAMA DE BLOCOS
NOME DO SISTEMA:
EQUIPE: DATA:
1. Diagrama funcional: 2. *Inputs:* 3. *Outputs:* 4. *Inputs/Outputs* internos

Tabela 27.15 (Ver Figura 19.4)

FUNÇÕES X MODOS DE FALHA		
NOME DO SISTEMA:		
EQUIPE:		DATA:
Função	Falha Funcional Nº:	Falha Funcional Descrição

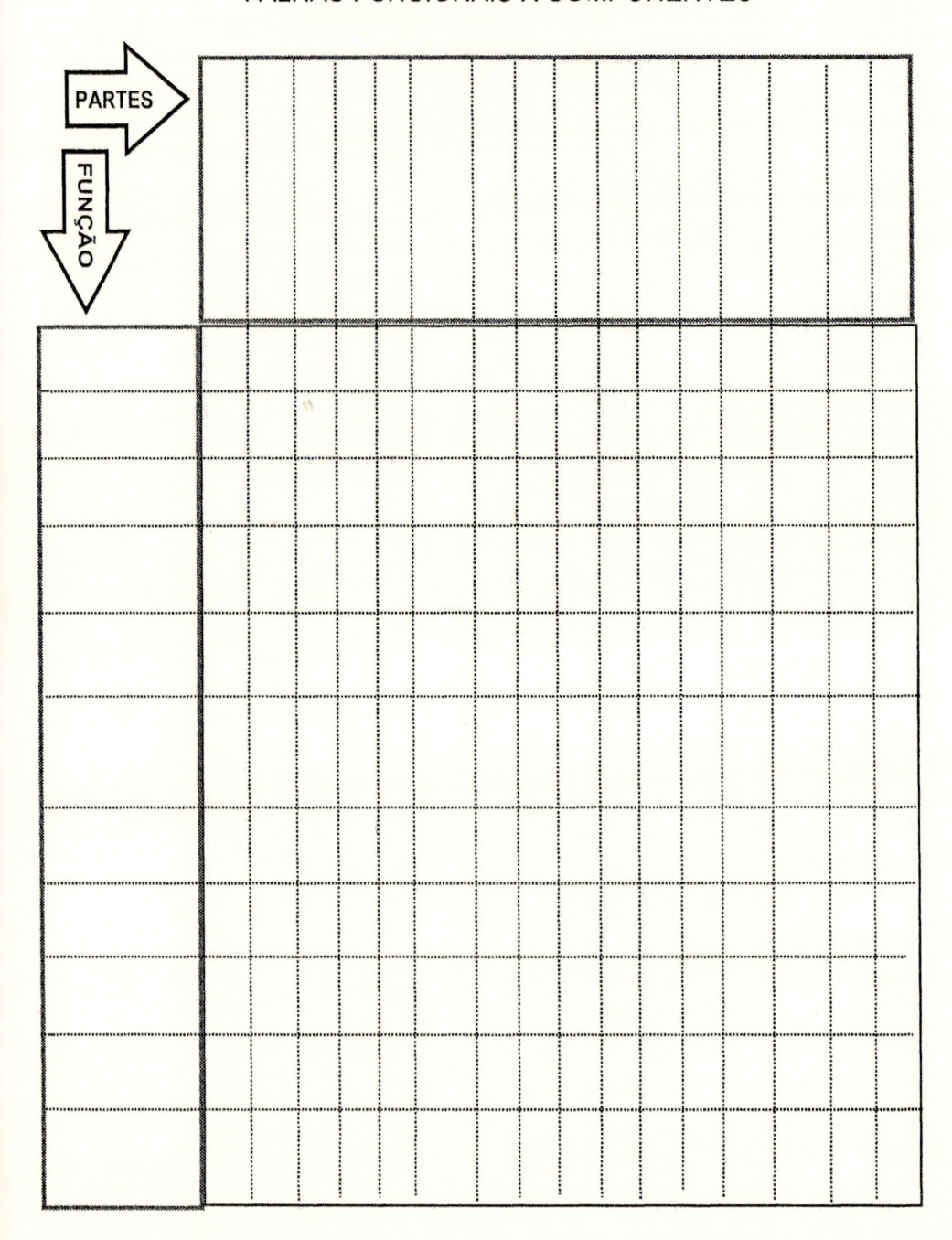

Tabela 27.16 (Ver Figura 19.7)

FALHAS FUNCIONAIS X COMPONENTES

Tabela 27.17 (Ver Figura 19.11)

FMEA – ANÁLISE DE MODOS DE FALHA E EFEITOS

Sistemas: _____ Participantes: _____

Componente: _____ Data: ___/___/___ Folha: ___/___

Parte	Função	Falha Funcional FF	Modo e Causa de Falha	Efeito(s) da Falha (Local/Subsistema)

Tabela 27.18 (Ver Figura 20.9)

MCC – FORMULÁRIO DE DECISÃO

Sistemas: _____   Participantes: _____

Subsistema: _____   Data: __/__/__   Folha: __/__

Parte	Informação			A B C D	1	2	3	4	5	6	Atividade de Manutenção Proposta	Efetiva	Freqüência
	F	FF	MF										

CAPÍTULO 28

Referências

American Petroleum Institute, documento de recursos básicos sobre a inspeção baseada em risco.

BS 5760: PART 1, 2 and 3: 1985.

CABRERA, Luis Carlos Queiros. *Transição 2.000 – Tendências e Estratégias*, Editora Makron Books, 1993.

CARTER, A. *Mechanical Reliability*, MacMillan Educations Ltd., 1986.

FINLEY, H. *Uma Visão Abrangente da Análise de Confiabilidade de Equipamentos*, traduzido por João Ricardo B. Lafraia, 1995.

FOSTER-WHEELER, *Relatório de Consultoria da Repar*, 1997.

GROSH, Doris Lloyd. *A Primer of Reliability Theory*, Wiley.

GUMBEL, E. J. *Statistics of Extremes*, Columbia Univ. Press, 1958.

IRESON, W. G., COOMBS, C. F. *Handbook of Reliability Engineering Management*, McGraw-Hill, 1988.

LAFRAIA, João Ricardo Barusso, *A Engenharia Simultânea em Refinarias de Petróleo*, 1995.

KECCECIOGLU, Dimitri. *Reliability Engineering Handbook*, Vols. 1 and 2, Prentice Hall, 1991.

MARSH & MCLENNAN, Os Grandes Prejuízos Materiais nas Indústrias Químicas de Hidrocarbonetos, uma *Revisão de Trinta Anos*. M&M Protection Consultans, 14ª edição, 1992.

MIRSHAWKA, V. et alli. *Notas de Aula do Curso de Engenharia de Confiabilidade*, IBGR, São Paulo, 1988.

_____. *Entrosando-se com a Qualidade*, Editora Nobel, 1987.

_____. *A Importância da Confiabilidade na Engenharia Moderna*, Revista da FAAP, Abril, 1988.

_____. *Alguns Aspectos da Análise do Erro Humano*, Revista da FAAP, Abril, 1988.

MOUBRAY, John. *Reliability Centred Maintenance*, Butterworth Heinemann, 1991.

NELSON, Wayne. *Applied Life Data Analysis*, Wiley, 1981.

NBR 5462 Set/1981 – Confiabilidade – Terminologia. O'CONNOR P.D.T. *Pratical Reliability Engineering Wiley*, 1985.

OLORUNNIWO, F. O., IZUCHYKWU, Ariwodo. *Scheduling Imperfect Preventive and Overhaul Maintenance*, Int. Jour. Of Quality and Reliability Management, Vol. 8, nº 4, 1991.

RICKETTS, Richard. *Pesquisa Aponta para as Práticas que Reduzem os Gastos de Manutenção de Refinaria,* Oil & Gas Journal, July 4, 1994.

SENGE, Peter. *A Quinta Disciplina,* Editora Campus, 1990.

SMITH, A. A. *Reliability Centred Maintenance,* McGraw-Hill, 1993.

SMITH, David J. *Reliability and Maintainability in Perspective,* McMillan Education, 3rd Edition.

SPIEGEL, Murray R. *Estatística,* McGraw-Hill, 1985.

VILLEMEUR, Alain. *Reliability, Availability, Maintainability and Safety Assessment,* Wiley.

ZÜRN, Hans Helmut. *Apostila Análise de Desempenho de Manutenção,* CEFET-PR, 1994.

_____. *Apostila Aspectos sobre Mantenabilidade,* CEFET-PR, 1994.

QUALITYMARK EDITORA

Entre em sintonia com o mundo

Quality Phone:
0800-0263311
ligação gratuita

Qualitymark Editora
Rua Teixeira Júnior, 441 - São Cristovão
20921-405 - Rio de Janeiro - RJ
Tel.: (21) 3295-9800
Fax: (21) 3295-9824
www.qualitymark.com.br
e-mail: quality@qualitymark.com.br

Dados Técnicos:

• Formato:	16 x 21 cm
• Mancha:	13 x 18 cm
• Fonte:	Times
• Corpo:	11
• Entrelinha:	13
• Total de Páginas:	388
• 5ª Reimpressão:	2014